비파괴검사개론

한국비파괴검사학회

박익근 著

NODE MEDIA
노드미디어

| 머리말 |

1960년대 초에 도입되어 반세기의 역사를 지니고 있는 우리나라의 비파괴검사 기술은 원자력 발전설비, 석유화학 플랜트 등 거대설비·기기들에서부터 반도체 등의 소형 제품에 이르기까지 검사 적용대상도 다양해져 이들 제품의 안전성 및 품질보증과 신뢰성 확보를 위한 핵심 요소기술로서의 중심적인 역할을 분담하게 되었다.

특히 한국비파괴검사학회의 활동 중 비파괴검사기술자의 교육훈련 및 자격인정 분야에서는 그 동안 꾸준한 활동으로 산·학·연에 종사하는 많은 비파괴검사기술자를 양성하였고, ASNT Level Ⅲ 자격시험의 국내 유치, KSNT Level Ⅱ 과정의 개설을 위시하여 최근에는 ISO 9712에 의한 국제 표준 비파괴검사 자격시험의 도입을 준비 중에 있다.

이에 학회에서는 비파괴검사기술자들의 교육 및 훈련에 기본 자료로 활용하는 것 뿐만 아니라 비파괴검사 분야에 입문하는 분들이 비파괴검사를 체계적으로 이해하고 관련 실무지식을 체득할 수 있는 비파괴검사 이론 & 응용을 각 종목별로 편찬 보급하고 있다. 이 교재는 1999년도에 초판으로 발행된 비파괴검사 자격인정교육용 교재 1(비파괴검사개론)의 개정판이다.

책은 마음의 양식이요 지식의 근본이라 했다. 지식정보화의 시대를 살아가는데 지식은 미래의 값진 삶을 지향하기 위한 원천이다. 특히 전공 교재는 특정 영역의 체계적이고 가치 있는 내용을 담고 있는 지식의 근원이요 터전이다

본 비파괴검사 이론 & 응용은 비파괴검사 분야에 입문하는 자 및 산업체의 품질보증 관련 업무에 종사하는 초·중급 기술자는 물론 고급기술자 모두가 필수적으로 알아야할 비파괴검사 기술의 개요와 타 전문 분야와의 연관성 등에 한정하여 기술하고 있다. 아울러 이 교재에서는 현재 산업 현장에서 적용이 시도되고 있거나 연구개발 중에 있는 각종 첨단 비파괴검사 방법의 종류와 특징도 소개하고 있다

끝으로 본 교재의 출판에 도움을 주신 노드미디어(구. 도서출판 골드) 사장님과 자료 및 교정에 협조하여 준 서울과학기술대학교 비파괴평가연구실의 김용권 박사와 대학원생들에게 심심한 사의를 표하는 바이다.

2011년 10월
저자 씀

| 목차 |

CONTENTS

제 1 장 ━ 비파괴검사의 개요

제 2 장 ― 재료와 결함

제 3 장 ┣ 방사선투과검사

제 4 장 — 초음파탐상검사

제 5 장 ― 음향방출검사

제 6 장 ─ 침투탐상검사

제 7 장 ― 자분탐상검사

제 8 장 ━ 와류탐상검사

제 9 장 ─ 기타 비파괴검사

제 10 장 ━ 첨단 비파괴검사

제1장 비파괴검사의 개요

1.1 개요

최근 기계·장치 산업을 중심으로 하는 기계 설비나 구조물·시설은 고도화·집약화 되어 하나의 시스템으로 제어·사용되고 있다. 따라서 이것을 구성하는 장치 및 기계류의 이상이나 고장이 생산시스템이나 설비에 미치는 영향은 종래와는 생각할 수 없을 정도로 클수 있다. 이와 같은 생산시스템이나 설비를 안전함과 동시에 효율 좋게 유지관리하기 위해서는 대상이 되는 시스템·설비 또는 그들을 구성하는 기계·부품의 상태를 정량적으로 파악하는 것이 중요하다.

산업 설비·기계의 건전성을 개별적 또는 종합적으로 감시하고 고장이나 열화 등을 사전에 검지하는 방법으로 비파괴검사·진단 기술은 예지보전(*conditioning monitoring*)의 단순한 요소기술로의 의미만이 아니고 응용·전개기술로서의 중요한 지위를 점하고 있다. 원전보수검사 분야에서 비파괴검사의 역할은 모니터링 기술 및 원격진단기술이 IT 통신기술을 포함하는 급속한 진보와 함께 멀지 않아 유비쿼터스(*ubiquitous*) 기술 환경 하에서 오피스나 현장의 모니터 또는 휴대전화, PDA 앞에서 온라인 모니터링되는 정보로 대화를 해가면서 검사·계측·진단하는 모습을 쉽게 볼 수 있을 것이다.

우리가 일상생활 속에서 사용하고 있는 기기(機器) 들은 금속, 세라믹, 플라스틱 등의 다양한 소재로 만들어져 있다. 이들 재료나 구조물의 신뢰성은 충분히 확보되어 있다고 생각하기 때문에 별 생각 없이 사용하게 된다. 제품의 신뢰성을 보증하기 위한 실험적 검증 데이터의 확보·수단으로는 재료, 기기, 구조물을 직접 파단한 후 파단면 관찰, 인장시험 등을 통해 기계적 강도를 평가하는 파괴시험과 이를 대신하는 비파괴시험(非破壞試驗, *nondestructive testing ; NDT*) 등이 있다.

구조물의 건전성(*integrity*)을 보증하기 위한 실험적 검증 데이터의 확보수단으로 파괴시험(破壞試驗, *destructive testing; DT*)과 비파괴시험을 이용한다. 파괴시험은 재료, 기기, 구조물을 직접 파괴하여 그것의 역학적 성질을 규명하는 것으로 인장시험, 충격시험, 크리프(*creep*)시험, 피로시험, 파면관찰 등이 있고, 비파괴시험은 시험 대상물을 직접 파괴하지 않고 그것의 물리적, 화학적 역학적 성질에 대한 정보를 얻는 것으로 육안검사, 초음파탐상검사, 방사선투과검사, 자기탐상검사 등이 있으며 검사결과의 신속성, 적용의 용이성, 경제성 등의 이유로 파괴시험을 대신하여 급속히 보급되고 있다. 그러나 비파괴시험 결과의 신뢰성에 대한 문제가 아직 과제로 남아있다. 파괴시험을 대신하여 비파괴시험이 급속히 보급되고 있는 이유로는 검사결과의 신속성, 적용범위의 확대, 경제성 등이 있으나, 비파괴시험 결과의 신뢰성에 대한 문제가 해결되지 않는 한 비파괴시험의 결과를 완전히 믿어서는 안 되며, 파괴시험 데이터와의 비교 검토가 항상 수반될 필요가 있다.

비파괴시험은 소재, 기기(機器), 구조물의 품질관리(*quality control ; QC*)나 품질보증(*quality assurance ;QA*)의 한 수단으로 이용되는 계측기법으로 재료, 제품, 구조물 등의 종류에 거의 상관없이 시험대상물을 손상, 분리, 파괴시키지 않고 원형 그대로 유지한 상태에서 시험체의 표면이나 내부의 결함유무와 그 상태 또는 대상물의 성질, 내부구조 등을 조사하는 시험전체를 말한다. 즉, 비파괴시험은 대상이 되는 피검사체를 파괴시키지 않고 그 건전성, 성능, 결함의 존재상태 등을 조사하기 위한 단순한 결함검출기법을 말한다.

이에 비해 비파괴검사(非破壞檢査, *nondestructive inspection ; NDI*)는 비파괴시험을 한 후 그 결과와 기능 및 건전성의 판정기준(*acceptance criteria*)에 근거하여 그 시험대상물이 사용 가능한가 어떤가의 합부(合否)의 판정까지를 내릴 때를 말한다. 비파괴검사에 의해 제품에 결함이 발견되었을 때 검사자 또는 자동검사장치는 그 제품을 그대로 사용 또는 판매해도 좋은 지의 판정을 내려야 하고, 이를 위해서는 관련 규격 등에 근거한 합부판정 기준이 필요하게 된다.

지금까지 비파괴검사는 몇몇 적용분야를 제외하고는 검사기술의 수준이 높지 못하여 주로 결함의 유무 검출이 주였다. 그 이유로는 결함의 크기나 위치 등의 정확한 파악이 어렵기 때문이다. 따라서 검사의 판정은 검사대상의 제품(결함을 포함하는 제품)의 사용 여부를 판정하는 명확한 기준이 정해져 있지 않기 때문에 결함이 발견된 것은 모두 불량품으로 하고 있는 경우가 많다. 이상으로부터 보다 정확한 검사를 하기 위해서는 검사기술의 진보와 함께 검사 합부 판정기준의 확립이 매우 절실함을 알 수 있다.

비파괴평가(*nondestructive evaluation ; NDE*)는 재료의 부하조건이나 환경조건을 파악하고 파괴역학적으로 재료의 수명을 예측하여 종합적으로 재료의 건전성을 평가하는 비파괴 계측기법이다. 이 비파괴평가는 단순한 결함검출기법으로 재료평가(*materials evaluation*)의 상당한 부분을 점유하고 있고 재료 및 구조물의 기능, 신뢰성을 종합적으로 판단하는 기술요소로 알루미늄 및 티타늄합금이 사용되는 항공기 부재 등에서는 검사가 용이한 구조물

형상을 요구하기도 하고 구조설계를 규정하는 역할을 담당하기도 한다. 또, 한편으로 신소재, 첨단재료 등에서는 아직 이들에 대한 비파괴평가기법이 확립되어 있지 않고, 이들 첨단재료의 품질보증을 위한 비파괴평가기법의 확립이 신소재 개발의 중요한 과제중의 하나가 되고 있다.

1.2 비파괴검사의 목적

비파괴검사 · 진단을 하는 데는 여러 가지 목적이 있다. 따라서 비파괴검사 · 진단을 할 때에는 우선 그 시험을 통해 무엇을 알고자 하는가를 명백히 해야 한다. 그 후에 목적을 달성하기 위해 어떠한 시험방법과 시험조건을 이용할 것인가에 대해 결정을 해야 한다.

비파괴시험 · 검사의 주된 목적은 결함의 검출 뿐 만 아니라 구조물 등 검사체의 건전성(*integrity*)을 확보하는 데에 있다. 이 외에도 비파괴시험을 적용함으로써 각 제조단계에서 제품의 불량률을 저하시키는 것이 가능하기 때문에 제조원가의 절감에도 영향을 미치는 동시에 제조기술의 개량도 가능하게 된다.

가. 품질보증

제조 공정의 개선으로부터 충분한 품질의 재료나 구조물의 제작이 가능하게 된 경우, 그 다음에 문제가 되는 것은 역시 그 각각의 제품의 신뢰성을 확보하는 것, 다시 말해 제품 각각의 품질보증이다. 신뢰성(*reliability*)의 정의는 제품의 종류나 사용목적에 따라 다르지만 일반 공업제품의 경우에는 규정된 사용조건하에서 기대되는 수명기간 중 "제품의 일부 또는 전부가 파손되지 않고 소기의 성능을 만족시키며 가동할 수 있는 기간 내에 실제로 가동한 시간의 비율(이용도)"을 신뢰성의 높고 낮음에 관한 기준으로 삼고 있다. 예를 들면 보통 건물에 사용되고 있는 콘크리트의 경우에는 다소 미세균열이 있어도 그 건물의 구조를 지지할 수 있는 강도가 유지되면, 구조물의 신뢰성은 확보되었다고 말 할 수 있다. 그러나 만약 콘크리트가 방수 목적인 경우에는 아주 미세한 틈도 누수의 원인이 되므로 이미 그 구조물의 신뢰성은 상실되었다고 할 수 있다. 또, 자동차용 강판의 표면 결함은 그 제품의 강도자체에는 영향을 미치지 않으나 미적인 관점에서 보면 제품 가격을 크게 저하시키는 것이 된다.

이와 같이 신뢰성이나 품질보증의 의미는 재료나 구조물의 종류, 사용목적에 크게 의존하고 있다. 그러나 일반적인 공업제품의 신뢰성에 대한 평가 변수로 (1) 제품 성능의 편차를 나타내는 통계적인 양 (2) 제품의 파손(일부 또는 전부)으로 인해 저하한 성능의 초기 성능에 대한 비율 (3) 어떤 사용조건으로 제품이 파손되지 않도록 초기의 성능을 만족하게 가동하면 기대되는 기간에 대한 실제로 가동한 기간의 비율 등을 고려할 수 있다. 여기서 제품의 열화, 다시 말해 제품의 일부 또는 전부가 파손되고 소기의 성능을 만족하지 못하는 상태가 일어나는 원인으로는 그 제품을 구성하는 재료의 문제, 그 제품 구조의 설계 문제,

그리고 그 제품 구조의 문제, 그 제품을 사용하는 방법에 대한 문제 또는 역학적 조건을 포함한 사용 환경이 상정되어 있는 것에서 큰 폭으로 변화하는 경우 등을 들 수 있다. 어느 원인의 경우에 대해서도 그 제품의 열화나 손상이 발생하는 확률은 가능한 한 낮게 잡아야 한다.

이처럼 재료의 선택으로부터 제품의 제조, 사용의 다양한 단계에서 각 단계에 상정되어 있는 결함에 대해 그 결함의 검출에 유효하고 적절한 비파괴시험법을 적용한 비파괴평가를 통해 제품의 건전성을 확인하고 신뢰성을 향상시키는 것이 가능하게 된다. 그러나 단순히 비파괴시험을 적용한다 해서 무조건 제품의 신뢰성이 향상되는 것은 아니다. 목적을 충분히 고려하고 그것에 가장 적합한 비파괴시험법을 선택하여 올바른 시험기술로 행해야한다. 그러기 위해서는 각종 비파괴시험법의 원리를 잘 이해하여 올바르게 적용할 필요가 있다.

나. 제조 공정의 개선

어떤 제조기술로부터 재료나 구조물의 제작이 가능하게 된 경우, 그 후에 문제가 되는 것은 그 제품의 신뢰성을 확보하는 것이다. 이것은 제품의 품질을 어느 정도 등급으로 확보하는 것, 다시 말해 그 제품에 존재하는 결함을 어느 등급 이하가 되게 하는 것을 의미한다. 이를 위해서도 비파괴평가는 큰 도움이 된다. 다시 말해, 어떤 정해진 품질의 제품을 만드는 경우나, 제품 제작을 위한 제조기술이 적절한지를 확인하기 위해 비파괴평가를 적용하는 것이 가능하다. 우선, 그 제조기술에 의해 시제품을 만들고 그것에 대해 비파괴시험을 하여 일정수준의 품질이 확보되는지 여부를 확인한다. 만약 적절치 못하면 그 발생 원인을 명확히 밝히고 지속적으로 제조기술의 개량을 꾀한다. 그리고 각각의 제조 공정의 문제점을 해결하여 최종적으로 기대되는 품질의 제품이 안정되게 얻어지는 제조기술을 확립한다. 이 경우에는 발생하는 결함의 특징을 잘 이해하고 그 결함의 검출에 적절한 비파괴시험법을 선택하고 이용하는 것이 중요하다.

비파괴검사를 하는 것은 언뜻 보기에는 불필요한 공정단계나 비용을 필요로 하고 제조원가가 상승할 것으로 예상되나 전체 생산 비용을 고려해 보면 반드시 그렇지는 않다. 비파괴검사를 하지 않았기 때문에 제품의 사용 후에 생기는 보수에 필요한 비용이나 파괴사고가 발생된 경우의 물적 또는 인적 피해에 대한 보상비에 비하면 비파괴검사에 드는 비용은 결코 크지 않다. 또 제조단계에서 발견된 불량품의 보수는 비교적 용이하고 적은 공정과 저렴한 비용으로도 가능하다. 특히 고가의 재료나 구조물에서는 최종 제품에 이르기 전, 반제품의 단계에서 충분한 품질을 갖지 못하는 것의 제거, 즉 스크리닝(*screening*)을 할 필요가 있다. 거기에는 각 공정마다 반제품의 양부를 판정하는 것이 필요하고 이러한 의미에서도 비파괴검사의 중요성이 인식될 수 있다.

예를 들면 일정한 용접조건에 의해서 시험편을 제작한 후 이 시험편에 방사선투과검사를 하여 그 결과를 보아 가면서 용접조건을 수정해 가며, 최종적으로 소기의 품질을 만드는 최적용접조건을 결정한다. 또, 주조방안을 결정하기 위해 같은 방법으로 방사선투과검사를 이용, 결함의 발생상황으로부터 탕구 및 압탕 등의 위치를 개량해 가며 최종적으로 주조방안을 결정한다. 이상은 모두 제조기술의 개량을 목적으로 한 사용 예이다.

다. 제조원가의 저감

비파괴검사를 한다는 것은 검사비용을 증대시키고 나아가서 제조원가를 상승시키는 것 같이 생각하기 쉬우나 미리 우수한 품질의 제품이 만들어지도록 최적 제조조건이 결정되면 그 후에는 품질에 영향을 미치는 행위가 가해질 때마다 제조공정 중에 적절한 단계를 선택하여 효과적인 비파괴검사를 실시하고 품질을 확인해 가면서 공정을 진행해 가면 최종단계에서 불량의 발생을 발견함에 의한 공정의 낭비를 배제하는 것이 가능하며 불필요한 공정에 대한 낭비를 없애면 제조원가의 절감을 꾀하는 것이 가능하다.

예를 들어 용접완료 전의 중간단계에 비파괴검사를 실시하여 그때까지의 용접에 대한 결함 발생이 없음을 확인해 가면서 나머지 용접을 진행시킨다면, 용접완료 후 비파괴검사로 결함이 발견될 때 필요한 보수공정을 없앨 수 있다. 또 주조품을 기계가공해서 사용할 때 기계가공 후 가공면에 큰 슬래그개재물이나 공동 또는 터짐 등이 생겨서는 안 되는 경우가 있다. 이와 같은 경우에는 기계가공을 실시하기 전에 기계가공을 할 부분에 미리 비파괴검사를 실시하고, 기계가공 후 결함이 나타나서 불합격이 되는 경우에 소요되는 가공의 공정 수를 줄일 수가 있다.

이와 같이 비파괴검사를 실시하는 것은 근시안적으로 보면 쓸데없는 공정수가 소요되어 제조원가의 상승을 초래한다고 볼지 모르나 이 비용의 상승은 비파괴시험을 하지 않음으로 인해 생기는 사용개시후의 보수, 재수리에 소요되는 비용, 혹은 파괴사고가 일어난 경우에 지불해야하는 변상에 비하면 극히 적은 것이다.

또 제조단계에서 불량 부위가 발견되어도 보수가 비교적 용이하고 공정의 혼란을 야기시키지 않으므로 전체적으로 보면 적은 공정 수, 적은 비용을 유도할 수 있다.

라. 신소재의 개발

첨단 기술의 하나로 신소재를 들 수 있고 그 개발에 큰 기대를 걸고 있다. 우리들이 이용하고 있는 재료를 크게 분류하면 구조재료나 무기재료로 나누어진다. 간단히 기술하면 구조재료는 교량, 자동차, 선박, 항공기 등에 이용되고 있는 고강도재료이다. 이에 비해 기능재료는 반도체, 각종 센서 등으로 대표되는 광학적, 전기적, 자기적, 화학적 성질이 우수한 지적재료이다.

이들 신소재 중에서 특히 구조용의 신소재는 극저온, 초고온의 상태에서 이용되고 있고, 방사선, 충격하중, 열충격 등의 가혹한 조건하에서 이용되는 경우가 많다. 여기에 이용되는 재료를 극한재료라 부른다. 이와 같이 신소재의 대부분은 극한환경에서 이용할 수 있어야 하므로 이러한 환경에 견딜 수 있는 내환경재료의 개발이 신소재 개발의 하나의 과제가 되고 있다. 예를 들면 앞으로 개발이 기대되는 우주항공 분야의 하나로 우주항공기 (*space plane*) 등에서는 세라믹, 복합재료, 금속간화합물 및 경사기능재료 등의 초고온에 강하고 고강도경량인 구조용 신소재의 개발이 필요하다. 또, 심해저탐사선 등에서는 초경량, 초강력티타늄합금의 개발이 진행되고 있다. 이와 같이 신소재의 개발은 생물공학(*bio technology*), 전자공학(*electronics*)과 함께 앞으로의 과제가 되고 있어 금후의 기술 개혁에서 중요한 기반기술이라 말할 수 있다.

이와 같은 신소재로는 일부 금속재료도 포함되나 세라믹, 유리, 금속간화합물, 고분자기 복합재료 등의 첨단적인 복합재료가 주 대상이 된다. 그러나 이들 재료는 취성적이고 신뢰성이 낮은 단점이 있어 앞으로의 신소재로는 인성이 높은 재료일 필요가 있다. 인성이란 앞에 기술한 바와 같이 균열이 진전하기 어렵고 파괴하기 어려운 역학적 특성을 의미한다.

따라서 재료설계의 목적은 취성을 극복하고 높은 인성을 갖는 재료를 개발하는 것이고 그러기 위해서는 최종적인 파괴에 이를 때까지의 과정을 명확히 하면서 인성향상을 위한 재료설계기법을 확립해야 한다. 이것은 대부분의 재료, 구조물에서 갑작스런 파괴가 생기는 것이 아니라 여러 종류의 미시적인 파괴가 최종적으로 파괴에 이르는 경우가 많기 때문이다. 따라서 재료의 인성을 고려하는 데에는 그 재료의 특수한 파괴과정을 이해하는 것이 중요하다. 이와 같은 미시적인 파괴기구의 해명을 위해서는 각각의 미시적인 파괴의 검출 및 특성평가가 중요하게 되고 비파괴적인 결함검출은 중요한 요소기술이 된다.

1.3 비파괴검사 방법의 종류와 특징

비파괴검사는 검사대상물의 빛, 방사선, 초음파, 전기, 자기 등에 대한 응답특성이 내부 조직의 이상이나 결함에 의해 변화하는 것을 원리로 하고 있다. 이러한 비파괴적 방법으로 재료·구조물의 특성을 평가하는 것은 재료를 파괴시켜야만 재료특성을 이해할 수 있는 재료시험과는 크게 다른 점이다.

비파괴검사의 종류로는 육안검사(*visual testing; VT*), 방사선투과검사(*radiographic testing; RT*), 초음파탐상검사(*ultrasonic testing; UT*), 자분탐상검사(*magnetic particle testing; MT*), 침투탐상검사(*liquid penetrant testing; PT*), 와전류탐상검사(*eddy current tecting; ET*), 스트레인측정(*strain measurement; SM*), 음향방출검사(*acoustic emission test; AT*), 적외선열화상검사(*infrared thermography test; IRT* 또는 *TT*) 등이 있다. 이 중에서 음향방출검사와 열화상해석법을 제외한 7종류의 비파괴검사가 현재 많이 사용되고 있으며, 검사의 목적을 달성하는 것이 가능하고 동시에 경제성, 휴대성, 조작성이 우수하여 일반적으로 이용되고 있는 검사법이라 할 수 있다. 이 외에도 실제로 사용되고 있는 비파괴검사의 종류는 매우 다양하다. 더구나 현장에서 이용되지는 않지만 연구실에서 이용 가능한 것이라든가, 일반적으로는 이용되고 있지는 않지만 매우 특수한 한정 분야에서 이용되고 있는 방법까지를 가산하면 그 수는 더욱 많아진다.

모든 비파괴검사는 물리적 현상의 원리를 이용하고 있으므로, 비파괴검사의 분류도 이러한 관점으로부터 분류하는 것이 가능하다. 즉,

① 광학, 색채학의 원리를 이용한 검사방법: 육안검사, 침투탐상검사
② 방사선의 원리를 이용한 검사방법: 방사선투과검사, CT 검사
③ 전자기(電磁氣)의 원리를 이용한 검사방법: 자분탐상검사, 와류탐상검사
④ 음향의 원리를 이용한 검사방법: 초음파탐상검사, 음향방출검사
⑤ 열의 원리를 이용한 검사방법: 적외선열화상검사
⑥ 누설의 원리를 이용한 검사방법: 누설검사

이상은 원리적인 면에서 분류한 것이고, 그 검사대상 부위, 예를 들면 시험체의 내부나 표면 또는 표층부에 관한 정보에 따라 분류하는 것도 가능하다. 각각에 속하는 시험법의 예를 나타내면 다음과 같이 된다.

① 표면 또는 표층부에 관한 정보를 얻기 위한 비파괴검사
　육안검사, 침투탐상검사, 자분탐상검사 및 와류탐상검사 등
② 내부에 관한 정보를 얻기 위한 비파괴검사
　방사선투과검사, 초음파탐상검사 등

이상은 시험대상부위에 따라 분류한 것이고, 가장 많이 사용되는 분류법이다. 이 중 표면에 관한 정보를 얻기 위한 비파괴검사에서는 어떠한 원인에 의해 그 결과가 얻어졌는가를 직접 육안으로 보고 확인하는 것이 가능하여 매우 확실한 정보를 얻을 수 있고, 그 정보로부터 단순히 표면에 관한 정보만이 아니라 내부와 연관된 정보도 얻는 것도 가능하다. 이에 비해 비파괴검사로부터 얻어지는 내부에 관한 정보는 표면에 관한 정보와는 달리 절단시험을 하는 것 이 외에는 육안으로 직접 확인하는 방법이 없어 고정밀도의 정량적 결과를 얻기 어렵고, 동시에 그에 따른 표면에 관한 정보도 얻기가 어렵다. 이로부터 검사결과를 정량화 정도에 따라 검사법을 분류하는 것이 가능하다.

① 비교적 정량성이 높은 검사결과가 얻어지는 비파괴검사
　육안검사, 침투탐상검사, 자분탐상검사, 방사선투과검사,
　초음파두께측정 등
② 그다지 정량성이 높지 않는 검사결과가 얻어지는 비파괴검사
　초음파탐상검사, 와류탐상검사 등

이 밖에도, 최근 새로운 원리에 기초한 첨단 비파괴검사법이 제안, 개발되고 있다. 이들 기법은 각각의 장단점을 가지고 있기 때문에 어느 방법을 이용할 것인가는 그 목적에 맞게 가장 적절한 비파괴검사방법 및 그 적용방법을 실시해야 한다.

1.4 비파괴검사의 적용

가. 검사 분야에의 적용

비파괴검사는 검사의 수단, 조사의 수단, 그리고 시험·연구의 수단으로 적용되는데 이 중에서 공업적 이용가치가 높고 가장 많이 이용되고 있는 것이 검사의 수단으로 적용하는 분야이다. 일반적으로 소재로부터 각종 기기, 구조물의 검사는 여러 종류의 방법이 이용되고 있지만 주로 결함검사, 재질검사, 계측검사, 각종 두께측정 및 스트레인측정 등에 비파괴검사가 많이 이용되고 있다.

소재 및 기기 구조물을 제작하는 경우에 하는 검사는 재료 및 용접부의 품질평가(*quality evaluation*)를 위한 것이라 생각할 수 있다. 다시 말해, 제조 과정에서 소재나 용접부에 하는 검사는 제조된 것이 규정된 규격 혹은 사양서에 근거하여 제조되고, 규정된 품질을 만족하는가 여부를 확인하기 위한 목적으로 행해지며, 비파괴검사는 이 목적을 달성하기 위한 품질보증(*QA*)과 품질관리(*QC*)의 한 수단으로 사용된다.

사용 개시 후 일정기간마다 하게 되는 검사는 다음 검사 시점까지 안전하게 사용 가능한가의 여부를 추정·평가하는 것으로 기기나 구조물의 수명평가(*life assessment*)를 위해 행해진다. 다시 말해 정기검사, 보수검사, 사용기간 중 검사 시에는 사용조건을 근거로 새로 발생된 이상상태를 검출하여 그 종류, 형상, 크기, 발생개소, 응력레벨, 응력방향과의 관계 등으로부터 다음의 검사 시까지 어느 정도 성장할 것인가를 예측하고 보수 또는 폐기 여부를 결정하지 않으면 안 된다.

따라서 그 평가기준은 결함의 발생 원인에 따라 달라지므로 평가방법의 기준은 나타낼 수 있어도 품질평가의 경우에 얻는 판정기준을 단순히 나타내는 것은 불가능하다. 그러나 수명을 평가하기 위해서는 검출된 이상부에 대한 정보를 근거로 하여 그 성장량을 예측하지 않으면 안 된다. 그러기 위해서는 예측에 필요한 기본 데이터가 되는 결함의 종류, 형상, 크기, 위치, 방향을 가능한 한 정확하게 파악할 필요가 있다. 이들 데이터를 이용하여 수명을 평가하는 방법은 현재 파괴역학적 수법으로 많이 이용되고 있다.

나. 조사 분야의 적용

구조상 분해가 불가능하거나 분해는 가능해도 재조립이 곤란한 내부구조 또는 내용물을 조사하고 싶을 때, 혹은 내부구조에 이상이 있는지의 여부를 조사하고 싶을 때, 방사선투과검사를 이용하면 그 목적을 달성할 수 있는 경우가 있다. 전기부품의 배선 조사, 수하물의 내용물을 조사하는 것에 이용되는 것이 그 예이다.

다. 시험·연구 분야에의 적용

재료 및 용접 등에 관한 시험·연구에 있어 비파괴검사는 매우 중요한 수단이 되고 있다. 그것은 일일이 파괴시험을 하여 조사하지 않아도 재료 내부 혹은 표면에 존재하는 매우 미세한 현상으로부터 육안으로 파악하는 것이 가능한 현상까지 물리현상의 변화로 유도해 내는 것이 가능하기 때문이다. 그 가능성과 정도는 현상에 따라서 검사법마다 다르기 때문에, 적절한 검사법의 선택이 시험·연구 성공의 열쇠가 된다. 따라서 기존의 비파괴검사방법에만 얽매이지 말고 새로운 검사기술의 개발을 통해 시험·연구에 가장 적합한 검사법을 찾아야 할 것이다.

라. 적용 방법

그림 1.1은 품질보증을 대상으로 한 비파괴검사의 흐름도를 나타내고 있다. 우선, ① 재료 내의 결함의 유무를 검출하고 ② 그 위치를 명확하게 하고 ③ 각 결함의 종류를 분류하고 ④ 각각의 결함의 크기 ⑤ 형상 등의 특성을 명확하게 한다.

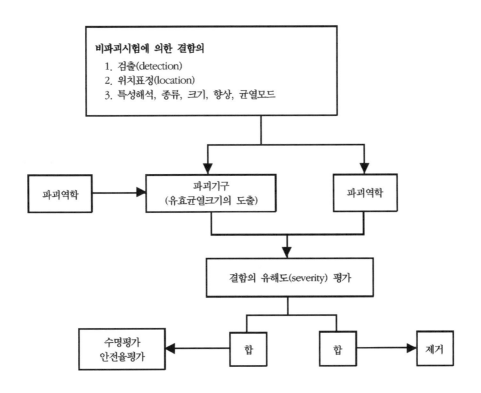

그림 1.1 비파괴검사의 흐름도

다음에 ⑥ 부하, 환경조건을 고려한 파괴양식으로 파괴의 기구를 명확하게 하고 파괴 역학적 취급으로부터 결함의 유해도를 결정한다. ⑦ 그 결과를 이용하여 최종적으로 합부의 판정, 다시 말해 재료의 스크리닝을 하고 최종 합격한 재료에 대해서는 ⑧ 안전율이나 수명평가 등을 한다. 여기서, 결함을 검출하는 ① ~ ⑤까지가 비파괴검사의 범주이고 비파괴평가로는 ⑥ ~ ⑧의 영역을 포함한다.

따라서 비파괴시험 · 검사는 결함검출기술인 비파괴검사기술의 정밀도 향상과 함께 ① 검출불능결함 ② 특정화 될 수 없는 결함의 존재 ③ 검출한 결함크기(성장균열)와 파괴원(초기결함)이 된 크기의 대응 ④ 파괴 모델(미시결함의 생성, 성장, 합체 프로세스)의 해명, ⑤ 시험법에 의한 값의 편차 등의 문제를 항상 고려해 나가야 한다. 한편, 최근 비파괴검사법의 정밀도 향상법으로 단일 기법의 정밀도 향상 만에 국한하지 않고 복합검사기법이 제안되어 성과를 거두고 있다. 또 제품의 검사에는 미리 검사를 하기 쉬운 형상으로 설계를 하는 등 비파괴검사를 고려한 제품설계 기법에 의한 검사 정밀도의 향상도 고려해야 한다.

1.5 비파괴검사의 신뢰도

비파괴검사의 신뢰도(*reliability*)는 언제, 누가, 어디서 하여도 동일한 시험체에 대해서는 동일한 검사결과가 얻어지는 것을 말한다. 다시 말해 비파괴시험·검사의 결과의 시간적 재현성이 있어야한다는 것이다. 비파괴검사는 본래 특정의 물리적 에너지를 이용하여 그것의 투과, 흡수, 산란, 반사, 누설, 침투 등에 의한 변화를 특정의 검출체를 이용하여 검출하고 이상 유무를 조사하는 방법이다.

이상부분을 검출할 수 있는가의 여부는 시험체의 재질, 조직, 형상, 표면상태, 사용하는 물리적 에너지의 성질, 검출하려고 하는 이상부분의 상태, 형상, 크기, 방향성, 그리고 검출체의 특성 등에 크게 영향을 받는다. 따라서 적절한 검사법을 이용하여 이상부분을 가능한 한 완전히 검출할 수 있어야 한다. 비파괴검사를 하여 무결함이라고 판단되는 정보가 얻어져도 반드시 결함이 없는 것으로 판단해서는 안 된다. 특히 비파괴검사에 의해 얻어진 이상부분의 종류, 형상, 크기, 방향성 등에 관한 정보는 이용하는 검사법에 따라서 각각 다르고, 검사법의 특성과 이상부분의 성질의 조합에 의해 어떤 경우에는 매우 정밀도 높게 측정할 수 있지만 또 어떤 경우에는 큰 오차를 수반하여 측정될 수도 있다. 이것은 품질평가나 수명평가를 하는 경우에 비파괴검사를 하는 데 있어 매우 중요한 인식이다.

비파괴검사를 실시할 때 중요한 것은 검사를 하는 제품의 사용조건, 설계수명, 제품·부품의 성질, 용도를 충분히 파악하고 제품이 기간 중에 기능을 충분히 다할 수 있는가 어떤가를 평가할 수 있는 비파괴검사의 기법을 선택·적용하는 것이다. 비파괴검사의 신뢰도를 높이는 요인으로는 ① 비파괴검사를 하는 기술자의 기량, ② 제품·부품에 대한 검사기법의 적응성, ③ 비파괴검사결과의 평가기준 등이다. 또 단일검사수법에 의해서만 검사하는 것이 아니라 가능한 한 적용 가능한 비파괴검사의 기법을 중복 또는 조합하여 실시함으로서 비파괴검사의 신뢰도를 높일 수 있다.

비파괴검사는 신제품에 대해서만 아니고 제품의 내구성, 사용 환경 조건 등에 관해 정기적으로 검사함으로써 수명예측이나 보수기간의 판단을 가능하게 한다. 결국, 품질보증 수단의 하나로 정기적인 검사프로그램을 작성하고 실시·관리하여 신뢰성을 향상시킬 수 있다. 즉, 비파괴검사 결과의 신뢰성이 검사방법과 그 시행방법, 장치, 기술자의 검사기량 및 평가능력 등의 인자의 영향을 받기 때문에 이들을 포함하여 종합적으로 검토되지 않으면 안 된다.

가. 결함검출확률(POD)

비파괴검사는 그 결과의 신뢰도가 확보되면 많은 이점을 가지고 있다. 결함검출확률(***probability of detection; POD***)이란 특정한 비파괴검사시스템(검사장비, 검사기술자, 규격)으로 검사하였을 때 결함을 놓치지 않고 검출할 수 있는 확률을 말한다.

그림 1.2는 어떤 특정한 비파괴검사시스템에 대한 결함검출확률(***POD***)을 결함크기의 함수로 나타낸 예이다. 일반적으로 인정된(***qualified***) 비파괴검사시스템으로 검사를 수행할 때 POD는 높아지고 검사 결과의 신뢰도도 높아진다. 그림에서 결함의 크기가 2 ㎜ 이상일 때의 결함검출확률이 1이고, 결함크기가 작아짐에 따라 결함검출확률은 감소하게 되며, 일반적으로 비파괴검사시스템은 작은 결함보다는 큰 결함 검출에 용이함을 보여주고 있다.

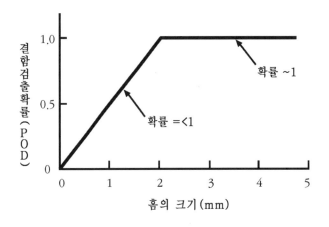

그림 1.2 특정 검사시스템에 대한 결함크기 분포와 결함검출확률

나. 신뢰도에 영향을 미치는 인자

비파괴검사는 재료 내부에 존재하는 흠(***flaw***)이나 결함(***defect***)을 검출하기 위한 품질관리의 한 수단으로 사용되고 있다. 흠에는 균열, 기공, blow hole, 부식 등이 있으며, 적용규격에서 허용 가능한 크기보다 큰 흠은 결함으로 불린다. 인정된(***qualified***) 검사시스템은 검출레벨을 넘는 모든 결함을 검출할 수 있고, 거짓지시(***false call***)란 비파괴검사시스템이 실제로는 결함이 없는 부위를 검사하였을 때 결함이 있는 것으로 지시하는 것을 말한다.

일반적으로 비파괴검사에서 신뢰도는 거짓지시가 없이 결함을 정확하게 검출하고 크기를 정량화 할 수 있는 능력을 말하며, 신뢰도에 영향을 미치는 중요한 요소들은 다음과 같다.

1) 검출해야할 결함의 크기

모든 검사는 허용결함(*flaw acceptance*)에 관한 기준이 규격으로 정해져 있다. 예를 들면 규정된 한계를 초과하는 크기의 흠은 허용할 수 없는 결함으로 분류된다. 허용할 수 있는 (*acceptable*) 결함과 허용할 수 없는(*unacceptable or rejectable*)결함에 대한 분류는 다음에 근거한다. ① 설계개념에 근거한 파괴역학, ② 사용된 검사시스템의 성능, ③ 검사비용 그리고 ④ 요소의 위험도(*criticality*) 등이 있다. 검출한계를 낮게 설정하면 검출해야할 결함의 수가 많아진다. 결함을 더 많이 검출하는 것이 파손방지에 필수적일지 모른다. 작은 결함을 검출하는 것은 큰 결함을 검출하는 것보다 훨씬 어렵다. 판별레벨을 정하기 위한 결함의 크기 역시 결함 유형에 따라 달라진다. 재료 내에서 균열의 방향성은 정확히 알기 어렵기 때문에 결함의 크기 보다 더 낮게 설정한다.

일단 판별수준이 설정되면 이상적인 검사기법은 모든 결함을 허용할 수 있는 것과 허용할 수 없는 것으로 분류된다. 실제의 검사기법에서 이러한 분류가 얼마나 잘 맞느냐의 정도는 판별 수준에 가까운 결함검출에 대한 정밀도에 달려 있다. 실제적으로는 거의 모든 기법은 실험적 오차를 반드시 포함하기 마련이다. 이것은 어떤 결함의 경우에 실제 결함크기 보다 과대평가 또는 과소평가하게 되기 때문이다. 만약 결함크기가 판별수준에 가까우면 허용 가능한 수준(실제 결함) 바로 위의 결함들은 검사과정 중에 놓칠 수 있는 반면, 허용 가능한 수준 바로 아래의 결함은 거짓신호나 허용할 수 없는 것으로 분류될 가능성이 있다.

2) 비파괴검사 방법의 선택

대부분의 경우 검출된 결함의 특성과 결함검출의 신뢰성은 비파괴검사 기법의 선택에 크게 의존한다. 적절한 비파괴검사 방법의 선택은 매우 중요하며, 초음파탐상검사의 경우에 DGS선도법, 6 dB drop법, 20 dB drop법, 전파시간차(*time of flight; TOF*)법, 최대진폭법 등은 각기 특정 응용분야에의 적용과 한계를 갖는 특징이 있다. 신뢰성 있는 검사를 위해서는 적합한 비파괴검사 방법의 선택 후 검사기법, 탐촉자, 검사장비, 해석 방법들을 적절히 선택하는 과정이 필요하다. 예를 들면, 6 dB drop법은 보통 10 ㎜ 이상의 초음파빔 폭 보다 큰 결함크기 측정에 한한다.

비파괴검사를 통해 얻어진 결과의 신뢰성은 이미 기술한 바와 같이 검사조건이 올바르지 않거나 검사방법이 부적합하면 더욱 저하된다. 따라서 결과의 신뢰성을 높이기 위해서는 검사방법 자체가 갖는 특성으로 결함을 완전히 검출할 수 없더라도 검출하고자 하는 이상부분의 성질에 적합한 검사방법 및 검사조건을 선택해야 한다.

그러기 위해서는 검출하려고 하는 이상 부분의 성질을 예측할 수 있어야 한다. 다시 말해 시험체의 재질, 가공의 종류, 가공이력 또는 사용이력을 검토하고 어떤 종류의 결함이 어느 부분에 어떠한 형상을 하고 어느 방향으로 존재할 가능성이 많은가, 또 그 성질은 어떠한가를 예측하고 그것을 검출하는 데 가장 적합한 검사방법을 선택해야한다. 그리고 검사방법이 결정되었다고 해도 검사조건에 따라서는 반드시 적절한 검사방법이 아닌 경우가 있기 때문에 검사방법이 최대의 능력을 발휘할 수 있는 조건을 선택하는 것이 중요하다.

3) 비파괴검사 장치

신뢰성이 높은 비파괴검사 결과를 얻기 위해서는 비파괴검사에 이용되는 장치가 충분한 성능을 가져야하며 동시에 사용 시 항상 그 성능이 보증되고 유지되어야 한다. 동일한 비파괴시험 방법을 이용하더라도 그것을 실시하는 장치의 적용범위와 적용목적에 따라 매우 다양하게 제작되어 있어, 목적에 맞는 최적의 장치를 선택하여 사용하지 않으면 결함검출이 어려운 경우가 생길 수 있다. 그러한 장치에는 방치해 놓아도 거의 성능이 유지되는 것과 항상 교정을 해가면서 사용해야할 필요가 있는 것이 있다. 장치에 의한 특성을 충분히 확인하여 필요한 경우 정기적으로 또는 사용 전에 반드시 교정하여 항상 올바른 검사결과가 얻어질 수 있도록 관리를 철저히 관리해야 한다.

장비의 형식 역시 검사의 신뢰성에 영향을 미친다. 다루기가 어려운 장비는 교정 시 오차가 발생하기 쉽고 결국 신뢰성이 낮아지는 결과를 초래하게 된다. 상대적으로 새롭고 친숙하지 않은 복잡한 장비의 사용은 신뢰성을 저하시키기 쉽다. 따라서 더 높은 신뢰성을 확보하기 위해서는 가능하면 더 친숙하고 다루기 간편한 장비를 사용하는 것이 바람직하다.

검사의 신뢰성에 영향을 미칠 수 있는 또 다른 인자로는 데이터를 관찰하고 검사결과를 기록하는 검사자의 능력이다. 가능한 한 검사자가 데이터를 기록하는 것을 지양하고 자동적으로 데이터를 기록하는 것이 좋다. 최근의 기법들은 화상출력을 제공하고 있다. 이러한 검사 프로그램을 위한 최신 기록장치들은 신뢰성을 향상시키는데 중요하다는 것이 증명되었다. 컴퓨터의 응용으로 신속한 검사결과의 제공, 비파괴검사 데이터의 자동적인 해석 그리고 신속한 검사보고서의 작성이 가능하게 되었다.

4) 비파괴검사기술자의 능력

신뢰성이 있는 비파괴검사 결과를 확보하는데 검사기술자의 능력은 중요한 인자이다. 기본적으로 검사기술자는 적용하고자 하는 검사기법에 자신이 있고 간단할 경우 검사를 잘 수행하게 된다. 검사기법에 대한 지식과 경험은 검사자의 능력을 결정하는데 중요한 역할을 하고 있다.

심리적인 요소 역시 검사기술자 능력에 중요한 영향을 미친다. 만약 검사자에게 사용하는 기법에 대한 믿음이 없다면 그로부터 신뢰성 있는 검사결과를 기대할 수 없다. 이러한 환경 하에서 검사기술자의 능력을 향상시키는 것은 좀 더 나은 절차서의 활용과 교육을 통해 가능하다.

비파괴검사를 하는 기술자의 사명은 무겁고 크다고 하지 않을 수 없다. 그리고 만약 검사를 잘못하여 틀린 검사결과를 얻게 되면 큰 경제적 손실을 초래할 우려가 있을 뿐 만 아니라 어떤 경우에는 많은 인명피해를 초래할 수도 있다. 따라서 비파괴검사기술자는 항상 자기 자신의 기술연마를 위해 노력하고 자신에 주어진 책임과 권한의 범위 내에서 항상 올바른 검사를 해야 한다.

검사기술자에 의한 검사는 항상 동일한 검사결과가 얻어지고 재현성이 있어야 한다. 이것은 비파괴검사에 의해 일정 수준이상의 품질이라는 검사결과가 얻어진 것이라면 기기, 구조물의 종류에 관계없이 또 그 부위(部位)에 상관없이 항상 동일한 품질이라는 것을 보증하는 데에 필요한 조건이다. 따라서 검사기술자의 기량수준은 항상 일정해야 할 필요가 있다.

이와 같은 요구로부터 세계 각국에서는 검사기술자에 대한 기술자격시험제도를 실시하여 비파괴검사 기술 수준의 향상과 안정화를 꾀하고, 검사결과에 대한 신뢰성을 꾸준히 높여가고 있다. 이미 여러 번 반복하여 기술한 것처럼 비파괴검사 기술은 여러 가지 조건에 의한 영향을 쉽게 받기 쉬우며, 최고의 기술을 이용하더라도 아직까지는 완전히 결함을 검출하는 것은 불가능하다. 하물며 기술적으로 미숙한, 또는 부주의한 검사를 한 경우에는 그 결과의 신뢰성은 매우 낮아 질 수밖에 없다. 비파괴검사기술자는 이 점을 충분히 이해하고 주어진 자기의 직무를 충실히 다해야 한다. 다시 말해 검사실시에 종사하는 기술자는 인정된 비파괴검사 기술을 올바로 구사하고 가능한 한 정확하게 결함을 파악하고 정확한 판정이 가능한 검사결과를 얻는 것에 전력을 다해야 한다.

또한, 지나치게 공정을 중시하고 경제성을 지나치게 강조하는 검사는 피해야 한다. 기기나 구조물의 건전성이 확보되어 있는 것은 적용된 규격 혹은 기준에 제시된 시험기준 또는 판정기준이 필요이상으로 높은 품질을 요구할 수도 있다. 앞으로 비파괴검사의 요구는 점점 많아지고 동시에 더욱 엄격해질 것으로 예상된다.

5) 검사환경

흔히 비파괴검사는 고공(高空) 구조물, 수중 검사, 고온, 제한된 공간 등 어려운 작업 환경 하에서 수행되는 경우도 많다. 이러한 환경이 검사자에게 적합할 때 검사는 쉬워지고 검사의 신뢰성은 좋아진다. 부적합한 환경에서 선택하게 되는 검사절차는 그 적용에 제한을 받을 수 있고 검사, 관찰, 기록 그리고 평가에서 개인오차가 생길 수 있다.

6) 비파괴검사 결과의 판정

비파괴검사에 의해 얻어진 결과는 이상 기술해 온 내용을 충분히 이해하고 주의 깊은 검사를 하여도 완전히 신뢰할 수 있는 것은 아니다. 따라서 비파괴검사에 의해 얻어진 결과로부터 품질 또는 수명을 평가하는 경우에는 그 결과를 단순히 하나의 정보로 이용해야지 그 결과만으로 결정적인 결론을 내려서는 안 된다. 한 가지 종류의 비파괴검사만이 아니고 가능한 한 여러 종류의 비파괴검사를 병용, 하나의 비파괴검사가 갖는 단점을 다른 비파괴검사의 장점으로 보완하여 보다 정확한 정보를 많이 수집하여야 한다. 그리고 여기에 비파괴검사 이외의 검사를 통해 얻어진 결과도 이용하고 재료에 관한 지식, 용접에 관한 지식, 가공기술에 관한 지식 등을 종합하여 판단을 내려야만 한다. 비파괴검사 기술의 판정기술은 물리, 화학, 기계, 전기, 재료에 관한 고도의 총합기술로 보아야 한다.

비파괴검사를 하면 제품의 가격이 상승한다는 경우도 있지만 판정기술자는 비파괴검사 본래의 목적이 결코 무의미하게 품질을 높이는 것이 아니라, 제품의 안전성 및 경제성이 확보된 품질임을 증명하기 위한 것이라는 것을 충분히 인식하고 검사로부터 얻어진 결과의 본질이 어디에 있는가를 판단해야 한다. 공학적 지식에 비해 지나치게 엄격하거나 지나치게 관대하여 빠뜨리는 일이 없고, 있어도 지장이 없는 것과 있으면 안 되는 것을 구별하여 항상 안정된 판정(평가)을 하도록 유의해야 한다.

7) 검사기술자의 훈련과 인증

훈련 프로그램의 목적은 ① 검사자로 하여금 비파괴검사 방법이나 검사기법의 각기 다른 적용법, 장점과 한계, 데이터의 기록과 해석 등을 보다 철저히 이해하고, ② 개인의 숙련도를 향상시키고, ③ 검사자로 하여금 동기부여와 검사에 대한 도전의식을 갖게 하고, ④ 비파괴검사 기법에 대한 잘못된 개념을 바로잡게 해주는데 있다.

검사기술자의 훈련과 인증은 Level Ⅰ, Ⅱ, Ⅲ의 3단계로 수행된다. 각 레벨의 자격을 인정받은 검사기술자의 책임은 아래와 같다. Level Ⅰ 기술자는 주어진 검사 절차서에 따른 규정된 교정, 시험 그리고 평가를 수행할 수 있어야 한다.

Level II 기술자는 codes, standards and specifications에 관련하여 장비의 설정과 교정, 결과의 평가와 해석을 할 수 있어야 한다. 그리고 검사절차서와 결과보고서를 작성할 수 있어야 한다. Level III 기술자는 사용하고자 하는 검사방법과 기법의 결정, 코드의 해석 등에 책임을 진다. 실제 실무적인 기술에 대한 폭 넓은 배경과 통상적으로 사용되고 있는 다른 비파괴검사 방법에 대한 지식이 있어야 한다.

특정한 레벨에서의 인증(*certification*)은 5년간 유효하다. 이 기간이 만료되어 자격 인정을 소지한 검사기술자는 훈련과 보충교육(*refresher*) 코스 프로그램을 이수해야 한다. 이 보충교육 코스 프로그램에 의해 비파괴검사기술자는 과거에 훈련을 받아왔던 그들의 지식을 더욱 향상시켜 새롭게 하고 비파괴검사 실무능력을 계속 유지할 수 있다.

1.6 비파괴검사기술자의 역할

비파괴검사는 재료, 용접부 및 구조물이 건전한지 어떤지를 판단하는 근거를 제공하기 위해 그것들에 결함이 있는지를 조사하고 결함이 있으면 그 위치와 크기를 측정한다. 특히 초음파탐상검사와 같은 경우에는 용접부나 구조물 등의 눈에 보이지 않는 내부 결함의 유무, 위치, 크기 등의 검출에 이용되기 때문에 그 정확성은 비파괴검사기술자의 기량과 기술에 크게 영향을 받는다.

초음파탐상검사기술자의 경우 기량·기술이 미흡하면 초음파탐상기의 조정과 탐촉자의 주사가 미숙하게 되어 결함을 놓치든가 결함 크기 측정이 부정확해진다. 즉 비파괴검사 결과가 부정확하면 용접부나 구조물의 건전성의 신뢰도가 떨어지고, 결함을 놓치게 되는 경우는 사용 중에 손상이나 파괴가 일어나 인명 사고를 수반하는 중대한 재해의 우려가 있게 된다.

한편 검사기술자의 기량·기술이 충분해도 허위 검사 보고를 한다든가 고의로 보고서를 고치는 부정행위가 있으면 검사의 신뢰도가 손상된다. 이와 같은 경우에는 비파괴검사기술자의 자격은 취소되고 검사보고서 허위 작성에 따른 사회적 윤리적 책임을 지게 된다. 검사기술자는 비파괴검사가 얼마나 중요한지를 인식하고 사명감을 가지고 꼼꼼하게 검사를 실시해야 한다.

각종 구조물의 제조, 제작, 사용 그리고 그들 단계에서 건전성의 확인 더 나아가 안전성의 확보, 모든 프로세스에서 비파괴검사는 불가결한 수단이다. 또 검사 기술의 향상은 비파괴검사기술자의 사명의 하나인 결함의 유무 다시 말해 단순히 결함의 존재만을 아는 것이 아니고 보다 정량적인 결함 평가의 정보를 제공해줘야 한다. 이것은 자격을 갖는 검사기술자가 결함 평가에 관한 정보를 보다 정확한 동시에 효율적이고 계속적이며 안정적으로 제공하는 것에 의해 결함을 보다 고정밀도로 해석하고 평가해야 한다.

비파괴검사의 선택, 이용 그리고 시험 데이터의 기록, 시험성적서의 작성으로부터 합부판정, 검사보고서 작성에 이르기까지 비파괴검사는 그것에 종사하는 기술자의 기량에 크게 좌우되는 경우가 많다. 예를 들면 동일 규격, 동일 기준, 동일 방법에 근거한 사양서, 절차서 또는 지시서에 따라 시행하면 당연히 동일한 시험 결과 및 측정 결과가 얻어져야 한다. 그렇게 하기 위해서는 누가 몇 번을 하더라도 동일 결과, 동일 평가가 얻어져야 한다. 그렇게 하기 위해서는 검사기술자의 기량 레벨을 일정한 레벨 이상으로 해 놓을 필요가 있다. 이러한 요구에 따라 우리나라에서는 국가기술자격제도에서 기술사, 기사, 산업기사, 기능사 자격제도가 있으며, 미국에서는 ASNT level III, II, I 이 있다. 검사는 이러한 자격증을 가진 기술자에 의해 행해져야 한다.

다음은 ISO 9712(비파괴검사기술자의 자격인정 및 인증)은 ISO 9712 규격에서 규정하고 있는 Level Ⅰ, Ⅱ, Ⅲ 비파괴검사기술자의 역할을 소개한다.

1.6.1 Level Ⅰ

Level Ⅰ의 자격시험은 필기시험과 실기시험이 있고 이것에 합격하면 인증을 받을 자격이 주어진다. 그러나 이 자격시험에 합격하는 것만으로는 비파괴검사기술자의 자격은 주어지지 않는다. 자격증명서를 취득하기 위해서는 자격시험 합격증 외에 시력시험합격증, 훈련증명서, 경력증명서가 필요하다. 특히 중요시 하는 것은 비파괴검사 결과의 신뢰도에 영향을 미치는 훈련과 경험이다. 초음파탐상검사의 경우 최적의 방법과 기법은 시험대상물에 따라 각각 다르다. 검사대상물의 크기, 형상, 재질 및 검출해야할 결함의 위치, 크기, 종류에 따라 초음파탐상검사의 방법과 기법이 다르기 때문에 대상물 마다의 훈련·경험이 필요하게 된다. 즉 방해 에코와 결함에코의 판별 및 결함 평가에는 충분한 훈련과 경험이 필요하게 된다. ASME Code Sec. XI App. Ⅷ에서 요구하는 기량인증시험(*performance demonstration; PD*)이 대표적인 예이다.

국제 규격 ISO 9712에서 NDT Level Ⅰ 기술자는 지시서에 따라서 Level Ⅱ 또는 Level Ⅲ 기술자의 감독 하에서 다음 사항의 NDT 작업을 실행할 자격이 있다. 해당 기술부문에 대해서 절차서에 따라 다음 사항을 정확하게 실시할 수 있어야 한다.

① NDT 기기를 준비하는 것
② 레벨 Ⅱ, Ⅲ 기술자의 감독 하에 NDT 지시서에 기초하여 NDT 기기를 조작하는 것
③ NDT를 실시하는 것
④ 레벨 Ⅲ 기술자의 허가를 갖는 조건으로 문서화된 판정기준에 의해 NDT 결과를 분류하고, 보고하는 것

레벨 Ⅰ의 인증을 받은 기술자는 사용하는 NDT 방법 또는 NDT 기법의 선택에 대해서는 책임을 지지 않는다.

1.6.2 Level Ⅱ

NDT Level Ⅱ의 인증을 받은 기술자는 인가되어 있는 NDT 절차에 따라 NDT를 실시하거나, 지시할 자격이 있다. 여기에는 다음 사항을 포함한다.

① Level Ⅱ로 인증을 받은 NDT 방법의 적용한계를 결정하는 것
② NDT 코드, NDT 규격, NDT 시방서 및 NDT 절차서를 실제의 작업조건에 맞고 실행 가능한 NDT 지시서로 바꾸어 쓰는 것
③ NDT 기기의 조정과 교정을 하는 것
④ NDT를 실시하거나 감독하는 것
⑤ 적용하는 코드, 규격, NDT 시방서에 의해 NDT 결과를 해석하고, 평가하는 것 (검사결과의 해독 및 규격에 따라 정해진 방법에 기초한 등급분류 및 판정)
⑥ NDT 지시서를 작성하는 것
⑦ Level 1의 모든 직무를 실시하거나 또는 감독하는 것(Level Ⅰ의 지도)
⑧ Level Ⅱ보다 낮은 하급 기술자를 훈련하거나 또는 지도하는 것
⑨ NDT 결과를 정리해서 보고하는 것(검사성적서의 작성)

1.6.3 Level Ⅲ

NDT Level Ⅲ의 인증을 받은 기술자는 해당 기술부문에 대해 다음 사항을 실시할 수 있는 고도의 지식과 경험, 그리고 지도자로서의 능력을 가진 자로 인증을 받은 NDT 방법에 대한 모든 조작을 지시할 권한을 가진다. 여기에는 다음 사항을 포함한다.

① 관련 기술자의 교육계획 입안 및 실시 요령의 작성 그리고 교육의 실시와 NDT 설비와 직원에 대해 모든 책임을 지는 것
② NDT 기법 및 NDT 절차서를 수립하고 승인하는 것
③ 코드, 규격, NDT 시방서 및 NDT 절차서를 해석하는 것
④ 특정 NDT 작업에 사용해야 하는 NDT 방법, NDT 기법 및 NDT 절차서를 지정하는 것
⑤ 현행 코드, 규격 및 NDT 시방서에 의해서 NDT 결과를 해석하고, 평가하는 것 (검사결과의 평가 및 합부판정)
⑥ 인증기관으로부터 인가된 경우 자격시험을 관리하는 것
⑦ Level Ⅰ 및 Level Ⅱ의 모든 직무를 실시하거나 감독하는 것

익 힘 문 제

1. 비파괴시험(***NDT***), 비파괴검사(***NDI***), 비파괴평가(***NDE***)를 협의 개념으로 정의할 때 의미상의 차이점이 있다면 무엇인가 ?

2. 비파괴검사의 기본적 사항에 대해 기술한 것이다 올바른 것은 ?
   1) 비파괴검사는 반드시 Level Ⅲ 자격을 소지한 시험기술자만이 할 수 있다.
   2) 비파괴검사는 재료 내부의 결함의 유무, 결함의 상태, 내부구조 등을 아는 것을 목적으로 하고 있다.
   3) 비파괴검사는 충분히 검토된 시험절차서에 따라서 적절한 시험개소를 선정하여 실시할 필요가 없다.
   4) 비파괴검사는 시험대상물을 절삭하고 파괴하는 것도 허용하고 있다.

3. 비파괴검사의 실시 목적은 무엇인가 ?

4. 비파괴검사를 분류할 때 표층부(***surface/subsurface***)의 결함 검출에 유리한 비파괴검사 방법은 어떠한 것이 있는가 ?

5. 결함검출확률(***probability of detection ; POD***)이란 무엇인가 ?

6. 비파괴검사의 신뢰도 평가에서 결함검출확률(***probability of detection ; POD***)에 영향을 미치는 인자가 아닌 것은 ?
   1) 검사시스템의 성능과 검사방법의 선택
   2) 결함의 크기와 방향성
   3) 시험편의 재질과 시험 환경
   4) 대비시험편의 개수

7. ISO 9712에서 규정하고 있는 NDT Level Ⅰ, Ⅱ, Ⅲ의 역할에 대해 설명하시오 ?

8. 국제표준화규격(***ISO***)에서 비파괴검사가 분류되어 있는 전문위원회(***TC***)에 해당하는 것은 ?

9. 국제표준화규격(***ISO***)에서 분류하고 있는 비파괴검사의 전문위원회(***TC***) 아래에 초음파 탐상검사(***UT***)에 해당하는 분과위원회 (***SC, Subcommittee***)는 ?

10. 국제표준화규격(***ISO***)에서 비파괴검사기술자의 자격인정 및 인증을 규정하고 있는 규격은?

제 2 장   재료와 결함

2.1   개요

기계, 기구, 구조물, 그리고 일상 사용되는 여러 공업용품을 제작하는 데 사용되는 재료를 모두 공업재료라 하고, 기계제작에 사용되는 모든 재료 즉, 비금속과 철금속은 기계재료라 한다. 즉 공업재료라 함은 금속 및 비금속을 총칭한 것으로, 철, 강, 구리 등의 금속재료는 강도, 경도, 내구도 등에서 목재, 플라스틱, 칠감 등의 비금속재료들보다 기계적 성질이 우수하다. 그러므로 금소재료는 주재료 및 공구재에 사용되며, 보조 재료로 보통 비금속재료가 사용된다.

공업제품을 설계하고 제작하려면, 필요한 재료의 선정, 성분, 제조과정, 가공방식 및 이에 따른 재료의 성질 등에 대한 지식이 꼭 필요하며, 알맞은 곳에 적절하게 재료를 선택하여 사용한다는 것은 공업 분야에 종사하는 사람들의 공통된 과제이다. 금속재료의 일반적 특성은 다음과 같다.

    ⓐ 고체 상태에서 결정구조를 갖는다.
    ⓑ 열과 전기의 양도체이다.
    ⓒ 연성 및 전성이 좋다.
    ⓓ 금속적 광택을 가지고 있다.
    ⓔ 상온에서 고체이다(Hg는 예외)

결함이 재료의 강도에 어떻게 영향을 미치는가 하는 것은 재료의 인성 및 결함을 포함하는 재료가 사용될 때의 조건 등에 따라 다르기 때문에 이를 한마디로 규정하는 것은 불가능하다. 다시 말해, 그 재료가 사용되고 있는 부분에서의 응력조건, 온도조건, 분위기 외에 결함의 형상, 크기, 방향, 위치(표면에 있는가 내부에 있는가 또는 응력집중이 존재 하는가 아닌가) 등에 의해 동일 재료 내의 동일 결함이라 하더라도 건전성을 평가할 때에는 우선적으로 결함의 크기, 재료의 파괴인성 및 사용응력을 파괴 역학적으로 고찰해 보아야 한다. 더불어 현재까지 파손되거나 파괴사고를 일으키지 않은 명확한 경우에 대한 경험을 가미하여 결함의 평가기준을 설정해야 한다. 이 때 검토되는 항목은 다음과 같다.

① 소재 및 용접부에 가해지는 응력조건 및 분위기 조건
② 결함의 위치 및 방향
③ 결함이 존재하는 부분의 판 두께
④ 소재, 용접부의 기계적 성질
⑤ 결함이 존재하는 부분의 잔류응력 상태
⑥ 사용 중에 가해지는 여러 조건에 대한 성질

또 여기서 추가로 검토되어야 하는 여러 조건에 대한 성질에는 다음과 같은 것들이 있다.

① 정적 강도
② 크리프 강도
③ 피로강도(인장, 굽힘, 비틀림)
④ 취성파괴에 대한 저항(파괴인성)
⑤ 내식성(응력부식균열에 대한 감수성을 포함)
⑥ 내누설성

여기에 열거한 여러 인자들 중 특히 주의 깊게 검토해야하는 것은 피로강도와 파괴인성이다. 이들은 이제까지 발생한 큰 파괴형태의 대부분을 점유하는 것으로 보고되고 있기 때문이다. 물론 다른 파괴형태도 중요하다. 예를 들어 부식 또는 응력부식균열이 일어나면 그 부분이 노치가 되어 피로파괴나 취성파괴를 일으키는 것으로 생각된다. 파괴발생 방지의 기본적 대책으로는 사용재료의 재질을 적절하게 선택함으로써 어떤 파괴 형태가 일어나는지를 예측하여, 재질적으로 파괴발생 인자를 제거해 놓는 것이 바람직하다. 그 후에 추가로 발생 가능성이 있는 파괴형태에 대해 검토를 하고 파괴발생을 방지할 수 있는 제 조건을 부여해야 한다.

이미 기술한 바와 같이 재료의 강도와 결함의 관계는 매우 복잡하여 시험편 만에 의한 각종 시험연구의 성과로는 해결할 수 없는 경우가 적지 않다. 만약, 파괴시험 결과를 중요한 판단의 기초로 할 경우에는 가능한 한 실체에 가까운 제 조건을 부여할 수 있는 시험편으로 해야 한다. 그러나 소형 시험편에 의해 얻어진 시험 연구의 결과로도 어느 정도의 경향과 어떤 특정 조건에서의 기준 값으로 유효한 경우도 있다.

2.2 재료의 성질

2.2.1 금속 재료

물질을 쪼개고, 더 쪼개서 더 이상 나눌 수 없는 최소의 단위를 원자 (*atom*)라 한다. 원자는 그보다 더 작은 입자들로 구성되어 있으며, 원자의 중심에는 + 전기를 띤 원자핵이 한 개 있고 그 둘레를 − 전기를 띤 전자들이 띠모양으로 격렬하게 회전하고 있다. 금속재료를 포함한 모든 물질들은 원자로 이루어져 있으며, 원자의 내부는 원자핵과 전자로 이루어져 있고, 그들 간에 작용하는 전기적 인력에 의해서 체계를 형상하고 있다.

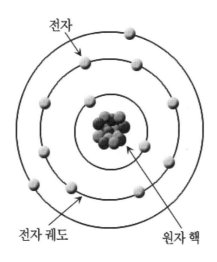

그림 2.1 원자 구조

원자구조는 양전기를 띤 원자핵 (*nucleus*)과 핵을 감싸고 회전하는 음전기를 띤 전자 (*electron*)로 되어 있다. 그림 2.1은 수소원자의 구조이다. 핵의 지름은 10^{-12} cm로 원자의 지름 10^{-8} cm에 비해 훨씬 작다. 원자핵은 양전기를 띤 양성자 (*proton*)와 전기를 띠지 않은 중성자 (*neutron*)로 되어 있으며, 개개 원자는 물질고유의 화학적 성질을 가지고 있으므로 원소 (*element*)라 한다. 어떤 원소의 원자번호는 양성자수와 같으며 양성자수는 핵 주위를 회전하고 있는 전자수와 일치하여 원자를 전기적으로 중성이 되도록 한다. 원자핵중 양성자와 중성자의 질량은 거의 같으며, 각각 1개의 질량 ($1.6605402 \times 10^{-24}$g)을 1로 한다. 전자의 질량은 양성자의 약 1/1840로 아주 작다.

재료의 원자 간에는 인력이 작용하여 원자 결합을 한다. 원자와 원자의 결합은 보통 원자 간의 힘의 크기에 따라 결정되며 큰 원자력에 의한 강한 결합에는 이온결합, 공유결합, 금속결합 등이 있으며, 약한 결합에는 반데르발스결합, 수소결합 등이 있다. 금속재료는 다음과 같은 독특한 화학적, 물리적, 기계적 성질을 가지고 있다.

가. 화학적 성질

화학적 성질에는 부식, 금속의 이온화, 산화 등을 들 수 있다. 금속의 부식이란 금속이 물 또는 대기 중, 또는 가스 기류 중에서 그 표면이 비금속성 화합물로 변화하는 것을 말한다. 이 밖에 화학 약품이나 기계적 작용에 의한 소모 등도 넓은 의미에서의 부식(*corrosion*)에 포함시키다, 보통은 화학 작용에 의한 것을 부식이라 하고, 기계적 작용에 의한 것을 침식(*erosion*)이라 하여 분리한다. 금속이온은 산과 화합해서 염을 만들고, 수용액 중에서 전리하여 양이온이 된다. 금속을 고온으로 가열하면 그 표면에 산화물이 생긴다. 금속의 산화는 온도가 높을수록, 산소가 금속 내부로 확산하는 속도가 클수록 빨리 진행된다. 고온에서 금속의 산화는, 그 표면에 생기는 산화물의 성질에도 영향을 받는다. 생성된 산화물의 피막이 치밀하면 금속 내부의 산화는 어느 정도 저지되지만, 피막이 크고 거칠며 다공성인 것이나 증발하기 쉬운 것일 때에는 산화가 빠르게 진행된다. 또한 합금성분도 산화에 큰 영향을 끼친다.

나. 물리적 성질

물리적 성질로는 ⓐ비중, ⓑ용융 온도, ⓒ열전도율, ⓓ도전율, ⓔ선팽창계수, ⓕ자성 등을 들 수 있다. 비중(*specific gravity*)은 물과 똑같은 부피를 가진 물체의 무게와의 비를 말하며, 비중이 크다는 것은 무겁다는 것을 뜻한다. 인장강도가 크다 하여도 비중도 같이 커진다면 결국 무거운 재료가 되므로, 비중이 5.0 이하의 것을 경금속(*light metal*)이라 하고, 이보다 무거운 것을 중금속(*heavy metal*)이라 한다. 또한 똑같은 금속이라도 금속의 순도, 온도 및 가공 방법에 따라서 비중은 변화되며, 일반적으로 단조(*forging*), 압연(*rolling*), 드로잉(*drawing*) 등으로 가공된 금속은 주조상태의 것보다 비중이 크다.

용융온도(*melting temperature*) 또는 용융점은 금속을 가열하면 녹는 온도를 말한다. 그리고 일반적으로 열의 이동은 고온에서 얻은 전자의 에너지가 온도의 강하에 따라 저온 쪽으로 이동함으로써 이루어지며, 물체내의 분자로부터 분자로의 열에너지의 이동을 열전도(*heat conductivity*)라 한다. 열전도율은 도전율과 같이 온도에 크게 영향을 받지는 않으나, 다소 영향을 받는다.

도전율(*conductivity*)은 재료에 전기가 흐르는 능력을 의미하며 저항과는 상대적 개념이다. 금속의 전도도에 영향을 미치는 요소로는 일반적인 온도 범위에서는 온도가 절대적이고 절대온도에서는 제로지만 재료의 결정격자 속에 불순물이나 불완전함에 크게 영향을 받는다. 도전율은 전기저항의 역수로 전기저항은 공업적으로는 길이 1 m, 단면적 1 ㎟ 의 선의 저항을 Ω(*ohm*)으로 나타낸 것이며, 이 저항을 고유저항(*specific resistance*)이라 한다. 고유저항은 재료 및 온도에 따라 다르며, 고유저항이 작을수록 전기도전율이 좋은 것이 된다. 금속은 모두 열과 전기를 잘 전달하는 성질이 있으며, 일반적으로 열전도율이 큰 것은 도전율도 크다. 도전율이 큰 금속은 전기의 도선 또는 기타 전기 기구 기계에 사용되며, 반대로 도전율이 작은 금속은 저항선으로서 사용된다.

모든 금속재료는 온도의 상승에 따라 팽창하게 되는 선팽창계수(*coefficient of liner expansion*)를 고려하여야 한다. 선팽창계수라 함은 어느 길이의 물체가 온도 1℃ 상승하였을 경우에, 그 길이의 증가와 늘기 전의 길이의 비를 말한다.

철을 자장(*magnetic field*)에 놓으면 유도 작용에 의하여 자기를 띠어 자석으로 자화된다. 또한 자장의 강도가 증가함에 따라서 그 자화되는 정도도 증가하지만, 자장의 강도를 계속해서 증가하면 그 자화의 강도는 어느 포화점에 달한다. Fe, Ni, Co와 같은 자화의 강도가 뚜렷하게 나타나는 강자성체(*ferromagnetic substance*)와 상자성체(*paramagnetic substance*), 반자성체(*diamagnetic substance*)로 구분할 수 있다.

다. 기계적 성질

재료의 기계적 성질은 하중이 적용되었을 때 탄성적, 비탄성적 거동을 하는 재료의 성질을 말하며 탄성율, 인장강도, 연신율, 경도 및 피로한도 등의 기본용어에 더하여 항복강도, 항복점, 충격강도와 단면수축률 등으로 기계적 성질을 나타내고 있다. 일반적으로 금속의 강도특성은 기계적 성질과 관련되어 생각할 수 있으며 밀도, 전기적 성질, 열적 성질, 자기적 성질 등과 같은 특성은 금속의 물리적 성질과 관련되어 있다.

1) 탄성과 소성

응력이나 하중이 금속에 작용할 때 금속은 변형한다. 예를 들어 압축응력을 받으면 금속은 길이가 짧아지고 인장에서는 길이가 늘어난다. 이와 같은 형태의 변화를 변형(*strain*)이라고 하며 하중의 작용으로 금속이 변형되었다가 하중이 제거되었을 때 원래의 크기와 형태로 돌아오는 능력을 탄성(*elasticity*)이라고 한다. 탄성한계(비례한계)는 재료에 하중이 가해졌을 때 재료가 저항을 하다가 하중이 제거되면 원래의 형태로 되돌아올 수 있는 한계를 말한다. 탄성범위에서 응력과 변형은 비례관계가 있으며, 작용응력이나 하중 혹은 변형상태나 길이의 변화에 대한 관계를 그림 2.2에서 보여주고 있고 이를 Hooke의 법칙이라고 한다. 직선이 끝나는 부분이 탄성한계이며 곡선부분은 탄성한도를 넘어서는 부분으로 항복점 또는 항복강도라고 한다.

금속재료의 사용에 있어서 안전하게 사용할 수 있는 하중의 범위는 탄성한도 이하이어야 한다. 탄성범위 또는 탄성변형을 벗어날 정도로 하중을 증가시키면 금속재료는 영구변형을 하여 하중을 제거하여도 초기 치수로 되돌아가지 못한다. 이와 같이 탄성한계를 벗어난 응력-변형 곡선의 범위를 소성(*plasticity*)범위라 부르며 이러한 특성은 금속재료의 가공에 유용한 성질이다. 즉, 금속재료에 열을 가하거나 상온상태에서 롤, 프레스 혹은 햄머 등으로 충분한 힘을 가하면 우리가 원하는 형태로 변형시킬 수 있으며 소성범위를 벗어난 하중의 증가는 재료의 파괴를 가져온다.

응력-변형 곡선에서 연속된 기울기의 직선구간은 탄성구간으로서 금속재료의 강성은 탄성범위에서 측정된다. 경도 또는 강도의 변화로 금속재료의 강성은 변하지 않지만 온도의 증가로 강성은 감소하거나 증가될 수 있다.

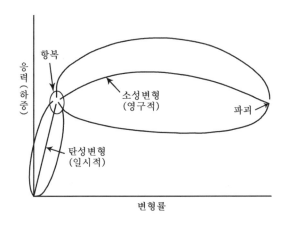

그림 2.2 응력-변형률 곡선

2) 강도

금속 재료를 사용하여 각종 기계를 만들 때에 가장 중요한 것은 강도(*strength*)이다. 아무리 값이 싸고 국내에서 다량으로 생산되는 금속이더라도, 판(*plate*)이나 봉(*bar*)으로 가공하였을 때 기계적으로 약한 재료는 사용할 때에 주의하여야 한다. 이 강하고 약함이란 것은 외력에 대해 저항하는 힘의 강약으로써 나타낸다. 이 강도는 외력의 작용 방법에 따라 인장강도(*tensile strength*), 굽힘강도(*bending strength*), 전단강도(*shearing strength*), 압축강도(*compression strength*), 비틀림강도(*torsion strength*) 등이 있다. 인장강도가 크다 해서 다른 강도도 이것에 비례해서 크다고는 말할 수 없다. 인장강도가 커도 압축강도가 작은 재료가 있고, 또 반대로 압축강도가 커도 인장강도가 작은 재로도 있다. 일반적으로 강도(*strength*)라고 하면 인장강도를 뜻한다.

금속의 강도는 외력이 작용할 때 형태나 치수의 변화에 저항하는 능력이다. 응력의 기본적인 형태는 인장, 압축 및 전단의 3가지가 있으며 재료의 강도를 고려할 때 어떠한 응력이 재료에 작용하는지 알 필요가 있다. 강(*steel*)은 압축과 인장강도가 거의 동일하나 주철은 낮은 인장강도와 높은 압축강도를 가지고 있다. 실용금속의 대부분의 전단강도는 인장강도보다 낮다.

재료의 인장강도는 최대하중을 원래의 단면적으로 나눔으로서 알 수 있다. 금속 재료를 '당기는' 기계를 인장시험기라고 한다. 치수를 알고 있는 시험편을 인장시험기에 걸고 그것이 파단될 때 까지 하중을 서서히 증가시키며 이때, 하중의 증가와 응력의 양(길이의 비례 변화)이 연속적으로 기록될 수 있는 장치를 함께 사용한다.

3) 경도

금속의 경도는 영구변형에 저항하는 능력이다. 금속의 경도(*hardness*)는 일반적으로 인장강도에 비례한다. 실험적으로 얻은 개략적인 인장강도와의 관계식은 인장강도(kg/㎟)=(0.32~0.36)×브리넬 경도(*HB*)이지만 정확히 알고자 할 경우에는 경도시험에 의하여야 한다. 경도측정은 압입자의 종류(강구 또는 다이아몬드), 모양, 압력의 측정 기준 등이 서로 다르므로 각각의 측정값이 달라진다. 경도를 측정하는 3가지 방법은 압입에 대한 저항, 탄성경도 및 마멸에 대한 저항이 있다. 경도는 재료간의 차이가 상당히 크다. 이 변화는 알루미늄과 같은 연한금속과 합금공구강과 같은 경한 금속에서 만들어지는 압흔의 차이로 설명할 수 있으며 경도측정은 강으로 된 볼이나 다이아몬드로 만들어진 압입자로 재료표면에 압흔을 만들어 측정한다.

경도시험기는 로크웰(*Rockwell*), 브리넬(*Brinell*), 비커스(*Vikers*) 경도계, 쇼어(*Shore*) 경도계가 있으며 열처리 상태의 검사 및 일반 산업 현장과 야금학적 목적으로 적절하게 선택하여 경도측정에 사용된다. 로크웰 경도시험은 담금질된 강철 볼이나 다이아몬드 원추로 된 압입자를 사용하여 시험편에 부하중과 주하중의 하중을 가함으로써 형성된 압흔의 깊이를 측정하여 경도를 판단할 수 있다.

브리넬 경도시험기는 일반적으로 10 mm 의 담금질된 강철 볼을 압입자로 사용하여 알루미늄, 구리와 같은 연한금속은 500 kgf, 강이나 주철은 3000 kgf 의 시험하중을 가하여 형성된 압흔의 직경을 현미경으로 측정하여 경도를 판단한다. 일반적으로 재료의 경도 값은 인장강도보다 더 크게 나타나는데 이는 적용되는 하중에 대해 재료는 변형이나 파괴에 저항하려는 경향이 있기 때문이다.

4) 연성

금속재료에 인장하중이 작용할 때 영구변형을 하는 성질을 연성(*ductility*)이라 하며 철사와 같은 형태로 잡아 늘릴 수 있는 성질을 의미한다. 강과 알루미늄, 금, 은 및 니켈과 같은 것들이 연성금속에 속한다.

인장시험은 연성을 측정하기 위하여 이용되는 시험으로서 인장시험편의 면적과 길이를 측정한 후 하중을 가한다. 연성은 연신율(길이의 증가)과 단면수축율(가장 좁혀진 부위의 면적)로서 판단된다. 대략 40% 정도의 연신율과 약 70% 정도의 단면감소율을 갖는 재료는 높은 연성재료로, 20% 미만의 연신을 보여주는 금속은 연성이 낮은 것으로 판단할 수 있다.

5) 가단성

금속재료가 압축하중을 받을 때 영구변형을 하는 성질을 가단성(*malleability*)이라 한다. 가단성은 금속재료가 해머나 가압 롤에 의해 얇게 퍼지는 성질로서 대부분의 연성재료는 가단성을 가지고 있다. 납과 같은 가단성이 큰 금속은 연성이 아주 크기 때문에 철사를 만드는 인발작업을 할 수 없으며 압출 등의 방법으로 철사나 기타 형태로 만들 수 있다. 가단성이 매우 큰 금속으로는 납과 주석, 금, 은, 순철 및 구리가 있다.

6) 취성

재료에 하중이 작용할 때 소성변형 없이 파괴되는 성질을 취성(*brittleness*)이라 한다. 과도한 냉간작업에서는 연성의 저하로 취성이 발생한다. 주철은 파괴하중이 작용하면 소성변형이 일어나지 않으므로 파손된다.

예리한 형태의 '노치'는 작은 면적에 힘이 집중되므로 소성을 감소시킬 수 있다. 노치는 부품의 조기 파손의 일반적인 원인이다. 불필요한 노치의 예로는 용접 언더컷, 기계 축에서 직경이 다른 단부 모서리의 작은 라운드 경, 단조와 주조의 모서리 부분의 예각 등 응력집중이 될 수 있는 부분들이다.

7) 노치 인성

충격에 대한 재료의 저항을 인성(*toughness*)이라 한다. 재료는 기계 부품 또는 구조재로서 사용할 때 가끔 충격을 받아 파괴될 때가 있다. 이 충격에 대한 저항은 같은 종류의 재료이면 인장시험에서의 연신율이 큰 것이 주로 충격에 대해서도 잘 견딘다. 따라서 인장시험결과로부터 인성을 관찰할 수가 있으나, 다른 종류의 재료 사이에서는 인장시험만으로써는 비교를 못한다. 그러므로 일정한 시험편(*test piece*)에 실제로 충격을 가하여 그 시험편을 파괴하고, 파괴에 필요한 에너지를 산출하여 이것으로 인성을 나타낸다. 인성이 큰 것은 이 숫자가 크다. 충격시험은 강인한 재료가 충분한 인성을 가지고 있는가 없는가를 검사하는 것으로, 너무 굳고 메진 재료에 대해서는 하지 않는다.

노치인성(*notch toughness*, 충격강도)은 노치나 응력집중부에 충격하중이 작용하였을 때 파괴에 저항하는 금속의 성질이다. 인장시험이나 경도시험에서 큰 연성이나 강도를 나타낸 재료도 갑작스러운 하중이 작용하면 일반적인 특성과 다른 양상을 나타낸다. 대개의 경우 회주철과 같은 충격저항 값이 낮은 취성금속은 충격하중이 낮고 단련철이나 연강과 같은 금속은 충격저항 값이 높다. 또한 같은 연한 금속이라도 결정립이 미세한 금속의 충격저항 값이 높다. 금속의 충격저항 값은 노치나 홈이 있는 부분에 영향을 받기 때문에 동일한 조건을 주기 위해 시험편은 특정한 노치의 형태나 치수로 기계가공 된다.

일반적으로 금속의 인장강도는 경도에 비례하여 변화한다. 그러나 높은 경도수준이나 취성금속에서는 이 관계가 일치하지 않을 수 있는데 그것은 이들 금속은 응력집중에 예민하기 때문에 인장응력이 작용하면 조기에 노치에서 파괴가 발생하게 된다.

8) 피로

기계나 구조물 중에는 피스톤이나 커넥팅 로드(*connecting rod*, 연결봉) 등과 같이 인장과 압축을 되풀이해서 받은 부분이 있는데, 이러한 경우는 그 응력이 인장(또는 압축) 강도보다 훨씬 작다 하더라도, 이것을 오랜 시간에 걸쳐 연속적으로 되풀이하여 적용시키면 결국은 파괴된다. 이와 같은 현상이 재료가 피로(*fatigue*)를 일으켰다고 하는 것이며, 그 파괴현상을 피로파괴라고 한다. 기계의 운동 부분에 사용되는 재료에는 특히 이러한 피로에 의한 파괴가 많다. 이때 파괴됨이 없이 충분한 내구력을 가질 수 있는 최대 한계를 피로한도(*fatigue limit*)라 한다.

9) 고온에서의 기계적 성질

일반적으로 금속 재료의 기계적 성질은 상온에서의 상태를 기준으로 하여 시험을 한다. 그러나 금속재료는 온도가 고온이 됨에 따라 그 기계적 성질이 크게 변화하므로, 기계 설계상 고온상태에서 사용되는 재료는 특히 기계적 성질에 주의하여야 한다. 고온에서 기계적 성질로서 특히 중요한 것은 강도, 경도, 연신율, 금속의 크리프 한도 등이다.

일반적으로 금속 재료는 온도의 상승에 따라 강도가 줄고 연신율이 커지지만 금속 가운데는 연신율이 반대로 감소하는 것도 있다. 그러나 $200 \sim 300℃$의 강에 있어서는 상온보다 연신율이 낮아져서 최저로 되고, 강도는 최고가 된다. 즉, 이 온도범위에 있어서 강은 여리고 약하게 되는데, 이러한 성질을 청열취성(*blue shortness*) 또는 청열여림(*blue brittleness*)이라고도 한다.

또, 재료의 온도가 상온보다 낮아지면 경도나 인장강도 등이 증가하는 한편, 연신율이나 충격값 등이 감소하여 점차적으로 여러진다. 즉, 금속재료는 온도가 낮아짐에 따라 미끄럼저항이 현저히 증가하면서 부스러지기 쉬워진다. 이것을 저온메짐(*low tempering shortness*) 또는 저온여림(*low tempering brittleness*)이라 한다.

그리고 Ni-Cr강에 나타나는 특징으로서 뜨임을 한 후 담금질을 하면 재료에 메짐이 나타난다. 이 현상은 500 ~ 650℃에서 뜨임을 한 후, 그 온도에서부터 천천히 냉각시키면 부스러지기 쉬워지면서 충격값이 심하게 감소한다. 이것을 뜨임메짐(*tempering shortness*; 뜨임여림)이라 하며, 이것을 방지하기 위해서는 뜨임온도에서 물 또는 기름에 넣어 급랭시키든지 또는 재질 중에 소량의 Mo, V, W 등을 첨가하면 된다.

금속이나 합금에 외력을 걸어서 변형시킬 때, 외력의 크기가 탄성한도 이내이면 상온에서는 하중이 오랜 시간 걸린다하더라도 거의 비중에 비례한 변형은 일어나지 않으나, 고온에 있어서는 탄성한도내의 하중을 걸어 오랜 시간을 경과시키면 변형의 증가가 일어난다. 이와 같이 금속재료를 고온에서 오랜 시간 외력을 걸어 놓으면, 시간의 경과에 따라 서서히 그 변형이 증가하는 현상이 나타난다. 이 현상을 크리프(*creep*)라 하고, 이 변형이 증대될 때의 한계응력을 크리프 한도(*creep limit*)라 한다. 크리프는 고온으로 갈수록 특히 심하며, 강철의 고온 크리프는 실제에 있어서 가장 중요한 문제로서, 약 300℃ 이상의 고온이 아니면 일어나지 않는다. 크리프 단위로는 인장강도(인장응력)와 같은 단위인 kg /㎟ 을 사용한다.

2.2.2 비금속 재료

가. 세라믹

세라믹(*ceramics*)의 주목할 만한 공학적 재료 특성은 높은 경도, 마모 및 부식에 대한 저항뿐만 아니라 이들 특성이 고온에서도 금속보다 우월함에 있다. 그러나 세라믹은 낮은 연성과 고유한 취성, 열충격의 민감도, 열사이클을 수반할 경우의 최대 사용온도의 제한 등이 있다. 열충격에 대한 저항은 낮은 열팽창과 높은 열전도도 작용으로 세라믹 재료사이의 차이에 따라 직접적인 영향을 받는다. 젖은 상태에서 틀에 부어 가압하거나 압출하는 전통적인 세라믹 제조법은 특별한 문제를 가지지 않는다. 현대적인 방법도 기계를 이용하여 사출하거나 연속가압, 건조가압 등의 차이가 있을 뿐이다.

세라믹의 유용성 혹은 잠재적 유용성에 따른 공업재료적 분류는 (i) 알루미나 (ii) 베릴리아 (산화베릴리움)와 질화보론, (iii) 포세라인 (알루미늄 규산염), (iv) 스테타이트와 포스트리티 (마그네시움 규산염), (v) 질화 실리콘과 탄화실리콘 (vi) 티타나이움 디보라이드 (vii) 유리탄소 등이 있으며 전자재료, 공학재료, 의료 및 치과재료와 보석으로써의 사용이 증가하고 있다.

나. 복합재료

복합재료(***composite***)는 유기물 또는 무기물로 강화된 수지라고 할 수 있다. 섬유구조가 연속적으로 분포되어 있다는 것이 복합재료가 강화플라스틱과 다른 점이다. 이러한 것이 복합재료의 뛰어난 기계적 성질을 설명할 수 있는 구조설계의 특이한 점이다.

복합재료의 예로, 탄소섬유 강화 에폭시수지와 같은 플라스틱을 들 수 있다. 복합재료는 특히 비강성과 같은 성질이 좋고 부식저항, 충격강도, 복잡한 형상화의 용이성을 갖고 있다. 복합재료는 비약적인 발전을 하여 자동차나 항공 분야에 이미 널리 사용되고 있으며 점차 용도가 증가할 것이다. 열가소성과 열경화성 플라스틱 모두가 첨단 복합재료에 사용되나 열경화성 플라스틱이 첨단 복합재료에서 보다 많이 사용되는 것으로 보고되고 있다. 그 이유는 많은 첨단 복합재료의 응용에서 제품이 상당한 높은 열에 견디는 것이 필요한데 열경화성 플라스틱은 이러한 응용에 있어 열가소성 플라스틱보다 더 적합하기 때문이다. 첨단 복합재료는 가닥을 꼰 섬유재료로 강화된 플라스틱재료로 사용하기도 한다.

섬유강화재료는 대개 전체 무게의 절반 정도이다. 복합재료에서 많이 사용하는 섬유는 흑연과 유리이다. 섬유는 복합재료의 구조요소의 기능을 갖으며 복합재료 구조에 작용하는 하중을 견디도록 설계하고 있다. 복합재료에서 섬유부분이 없다면 수지 부분은 하중이 작용하면 견디지 못하고 부서지고 말 것이다.

다. 콘크리트

콘크리트(***concrete***) 는 보도, 차도, 건축 기초공사 등에서 쉽게 볼 수 있는 재료로서 포틀랜드시멘트, 모레, 자갈, 물 또는 필요에 따라 첨가제 등을 혼합하여 만들어진 유동성의 재료이다. 이것을 몰드에 넣은 후 며칠 경과하면 시멘트와 물의 수화작용으로 콘크리트가 경화되어지며, 경화가 완료된 후에 몰드를 제거하여 구조체로서 능력을 발휘하게 된다. 일반 콘크리트는 물기가 있는 상태에서 28일쯤 양생하는데 양생이 끝난 후에는 경도와 강도가 상당히 높아진다. 보통 콘크리트의 구성은 전체 부피의 약 70%가 골재이고 나머지 약 30%는 시멘트 페이스트이다. 수화된 시멘트 페이스트의 품질은 시멘트의 품질, 배합비, 시멘트의 경화 정도에 따라 차이가 있다. 콘크리트는 비중이 약 2.3이고 28일을 기준으로 압축 강도가 $100 \sim 400$ kgf/㎠ 인데 보통 $150 \sim 250$ kgf/㎠ 범위의 것이 많다. 인장 강도는 압축 강도의 약 10%, 굽힘 강도는 $15 \sim 20\%$ 정도이다. 또, 무게는 약 $2,300 \sim 2350$ kgf/㎠ 정도이다. 콘크리트는 굳어질 때 수분이 감소되면서 0.5 mm/m 정도의 수축이 생기는데, 이것은 콘크리트균열의 원인이 되므로 주의해야 한다.

2.3 사용 중 재료의 거동

소재는 광범위하고 다양한 환경과 상황에서 작동되고 요구 기능이 수행되어야 한다. 안전과 신뢰성의 요건은 소재와 부품을 사용하는 환경과 상황에서 기능의 저하 없이 잘 실행되어야 한다는 것을 의미한다. 소재로부터 발생하는 파괴나 고장은 그 원인과 과정이 다양하며 이로 인한 생산성 저하와 재산손실 및 안전상의 문제에도 심각한 영향을 미치므로 파손의 원인을 이해하고 조절하는 것은 필수적이다.

매년 수백만 톤이 생산되는 소재는 기술의 진보와 소재의 이해 및 설계방법, 검사방법 등의 발달로 소재에 기인하는 파손은 극히 낮은 비율로 발생한다. 소재의 파손은 주로 3개의 유형으로 분류할 수 있다. 첫째는 조작상의 파손으로 과부하, 마모, 부식 및 응력, 취성 파괴 및 금속피로에 의해 일어날 수 있으며 둘째는 부적절한 설계 때문에 일어난다. 모서리부의 예각, 과도한 하중 집중부, 응력(*stress*)에 대한 안전 계수 및 선택된 소재가 특정 적용 구역에 적절한지 여부를 고려하는 것이 필요하다. 셋째는 단조, 표면경화, 열처리 및 용접과 같은 직접적인 열의 작용과 연삭 등과 같은 작업 요소에서 발생하는 열에 의한 소재의 표면 균열이 있다. 이와 같이 소재의 가동 중 결함 및 파손에 이르게 하는 사용 조건은 다음과 같다.

2.3.1 부식

일부 귀금속을 제외한 모든 금속은 일반적으로 부식(*corrosion*)에 취약하다. 예를 들어 자연 상태의 산화철을 환원하면 금속재료로서 유용한 가치를 가지는 철이 생산되나 이와 같은 상태의 철은 불안정한 상태이므로 안정한 상태인 산화철로 되돌아가려는 경향이 강하다. 우리가 사용하는 대부분의 금속들은 자연 상태에서 황화물, 산화물 또는 탄산염으로 구성되어 있는 광석을 환원시켜 유용한 금속재료로 만들어 사용하는 것이다. 따라서 이들은 불안정한 상태이므로 안정 상태인 자연 상태로 돌아갈려는 경향이 강하여 조건만 형성된다면 언제든지 산화물이나 탄산염을 형성하게 된다. 건물, 배, 기계, 자동차 등 대부분의 구조물에 사용되는 재료들은 환경에 지배를 받게 되며 부식으로 인하여 이들 구조물들은 기능이 저하되거나 쓸모가 없어지게 된다. 전 세계적으로 매년 수십조 원의 손실이 부식에 의해 발생하고 있다. 부식은 또한 위험한 조건을 유발할 수 있다. 예를 들어 교량과 같은 구조물의 지지부에서 발생하는 침식과 비행체에서 나타나는 입계부식(*inter-granular*)이라 불리는 잠행성 부식은 어느 순간에 구조물을 파손시키는 원인이 될 수 있다.

금속의 부식은 우리가 사용하는 대기나 환경 속에서 금속이 산소와 결합하여 안정된 상태의 화합물 즉, 본래의 광석으로 돌아가려는 경향이 아주 강하기 때문이며 철이 녹이 스는 경우가 바로 그 예이다. 부식은 통상적으로 두 개의 다른 부식과정을 가지고 있다. 그 하나는 고온에서 산소와 직접 반응하여 발생하는 직접 산화부식이고 다른 하나는 수분이나 전해질에서 발생하는 전기화학적인 갈바닉 부식으로 구별될 수 있다. 직접 산화부식은 노에서와 같이 장시간에 걸쳐 고온에서 사용되는 금속재료 표면의 스케일을 예로 들 수 있다. 고온에서 생성되는 흑색 스케일은 실제로 자철석 (Fe_3O_4)이라 불리는 산화철과 같은 형태이다. 또 다른 형태는 갈바닉 부식으로서 매우 느리지만 지속적으로 진행됨으로서 금속재료를 취약하게 만드는 전기화학적 반응의 부식이 있다. 이 과정에서 전해질을 매체로 하여 금속재료의 모든 부분 또는 부분적으로 이온화 상태나 화합물의 형태로 변화하게 된다. 구리나 알루미늄과 같은 몇몇 금속재료의 표면에서 발생하는 부식생성물은 부식이 진행될 수 있는 상태를 차단하는 얇은 필름상태로 존재하며 내부의 금속을 부식으로부터 보호한다. 하지지만 철과 같은 금속에서 형성된 산화 막은 다공성이며 산화물간의 결합력이 약해서 부식 활동을 차단하지 못함에 따라 부식이 계속 진행하게 된다.

전기화학적 부식은 금속 이온이 용해되도록 전해질을 필요로 한다. 전해액은 신선물이나 소금물, 산성이나 알칼리 용액뿐만 아니라 금속표면에 묻은 지문에 의해서도 전해액 작용으로 부식을 일으킬 수 있다. 금속이 부식을 일으킬 때, 양성으로 전하된 원자는 자유도가 높아져 고체 표면으로부터 분리되면서 금속 이온이 되어 전해질 내로 용해되고 이에 대응하는 음전하는 금속 내에 남아있게 된다. 철의 부식에서 각각의 철 원자는 두 개의 전자를 분리시켜서 두 개의 양전하를 갖는 철 이온이 된다. 두 개의 전자는 도체의 음극으로 흘러가 음극물질의 표면에서 수소 양이온을 중화시키면서 중성원자가 되어 수소가스의 형태로 방출된다. 양전하로 된 수소이온의 방출은 음극에서 알칼리성을 증가시키는 OH 음이온의 집중과 축적을 가져온다. 이와 같은 과정은 음극 표면에서만 수소 거품을 발생시키게 된다. 단일 금속에서 음극과 양극이 발생하는 요인으로는 금속성분의 불균일성, 표면 결함, 스트레스, 금속에서 개재물 또는 볼트 와셔와 같이 틈을 형성할 수 있는 것들이 있다.

부식의 또 다른 형태로는 빠르게 유동하는 대기나 매질에 의해 산화물로 이루어진 보호막이 침식되는 형태로 일어날 수 있다. 탈분극(*depolarization*)은 제한된 장소에서 발생된다. 전해질인 물을 움직이게 하는 배의 프로펠러와 같이 탈분극이 형성되면 강철 선체가 양극이 되어 부식율이 증가한다. 펌프의 회전 날개에서도 이와 같은 부식이 나타나는데 회전차의 중심은 유체가 압축되면서 속도가 느리나 회전차 바깥 둘레는 빠르게 움직이므로 금속이온이 침식되는 부식이 발생하게 된다.

다른 부식의 형태로는 금속재료 내부에서 발생하는 입계(*inter-granular*)부식이 있다. 입계부식에서 결정 입계가 양극이 되고 결정 자체는 음극을 형성한다. 크롬 탄화물이 결정 입계에서 촉발시키는 스테인리스 스틸에서 일어난다. 이것은 결정입계에 인접한, 그래서 갈바닉 셀을 만들어내는 크롬 내용물을 낮춘다. 환경에서의 차이점은 높은 산소 이온의 집중을 일으킬 수 있다. 이것은 셀 집중 부식이라고 불린다.

점식은 국부적인 집중 셀에 의해 금속 표면 위에 작은 구멍이 형성되는 부식이다. 높은 응력이 금속에 작용되는 부식 환경에서 일반적으로 발생되며, 균열이 있을 때 응력-부식 손상은 가속화될 수 있다. 매우 국한된 현상이고 균열 형태의 실패로 나타난다.

2.3.2 피로

재료학적으로 구조물 및 제품을 구성할 때 신뢰성 차원에서 제일 문제가 되는 것이 피로(*fatigue*)라고 할 수 있다. 피로는 방향이 변동하는 응력을 장시간 반복하여 작용시키면 허용응력 이하의 하중에서도 결국 파괴되는 현상을 말한다. 피로 현상은 응력의 종류나 조건 혹은 재료에 따라 변하는 아주 복잡한 특징을 나타낸다. 금속의 피로 현상으로 지금까지 알려져 있는 특징을 요약하면 다음과 같다. (1) 반복응력의 크기가 그 재료의 정적파괴 응력 또는 항복점보다 작아도 파괴 될 수 있다. (2) 연성재료라도 육안으로 확인할 수 있을 정도의 소성변형을 일으키지 않고 파괴된다. (3) 재료에 가해지는 응력의 크기 S가 클수록 파괴에 도달하는 회수 N 이 작아진다. 이 곡선을 일반적으로 S-N 곡선이라 한다.

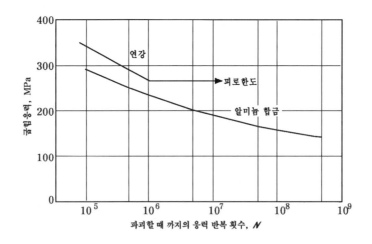

그림 2.3 강과 비철금속의 피로곡선

그림 2.3은 피로의 S-N곡선을 나타낸 것이다. 그림에서 알 수 있듯이 응력이 작으면 곡선은 점차적으로 횡축에 평행하게 되므로 어떤 응력 값 이하에서는 무한대로 응력이 주어져도 재료는 파괴되지 않는다. 이 한계 응력 값을 피로강도라 한다.

이 피로현상에 관해서는 다음과 같은 것이 알려져 있다. 피로과정에서는 반드시 약간의 가공경화 현상이 일어난다. 그러나 이 경화 현상은 전체 피로수명의 수 %밖에 되지 않으며 초기과정에서 포화되어 버린다. 또한 일반적인 피로시험에 있어서 피로강도 및 피로수명 값의 오차가 생기는데 이 현상은 실험방법에 의한 오차보다 재료 고유의 본질적인 것이라고 판단된다. 피로 균열의 발생은 피로과정 초기에 발생하며 전체 피로수명의 초기 부분에서 해당된다. 나머지 90% 이상은 균열진전에 의한 것으로 관찰된다. 또한 피로수명은 주변 분위기의 영향을 받으며 산화와 부식은 피로수명을 극단적으로 저하시킨다. 반대로 침탄이나 질화, 쇼트 피닝 등의 표면처리에 의해 피로수명을 연장시킬 수 있다.

피로 현상은 조건에 의해 상당히 복잡하므로 피로 파괴의 원천이 되는 현미경조직에도 나타나지 않는 마이크로 균열의 발생 원인에 관해서 재료 내부에서 발생하는 빈 격자의 응집이나 전위의 축적 등의 각종 기구가 제안되어 있다. 이와 같이 피로는 재료가 받은 열처리 이외에 가공처리의 영향도 많이 받으며 금속 내부에 존재하는 비금속 개재물이나 탄화물 등 모재 경계면의 결합상태가 반복응력에 의해 약화되거나 부분적으로 이탈하여 빈공간이 생겨 발생할 수도 있다.

2.3.3 크리프

금속재료를 상온에서 사용하는 경우 일반적으로 항복강도를 설계기준으로 하여 여기에 안전율을 곱하여 이용하면 사용상 문제가 없다. 하지만 현대에는 고도의 화학플랜트나 발전기 및 엔진 등과 같이 고온에서 사용되는 장치가 많아졌고 이에 따른 재료의 고온특성도 고려 대상이 되었다. 이와 같이 고온에서 금속재료를 사용하게 되면 가해지는 힘이 낮아도 시간의 경과에 따라 변형이 일어나거나 장시간 사용 후에 하중의 증가 없이 급격하게 파단을 일으킬 수 가 있다. 또한, 파단에 도달하지 않더라도 최근 첨단기계류와 같이 정밀도가 높아지게 되면 사용 중에 약간의 치수변화가 있어도 큰 문제를 야기시킬 수 있다. 이와 같이 일정온도와 일정 하중조건 하에서 시간경과에 따라 발생하는 변형을 크리프(**Creep**)라 한다. 일반적으로 크리프 속도의 기준으로는 1,000시간 또는 10,000시간 이하에서 0.1%의 연신율을 일으키는 속도를 택하며 이 속도에서 발생하는 응력을 그 온도에서의 크리프 강도라고 한다.

크리프 속도는 고온일수록 또는 응력이 클수록 빨라지며 크리프 강도는 고온일수록 떨어진다. 그림 2.4는 일정 온도 일정 하중 하에서의 연신율과 시간의 관계를 나타낸 것이다. 즉 크리프 곡선의 대표적인 특징을 나타낸 것으로 그림에서 알 수 있듯이 하중이 가해지면 초기에는 탄성적 연신율이 생긴 다음 비교적 빠른 소성변형이 일어난다. 이어서 비교적 느린 소성변형이 일어나면서 일정한 속도로 변형이 진행하게 된다. 그리고 시간이 어느 정도 경과하게 되면 변형속도는 급격하게 빨라져 최종적으로 파단에 이르게 된다. 변형속도가 탄성영역과 점차적으로 느려지게 되는 영역을 1차 크리프 또는 천이 크리프라 하고 변형속도가 거의 일정한 영역을 2차 크리프 또는 정상 크리프라 한다. 그리고 최후의 변형속도가 급격하게 빨라지는 영역을 3차 크리프 또는 가속 크리프, 파괴 크리프라 한다. 크리프곡선의 형태는 온도, 하중 및 금속재료의 종류에 따라 다르며 특히 정상크리프의 속도는 온도와 하중의 영향을 많이 받으며 고온이고 높은 하중일수록 정상크리프의 영역은 작아진다.

크리프에 있어서 현실적으로 가장 큰 문제는 변형속도가 급격하게 빨라지는 제 3차 크리프가 언제 일어날지 단시간의 크리프 시험으로부터는 예측하기가 어렵다는 것이다. 즉 실제로 시험을 한 시간까지만 신뢰 할 수밖에 없다는 것이다. 따라서 크리프가 발생하는 조건하에서 금속재료를 사용하는 경우는 단순히 어느 정도의 응력까지 사용할 수 있느냐 뿐만이 아니라 어느 정도의 시간을 사용할 것인가를 검토해야 한다. 따라서 최근에는 크리프 강도를 측정하는 예비적 보조 수단으로써 일정온도 하에서 크리프 파단시험이라는 방법을 병행하고 있다. 이 방법은 하중을 여러 가지로 변경시켜 파단 할 때까지의 시간을 구하여 응력-시간과의 대수 또는 양자간의 대수관계를 구한다. 이 경우 1,000시간 정도까지 측정하지만 많은 실험결과로부터 재료에 야금학적 변화만 일어나지 않으면 그것의 10배 정도까지 연장해도 무난하다고 할 수 있다.

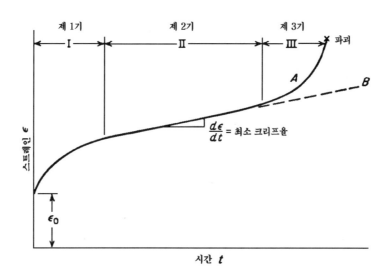

그림 2.4 크리프 곡선의 단계

이 크리프 현상은 일종의 변형현상인데 그 발생 기구는 전위와 관련된다. 발생 기구의 개념을 간략하게 설명하면 다음과 같다. 응력을 가하면 천이크리프는 처음엔 이동하기 쉬운 전위가 쉽게 움직여 점차적으로 움직이기 쉬운 전위의 수가 감소해가는 고갈현상과 변형에 의해 전위밀도가 증가하여 전위가 상호간에 얽혀서 점차적으로 움직일 수 없게 되는 가공경화와의 합성효과에 의한 것이다. 따라서 일정한 응력 하에서는 변형속도는 점차적으로 늦어지게 되어 있다. 그 다음 단계인 정상크리프는 가공경화와 가열에 의한 회복과의 평형유지 상태라고 할 수 있다. 즉 천이크리프 말기에 서로 얽힌 전위에도 응력이 가해져 있기 때문에 점증적으로 미끄럼면상을 이동하여 정부의 전위가 같게 되어 소실되거나 빈 격자가 작용하여 전위를 소멸시킨다. 한편 변형을 하기 위해서는 전위가 증가하므로 상호간의 양자가 평형상태를 유지하게 된다. 마지막으로 가속크리프는 시편의 국부수축과 크리프 과정중의 파괴의 원인이 되는 어떠한 조건이 성립하기 때문이다. 다시 말해 고온 또는 단시간 크리프파괴는 국부수축이 일어나면서 단위 단면적당의 응력이 급격하게 증가는 것도 하나의 원인이 된다. 이 경우는 일반적으로 입내 연성파괴이다. 그러나 장시간 크리프는 일반적으로 딤플이 없는 입계파괴로 이 경우는 입계에 따라 작은 공극이나 균열이 존재하는 것이 특징이다.

2.3.4 마모

마모(*wear*)는 기계적 작용에 의한 접촉 표면으로부터 소재의 원하지 않은 제거로 정의된다. 과도한 마모는 연속적인 과정에 의해 일어날 수 있지만, 일반적으로 두 표면 사이에서 발생하는 마찰에 의한 마모는 보통은 느리게 발생한다. 마모는 파괴의 원인 중 하나이며 빠른 마모는 윤활의 부족이나 마모 표면에 대한 부적절한 소재의 선택 때문에 일어날 수 있다. 기계 및 도구에서의 마모는 어쩌면 정상적인 과정일 수도 있다. 자동차용 부품은 궁극적으로 점검이 요구될 때까지 마모하며 기계의 접촉부는 규칙적인 검사에 의해 교체의 주기를 판단할 수 있으며 이와 같은 행위를 예방정비라고 부른다. 적절한 윤활유의 사용은 마모량을 최소로 유지될 수 있으나 때에 따라 보통의 마모라도 단순 점검에서는 합격되었지만 예방할 수 없는 경우가 있다.

하중의 분포가 부품의 설계나 형상 때문에 작은 지역에 집중되었다면 급격한 마모가 발생할 수 있다. 이 경우에는 마모가 분산될 수 있도록 접촉면적을 재설계함으로써 방지할 수 있다. 기계의 너무 빠른 속도는 마찰을 현저하게 증가시켜 급격한 마모를 일으킬 수 있다. 금속재료의 마모는 재료 표면으로부터 입자의 배출과 표면으로의 입자 분산에 의해 일어나는 표면 현상이다.

구름(*rolling*)과 미끄럼(*sliding*) 접촉 대상인 모든 표면은 몇 가지 마모 현상을 보여준다. 심각한 경우 마모 표면은 다른 표면에 융착될 수 있다. 이 현상을 이용하여 성질이 다른 두 가지의 재료를 융착시켜 사용하는 경우도 있다. 소재가 부드럽다면 금속의 아주 작은 돌기가 상대 소재와의 접촉마찰에 의한 마찰열이 발생하고 이들은 어느 순간에 합체하게 된다. 두 금속간의 이질성이 강하다면 이 들은 소재표면에서 마찰열에 의해 표피가 분리되어 떨어져나간다. 이러한 현상의 직접적인 원인은 불충분한 윤활에 기인한다. 두 부품이 상대적으로 강한 압력이 가해지게 될 때 이러한 융착을 막기 위해 고압 윤활유가 종종 사용된다. 예를 들어 기어나 사슬바퀴 내의 강철 축과 강철 축 받침과 같이 중하중이 작용하는 회전하는 결합부품에서 윤활유가 부족한 상태로 압력이 가해지면 치수의 변형과 함께 열에 의한 각기 다른 파괴양상을 나타내게 된다. 일반적으로 두 종류의 금속이 결합되어 상대적인 운동을 할 때 부드러운 금속은 단단한 금속보다 융착을 할 가능성이 더 높아진다. 마모를 피하기 위해서는 연한 재질보다는 표면경도가 높은 재료를 사용할 필요가 있다. 융착이 될 가능성이 매우 높은 금속재료에는 알루미늄, 구리 및 오스테나이트계 스테인리스강 등이 있다.

그 밖의 마모에는 연마 마모(*abrasive wear*), 침식 마모, 부식 마모, 표면 피로를 포함한다. 연마 마모는 마찰에 의해 소재의 표면에서 형성된 작은 입자들이 금속 표면 밖으로 빠져나가는 마모로써 자동차의 브레이크와 같은 마모 특성을 예로 들 수가 있을 것이다. 이런 경우에는 마찰력이 가장 큰 부분의 마모를 최소화시키도록 소재가 설계된다. 마찰력이 요구되지 않는다면, 윤활이 두 표면 사이에 마찰을 제거하기 위해 사용된다. 이것은 윤활유의 막을 형성함으로써 마찰을 감소시킬 수 있다.

침식 마모는 소재표면에 고속으로 흐르는 가스나 입자의 흐름이 형성되는 부분에서 발생된다. 부품의 표면을 청결히 하는데 사용되는 모래 분사는 이 원리를 이용한 경우이다. 부식 마모는 부식성의 산, 또는 금속부품과 접촉하는 부식성 매질의 접촉에 의한 결과로 발생한다. 윤활유가 부식성 소재와 함께 오염되었을 때, 국부부식인 점식이 축부 베어링과 같은 틈새를 이루는 지역에서 발생할 수 있다. 표면 피로는 과다한 하중이 롤이나 볼 베어링 또는 슬리브 베어링에 작용할 경우에 발생한다. 과도한 하중이 베어링에 작용할 경우 베어링 표면으로부터 찰과에 의한 표면의 박리가 발생하거나 미세한 균열이 관찰된다.

다양한 방법이 부품 내 마모의 양을 제한하기 위해 사용된다. 가장 흔히 사용되는 방법 중 하나가 단순히 부품을 경화시키는 것이다. 또한 탄소, 크롬과 같은 소재로 부품의 표면에 확산시켜 부품의 표면을 경화시킬 수 있다. 마모를 제한하는 또 다른 방법은 전기도금(특히 단단한 산업용 크롬을 사용)과 알루미늄에서의 양극 산화법이 있다. 로듐(매우 단단하고 높은 열 저항성 있는) 뿐만 아니라 일부 니켈 도금이 사용된다. (마그네슘, 아연, 알루미늄 및 그들 합금과 같은) 특정 금속에 양극 산화함으로써 형성된 산화코팅은 매우 단단하고 마모저항성이 있다. 표면 확산의 종류로는 침탄, 침탄질화, 시안화, 질화, 크롬화 및 실리콘화가 있다. 크롬화는 기본 금속의 표면층에 크롬의 도입으로 구성된다. 이것은 때때로 크롬 분말 및 비교적 고온인 염욕 내에서 금속부품을 처리함으로서 얻어질 수 있다.

2.3.5 과부하

과부하(*overload*)는 일반적으로 설계 오류, 하중의 추가 및 기계의 과작동으로 발생한다. 급격한 하중의 변동이나 설계 한계를 넘어선 하중은 빈번한 기계고장의 원인이다. 기계공학자들이 항상 설계상 높은 안전요소를 계획 할지라도 기계 작업자들이 자주 설계 한계를 넘어서서 기계를 사용하는 경향이 있다. 물론 이런 종류의 초과 응력은 작업자의 실수 때문이다. 부적당한 설계는 때때로 과하중 파괴에 일부를 차지할 수 있다. 부품의 설계 상 부적절한 소재선택 또는 부적절한 열처리 상태에서의 과하중은 때로는 재료를 급속히 파괴할 수 있다. 항복점 보다 높은 최대 인장강도에 입각한 작업이 수행된다면 이는 사실상 설계상의 오류이고 결국 기계의 고장을 유발한다. 근본적으로 금속이 일정한 하중 아래에서 파괴될 수 있는 두 가지 방식이 있다.

이 두 모드는 전단(*shear*)과 벽개(*cleavage*)이고, 이는 소재의 결정구조에 작용하는 하중에 따라 결정구조의 파괴방식의 차이로 발생한다. 거의 모든 상업용 고체 금속은 다결정이다. 각 개별 결정 또는 입자는 구성 성분의 매우 많은 원자 수로 구성된 구조이다. 이 원자들은 규칙적이고 반복적인 삼차원 형태로 각 결정 내에 세포로 배열되어 있다. 인접한 세포는 인력과 반발 전기력에 의해 균형 잡힌 위치와 모서리 원자를 공유하고 있다. 적용된 힘은 세포의 전위를 일으킬 수 있다. 전단변형은 결정에서 원자 면 위에 미끄럼 작용을 대표한다. 다결정 금속의 약간의 변형은 모양에서 영구적인 변화를 일으키지 않으며, 탄성변형이라 불린다. 즉, 금속은 하중이 제거된 후에 스프링처럼 원래 크기와 모양으로 되돌아온다. 더 많은 하중이 부과된다면 영구적인 소성변형이 발생하며 이는 결정구조를 구성하는 원자면 사이에서 되돌릴 수 없는 슬립 때문에 발생한다. 하중이 계속해서 적용하게 된다면 전단변형은 가장 심하게 응력을 받은 지역에서 아주 작은 미세공극이 일어난다. 이 작은 공극은 바로 서로 연결되어서 파괴표면을 형성한다. 결정 분리의 벽개 모드는 다르다. 이 경우 분리가 결정면과 인접 결정의 연결 면 사이에서 어떠한 변형 없이 갑자기 분리가 발생한다.

파괴는 국부응력, 즉 단위면적당 힘이 처음으로 국부 강도를 초과할 때마다 발생할 것이다. 이 위치는 금속의 강도와 적용된 응력에 따라 달라질 것이다. 축이나 유사한 모양이 인장력을 받을 때 더 길어지고 좁아진다. 연성 금속의 전단 강도는 더욱 약해지며 전단 모드를 통해 파괴된다. 이 금속들은 전단 변형력이 전단 강도를 초과할 때 파괴된다. 취성 금속의 경우 인장 변형력이 인장 강도를 초과할 때 파괴된다. 연성금속과 같은 소성변형을 일으키기 전에 파괴가 일어난다. 원기둥이 축 방향으로 압축하중이 작용할 때, 연성 금속은 더 짧고 두꺼워지나 취성재료는 원기둥과 대략 $45°$방향으로 파괴가 된다.

2.3.6 파손

파손(*fracture*)은 재료의 거동 중 가장 중요한 성질들 중 하나이다. 그 이유는 어떤 부품의 재료를 선정함에 있어서 그 부품의 기능, 가공방법, 사용수명 등에 파손은 직접적으로 영향을 미치기 때문이다. 재료의 파손 및 파괴는 많은 인자들이 복잡하게 연관되어 있다. 파손의 일반적인 형태로는 a) 내부 및 외부균열의 성장에 의한 재료의 파단과 파괴 b) 좌굴에 있다. 파괴는 다시 연성파괴(*ductile fracture*)와 취성파괴(*brittle fracture*)로 구분할 수 있다.

연성파괴의 특징은 소재가 파단되기 전까지 상당한 소성변형이 일어난다. 연성파괴는 일반적으로 전단응력이 최대가 되는 면을 따라 발생한다. 즉 최대 전단응력 면을 따라 파괴된다. 이와 같은 전단 파괴는 결정립 내부에서 슬립 면을 따라 과도한 슬립이 생긴 결과이다. 연성재료의 파단면을 현미경으로 관찰해 보면 마치 파단면 전체에 걸쳐 수많은 미소 인장시험이 실행된 것과 같은 미소한 웅덩이 형태의 섬유 무늬로 된 것을 볼 수가 있다. 파단은 작은 공극으로부터 시작된다. 이러한 공극은 보통 작은 개재물들 주위에 생기거나 재료 내부에 미리 존재하고 있으며, 공극들이 성장하고 서로 결합하면서 균열이 성장하여 결국 파괴에 이른다.

취성파괴에서는 소성변형을 거의 일으키지 않은 상태에서 재료가 둘 혹은 그 이상의 조각들로 파단된다. 인장 시에는 파면이 벽개면이라 불리는 특정한 결정면을 따라 발생하며, 이 면은 인장응력이 최대가 되는 면이다. 면심입방 구조의 금속들에서는 취성파괴가 잘 생기지 않으나 체심입방 구조나 조밀육방구조의 일부 금속들은 벽개면을 따라 파단 된다. 일반적으로 온도가 낮고 변형속도가 높으면 취성파괴가 잘 일어난다. 인장을 받는 다결정면 금속이 파단 되면 파단면이 광택이 나고 오톨도톨한 입상으로 되는데 이는 균열이 결정입자들을 거슬러 전파됨에 따라 벽개면의 방향이 변하기 때문이다. 파단이 시작되고 전파되는 것은 벽개면에 수직하게 작용하는 인장응력에 의해 좌우된다. 취성재료를 비틀면 비틀림 축에 대해 45°인 면을 따라 파단 된다.

2.4 재료의 강도와 파괴

2.4.1 개요

금속은 일반적으로 다른 재료에 비해 소성변형(*plastic deformation*)능이 크기 때문에 연성파괴가 일어나고 파괴 시 큰 에너지를 필요로 한다. 예를 들어 철골건축의 경우, 철골의 소성변형에 의해 지진의 에너지를 흡수하여 피해를 경감하는 것을 기대할 수 있다. 금속과 같이 소성변형능이 큰 재료는 많지 않다. 단, 주철이나 열처리한 고탄소강, 합금강과 같이 취성파괴를 일으키는 금속도 있다.

그러나 연성파괴를 일으키는 금속이라도 어느 조건하에서는 취성파괴를 일으키는데, 이것이 파괴사고의 원인이 되는 경우가 많기 때문에 어떤 조건에서 취성파괴가 일어나는지를 아는 것이 매우 중요하다. 따라서 기본이 되는 연성파괴, 취성파괴의 예인 저온취성, 취성파괴를 하는 피로파괴 등에 대해 알아보고자 한다.

기기, 구조물 또는 부품이 항복점 또는 내력 이상의 과대한 응력을 받으면 소성변형을 일으켜 본래의 형상으로 되돌아오지 않고 그 기능을 상실하는 경우가 있다. 그와 같을 때 그 물체는 파손되었다고 한다. 또, 소성변형 후에 균열이 생기고 그 균열이 더욱 발전하여 결국 2개로 분리된 경우를 파괴(*fracture*)라 한다. 그리고 이들 현상을 모두 포함하여 파손(*failure*)이라 한다.

일반적으로 재료의 파괴현상은 크게 2가지로 분류할 수 있다. 첫째, 주철과 같은 대표적인 취성재료는 탄성 상태로부터 거의 변형하지 않는 파괴를 일으키는데, 이와 같은 파괴를 취성파괴(*brittle fracture*)라 한다. 피로파괴 및 응력부식균열에 의한 파괴, 벽개파괴 등이 이에 속한다. 이에 비해 연강과 같은 연성재료는 큰 소성변형을 일으키며 파괴가 일어나는데, 이를 연성파괴(*ductile fracture*)라 한다.

비파괴검사의 목적은 기계·구조물 등의 건전성·신뢰성을 확보하는 것, 다시 말해 사용기간 중에 기능을 상실한다거나 파괴되지 않도록 하는 것이다. 따라서 비파괴검사기술자는 강도와 파괴에 대해 정확한 지식을 갖는 것이 필요하다. 이러한 의미에서 여기서는 재료의 강도와 파괴에 대한 기초적인 지식에 관해 기술하고, 연성파괴 및 저온취성, 피로파괴 등에 대해 간단히 소개한다.

2.4.2 허용응력과 안전율

기계 또는 구조물의 치수를 결정하는 경우에는 그들이 사용기간 중에 변형이나 파괴하지 않도록 설계하지 않으면 안 된다. 이와 같이 변형이나 파괴의 원인은 응력에 있기 때문에 사용응력을 설정하는 경우는 하중의 상태나 사용재료의 강도와 그 성질을 충분히 알고 있을 필요가 있다.

재료는 작용응력이 탄성한도(彈性限度) 이하라 하여 안전하다고 단언할 수 없다. 그것은 응력의 작용방법에 따라서 안전한 응력의 값은 변화하는 것이다. 이것을 고려하여 부하를 받아도 지장이 되지 않는 허용응력(許容應力; **allowable stress**, σ_a)을 도입하여 사용하고 있다. 다시 말해 허용응력은 기기, 구조물이 파괴하지 않고, 재료에 부하가 걸려도 지장이 없는 최대응력을 말한다. 따라서 허용응력은 위에 기술한 것과 같은 여러 종류의 인자를 고려하여 결정해야 하지만 가장 기본적인 것은 인장강도(引張强度; σ_B), 항복점(降伏点; σ_s), 또는 내력(耐力; $\sigma_{0.2}$)및 피로한도(疲勞限度; σ_W)의 세기 및 응력이다. 일반적으로 이들의 강도를 기준강도(基準强度)라 부르고 기기·구조물의 설계에 매우 중요한 수치가 된다. 그리고 이들의 기준강도와 허용응력과의 비를 안전율(安全率; **safety factor**, S_f)라 부르고 기기, 구조물의 강도설계상에서 본 하나의 안전성의 표준이 되고 있다. 다시 말해 안전율은 다음의 수치로 나타내어진다.

$$안전율 \ \ S_f = \frac{기준강도}{허용응력} > 1$$

그리고 기준강도를 무엇으로 하는 가에 따라서 안전율은 다르다. 다시 말해 기준강도를 인장강도로 잡는 경우(이것이 일반적이다)의 안전율은

$$S_f = \frac{인장강도(\sigma_B)}{허용응력(\sigma_a)}$$

기준강도를 항복점 또는 내력으로 잡은 경우의 안전율은

$$S_f = \frac{항복점(\sigma_s)또는 내력(\sigma_{0.2})}{허용응력(\sigma_a)}$$

기준강도를 피로강도로 잡은 경우의 안전율은

$$S_f = \frac{피로강도(\sigma_w)}{허용응력(\sigma_a)}$$

예를 들면 일반구조물용 압연강재 SS400(SS41)을 예로 설명한다. 일반구조물용 압연강재의 인장강도 σ_B=402 N/mm^2 {41 kgf/mm^2}, 항복점 σ_s=235 N/mm^2 {24 kgf/mm^2} 이다. 또 σ_B를 기준강도로 하여 설계하고, 안전율을 5로 하면 허용응력은 80 N/mm^2 {8 kgf/mm^2} 가 되지만 만약, 기준강도를 σ_s로 하면 안전율을 3으로 하여도 허용응력은 같은 80 N/mm^2

$\{8 \text{ kgf/mm}^2\}$가 된다. 현재 일반적으로는 인장강도의 1/3 또는 항복점의 1/2 이라는 수치가 허용응력으로 잘 이용되고 있다. 표 2.1에 안전율 $S_f = \dfrac{\sigma_B}{\sigma_a}$의 일례를 나타낸다.

인장강도 σ_B와 피로강도(疲勞强度;σ_w)의 관계를 탄소강 및 구조용합금강에 대해 나타내면 회전(평면)굽힘피로한도 $\sigma_{wb} \fallingdotseq 0.5\sigma_B$, 양진인장압축 피로한도 $\sigma_{wz} \fallingdotseq 0.46\sigma_B$, 양진(兩振)피로 한도 $\tau_w \fallingdotseq 0.3\sigma_B$의 대략적인 관계를 갖는다.

표 2.1 안전율

재료	정하중	동하중		
		반복하중	교번하중	충격하중
일반구조용강	3	5	8	12
주강	3.5	5	8	12
주철 및 연금속류	4	6	10	15
동 및 연금속·합금	5	6	10	15
목재	7	10	15	20
석재 및 벽돌	15	25		

2.4.3 응력집중

이제까지 기술한 재료의 강도는 결함이 없는 경우에 한 한 것이다. 그러나 만약 결함이 재료에 존재한 경우에는 재료의 강도가 현저하게 저하하는 경우가 있다. 이것은 결함에 의한 하중에 대한 단면적이 감소하고 결함의 존재를 고려하지 않고 구한 값보다 큰 응력(공칭응력)이 작용하는 것과 결함부에서 응력집중(應力集中; **stress concentration**)이 작용하고, 결함 끝부분(端部)에 공칭응력 보다 훨씬 큰 최 대응력이 생기기 때문에 이것이 결함이 유해하게 되는 원인이다.

그림 2.5 노치의 예

이와 같이 결함은 재료의 내부에 있는 경우나 표면에 있는 경우 모두 노치(***notch***)로 표현되고, 일반적으로 노치라는 것은 재료의 단면적이나 형상이 급변하는 곳을 일컫는다. 그림 2.5은 노치의 예를 나타내고 있으며, 그 형상은 구형(球形), 괴상(塊狀), 평면(平面), 모두 노치라는 용어로 표현되며 노치로 인해 생기는 응력집중은 다음과 같이 정의한다. 시험편에 원형구멍(孔), 홈(溝) 또는 노치부분과 같이 단면이 급변하는 곳이 있을 때, 이 부분에서 생기는 응력은 일정한 응력 분포일 때 계산한 값보다 큰 값을 나타낸다. 이 현상을 응력집중이라 부른다.

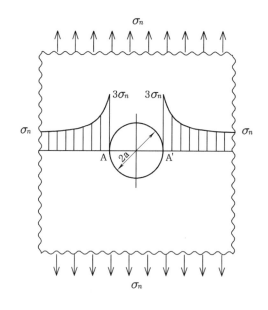

그림 2.6 무한 평판 중에 있는 원형구멍 주위의 응력집중

그림 2.6은 무한평판(無限平板)의 일부에 원형(圓形)구멍을 갖는 경우의 응력분포를 나타낸 것으로 무한평판의 인장방향과 직각인 A, A' 부분에 최대응력 σ_{max}이 생기고 원형구멍으로부터 멀어짐에 따라 응력이 감소하고 있다. 이 최대응력 σ_{max}와 공칭응력(계산응력) σ_n과의 비를 응력집중계수 또는 형상계수(形狀係數;α_k)라 부른다. 다시 말해,

$$응력집중계수(\alpha_k) = \frac{최대응력(\sigma_{\max})}{공칭응력(\sigma_n)}$$

이 응력집중계수(α_k)는 노치형상과의 관계로 다음과 같은 식으로 나타내는 것이 가능하다.

$$응력집중계수(\alpha_k) = 공칭응력(\sigma_n \times (1 + 2\sqrt{\frac{a}{\rho}})$$

여기서 a : 노치의 장축(長軸)
ρ : 노치의 선단곡율(先端曲率)

α_k의 값은 시험편의 형상이나 응력의 종류에 의해 정해진다. 단 유한(有限)한 크기를 갖는 실제의 물체에는 기준으로 하는 공칭응력을 취하는 방법에 따라서 α_k의 값이 변하기 때문에 무엇을 기준으로 하는 가를 명확하게 하여야 한다.

무한평판 중의 원형구멍 대신에 그림 2.7과 같이 타원형 구멍의 경우에는 원형구멍 α_k보다도 큰 값이 된다. 타원형 구멍이 극단(極端)적으로 편평(偏平)하게 되면 균열에 가까운 선상결함(線狀缺陷)이 되기 때문에 그 선단부(先端部)의 선단곡률은 더욱 예리해지며, 공칭응력이 작아도 균열의 발생 성장 혹은 파괴의 가능성이 높아진다. 따라서 이와 같은 예리한 노치나 결함에는 특히 주의해야 한다.

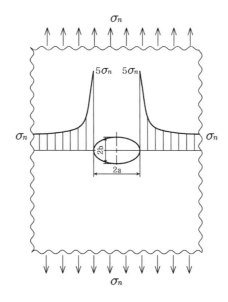

그림 2.7 무한 평판 중에 있는 타원구멍($\frac{b}{a} = 2.0$)의 응력집중

노치에 의한 응력집중 때문에 금속강도의 저하는 결함과 같이 노치계수로 표시할 수 있다.

$$\text{노치 계수 } \beta = \frac{\text{노치 재의 강도}}{\text{평활재의 강도}} \quad \beta \leq \alpha$$

응력집중계수 α가 치수와 재질에 무관함에 비해 노치계수 β는 치수와 재질에 의존하고 파괴형식에도 관계가 있으므로 실험 또는 실험식에 의해 구할 수 있다.

구조상(설계상)의 노치(구멍, 단부, 키홈, 나사 저부 등)의 경우 응력집중에 의한 강도의 저하는 설계자가 고려한다. 이에 비해 결함의 경우는 설계자가 고려하지 않는 것이 보통이다. 따라서 비파괴검사를 통해 결함을 검출하고 적절한 조치를 하는 것이 중요하다.

비파괴검사에 의해 결함이 검출되는 경우는 건전한 부위에 비해 단면적이 감소하여 응력집중이 되고 취성파괴나 피로파괴 등의 강도에 나쁜 영향을 미친다. 단, 일반적으로는 결함이 작기 때문에 단면적의 감소를 무시할 수 있는 경우가 많다.

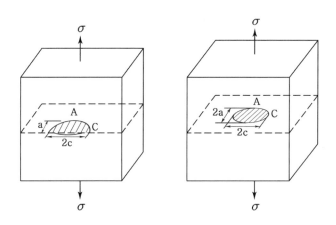

그림 2.8 표면 반타원 균열과 내부타원 균열

소재나 용접부의 결함은 물론이고 결함은 없지만 용입 부족의 루트부(불용착부), 필릿 용접이나 겹치기이음의 미용착부 등이 있을 경우에는 노치가 되어 강도를 저하시킨다. 또한, 노치 저부의 반경이 작을수록 응력집중계수는 커진다. 그러나 균열과 같이 노치 저부의 반경이 매우 작은 경우 응력집중계수는 계산상으로는 매우 크지만 작은 응력에서 파괴되어 사실과 맞지 않는다. 이 때문에 균열 및 균열에 가까운 결함이 있는 경우의 피로강도를 취급하는 파괴역학이 필요하다.

예를 들어, 그림 2.8과 같이 표면 반타원 균열(이하 표면균열이라 한다)과 내부타원균열(이하 내부균열이라 한다)을 파괴역학을 이용하여 비교하면 표면균열이 내부균열보다 유해하다는 것을 알 수 있다.

2.4.4 연성 파괴

기기, 구조물 또는 부품이 항복점 또는 내력 이상의 과대한 응력을 받으면 소성변형을 하여 본래의 형상으로 되돌아오지 않고 그 기능이 상실되는 경우가 있다. 이와 같을 때 이들 물체는 파손(破損)(탄성파괴)했다고 말한다. 또 소성변형 후에 균열이 생기고 이 균열이 더욱 발전을 계속하여 완전히 2개로 분리된 경우는 파단(破斷)이라 불린다. 그리고 이들의 현상을 전부 합쳐서 손상(損傷)이라고 부른다.

일반적으로 이와 같은 파괴현상은 크게 나누어 두 가지로 분류하는 것이 가능하다. 그 하나는 주철과 같은 취성재료의 경우와 같이 탄성 상태로부터 거의 변형을 하지 않고 파괴하는 경우로 파괴와 파손이 일치하는 파괴를 취성파괴(脆性破壞)라 부른다. 또 하나의 파괴는 연강과 같은 연성재료에서 일어나는 파괴로 큰 소성변형을 일으키는 중에 파괴하는 파괴로 이와 같은 파괴를 연성파괴(延性破壞)라 부른다. 그리고 일반적으로 말하고 있는 피로파괴라든가, 응력부식파괴, 벽개파괴(劈開破壞)등은 전자에 속하고 인장시험 등에서 얻어지는 파단부(破端部)는 후자에 속하는 것이다. 이 두 가지 파괴의 차를 하중-스트레인곡선의 차와 파단면 형상의 차로부터 나타내면 그림 2.9와 같다.

재료는 외부하중에 대해 미끄럼저항과 분리저항의 두 가지가 있고, 분리저항의 쪽이 작을 때는 작은 소성변형으로 파괴하고, 다시 말해 취성파괴를 하고 미끄럼저항이 작을 때는 큰 소성변형을 수반한 연성파괴를 일으킨다. 그러나 동일한 재료에서도 사용온도에 따라서 인성이 다르고 일반적으로 강(SS재 또는 SM재와 같은 페라이트계통의 강)은 저온으로 됨에 따라 인장강도, 항복점, 피로강도는 증가하지만 연신이나 수축은 급격히 저하하여 취화한다.

한편 STS 304와 같은 오스트나이트계 스테인레스강이나 알루미늄은 저온에서도 취화하지 않는다. 상온에서는 연성파괴하는 강도 어떤 온도(이것을 천이온도라 부르며, 연성파괴가 취성파괴로 천이하는 온도로 정의하고 있다) 이하에서는 급속하게 전성화하고 파단부 근방에서는 거의 소성변형하지 않고 취성파괴를 일으키게 된다. 이와 같은 파괴를 위에서 기술한 취성파괴와 구별하기 위해 저온취성이라 부른다. 특히 노치가 있으면 발생이 쉽고 이것을 저온노치취성, 또는 단순히 노치취성이라 불린다.

천이온도는 일반적으로 노치(균열과 같은 결함)가 있으면 높아지며 노치가 예리할수록 천이

온도는 높아진다. 기계, 구조물의 사용온도 부근에 천이온도를 갖는 재료를 사용할 때는 특히 충격하중에 의해 취성파괴를 일으키는 경우가 많고 큰 사고를 일으킬 우려가 있다. 천이온도는 반드시 상온 이하에만 있다고는 할 수 없다. 동일 재료에도 열처리 조건에 따라서 변화하고, 일반적으로는 소성변형을 하기 쉬운 재료일수록 천이온도는 낮고, 하중속도가 낮을수록 천이온도는 높게 되고 동시에 재료의 결정입자가 조대할수록 천이온도는 높아진다. 탄소강에서는 탄소함유량이 증가할수록 천이온도는 높다.

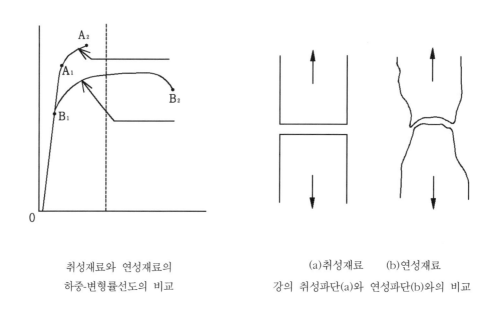

취성재료와 연성재료의
하중-변형률선도의 비교

(a)취성재료   (b)연성재료
강의 취성파단(a)와 연성파단(b)와의 비교

그림 2.9 취성재료와 연성재료의 비교

가. 연성파괴의 기구

연성재료의 인장파괴는 보통 그림 2.10과 같이 컵-원뿔(*cup and cone*)형의 파괴이다. 즉, 양쪽 파면 모두 중앙부는 인장방향에 거의 직각인 회색의 꺼칠꺼칠한 파면으로 이 부분을 섬유상파괴라 한다. 주변부는 인장방향과 대략 45°의 경사를 이루며 중앙부로부터 다소 매끈한 외관을 갖는 부분을 전단파괴라 한다. 한쪽은 凹 다른쪽은 凸의 형태로 각각 컵-원뿔형이 된다.

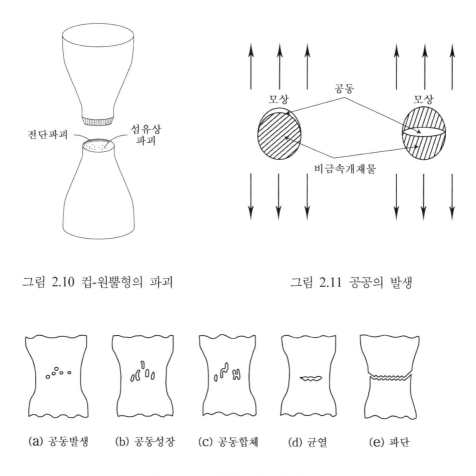

그림 2.10 컵-원뿔형의 파괴　　　　　　　　그림 2.11 공공의 발생

(a) 공동발생　　(b) 공동성장　　(c) 공동합체　　(d) 균열　　(e) 파단

그림 2.12 컵-원뿔형 파괴의 기구

이와 같이 연성재료가 컵-원뿔형의 파괴를 일으키는 기구는 다음과 같다. 금속(모재) 중 소성변형능이 거의 없고 비금속 개재물이 적게 포함되어 있는 것은 소성변형능이 큰 모재가 큰 소형변형을 하면 그에 따라 소성변형하지 않고, 그림 2.11과 같이 모상과 비금속개재물의 계면이 그 계면의 접착강도에 의해 박리하기도 하며, 비금속 개재물 자신이 균열이 되어 공공이 발생하기도 한다. 인장에 의해 소성변형이 증가함에 따라 그림 2.12(a) → (d)와 같이 발생한 공동이 성장하고 공동과 공동 사이의 실질부(이것을 작은 인장시험편이라 생각한다)가 가늘어지면서 합체하여 결국 큰 균열로 된다.

이 때 시험편은 주변부에만 붙어 있어 두께가 얇은 원통의 인장에 의한 것처럼 평면응력 상태가 되기 때문에, 그림 2.12(e)에 나타낸 것과 같이 최대전단응력의 면, 즉 인장방향에 45° 경사를 이룬 면으로 전단파괴한다.

나. 파면 관찰

파면에는 파괴에 대한 많은 정보가 포함되어 있어 파괴기구의 연구나 파괴(사고) 원인의 해명에 중요한 정보를 얻을 수 있기 때문에, 과거부터 육안으로의 관찰이 널리 행해지고 있다. 광학현미경(*optical microscope; OM*)은 보다 상세한 관찰을 가능케 하나 요철이 큰 파면의 관찰이나 사진촬영에는 불편하다. 이에 대해 전자현미경(*scanning electron microscope; SEM*)은 분해능이 좋기 때문에 배율을 높여 관찰할 수 있어 보다 상세한 정보를 얻을 수 있을뿐 아니라 요철이 큰 파면의 관찰이나 사진촬영이 가능하여 널리 사용되고 있다. 육안, 광학현미경, 전자현미경 등으로 파면을 관찰하고 해석하는 것을 파면관찰(*fractrography*)이라고 하나 주로 전자현미경에 의한 경우를 가르킨다.

연성파괴는 (1)에 기술한 것과 같은 기구로 일어나기 때문에 그림 2.13과 같이 양 파면에서 다수의 패인 자국((1)에서 기술한 공공)이 관찰되는데, 이를 딤플(*dimple*)이라 한다. 그림 2.13에서 알 수 있듯이 딤플의 형태나 양 파면에서의 방향 등의 관계로부터 응력의 상태, 더 나아가서 하중의 상태를 알 수 있다. 또, 거시적으로는 취성파괴와 같이 보아도 파면에 딤플이 관찰되면 미시적으로는 파면 근방에서는 어느 정도 큰 소성스트레인을 수반한 파괴임을 알 수 있다. 연강의 딤플의 예를 그림 2.14에 나타내고 있다.

그림 2.13 딤플(*dimple*)

그림 2.14 딤플(연강의 경우)

2.4.5 취성 파괴

가. 취성 파괴

외관상 거의 소성변형하지 않고 파괴하는 경우를 취성파괴(*brittle fracture*)라 한다. 소성변형이 매우 작기 때문에 파괴에 필요한 에너지가 작다. 취성재료, 예를 들면 담금질한 고탄소강, 주철 등은 상온에서 노치가 없어도 정적응력에서 취성 파괴한다. 이러한 취성재료의 취성파괴에 대한 저항의 대소를 논하는 데는 선형파괴역학을 이용한다.

취성파괴의 파면은 거시적으로는 비교적 평활하고 그림 2.15와 같이 요철이 적으며, 이를 리버 패턴(*river pattern*)이라 한다.

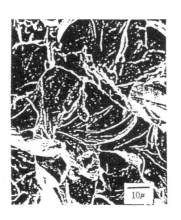

그림 2.15 리버 패턴(*river pattern*)

나. 저온 취성

일반적으로 금속은 온도가 저하하면 항복점, 인장강도, 피로강도는 증가하나 소성변형능이 작아져 흡수에너지가 감소한다. 페라이트계의 주철재료의 경우에는 그림 2.16(전이곡선이라 한다)과 같이 어떤 온도에서 급격히 취화되고 흡수에너지가 감소한다.

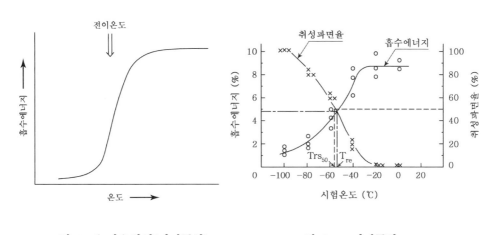

그림 2.16 저온취성(전이곡선)   그림 2.17 전이곡선

이 온도를 전이온도(*transition temperature*)라 한다. 전이온도란 시험편을 각각의 온도로 시험하였을 때 흡수에너지가 급격히 저하 (또는 상승)하거나, 파면의 외관이 연성에서 취성으로(또는 취성으로부터 연성으로)변화하는 등의 현상에 대응하는 온도를 말한다. 전이온도에는 그림 2.17과 같이 에너지 전이온도(T_{re})와 파면전이온도($T_{re\,50}$)가 있다.

저온취성을 나타내는 것은 체심입방결정의 주강재료에 한하며, 주강재료 중에서도 오스테나이트계 스테인리스강(예를 들면 18-8 스테인리스강 등)이나 비철재료(예를 들면 동, 알루미늄 등)는 면심입방결정이기 때문에 저온취성을 나타내지 않는다.

전이온도는 페라이트계의 주철을 저온에서 사용하는 경우 하한계온도의 기준을 나타내는 중요한 온도로 재질(성분 · 결정립 직경 · 현미경조직) · 노치 · 하중속도(충격 등) · 인장응력(용접 등에 의한 잔류인장 응력 등)의 영향을 받는다. 노치는 전이온도를 상승시킬 뿐 아니라 재료의 파괴강도나 피로강도를 감소시키는 등 강도에 나쁜 영향을 미치기 때문에, 비파괴검사를 통해 소재나 제품의 결함(노치)을 검출하는 것은 매우 중요하다.

다. 충격 시험

충격으로 파괴가 되기 쉬운 것은 그 성질이 여린 것으로, 충격시험을 통해 재료의 취성과 인성을 알 수 있다. 이는 또한 작은 충격에너지에서 파괴되는 것으로, 충격시험을 통해 흡수에너지 및 재료의 취성과 인성을 측정한다. 재료를 파괴하는데 필요한 에너지(흡수에너지)는 하중-변형 선도로 둘러싸인 면적으로 나타내지기 때문에, 충격에 의해 파괴하기 쉬운지의 여부는 파괴에 필요로 하는 응력보다 소성변형능의 대소에 의해 좌우된다.

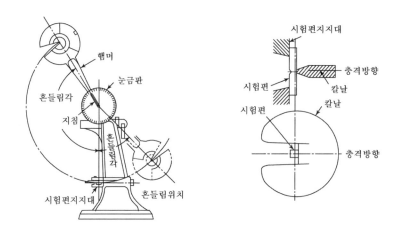

그림 2.18 샤르피 충격시험(계속)

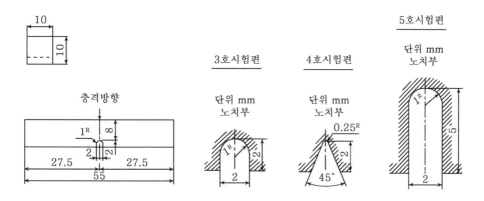

그림 2.18 샤르피 충격시험

충격시험은 보통 그림 2.18과 같이 노치시험편(4호)을 이용한 샤르피(*charpy*) 충격시험기로 샤르피 흡수에너지를 구한다. 충격시험의 목적은 전이온도를 측정하거나 그 재료의 전이온도가 규정된 시험온도 이상인가 이하인가를 알기 위함이다. 인장강도는 강도설계의 계산에 이용되나 흡수에너지의 수치는 이용하지 않는다.

2.4.6 피로 파괴

기계 · 구조물 등의 파괴사고의 원인으로는 화학반응(부식, 부식피로, 응력부식균열, 폭발 등), 피로, 저온취성, 가공불량(용접결함 등), 설계불량 등을 고려할 수 있다. 그러나 어떠한 경우에서도 피로로 인해 파괴되는 경우가 많다. 이것은 정하중에서 연성파괴하는 재료라도 피로파괴의 경우에는 기계 · 구조물 등을 사용하여 일정 기간이 경과한 후에 돌연히 취성 파괴를 일으키기 때문이다. 그림 2.19는 피로균열의 한 예이다.

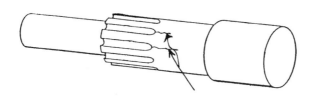

그림 2.19 피로균열

가. S-N곡선

재료에 1회만 가했을 때에 파괴하지 않는 작은 응력(탄성한도 이하)이라도 여러 차례 반복해서 가하면 재료가 파괴된다. 이 현상을 피로(*fatigue*)라 하고, 이 피로에 의한 파괴를 피로파괴라 한다. 부과된 응력 S와 파괴할 때까지의 응력반복 횟수(수명) N의 관계를 나타내는 곡선을 S-N곡선이라 하는데, 가해진 응력 S가 작아질수록 파괴할 때까지의 응력반복횟수 N(수명)은 크게 된다.

비철재료는 가해진 응력 S가 작아도 결국 어떤 횟수에서 파괴되지만 철강재료는 어떤 응력 이하에서는 수차례 반복해도 파괴되지 않는다. 이러한 응력의 상한값 무한회수의 반복에 견디는 응력의 상한값을 피로한도라 한다. 또한 지정된 반복횟수에 견디는 응력의 상한값을 시간강도라 한다. 여기서 시간강도의 시간은 반복수로 시간의 경과를 나타내는 시간이 아니다.

그림 2.20은 강의 S-N곡선의 예이다. 철강재료의 경우 피로한도의 값은 인장강도의 약 1/2, 석출경화성 알루미늄 합금의 경우($10^7 \sim 10^8$ 시간강도)에는 약 1/4이다. 또한 수명이 약 10^4 이하인 경우를 저사이클 피로, 그 이상의 경우를 고사이클 피로라 한다. 그리고 수명과 피로한도는 노치에 의해 매우 작아진다.

한편, 부식환경에서의 피로의 경우에는 철강재료에서도 피로한도를 나타내지 않고 수명(시간강도)이 대단히 짧아지는데 이것을 부식피로(*corrosion fatigue*)라고 한다.

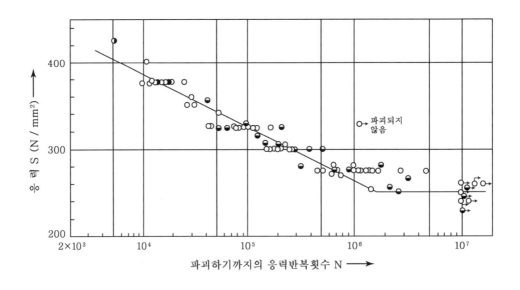

그림 2.20 0.25%C 탄소강의 S-N 곡선

나. 피로파괴의 일반적 경과

피로파괴 시에는 먼저 어떤 응력반복 횟수에서 균열이 발생하는데 이를 피로균열이라 한다. 노치가 있으면 그 저부에 큰 응력이 발생하기 때문에 대부분의 경우 피로균열은 표면의 노치로부터 발생한다. 이것이 응력반복 횟수와 더불어 진전하여 단면적이 감소하고, 최종적으로 잔류단면이 1회 또는 작은 응력반복 횟수에서 연성파괴한다. 피로균열이 진전한 피로파면은 외관상 대부분 소성변형이 아니다. 거시적으로는 조개껍질과 같은 무늬를 띠는 경우가 많으며, 미시적으로 전자현미경으로 관찰(*fractography*)하면 스트라이에이션(*striation*)이라 불리는 줄무늬가 관찰된다. 그 실례로 그림 2.21과 같이 스트라이에이션의 줄무늬가 반복응력 1회 마다 1개씩 만들어지는 것을 확인할 수 있다.

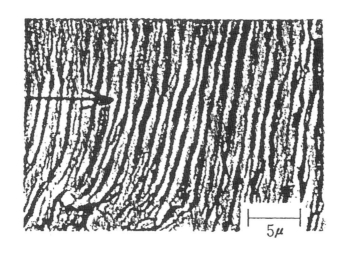

그림 2.21 강의 스트라이에이션

다. 피로파괴 사고의 원인

S-N곡선(피로한도, 시간강도, 수명)을 정확히 인식하고 피로한도 이하의 응력으로 설계하면, 설계응력 이상의 응력이 작용하지 않는 한 피로파괴 사고는 일어나지 않을 것이다. 또한, 시간강도를 기초로 설계하면 수명을 알 수 있기 때문에 피로파괴 사고는 일어나지 않을 것이다. 그러나 실제로 피로파괴에 의한 사고는 많이 발생한다. 그 이유는 다음의 설명과 같이 피로파괴에 영향을 미치는 인자는 매우 많고 복잡한데 피로파괴(특히 수명)는 확률적 현상이기 때문에 실물에 대한 S-N곡선을 정확하게 구하는 것이 어렵기 때문이다.

라. 피로파괴 사고방지

이상에서 알 수 있듯이 피로파괴 사고를 방지하기 위해서는 ① 소재 · 제조중 · 완성시에 비파괴검사를 통해, 피로한도를 저하시키고 수명을 단축시키는 노치가 되는 결함을 검출하여 폐기 또는 보수 등의 적절한 처치를 하고, ② 사용개시 후에는 발생한 피로균열이 최종파단에 이르기 전에, 즉 비파괴검사 등을 통해 작은 피로균열을 검출하여 적절한 조치를 취하는 것이 중요하다. 또한, ③ 피로균열 발생하기 전에 재질의 변화를 검지하여 피로파괴 사고를 방지하는 것도 일부 실용화 되었다.

2.4.7 크리프파괴

일정응력 하에서 소성 변형이 시간적으로 증가하는 현상을 크리프(*creep*)라 하고 최종적으로 파괴하게 되면 크리프 파괴라 한다. 응력-변형율 곡선에서는 그림 2.22에서와 같이 크리프를 횡축에 평행하게, 가공경화를 종축에, 응력완화를 종축에 평행하게 나타낸다.

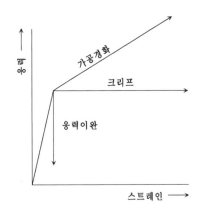

그림 2.22 크리프, 가공경화, 응력이완

크리프의 경우, 일정응력 하에서 소성변형의 시간적 증가는 그림 2.4의 크리프곡선과 같이 3기로 나누어진다. 제 1기(1차 또는 초기크리프)에는 크리프속도(곡선의 경사)가 시간에 따라 감소하고, 제 2기(2차 또는 전이크리프)에는 크리프속도가 일정하며, 제 3기(3차 또는 가속크리프)에는 크리프속도가 시간에 따라 점차 증가하여 파괴한다.

크리프 현상은 보통 재료의 융점(절대온도)의 약 1/2이상에서 현저하게 나타난다. 온도가 높은(또는 응력이 큰) 경우에는 크리프곡선 파괴까지의 시간이 짧다. 반대로 온도가 낮은(또는 응력이 작은) 경우에는 파괴에 이르기까지의 시간이 길다. 어떤 온도(또는 응력) 이하에서는 크리프곡선 b와 같이 스트레인이 시간적으로 증가하지 않아 파괴하지 않는다. 이때의 응력을 그 온도에서의 크리프 한도라고 한다.

일반적으로 크리프 한도는 장시간을 요하기 때문에 측정이 곤란하다. 일정온도로 규정된 크리프 스트레인 또는 크리프 속도가 되는 응력을 크리프 강도라 한다. 한편, 높은 응력을 가함으로써 시험편을 파단시켜 파단까지의 시간·연신율·단면수축률 등을 측정하는 시험을 크리프 파단시험이라 하고 이 응력을 어떤 온도, 어떤 시간에 있어서의 크리프 파단강도라 한다.

크리프에 의한 소성변형은 주로 공공의 확산이나 결정입계에서의 결정립과 결정립의 점성유동에 의해 일어난다. 또한 공공의 확산에 의해 결정입계에 공동이 발생하거나 결정입계에서 점성유동에 의해 쐐기형 균열이 발생하여 파단에 이른다. 따라서 고온에서의 크리프나 크리프 파괴에는 결정립이 큰 쪽이 저항이 크다.

2.5 선형파괴역학의 기초

가. 선형파괴역학이란?

선형파괴역학에서 대상으로 하는 결함은 균열(*crack*) 및 균열에 가까운 결함에 한정하고 있다. 이는 파괴라는 현상이 균열의 진전이라는 형태이기 때문이다. 예를 들면 블로우홀(*blow hole*)로부터 파괴가 생긴 경우는 그림 2.23과 같이 블로우홀의 양 끝단에 균열이 발생하여 파괴에 이르게 됨을 보여주고 있다. 물론 초기에 균열이 존재하는 경우에는 이 균열이 성장하여 파괴에 이른다. 이로부터 선형파괴역학의 정확한 정의는 다음과 같이 부여할 수 있다.

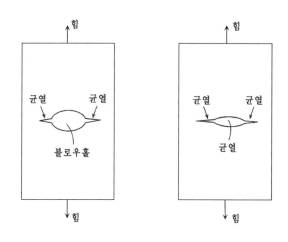

그림 2.23 블로우홀과 균열

"선형파괴역학은 균열을 가진 부재나 구조물의 강도와 균열의 성장거동, 또 파괴에 이르는 과정을 선형탄성론을 기초로 하여 정량적으로 취급하는 학문분야이다." 여기서 말하는 선형탄성론이란 스트레인과 응력이 비례하는 것을 나타내고 Hook법칙에 기초한 응력에 대하여 설명하는 이론이다.

나. 결함에 의한 응력집중

부재의 폭(W), 길이(l)가 결함의 길이(L)에 비해 충분히 클 때 결함으로부터 멀리 떨어진 곳에서는 결함의 영향이 미치지 않는다. 따라서 응력은 결함이 없는 경우와 같은 일정한 σ_∞값이 된다.

한편, 결함부근의 응력 분포는 일정하지 않다. 응력집중을 고려하는 경우, 흠의 예리함을 그림 2.24에 나타내는 곡률반경으로 나타낸다.

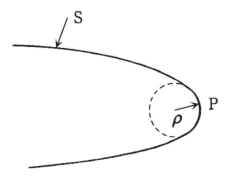

그림 2.24 곡률반경

블로우홀이나 슬래그 혼입은 균열에 비해 결함 선단의 곡률반경이 크고, 균열은 곡률 반경이 무한이 작은 경우이다. 즉 결함의 길이가 일정한 경우, 결함선단의 곡률 반경이 작을수록 응력집중은 현저하게 커진다. 따라서 균열은 모든 결함 중에서 가장 응력집중이 현저하다.

다. 파괴모드(변형의 종류)

균열에 힘이 작용할 때 균열선단부근의 변형은 결함의 방향성과 힘이 가해지는 방식의 조합에 의해 그림 2.25와 같이 3가지 경우가 기본이 되고 있다. 모드 I(개구형) 뿐 만 아니라, 모드 II(면내전단형), 모드 III(면외전단형)와 같이 힘을 부가하여도 균열이 커지게 된다. 특히, 모드 I의 경우는 취성파괴를 일으키기 쉽기 때문에 중요하므로 이하 모드 I의 경우에 대해 기술한다.

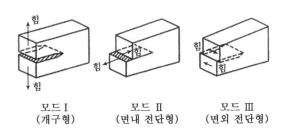

모드 I   모드 II   모드 III
(개구형)   (면내 전단형)   (면외 전단형)

그림 2.25 3가지 파괴 모드

라. 응력확대계수

그림 2.26과 같이 무한 평판 부재 중앙에 길이 $2a$의 균열이 있고, 여기에 균일응력 σ_∞가 작용하고 있는 경우 선형파괴역학에서 파괴하기 쉬움은 응력의 크기와 균열의 크기에 의해 정해지는 응력확대계수(***stress intensity factor***)라 불리는 양을 이용하여 설명할 수 있다.

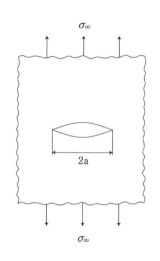

그림 2.26 무한 평판중의 균열에 균일 응력이 작용하는 경우

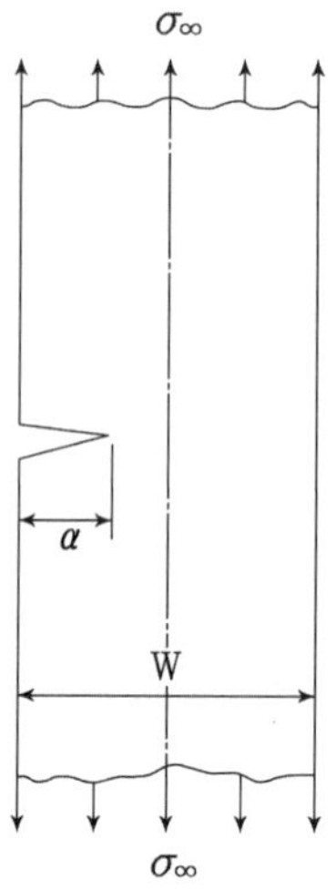

그림 2.27 편측에 균열이 있는 띠형 판에 균일 응력이 작용하는 경우

기호로서 K를 사용하며, 모드를 구별하기 위해 모드 I의 경우는 K_I으로 표시한다. K_{II}, K_{III}는 각각 모드 II, 모드 III의 응력확대계수이다.

K_I은 그림 2.26의 경우 다음 식으로 나타낼 수 있다.

$$K_I = \sigma_\infty \sqrt{\pi a} \ (\pi = 3.14) \quad \text{(2.1)}$$

그림 2.26은 가장 간단한 경우로 이보다 복잡한 경우에 대해서도 식(2.1)을 기초로 이것에 보정계수 F를 고려해주는 형태를 취한다. 즉, 일반적으로

$$K_I = \sigma_\infty \sqrt{\pi a} \cdot F \quad \text{(2.2)}$$

응력확대계수를 나타낸다. 예를 들면, 그림 2.27과 같이 편측에 균열이 있는 띠형 판재에 인장응력이 부과된 경우의 K_I은 다음 식으로 표시된다.

$$K_I = \sigma_\infty \sqrt{\pi a} \cdot F\ (a/W) \ \cdots\cdots\cdots\cdots\cdots\cdots\cdots\cdots\cdots\cdots\cdots\cdots\cdots\cdots\cdots\cdots\cdots\cdots\ (2.3)$$

$F(a/W)$는 식 (2.3)과 같이 a/W 의 다항식으로 근사적으로 표시할 수 있다. 즉, 파괴는 결함의 선단으로부터 균열이 진전하면서 발생하는 것이기 때문에 파괴에 관계하는 양으로 응력확대계수는 본래 균열의 선단에 관한 양이다.

결함의 선단에 대해서는 곡률반경 ρ가 정해지고, 또, 그곳에 응력집중이 생기고 균일응력과는 다른 응력분포가 발생한다. 이와 같은 사정에 상관없이 균열의 선단에 관한 양인 응력확대계수는 식(2.1)이나 식(2.2)와 같이 균일응력 σ_∞와 균열의 길이 a에 의해 정해지는 점에 주목해야 한다.

마. 파괴의 발생

이제까지 파괴의 가능성은 응력확대계수 K_I으로 나타낼 수 있다. 파괴는 응력확대계수 K_I이 어떤 값이 될 때 발생하는가? 가장 간단한 경우로 무한 판 중에 길이 $2a$의 균열이 있고, 균일응력 σ_∞ 가 작용하는 경우를 고려한다. (그림 2.26)

ⓐ 균열길이 $2a$가 정해질 때 균일응력 σ_∞ 가 어떤 값 이상이 되면 균열이 진전하기 시작하여 파괴가 발생한다.
ⓑ 무한 평판중에 길이가 다른 균열이 다수 존재하고, 균열은 서로 충분히 떨어져 있으며, 균일응력 σ_∞ 가 정해질 때, 길이 $2a$가 어떤 값 이상이 균열은 급속히 커져 파괴된다.

비파괴검사의 입장에서 말하면 (b)의 경우의 균열은 반드시 검출해야 한다. 환봉을 양 끝에서 인장한 경우 「겉보기 응력 σ_n이 인장강도 σ_u에 달하면 파괴한다.」 다시 말해, 파단의 조건은 $\sigma_n = \sigma_u$이다.

인장강도 σ_u는 실험에 의해 구해지는 재료의 고유값(물성치)으로서, 철강의 경우 약 100 ～ 1000 MPa이다. 겉보기 응력 σ_n이 힘 F를 원단면적(인장력을 받기 이전의 단면적)으로 나눈 값이다. 직경 D(mm)의 환봉의 경우 $\sigma_n = \dfrac{F}{\pi/4 D^2}$ 이다. $\sigma_n = \sigma_u$ 에서 파단하기 때문에 파단할 때의 힘은 $F = \dfrac{\pi}{4} D^2 \sigma_u$ 이 된다.

파괴역학의 경우도 응력확대계수 K_I이 재료의 어떤 값 이상이 되면 파괴한다고 생각된다. 이것은 실험 등으로부터 확인되었고, 재료의 이 값을 K_{Ic}(*c*; *critical*)라 하며, 파괴발생 한계값을 의미한다. 결국, 「응력확대계수 K_I이 파괴인성치 K_{Ic} 이상이 되면 파괴한다.」 다시 말해, 파괴의 조건은 다음과 같다.

$$K_I \geq K_{IC} \quad\text{..} \quad (2.4)$$

바. 결함 선단 부근의 응력분포와 소성역

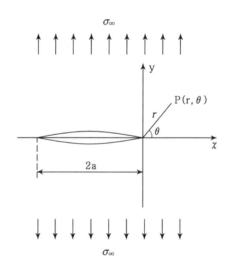

그림 2.28 균열 부근의 응력분포

그림 2.28와 같이 균열선단에 원점을 잡고 y축에 평행하게 균일응력이, x축을 y축에 수직한 좌표계로 하여 선형탄성론으로부터 균열선단 부근의 응력분포는 그림의 r, θ를 이용하여 다음 식으로 나타내진다.

$$
\begin{pmatrix} \sigma_x \\ \sigma_y \\ \tau_{xy} \end{pmatrix} = \frac{K_I}{\sqrt{2\pi r}} \cos\frac{\theta}{2} \times \begin{pmatrix} 1 - \sin\frac{\theta}{2}\sin\frac{3}{2}\theta \\ 1 + \sin\frac{\theta}{2}\sin\frac{3}{2}\theta \\ \sin\frac{\theta}{2}\cos\frac{3}{2}\theta \end{pmatrix}
$$

$$
K_I = \sigma_\infty \sqrt{\pi a}
$$

K_I 은 응력확대계수이고 균열의 길이와 응력크기의 효과가 이와 같은 형으로 나타내짐을 보여주며, 식(2.1)은 이론적으로는 이와 같이 유도된다.

윗 식에서 응력의 각 성분은 $\sqrt{r}$ 에 역비례하는 점에 유의할 필요가 있다. 여기서는 균열의 선단에 가까울수록 응력은 무한이 크게 된다. 이것은 균열선단에서도 선형탄성론이 성립하는 것을 전제로 한 것으로, 실제로는 균열선단은 항복하여 소성역이 발생하여 훅크의 법칙을 적용할 수 없다. 이 균열 선단의 소성역을 프로세스존(**process zone**)이라 부른다.

소성역의 크기 r_p에 대해 많은 연구가 진행되어 왔고, 응력확대계수 K_I 과 항복응력 σ_y 를 이용하여 항복조건을 만족하고 있는 범위로 r_p는 개략 다음 식으로 표시할 수 있다.

$$
r_P = a \cdot \frac{1}{\pi} \left(\frac{K_I}{\sigma_y} \right)^2
$$

$a = 0.1 \sim 0.5$의 정수이다.

실제로는 균열 선단의 항복에 의해 응력의 재분배가 일어나기 때문에 소성역은 균열의 길이 a에 비해 작고, 소규모항복의 경우는 실제의 소성역의 크기 R_p 는 $R_p = 2r_p$ 가 된다.

이 경우 소성역의 외측의 응력분포는 가상적으로 균열의 길이를 (균열 + 소성역의$1/2 = a + r_p$)로 한 경우의 응력확대계수 K_I^* 와 같고, 균열 선단의 소성역 R_p의 외측은 탄성적으로 거동한다. 이 결과 보정 후의 응력확대계수 K_I^* 는

$$
K_I^* = \sigma_\infty \cdot \sqrt{\pi(a + r_p)} \cdot F
$$

로 표시된다. r_p 의 식에서 K_I 을 K_I^* 으로 치환하면

$$r_P = a \cdot \frac{1}{\pi} \left(\frac{K_I^*}{\sigma_y} \right)^2$$ 이 되고, K_I^* 에 대해 정리하면 다음과 같이 된다.

$$K_I^* = \frac{\sigma_\infty \sqrt{\pi a}}{\sqrt{\frac{1}{F^2} - a \left(\frac{\sigma_\infty}{\sigma_y} \right)^2}}$$

이상의 내용을 균열 선단의 소성역의 보정이라 불린다. 소성역의 보정이라는 개념은 균열 선단에 소성역이 존재하여도 파괴역학이 유효하다는 것을 나타내고 파괴역학의 실용성을 높이는데 중요한 의미가 있다.

2.6 결함의 종류와 발생원인

정확한 비파괴검사를 하기 위해서는 소재나 용접부 등에 발생할 수 있는 결함의 종류를 예상해야 된다. 따라서 각종재료나 용접부 등에서 발생하는 결함에 대한 지식을 가질 필요가 있다. 단, 여기서 말하는 결함 중에는 제조 단계에서의 철저한 작업관리를 충분히 하는 것에 의해 피할 수 있는 것들도 있다. 반면 그 종류, 양, 크기에 따라서는 설계조건으로 주어지는 통상의 운전조건에서 재료, 기기, 구조물 등의 건전성을 저하시키는 원인이 되는 종류도 있다. 한편 정기검사에서 발견된 결함에는 제조중의 검사에서 놓친 것도 있지만 사용 중에 발생 또는 성장한 것이 많다. 따라서 그대로 방치하면 파괴에 이르는 발생원이 될 수도 있다.

비파괴검사 분야에서 결함에 관련된 용어를 정리하여 보면, 건전부(*sound area*)는 시험체가 비파괴검사의 지시로 보아 시험체에 이상이 없다고 판단되는 부분이고, 불완전부(*imperfection*)는 비파괴검사에서 시험체의 평균적인 부분과 차이가 있다고 판단되는 부분, 불연속부(*discontinuity*)는 홈·조직·형상 등의 영향에 의해 비파괴검사에서 지시가 건전부와 다르게 나타나는 부분, 홈(*flaw*)은 비파괴검사 결과로부터 판단되는 불연속부를 말하며, 결함(*defect*)은 규격·시방서 등에 규정되어 있는 판정기준을 넘어 불합격이 되는 홈을 말한다.

즉, 결함은 소재 및 기기·구조물에 존재하는 불연속부 및 불균질부를 포함한 이상부분이 규격·시방서 등에 규정되어 있는 판정기준을 넘어 불합격이 되는 홈을 가리키는 용어이다. 그러나 이들 결함이 환경조건(응력, 열, 분위기 등)에 따라서 유해한 인자가 되는 것과 되지 않는 것이 있다. 예를 들면 균열은 가장 유해한 결함으로 알려져 있지만 그 치수(길이×높이)나 형상, 그것에 가해진 응력의 종류와 크기에 따라서는 반드시 유해하지는 않는 경우도 있다. 그와 같은 결함이 발생되기까지의 공정에서 제조조건이나 사용조건이 잘못이 있다는 것을 생각해 보고, 품질관리 또는 품질보증상의 관점으로부터 대책을 세워야 한다. 한편, 슬래그 혼입이나 개재물을 수반하는 경우에는 균열과 동일하게 유해한 인자로 작용한다.

균열이나 슬래그 혼입, 개재물의 결함은 그 형상이나 치수는 결함에 따라 차이가 있지만 환경조건에 따라서 유해하기도 하고 무해하기도 하다. 그러므로 결함이 있다고 해서 바로 유해하다고 단정해서는 안 된다. 이와 같이 결함의 유해성 여부를 판단함에 있어 가장 중요한 인자가 되는 것은 응력의 종류와 크기 및 가해진 응력과 결함위치와의 관계이다. 따라서 응력과 스트레인의 관계인 비파괴검사를 하는 사람이라면 이들에 대한 지식을 가지고 있을 필요가 있다.

결함은 후술하는 것과 같이 유해한 것과 그렇지 않은 것이 있기 때문에 KS 규격에서는 홈

(*flaw*)이라 부르고 있으나, 이 장에서는 재료 내부에 존재하는 이상부분이라는 의미로 결함이라는 용어를 사용한다. 또, 결함 내부에 예리한 형상의 것은 균열(*crack*)이라 하고, 그다지 예리하지 않는 것은 노치(*notch*)라 부른다.

2.6.1 강판의 결함

1) 라미네이션

라미네이션(*lamination*)은 압연방향으로 얇은 층이 발생하는 내부결함으로, 강괴(鋼塊; *ingot*)내에 수축공(收縮空; *shrinkage cavity*), 기공(*blowhole*), 슬래그(*slag*) 또는 내화물이 잔류하여 미압착 부분이 생기게 되고 이것이 분리되어 빈 공간이 형성된 것이다.

2) 비금속 개재물

비금속 개재물(*nonmetallic inclusion*)은 강괴 제조시 슬래그, 탈산생성물(Al_2O_3, MnO, SiO_2, MnS) 등의 불순물이 들어간 것으로, 미세한 크기로 존재한다. 이들 미세한 비금속 개재물은 존재위치, 크기, 밀도 등에 따라서 용접결함의 발생 원인이 되기도 하고 기계적 성질에 영향을 미치기도 하지만, 강재의 용도에 따라 유해성의 정도가 다르기 때문에 하나의 개념으로 양부를 판단하기는 어렵다.

3) 표면 결함

표면결함(*surface defect*)에는 부풀음(*blister*), 각종균열, 강괴 제조시의 스플래쉬(*splash*)나 기공이 존재하는 경우에 발생하는 스캐브(*scrab*), 큰줄무늬의 홈(*macro-streak flaw*) 등이 있다.

2.6.2 주강품(鑄鋼品)의 결함

금속재료를 용해하여 응고시키는 과정을 통해 재료 내부에는 산화물 등의 화합물질과 반응 혹은 대기 중에서 유입된 기체 및 슬래그 등의 물질들이 잔존하면서 이 들이 2차 가공 중 혹은 사용 중에 문제를 일으키는 불연속 및 결함이 된다.

1) 균열

균열(龜裂; *crack*)에는 열간균열(*hot tear*)와 냉간균열(*cold tear*)이 있다. 열간균열은 응고 직후에 생기는데, 결정입계에 존재하는 불순물이 미약하여 결정립간에 인장력이 작용하면 생긴다. 잔류 인장 및 전단응력에 의한 원인으로 초기에는 표면에 나타나지만 시간이 경과하면 내부로 진행된다. 냉간 균열은 내부 수축응력이 크게 나타날 때 직선형의 균열로 나타나며, 금속의 냉각 도중에 주형 강도의 과대 등으로부터 자유수축이 방해를 받아 주물의 응고 중 수축응력이 과대해져서 생긴다.

2) 수축

수축은 압탕, 주형(*mould*), 냉금(*chill*)등의 설계불량에 의해 수축공이 주물 본체 속에서 생긴 것이다. 용융금속이 주형내부에서 응고 수축할 때 일어나는 현상으로 최후에 응고되는 부분에서 용탕의 부족으로 주물 내부에 공동부가 생긴다. 방지법으로는 쇳물아궁이를 크게 하고 압탕을 설치하며 필요한 부분에 냉금을 설치한다.

3) 모래혼입 및 개재물

모래혼입에는 사형(砂型)의 탈락에 의해 모래입자가 주물 속에 혼입되어 발생하는 것이고, 개재물은 슬래그가 탕구로부터 혼입되어 주물의 표면 및 내부에 나타나는 것이다. 주조시 형성된 산화물, 슬래그 등이 응고과정 중에 압탕부로 떠오르지 못하고 내부에 잔존한 불연속부이다. 모서리와 두께변화가 많은 부분에서 발생하기 쉽다.

4) 기공

용강(溶鋼)의 탈산, 탈수소가 불충분한 경우나 주물사의 수분이 많은 경우, 또는 주형의 불량 등으로 응고시 강중의 가스가 빠져나가지 못하는 경우에 생긴다. 기공은 주형 또는 코어에서 발생한 가스로부터 용융금속이 완전히 주형공간을 채워주지 못하므로 발생하는 것이다. 특히 주물사 중의 과잉수분이나 유기점결체로 인해 생성되는 경우가 많다. 기공은 보통 주물 표면 부근에서 얕은 오목부의 모양으로 나타난다. 방지법으로서는 주형으로부터의 가스발생을 적게 해야하며 주물사의 통기도를 증가시키고 통기공을 설치하여 주물사의 함수율을 감소시켜야 한다. 또한 용해작업에서 송풍되는 공기 중에 습한 공기가 유입되지 않도록 해야 한다 (그림 2.29).

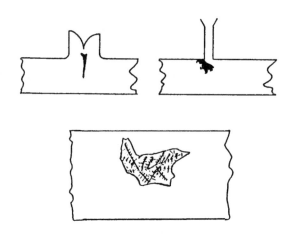

그림 2.29 수축공의 형성

5) 핫 테어

두께가 얇은 부분과 두꺼운 부분 사이의 응고속도 차이에 따라 갑작스런 응력분포의 변화에 의해 나타나는 일종의 찢어짐이다. 주로 표면결함으로 검출되며 선상모양으로 나타난다 (그림 2.30).

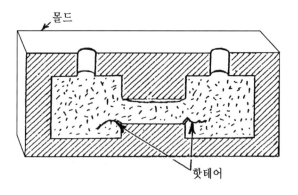

그림 2.30 핫 테어

6) 콜드 셧

주물표면 상형 또는 수직한 표면에 나타나는 불규칙한 선으로 용탕의 유동성 부족이 원인이다. 용융금속의 주입온도를 높이고 주입시간의 단축으로 방지할 수 있다(그림 2.31).

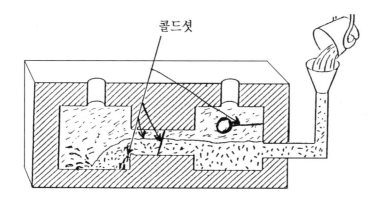

그림 2.31 콜드 셧의 종류

2.6.3 단강품의 결함

1) 담금질 균열

담금질(*quenching*)을 하면 심하게 급냉되기 때문에 외면은 강하게 수축하고 내부는 냉각에 의한 수축이 지연된다. 다시 말해 담금질을 하면 표면이 먼저 마르텐사이트 상태로 경화하고, 그보다 다소 늦게 내부가 마르텐사이트 변태를 한다. 마르텐사이트 변태는 상당히 큰 체적팽창을 일으키기 때문에 이미 경화해 있는 외면에 의해서 강한 인장응력이 작용한다. 특히 모서리나 두께 차가 있는 부분 등에서는 이와 같은 강한 인장응력이 집중하여 균열을 발생하게 된다.

2) 다공질기공

강괴 중심 부근에는 미세한 입계균열 또는 입계에서 발생한 미소한 공동에 의해 결정립의 결합력이 약해진 부분이 존재한다. 이와 같은 부분은 단조시에 충분히 단련되어 압착되는 것이 보통이지만 공극(空隙)이 현저하게 나타나기도 하고 단련이 불충분할 때에는 압착되지 않고 일부가 남아 결함이 된다. 이와 같은 결함을 다공질기공(*loose structure porosity*)이라 한다.

3) 비금속 개재물, 모래 흠

강괴의 내부에 존재하는 비금속 개재물은 일반적으로 상당히 미세한 것이다. 그러나 불순물이 많고 냉각응고 과정을 천천히 거치면 모여서 커지게 된다. 또, 주형의 일부가 탈락되어 혼입되는 것이 있다. 육안으로 볼 수 있을 정도로 큰 것을 모래흠(*sand mark*)이라 부른다. 이들 결함은 단조에 의해 가늘고 길게 늘어나기도 하지만 평판형으로 되어 있는 것이 보통이다.

4) 라미네이션(*Lamination*)

각재보다 더 얇은 판(*Plate*)으로 압연 시 강괴에 존재하는 비금속 개재물이 판상으로 퍼져 나타나는 결함으로, 표면 및 표면하 결함으로 검출된다.

5) 심(*Seams*)

두 부재 혹은 접은 상태에서 단조 중 가압력 부족 또는 이물질 등의 간섭으로 겹침이 선상으로 발생한 부분.

2.6.4 강용접부의 결함

가. 개요

강용접부의 결함은 크게 ①치수상의 결함, ②구조상의 결함, ③성질상의 결함 등 3가지로 나눌 수 있다. 치수상의 결함은 측정 기구 등을 이용하여 주로 외관검사로부터 그 유무 및 정도를 측정한다. 구조상의 결함은 대부분이 비파괴검사에 의해서만 검출할 수 있는 용접결함이다. 성질상의 결함의 검출은 파괴시험에 의하는 검출된다.

용접결함은 여러 관점에서 분류할 수 있다. 용접 구조물 제작시의 시차순에 의하여 용접결합을 분류하면 용접 또는 용접후 열처리시 발생하는 제조상의 결함(일차결함)과 구조물로서 사용 중에 발생하는 결함(이차결함)으로 구분할 수 있다. 제조상의 결함으로서는 각종 고온균열, 재열균열 및 시효경화균열, 액상금속 취화, 슬래그 혼입, 용융부족, 용입부족, 언더컷, 기공, 변형 등을 들 수 있으며 용접부의 이차결함으로서는 수소유기균열, 환경유기균열, 피로균열, 크리프균열 및 크리프 피로균열, 부식피로균열, 기계적인 과부하, 응력파괴 등을 들 수 있다. 이와 같은 결함들 중 대부분의 용접균열은 용접시 발생하는 일차결함으로 균열의 발생여부는 용접시공, 용접재료 및 모재의 성분 및 조성, 이음부의 형상 등의 많은 인자에 의해 결정된다. 용접균열은 발생온도, 발생장소, 비드와의 상대적인 방향 등에 따라 다양하게 분류되고 있다. 발생온도에 따라서는 크게 재결정 온도 이상에서 발생하는 고온균열과 그 이하에서 발생하는 저온균열로 분류할 수 있으며, 상기의 온도에 따른 구분에 포함되지 않는 균열로서는 재열균열, 라멜라 테어(*lamellar tear*) 등이 있다.

용접결함은 용접 내부에 존재하는 불연속부(*discontinuity*)로, 비파괴검사의 대상이 되고 있다. 불연속부는 노치가 되어 응력집중을 일으켜 파괴의 기점이 되므로 강도에 나쁜 영향을 미친다. 즉, 불연속부의 첨예도, 방향, 크기, 존재장소 등과 그것에 작용하는 응력의 크기, 방향 등이 문제가 된다. 물론, 사용조건(온도, 하중속도, 하중의 변동, 분위기 등)이나 용접부의 성질 등도 고려해야 한다.

그러나, 불연속부는 강도적인 측면뿐 아니라 품질관리적 측면에서 중요한 의미를 가지고 있다. 예를 들면 강도에 영향이 적은 불연속부라도 일단 발생하였다는 것은 용접관리의 잘못을 의미한다. 따라서 용접부에 비파괴검사를 함으로써 용접관리가 제대로 되고 있는지의 여부를 알아볼 수 있고, 불연속부 등이 검출된 경우에는 그 종류, 위치, 크기, 성질 등을 고려하여 발생원인을 규명하고 재발 방지대책을 강구하여 품질관리, 품질보증을 할 수 있다. 제조시에 실시하는 비파괴검사는 이러한 의미를 가지고 있다.

용접결함은 용접설계의 잘못, 용접공의 기량 부족이나 부주의 또는 용접시공관리상의 문제 등에 의해 발생한다. 이러한 의미에서 용접공을 포함한 용접관리가 매우 중요한데 이것이 품질관리와 품질보증으로 이어지게 된다. 결함으로는 아크 스트라이크(*arc strike*), 기공(*blow hole*), 피트(*pit*), 슬래그 혼입(*slag inclusion*), 융합불량(*lack of fusion*), 용입부족(*incomplete penetration*), 언더컷(*undercut*), 오버랩(*overlap*) 및 균열(*crack*) 등이 있고 균열이 용접결함 중 가장 중대한 결함이다.

이들 결함 중에서 육안으로 검출할 수 있는 것에는 육안검사(*VT*)이 적용되고, 내부결함의 검출에는 방사선투과검사(*RT*)나 초음파탐상검사가 적용되고 있으며, 표면 또는 표면 직하의 미세한 결함 중에서 육안검사가 어려운 것은 자분탐상검사(*MT*)나 침투탐상검사(*VT*)등이 적용되고 있다.

나. 용접 결함의 종류

1) 아크 스트라이크

용접봉과 모재가 순간적으로 접촉하여 극히 단시간에 아크가 발생했을 때 생긴 모재표면에 작게 파인 것을 아크스트라이크(*arc strike*)라 한다. 이 홈은 노치가 되고 단시간에 발생한 아크 때문에 급열·급랭에 의한 취화(脆化)로 균열이 발생하거나 균열발생의 기점이 될 가능성이 있다.

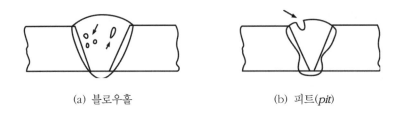

|(a) 블로우홀|(b) 피트(*pit*)|

그림 2.32 기공과 피트

2) 기공·피트

용융금속 내부의 가스가 응고할 때 부상하는 시간의 부족으로 용접금속 내부에 갇혀 있던 CO, H_2 등의 가스가 빠져나가지 못한 상태에서 내부에 응고된 공동을 기공(*blow hole*)이라 하고, 표면에 나타난 것을 피트(*pit*)라 한다. 구형에 가까운 형태로 노치로는 그다지 예리하지 않은 경우가 많다.

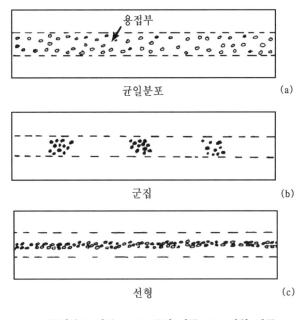

(a) 균일분포 기공   (b) 군집 기공   (c) 선형 기공

그림 2.33 용접 기공의 3가지 분포유형

3) 파이프 혹은 웜홀

기공 중 그 형상이 길게 만들어진 것을 파이프(*pipe*) 혹은 웜홀(*wormhole*)이라 한다. 이들은 일반적으로 용접부 표면과 거의 수직으로 형성되어 있다. 이 들은 후락스 분말이 흡습되었거나 젖었거나 용접전류가 불충분하였을 때 발생한다.

4) 슬래그 혼입

슬래그 혼입(*slag inclusion*)이란 슬래그가 응고할 때 부상하는 시간이 부족하여 슬래그의 일부가 부상하지 못하고 용접금속 중에 남은 것, 아래층의 표면에 부착하고 있는 슬래가 충분히 제거되지 않은 경우에 상층의 용접에서 용융되지 않고 남아있는 것을 말한다. 전자는 비교적 작고 한 가지 형태로 분산해 있는 데에 비해 후자는 크고 불규칙한 형상을 하여 연속하고 있는 경우가 많다. 형상이 비교적 불규칙하게 가늘고 길며 선단이 예리한 경우에는 응력집중이 크다. 그림 2.34는 슬래그 혼입의 횡단면 사진을 나타내고 있다.

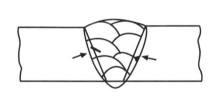

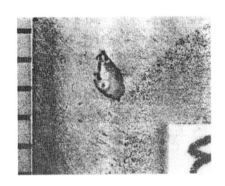

그림 2.34 슬래그 혼입   그림 2.35 슬래그 혼입의 횡단면 사진

5) 융합불량

융합불량(*lack of fusion*)은 다층 비드의 층 또는 개선면과 비드와의 용접경계면이 충분히 용융되지 않는 것으로, 균열상이 되는 경우는 응력집중이 크다. 또한 루트(*root*)면 이외의 부분이 용융되지 않고 남아있는 것을 총칭하며, 그림 2.36과 같은 개선면과 비드와의 사이의 융합불량, 그림 2.38과 같이 개선면과 비드 사이의 융합불량에 슬래그를 내장하고 있는 것, 그림 2.39와 같이 비드와 비드 사이의 융합불량에 슬래그가 층간에 공존하고 있는 것, 그림 2.40과 같이 백가우징 저부(底部)의 융합불량 등이 있다. 융합불량 등은 단순한 슬래그 혼입과 명료하게 구분할 수 없는 것이 많다.

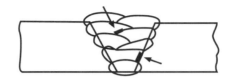

그림 2.36 융합불량

그림 2.37 홈면의 융합불량

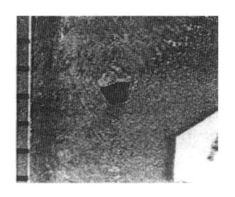

그림 2.38 개선면의 융합불량에 슬래그
혼입이 공존하고 있는 결함

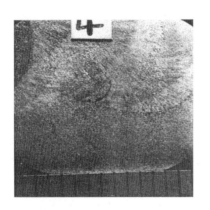

그림 2.39 층간의 융합불량

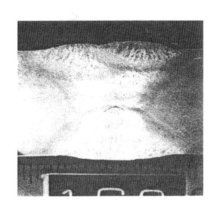

그림 2.40 백가우징 저부의 융합불량

6) 용입 부족

용입부족(*incomplete lack of penetration*)은 본래 완전히 용입 되어야 하는 루트(*root*)면 이외의 부분이 용융되지 않고 남아 있는 것으로, 개선각이 지나치게 작은 경우나 백가우징 이 불충분한 경우에 루트면이 미용융 상태로 남아 발생한다. 루트면이 용융되지 않고 루트 간격이 작은 경우에는 그림 2.41과 같이 균열상이 되어 응력집중이 크게 된다. 그림 2.42는 내부 용입부족의 횡단면 사진을 나타내고 있다.

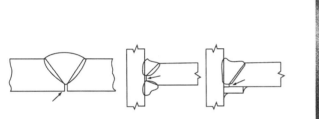

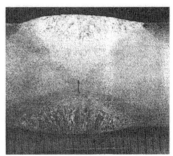

그림 2.41 용입부족   그림 2.42 내부 용입부족

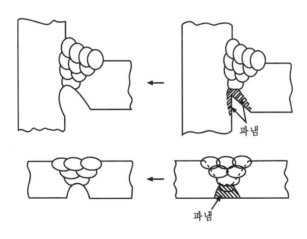

그림 2.43 백가우징의 예

용접이음의 초층은 용입부족이나 급냉에 의한 경화(취화), 구속응력에 의한 균열이나 슬 래그 혼입 등의 용접결함이 생기기 쉬우므로 이면(裏面)용접 전에 이 용접결함을 제거하기 위해 초층부로부터 제2층부까지 파내는 것을 백가우징(*back gauging*)이라 한다.

백가우징을 하는 경우에 이들의 결함을 완전히 제거해야 한다. 특히, 고장력강의 경우에는 미세한 결함도 충분히 제거할 수 있도록 주의해야 한다. 이들 결함이 완전히 제거되었는지의 여부를 확인하기 위해 보통 백가우징면을 자분탐상검사한다.

7) 언더컷

언더컷(*undercut*)은 용접의 끝단(止端)에 인접하여 모재가 파인 후 용착금속이 채워지지 않고 남아 있는 부분으로 노치가 되어 반경이 작은 경우에는 응력집중이 크고 동시에 이 부분(본드부)은 취화되기 때문에 균열이 발생하기 쉽다(그림 2.44).

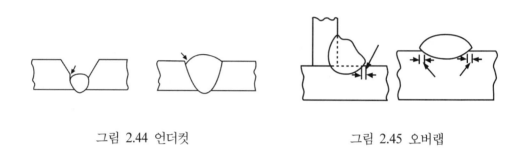

그림 2.44 언더컷   그림 2.45 오버랩

8) 오버랩

용접금속이 끝단부에서 모재와 융합하지 않고 덮여 있는 부분을 오버랩(*overlap*)이라 한다. 앞에 기술한 융합불량과 내용적으로 유사한 결함이다(그림 2.45).

9) 텅스텐 혼입

스테인리스강이나 알미늄합금 및 티타늄 등의 용접에 TIG 용접법이 흔히 이용된다. 이 경우 전극의 텅스텐이 용융하여 용접금속 중에 들어가 혼입되어 발생한다.

다. 용접 균열

균열은 예리한 노치로서 큰 응력집중이 생기고 강도면에서도 가장 나쁜 결함 중의 하나로, 용접관리의 면에서 가장 피해야 하는 결함이다. 용접균열(*weld crack*)은 보통 발생장소에 따라 ① 용착금속부, ② 열영향부(*heat affected zone; HAZ*), 발생온도에 따라서 ① 고온균열(*hot crack*), ② 저온균열(*cold crack*; 약 300℃ 이하), 그리고 발생 시기에 따라 ① 용접시공 시, ② 용접후열처리 시, ③ 사용 시 등으로 분류한다.

1) 고온균열

고온균열은 용접금속 및 열영향부 조립역에서 주로 발생한다. 용접금속 또는 열영향부 (**HAZ**)가 응고하는 과정이 온도가 높고 연성이 부족한 상태에 있을 때 수축력에 의해 발생하는 것이다. 그림 2.46은 용접금속 중의 고온균열의 횡단면사진이다.

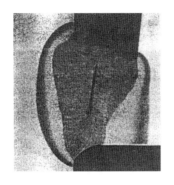

그림 2.46 용접금속 중의 고온균열

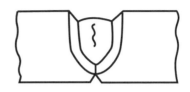

그림 2.47 서브머지드 아크용접의
비드균열

ⓐ **용접금속부의 고온균열**

용융된 용접금속이 응고할 때 응고가 완료되기 직전에 응고된 결정립의 사이에 용융금속이 박막상으로 존재한다. 이때 외부로부터의 구속에 의해 인장응력이 작용하면 결정입계에서 분리하여 고온균열이 된다. 따라서 고온균열은 입계균열로 이 균열이 공기와 접촉하는 경우는 균열의 표면은 산화된다. 서브머지드 아크 용접의 비드균열(그림 2.47)이나 크레이터 균열(그림 2.51 ⑫)이 그 예이다. 그림 2.48은 용접금속에서 발생한 고온균열과 그 파면을 관찰한 예를 나타내었다.

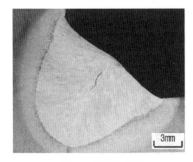

(a) 고온균열 형태

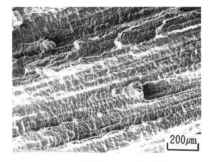

(b) 파면(주사형 전자현미경)

그림 2.48 저탄소강 용접금속 고온균열의 예(0.17%C)

ⓑ 열영향부의 고온균열

결정입계에 저융점 석출물이 존재하면 가열시 입계가 용융하고 냉각할 때 앞의 용접금
속부의 고온균열과 똑같은 발생기구로써 입계균열이 발생한다.

2) 저온균열

저온균열은 용접부가 약 300℃ 이하에서 발생하며 입계균열과 입내균열이 있다. 저온
균열은 용접부에 침입한 수소에 의해 발생하나 저온에서 생기는 수축응력, 용접금속 또는
열영향부의 경화나 연성저하도 원인이 될 수 있다. 이 중 수소가 원인이 되어 용접후 장시
간 경과하고 나서 발생하는 균열을 특히 지연균열(遲延龜裂)이라 부른다. 지연균열을 검출
하기 위해서는 용접종료 후 적어도 24시간이 경과하고 나서 비파괴검사를 실시할 필요가
있다. 그림 2.50은 용접금속 표면에 열려 있는 지연균열(횡균열)을 나타내고 있다. 용접시공
시 발생하는 균열의 대부분은 저온균열이며 저온균열 발생의 주요한 요인에는 다음의 3가
지가 있다.

ⓐ 열영향부의 조직(경화=취화)

열영향부는 경화하여 취성조직으로 되어 있다. 이 경화(취화)에 가장 관계있는
저온균열 감수성을 나타내는 지표로써 탄소당량(C_{eq}), 균열 감수성 조성(P_{cm})
및 균열감수성 지수(P_c)가 있다.

$$C_{eq} = C + \frac{Mn}{6} + \frac{Si}{24} + \frac{N}{40} + \frac{Cr}{5} + \frac{Mo}{4} + \frac{V}{14} (\%)$$

이 C_{eq}로부터 열영향부 최고경도 $H_V(\textbf{\textit{max}})$를 추정하는 식은 다음과 같다.

$$H_V(\max) = (660 C_{eq} + 40) \pm 40$$

$$P_{cm} = C + \frac{Si}{30} + \frac{N}{60} + \frac{Cr}{20} + \frac{Mo}{15} + \frac{Cu}{20} + \frac{V}{10} + 5\ B\ (\%)$$

P_c는 용접금속의 확산성수소량(H) 및 판두께(t)를 고려한 것이다.

$$P_c = P_{cm} + \frac{H}{60} + \frac{t}{600} \quad (\ H : m\ell/100g,\ t : mm\ )$$

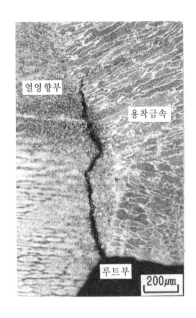

그림 2.49 저탄소강 용접부
저온균열의 예

그림 2.50 용접금속 표면에 열려 있는
지연균열(횡균열)

ⓑ 용접부의 확산성 수소

저온균열에 가장 큰 영향을 미치는 것이 확산성수소이다. 용융된 용접금속에 흡수된
수소는 응고하는 과정에서 일부는 금속표면에서 외부로 방출되지만, 일부는 용접금속
에 잔류하여 확산성 수소로 열영향부에 확산되어 간다.

수소원(源)으로는 플럭스(*flux*)에 포함된 수분, 유기물, 대기 중의 수분, 개선면이나 용
접 와이어 표면의 기름, 녹, 유기물, 수분 등이 있고 용접봉의 건조, 용접시의 날씨, 개
선면의 청소 등에 주의를 기울일 필요가 있다. 저수소계 용접봉은 수소를 아주 적게 포
함하고 있기 때문에 균열발생의 방지에 효과적이다. 또 예열, 후열이나 층간온도를 유
지하는 것도 확산성 수소의 외부로의 확산, 방출을 조장하기 때문에 유효하다.

ⓒ 용접부에 생기는 응력(주로 구속응력)

용접변형을 구속하는 것에 의한 응력의 발생을 완전히 피하는 것은 곤란하며 이 응력
에 의해 균열이 발생하거나 발생이 조장된다.

3) 용접 시공 시에 발생하는 균열

ⓐ **루트균열** (열영향부: 그림 2.51 ①)

열영향부의 루트균열은 특히 고장력강의 초층 용접을 했을 때 용접종류 후 용접부의 온도가 약 90℃ 이하가 되어 발생하는, 수소 확산에 지배되는 균열로 구속응력이 큰 경우에 이 균열이 발생하는 경향이 크다. 또, 냉각속도가 빠른 경우에는 경화조직이 되어 구속응력에 의해 루트균열이 생긴다.

이것을 방지하기 위해서는 저수소계 용접봉을 사용하고 용접봉을 사용하기 전에 충분히 건조(약 300 ~ 400℃에서 1시간)시키고, 건조 후 실제로 사용할 때까지의 흡습시간을 관리하여야 한다. HT80의 경우는 흡습량을 0.2% 이하로 관리하면 균열은 발생하지 않는다. 또, 열영향부 최고경도와 균열발생률과의 상관관계를 조사해 놓고 용접시에 예열을 하여 경도를 낮추도록 관리할 필요가 있다. 특히, 용접부에 인장응력이 작용하는 구속조건이 있는 경우는 예열을 충분히 하여 한계인장 응력값을 크게 할 필요가 있다. 한계인장 응력값이 크게 됨에 따라 일반적으로 지연균열의 발생까지의 시간도 길게 되는 경향이 있다.

용접 직후 용접부의 온도가 200℃ 이하로 냉각되지 않은 시기에 500℃ 이상의 국부 가스 불꽃가열을 하는 것은 경화조직을 연화하여 확산성 수소를 외부로 방출하게 되어 균열방지에 효과가 있다.

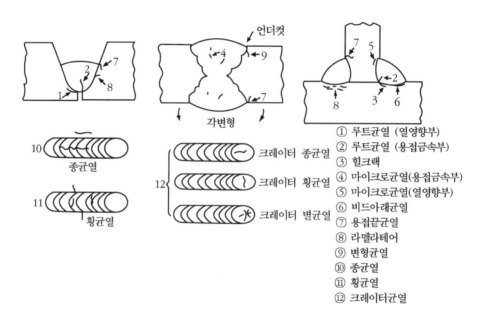

① 루트균열 (열영향부)
② 루트균열 (용접금속부)
③ 힐크랙
④ 마이크로균열(용접금속부)
⑤ 마이크로균열(열영향부)
⑥ 비드아래균열
⑦ 용접끝균열
⑧ 라멜라테어
⑨ 변형균열
⑩ 종균열
⑪ 횡균열
⑫ 크레이터균열

그림 2.51 용접시공 시에 발생하는 균열

ⓑ 루트균열 (용접금속부 : 그림 2.51 ②)

위에서 설명한 균열은 용접금속부에서 생기기 때문에 용접금속의 평균경도를 $H_V 250$ 이하가 되도록 관리해야 한다.

ⓒ 힐(*heel*)균열 (그림 2.51 ③)

필릿용접의 초층 비드에 발생하는 일종의 루트균열로 확산성 수소에 의한 지연균열이다.

ⓓ 미세(*micro*) 균열 (용접금속부: 그림 2.51 ④, 열영향부: 그림 2.51 ⑤)

수소가 많은 용접금속이나 용접금속에서 확산된 수소가 많은 열영향부에 발생하는 다수의 미세한 균열로, 용접부의 냉각속도나 합금성분의 영향을 받으며 일반적으로 수소가 많을수록 발생하기 쉽다. 이것은 비금속 개재물이나 미소한 결함에 수소가 집적된 결과 발생하며, 저수소계의 용접봉을 사용하여도 예열하지 않고 고장력강을 다층 용접하는 경우에는 발생하기 쉽다. 이를 방지하기 위해서는 100℃ 이상으로 예열하고, 용접완료 후 100 ~ 200℃로 여러 시간 탈수소 열처리를 하는 것이 좋다.

ⓔ 비드아래 균열 (그림 2.51⑥)

본드에 인접한 열영향부에 발생하는 균열로 확산성 수소, 조직의 경화(취화), 또 구속응력 등이 원인이다. 저수소계 용접봉을 사용하면 이 균열의 방지에 효과적이다.

ⓕ 끝단 균열 (그림 2.51 ⑦)

특히 필릿 용접부에서 작은 입열용접의 경우에 발생하기 쉽다. 이것도 수소에 의한 지연균열이지만, 용접 시에 수소량을 낮게 하더라도 용접금속의 강도가 큰 경우에는 방지하기가 어렵다. 끝단부의 국소적인 구속응력을 감소시키기 위해 예열을 하고, 층간온도를 유지하는 것이 필요하고, 탄소당량이 0.40 이상인 경우에는 예열이 필요하다.

ⓖ 라멜라티어 (그림 2.51 ⑧)

라멜라티어(*lamellar tear*)란 강판이 판두께 방향으로 큰 인장응력을 받고 있는 용접이음부에서 강판표면에 평행하여 발생하는 층상의 균열로써, 열영향부나 모재에 발생한다. 발생 원인으로는 판두께 방향의 인장응력, 재료 중의 비금속 개재물, 변형시효, 수소취화 등이 있다. 라멜라테어의 발생은 강재의 품질, 용접이음부의 형상 및 용접시공법에 크게 의존하기 때문에 라멜라테어를 방지하기 위해서는 적절한 강재의 선정, 두께방향으로의 구속응력을 완화할 수 있는 이음부의 설계나 용접봉의 건조, 적정한 입열 및 예열·층간온도의 선정 등이 필요하다.

는 라멜라티어도 있기 때문에 루트균열 방지 역시 중요하다.

강판의 내(耐)라멜라티어 성능을 향상시키기 위해서는 비금속 개재물의 감소, 판두께 방향의 인장강도를 증가시키고, 황(S)함유량을 낮추는 것이 효과적이다. 따라서 라멜라티어를 방지하기 위해서는 양질의 강재를 사용하는 것도 좋지만, 구속을 약하게 하거나 국부적인 변형집중을 피하는 것도 좋다.

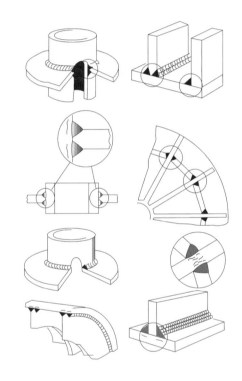

그림 2.52 라멜라테어가 일어나기 쉬운 이음부 형상

라멜라테어를 일으키기 쉬운 몇가지 전형적인 용접 이음부의 형상을 그림 2.52에 나타내었다. 라멜라테어는 보통 C-Mn강 또는 저합금강 용접부의 HAZ 중에서도 변태점 직하로 가열된 영역에서 일어난다. 균열은 기지와 연신된 비금속 개재물의 경계부에서 국부적으로 발생하며, 이것들이 서로 연결되는 형태로 전파한다. 그림 2.53은 라말라테어의 대표적인 예를 나타내고 있다.

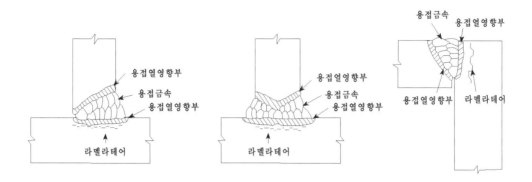

그림 2.53 라멜라테어의 대표적인 예

ⓗ **변형 균열**(그림 2.51 ⑨)

　일반적으로 양면 필릿용접이나 양면의 맞대기 용접인 경우에 한쪽의 용접이 완료되어 반대쪽을 용접할 때 각 변형에 의해 먼저 용접한 용접부는 인장하게 된다. 특히 비드가 과대하여 凸상이 되거나 언더컷이 있으면 지단부에 응력집중이 생겨 열영향부(특히 본드부)는 취화되기 때문에 위에서 설명한 인장응력으로 인해 균열이 발생하는 데 이것이 변형균열이다.

　변형균열을 방지하기 위해서는 각 변형방지를 위해 양측 용접을 하고, 언더컷을 방지하기 위해 적정한 용접조건이나 운봉법으로 용접할 필요가 있다. 그리고 열영향부의 경화를 방지하기 위해 충분한 예열을 하는 것도 효과적이다.

ⓘ **종균열** (그림 2.51 ⑩), **횡균열** (그림 2.51 ⑪)

　적절히 예열을 하지 않았을 때는 용접 이음부의 구속상태나 용접부의 잔류응력에 의해 용접금속이나 열영향부에 발생한 앞에서 설명한 미세균열이 성장하여 조대(***macro***)균열이 되고, 경우에 따라서는 용접부의 표면에 나타나기도 한다. 이는 확산성 수소에 의한 지연균열의 일종으로, 용접선 방향의 인장응력이 큰 경우에는 횡균열, 용접선에 직각방향의 인장응력이 큰 경우에는 종균열이 발생한다. 이들 균열의 방지에는 적절한 예열과 탈수소를 위해 100 ～ 200℃의 후열처리가 효과적이다.

ⓙ **크레이터**(creater) **균열** (그림 2.51 ⑫)

　주로 고온균열이다.

4) 용접 후열처리시의 균열

고장력강의 용접부의 잔류응력을 제거한 목적으로 용접완료 후 응력제거 풀림처리를 하면 지단부에 재열균열(**SR** 균열)이 발생하는 경우가 있다. 이것은 응력제거 풀림시 미세한 탄화물 석출을 주체로 한 석출경화로 인해 결정입내가 경화하여 상대적으로 결정입계 보다 강해지고, 그 때문에 완화되고 있는 잔류응력에 의해 입계슬립이 일어난다. 이 입계슬립은 응력집중이 있는 끝단부에 일어나고 균열이 발생하는 데, 이 재열균열이 입계균열이다. 이 재열균열의 방지에는 맞대기 용접, 필릿 용접 등의 어느 경우에도 끝단부를 자연스럽게 제거하거나 끝단부의 응력집중을 완화시키는 것이 필요하다.

5) 사용 중 균열

산성(酸性)원유나 조제 프로판 등이 들어 있는 용기에서 응력부식 균열이 발생하는 경우가 있다. 이 균열의 방지에는 황화수소를 낮게 하는 것, 로점(露点)을 충분히 낮게 하여 결로에 의한 물이 생기지 않도록 하는 것, 용접부 표면을 에폭시 수지 등으로 보호하여 표면의 부식반응을 일으키지 않도록 하는 것, 응력을 작게 하는 것 등이 효과적이다.

한편, 용접부가 사용 중에 받는 변동응력에 의해 표면의 응력집중부(지단부등)에 피로균열이 발생하는 경우도 있다.

라. 용접결함의 보수

용접결함의 발생은 모재의 성질, 용접재료의 적부, 시공법의 불량 등에 의하는데, 용접후의 검출이나 보수는 어렵기 때문에 결함발생을 방지하기 위한 용접관리를 철저히 해야 한다. 용접결함이 발생한 경우는 앞에 기술한 바와 같이 그 원인을 충분히 검토하고 재발방지의 처치를 하여 필요에 따라 그 결함을 보수하는 것이 매우 중요하다. 보수용접에서 가장 중요한 것은 결함을 완전히 제거하는 것과 적절한 보수용접 방법을 선택하는 것이다. 특히 보수용접은 국소적인 용접으로 구속이 큰 점등에 있어 본 용접 보다 조건이 나쁘기 때문에 충분히 신중해야 할 필요가 있다.

1) 결함의 제거

우선 각종 결함에 의해 발견된 결함을 먼저 제거해야 한다. 이 경우 결함제거를 위해 파내는 부분을 최소한으로 하는 결함의 위치와 크기를 정확히 알 필요가 있다. 특히, 균열의 경우에는 모서리 부분의 균열확대를 방지하기 위해 스톱홀(*stop hall*)을 열고 이 스톱홀로 균열이 정지하였는지 어떤지를 침투탐상검사를 통해 확인해 놓는 것이 중요하다.

결함의 제거방법으로는 아크 에어가우징, 그라인더 등이 있고 그라인더는 결함부가 찌부러져 육안으로는 결함의 제거가 확실히 알 수 없기 때문에 침투탐상검사에 의해 확인해야 한다. 아크 에어가우징의 경우는 결함이 제거되었는지 아닌지는 비교적 용이하게 알 수 있어 유리하지만 주변이 상당히 가열되어 온도가 높아지기 때문에 충분히 예열해 놓고 하는 것이 안전하다.

결함이 충분히 제거된 후는 확실히 보수용접이 가능하도록 보수용접용 개선을 정비하고 이 개선면을 침투탐상검사를 하여 결함의 잔류여부를 확인해야 한다.

2) 보수용접

보수용접은 국소적인 용접으로 구속이 크기 때문에 통상적으로 관리해온 용접 이상 보다 더 신중히 해야 하는데, 특히 고장력강의 경우에는 열영향부의 취화를 방지하기 위해 1회에 끝나도록 주의해야 한다. 이를 위해서는 수소의 침입이 최소가 되도록 충분히 관리하고, 건조한 저수소계용접봉을 사용하고 개선면의 기름, 수분 등을 제거한 후 가능한 한 건조한 분위기에서 용접해야 한다. 또한, 보수용접은 국부적인 용접이기 때문에 주변부에 의해 큰 구속이 걸리기 때문에 비교적 광범위하게 충분히 예열을 하여 형상적으로 급변부가 없도록 주의하고, 용접이 완료할 때까지 중간에 멈추지 않도록 용접을 계속 해야 한다.

백가우징면의 결함제어를 체크할 때에는 편측 용접 완료 후 바로 아크 에어가우징에 의해 백가우징을 한 뒤 후처리(HT80의 경우는 약 230℃에서 2 ~ 3시간 가열)를 한 후 상온까지 내리거나 가능하면 온도를 내리지 않고 건식자분탐상검사를 실시하는 것이 좋다.

용접시공면으로부터는 개선부의 루트간격이 크게 된 경우에는 적절한 육성방법에 의하여 개선면에 육성을 하여 적정한 간극으로 한 후 보수용접을 하든가 피닝(*peening*)을 하는 것 등이 필요하다. 또, 용접길이가 짧은 경우가 많기 때문에 아크의 개시부, 종료부(크리에이터부)를 앤드탭을 이용하여 피할 수 있도록 할 필요가 있다.

개선면에 나타나는 결함으로는 라미네이션, 비금속개재물 및 균열 등이 있다. 이 중에 특히 라미네이션 및 균열이 용접의 경우에 문제가 되는 결함이다. 이들 결함은 용접중에 가해진 열 및 응력의 발생에 의해 유해한 균열로 발생될 우려가 있다. 따라서 자분탐상검사나 침투탐상검사를 실시하여 개선면에 이들 결함이 존재하는지 조사할 필요가 있다.

라미네이션은 강재가 압연된 경우에 내부결함, 비금속개재물, 기포 또는 불순물 등이 압연방향으로 층상을 이루기 때문에, 개선면에 나타나는 균열은 강 내부의 수소에 기인하는 것이 많다.

2.6.5 세라믹 결함

세라믹 파괴의 기점이 되는 내부결함으로는 재료를 소성하는 경우의 기공 또는 다공역, 혼입 이물질 및 이상성장 결정립 등을 고려할 수 있다. 기공상 결함은 주위에 이방성을 수반하고, 혼입이물이나 이상성장 결정립으로 생각할 수 있는데, 혼입 이물이나 이상립은 균질성이 없어지고 동시에 응력집중원이 되어 강도 및 인성을 저하시킨다.

이때에 주의해야할 결함은 균열상 결함으로, 동일 크기의 결함에도 원호상 결함에 비해 응력집중이 커지고 매우 유해해 진다. 이 균열상 결함은 그 크기에 비해 균열 개구량이 작기 때문에 후술하는 방사선투과검사, 초음파탐상검사 등으로 검출이 가능한 경우도 많다.

2.6.6 섬유강화복합재료의 결함

한편, 복합재료의 비파괴검사에 요구되는 기술은 세라믹과는 크게 다르다. 예를 들면, CFRP적층재에서는 허용결함의 크기는 곡공률 0.5%, 층간박리 약 1 ㎜ 정도로 세라믹의 허용결함크기와 비교하면 큰 값이다. 그러나 종래의 비파괴검사법을 적용하는 경우에는 다음과 같은 문제가 있다.

① 불균질 이방성 재료이다.
② 비자성재료이다.
③ 기포, 공공, 박리 등의 결함에 대해섬유나 수지의 탄성파, 방사선, 전자파 등의 투과, 반사에서 물성차가 적다.
④ 수지중의 섬유나 충진재는 결함과의 식별이 어렵다.

따라서, FRP를 대표하는 복합재료에서는 금속재료와 같은 균질등방재료와 크게 다르기 때문에 새로운 비파괴검사 · 평가법의 개발이 필요하다.

2.6.7 보수검사에서 볼 수 있는 결함

1) 피로 균열

피로 균열(*fatigue crack*)이란 1사이클로는 파괴를 일으키는 데 불충분한 응력도 수 백회 ~ 수 백만회 반복함으로서 발생하는 균열로, 접촉응력피로균열, 열응력피로균열(*thermal fatigue crack ; TFC*), 부식피로균열 등이 있다.

2) 응력부식 균열

응력부식 균열(*stress corrosion cracking; SCC*)은 부식매체 중에 있는 금속재료 표면에 높은 인장응력이 정적으로 가해져 생기는 균열로 수소취성과도 관계가 있는 것으로 알려져 있다.

3) 케비테이션 부식

케비테이션 부식(*cavitation erosion*)이란 액체에서 발생한 기포가 찌그러져 표면에 충격을 줌으로써 생기는 침식(侵食)을 말한다.

4) 열응력 균열

열응력 균열(*thermal stress crack*)은 가열냉각의 1 사이클 또는 매우 작은 사이클의 열응력에 의해 발생한다.

익 힘 문 제

1. 흠(*flaw*)과 결함(*defect*)을 협의의 개념으로 정의할 때 의미상의 차이점에 대해 설명하시오.
2. 응력집중(應力集中; ***stress concentration***)과 결함의 유해성에 대해 설명하시오.
3. 강판에 주로 발생하는 결함의 종류와 발생 원인에 대해 설명하시오.
4. 강용접부에 주로 발생하는 균열(***crack***)의 종류와 발생 원인에 대해 설명하시오.
5. 보수검사에서 주로 발생하는 결함의 종류와 발생 원인에 대해 설명하시오.

제3장 방사선투과검사

3.1 방사선투과검사의 개요

3.1.1 방사선의 역사

방사선의 발견은 1895년 독일의 물리학자 뢴트겐이 기체 방전관을 연구하던 중 우연히 필름의 감광형상을 발견함으로써 이루어졌다. 그는 음극으로부터 방출된 전자가 전기장에 의해서 고속으로 가속되어 표적금속에 충돌될 때에 강력한 투과능력이 있는, 그때까지 형태와 근원이 알려지지 않은 전자파를 발견하고, 이것에 X선이라는 이름을 붙이게 된다. 발견 초기에는 그 흥미로움으로 인해, 구두상점에서 방사선 사진을 이용해서 발 모양에 구두를 만든다거나 하는 용도로 사용되기도 했다.

가장 널리 사용된 분야는 역시 의학적인 이용이었으며, X선을 비파괴 검사에 적용하게 된 것은 제1차 세계대전 중에 항공기와 포탄의 약실 등을 검사하기 위한 군사적 목적이었고, 산업분야에 사용된 것은 1925년 미국 화력발전소의 고압증기용 주조품을 검사하면서부터이다.

우리나라에서는 1960년대 초에 처음으로 기술이 소개된 이후에 1970년대를 지나며 원자력발전소와 조선공업, 방위산업의 발전으로 비파괴 검사의 수요가 급증했으며, 울산과 여천 석유화학공단, 창원기계공단 조성 등으로 비파괴 검사가 산업적으로 정착하면서 현재에 이르고 있다.

3.1.2 방사선투과검사의 원리

방사선투과검사(*radiographic testing; RT*)는 X선이나 γ선을 대상물에 투과시킨 후 결함의 존재유무를 필름 등의 이미지로 판단하는 비파괴검사 방법이다. 방사선은 시험체를 투과할 때 시험체를 구성하고 있는 물질과의 상호작용으로 흡수되어 강도가 약해진다. 이 때 투과하는 방사선의 강도는 시험체의 내부 구조에 따라 변하며, 시험체의 내부에 존재하는 흠집 때문에 생기는 방사선의 강도변화를 필름에 담아 사진처리를 하면 사진농도의 차이로 흠집의 상을 볼 수 있다.

방사선투과검사의 주된 목적은 시험체 내의 결함을 검출하는데 있다. 그림 3.1과 같이 두께

T 인 시험체 중에 크기가 ΔT 인 기공(***blow hole***)이 존재할 경우를 생각해 보자. X선 장치의 초점에서 방사되는 X선은 넓은 조사범위로 시험체에 조사된다. 건전부를 투과해서 X선 필름에 도달하는 X선의 직접투과선의 강도는 식 (3.1)로 주어질 수 있다.

$$I = I_o \cdot e^{-\mu T} \quad\text{...} \quad (3.1)$$

한편 크기가 ΔT 인 기공을 투과한 X선의 투과 두께는 $T - \Delta T$ 이 되며, 결함부를 투과한 직접투과선의 필름상의 강도 $I^{'}$ 는 다음 (3.2)식으로 주어질 수 있다.

$$I^{'} = I_o \cdot e^{-\mu(T - \Delta T)} \quad\text{..} \quad (3.2)$$

즉, 필름 상에서 결함부를 투과한 부분에는 건전부의 직접투과선의 강도보다도 $I^{'} - I = \Delta I$ 만큼 강한 투과선이 조사된다.

따라서 결함부에서는 그때 사용한 X선 필름의 특성에 따라서 X선 강도의 차이 ΔI 에 비례한 필름의 흑화도(黑化度)의 차, 즉 농도차를 형성하며, 결함부를 필름에서 결함상으로 검출할 수 있다. 이것을 방사선투과검사라 한다.

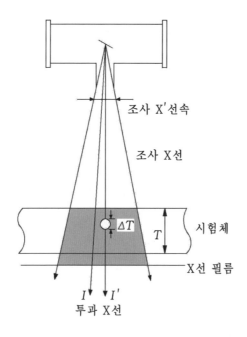

그림 3.1 방사선투과검사의 원리

3.1.3 방사선투과검사의 종류

방사선투과검사는 사용하는 방사선의 종류, 방사선 에너지의 높고 낮음, 변환자의 종류 및 정보처리 시스템의 내용에 따라 분류된다. X선 투과검사, γ선 투과검사, 중성자 투과검사는 방사선의 종류에 따라 분류한 것이고, 저에너지 및 고에너지 X선 투과 검사는 X선의 에너지에 따라 나눈 것이다. γ선 및 중성자투과검사는 선원의 종류에 따라 분류하기도 한다. 방사선투과검사법 중에는 직접투과선의 강도의 차를 시험체의 뒷면에 놓은 X선 필름의 농도차로 검출하는 방법을 직접촬영법이라 하며, X선 필름의 종류나 적용하는 방사선에너지 등의 촬영조건에 따라 투과사진의 상질에는 차이가 있으나, 이 직접촬영법은 비파괴검사 방법 중에서 가장 먼저 이용되었으며 현재도 가장 많이 이용되고 있다. 한편, X선 필름 대신에 방사선에 의한 형광작용을 이용하여 투과상을 형광체에서 가시상으로 바꾸고 이 상을 카메라로 촬영하는 방법을 간접촬영법이라 한다.

최근에는 투과상을 여러 가지 변환소자와 광학계를 이용하여 화상화 하고 그 상을 TV 모니터 등을 통하여 투시하는 방법이 실용화되고 있다. 방사선투과검사에 이용되는 변환자는 필름, 사진종이, 형광판 등이 있다. 형광투시법에서는 형광판을 변환자로 사용한다. 최근 전자기술과 영상 시스템의 발전으로 실시간에 관찰할 수 있는 삼차원 디지털 영상을 얻을 수 있어 필름 없는 검사와 검사의 자동화를 실현할 수 있게 되었다. X선 장치의 구조, 기능 및 용도에 따라 여러 가지 특수 검사 기법이 개발되었으며, 컴퓨터 단층촬영, 입체촬영, 마이크로 라디오그래피 및 플래쉬 라디오그래피 등이 그것이다.

3.1.4. 방사선투과검사의 적용과 특징

방사선투과검사는 방사선을 시험체에 투과시켜 내부에 들어있는 홈의 그림자를 필름에 담아 해석하는 방법이다. 따라서 방사선투과검사는 시험체의 부피를 한 번에 검사할 수 있고, 또 시험체의 내부에 들어있는 홈집을 찾아낼 수 있는 검사 방법이다. 방사선투과검사는 금속, 비금속 등 모든 종류의 재료에 적용할 수 있고, 객관성과 기록성이 우수하여 비파괴검사 중에서 가장 많이 이용되고 있다. 이 검사는 기공, 개재물 및 수축공과 같이 방사선의 투과 방향에 대해 두께의 차가 있는 것을 비교적 잘 찾아낼 수 있으나 균열처럼 틈이 아주 좁은 것은 그것이 놓여 있는 위치에 따라 찾아내지 못할 경우가 생긴다. 그러므로 이것은 주조 부품이나 용접부의 검사에 많이 사용한다. 그러나 방사선은 시험체 내에 흡수되기 때문에 투과에 한계가 있고 두꺼운 시험체는 검사하기 곤란하며, 시험체의 양면에 사람이 접근할 수 있어야 검사가 가능한 단점을 가지고 있다.

그리고 검사 장치의 값이 비싸고, 필름을 사용해야 하며, 사진처리 시간도 길어 다른 비파괴검사 방법에 비해 검사비가 높다. 또한 방사능이 높은 곳이나 온도가 높은 환경에서는 X선 장치나 필름을 사용할 수 없어 검사가 어렵다. 방사선투과검사는 다른 비파괴검사 방법에 비해 상대적으로 높은 초기 투자와 공간이 필요하여 비용이 많이 드는 방법이다. 경우에 따라서는 총검사시간의 60% 정도를 검사준비시간으로 소비하기도 한다.

방사선투과검사는 압력용기, 배관, 배, 다리, 건축물 등 각종 구조물의 용접 이음 부의 검사에 많이 이용되고, 주조한 부품의 검사에도 널리 활용되고 있다. 또한 최근에는 콘크리트 내부 구조의 검사, 조사뿐만 아니라 전자부품, 문화재, 과일 등 적용의 대상이 많이 늘어나고 있다. 그리고 특수 검사 기법으로 *micro focusing X-Ray CT* 시스템을 이용할 경우 아주 미소한 결함을 검출할 수 있으며, 투영 확대 촬영으로 생체조직의 단면, 잎, 씨앗, 섬유의 구조, 고 미술품 및 곤충의 해부학 연구에도 응용되고 있다. 방사선은 사람의 감각으로 감지할 수 없고, 생체 세포를 파괴하므로 잘못 취급하면 사람에게 해롭고 위험하다. 그러므로 방사선을 사용할 때는 사람의 안전을 최우선으로 생각해야 한다.

3.2 방사선투과검사의 기초

3.2.1 방사선이란 무엇인가?

방사선에는 입자 방사선과 전자파 방사선이 있다. 입자 방사선에는 α선, β선, 중성자선이 있고, 전자파 방사선에는 적외선, 가시광선, 자외선, X선 및 γ선이 있다. 이들 전자파 방사선 중에서 에너지가 높아 물질을 잘 투과하고, 물질을 이온화시키는 성질을 가지고 있는 X 선이나 γ선을 전리 전자파 방사선이라 한다. 이 전리 전자파 방사선을 보통 방사선이라고 하며 방사선투과검사에 이용한다.

중성자선도 물질을 투과하는 성질이 있다. 중성자를 이용한 투과검사를 중성자투과검사 (*neutron radiography testing; NRT*)라고 하며, 넓은 뜻으로 방사선투과검사의 한 종류이다. 그림 3.2은 전자파 방사선의 에너지스펙트럼이다.

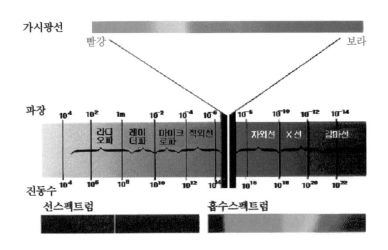

그림 3.2 전자파 방사선의 에너지 스펙트럼

X선 및 γ 선은 전자파의 일종으로 X선이나 γ 선과 같이 파장이 짧은 전자파는 「파」의 성질과 광양자라는 하는 「입자」의 성질을 함께 가지고 있다. X선에 의한 현상의 대부분은 X선을 파로 생각하여 설명할 수 있으나 그 중에는 파로 설명할 수 없는 것도 있다. 이러한 현상은 X선을 광양자의 흐름으로 생각하면 쉽게 설명할 수 없는 것도 있다. 이와 같이 X선 은 파와 입자의 이중 성질을 가지고 있는데, 투과검사의 경우에는 X선을 광양자의 흐름으로 생각할 때 설명하기 쉬운 경우가 많다.

X선의 광양자는 질량을 갖지는 않으나 에너지와 운동량을 갖는다고 여겨진다. X선을 전자파라 생각할 때, 파장을 λ, 진동수를 ν, 광속도를 C 라 하면 $\nu = C/\lambda$ 의 관계가 있다. 또한, 광양자로 생각할 때의 에너지를 ε 라 하면

$$\varepsilon = h\nu \ \text{또는} \ \ \varepsilon = \frac{hC}{\lambda} \ \dotfill \ (3.3)$$

의 관계가 있다. 여기서 h는 Plank 상수로 $h = 6.626 \times 10^{-34} \ Js$ 이다. 또, 광속도 C는 $C = 3.00 \times 10^8 \ m/s$ 로 주어지고 에너지 ε를 keV, 파장 λ를 nm로 나타내면 식 (3.3)에 의해

$$\varepsilon = \frac{1.24}{\lambda} \ \dotfill \ (3.4)$$

의 식이 얻어진다. 따라서 파장과 에너지와는 상호 환산이 가능하다.

X선을 전자파로 생각하면 선질은 파장 λ 로 나타낼 수 있고, 광양자의 흐름으로 생각하면 선질은 1 개의 광양자 에너지 ε로 나타낼 수 있다.

3.2.2 방사선의 발생

가. X선의 발생

1) X선 발생 원리

X선을 발생시키기 위해서는 다음의 조건이 필요하다.

① 전자의 발생원이 있을 것.
② 전자를 고속으로 가속시킴.
③ 전자의 충격을 받는 표적을 가질 것.

즉, X선을 발생시키려면, 처음 전자를 발생시킬 수 있는 발생원이 있어야 하며, 여기서 발생된 전자의 에너지는 그 속도에 의해 좌우되므로 전자를 고속으로 가속하기 위한 장치가 필요하며, 또한 고속의 전자가 충돌하여 원자와 상호작용을 일으킬 수 있는 표적 물질이 필요하다. 아래 그림은 고속의 전자가 표적원자와 충돌하여 X선을 발생시키는 원리를 나타낸 것이다.

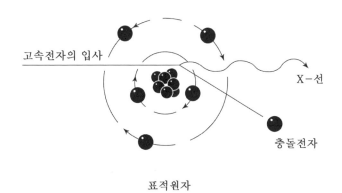

고속전자의 입사

X-선

충돌전자

표적원자

그림 3.3 X선의 발생원리

공업용으로 사용되는 X선 장비들은 일반적으로 최대 전압에 의해 분류되며, 이것은 에너지 또는 투과력으로 나타낼 수 있다. 전압비율에 따른 종류로는 80 kVp 이하의 저전압용으로부터 휴대용으로는 400 kVp정도, 특수용도로는 수 Mev까지의 여러 종류가 있다. X선 장비를 사용할 때는 방사선의 투과능력, 효과적인 방사선의 강도, 사용회수, 고려하여 적절한 장비를 선택하여야 한다.

2) X선 발생장치 구조

X선은 그림 3.4와 같이 두 극을 갖는 진공관인 X선관에 의해 발생한다. X선관의 음극은 텅스텐 필라멘트로, 양극은 금속 타깃으로 되어 있으며, X선관 내부는 고도의 진공상태로 유지되고 있다. 음극의 필라멘트에 전류를 보내서 필라멘트를 백열(白熱)상태의 고온으로 가열하면 열전자(熱電子)가 진공 속으로 방출된다. 이 때 X선관의 양쪽 극에 고전압을 걸면 필라멘트에서 방출된 열전자가 가속되어 금속 타겟과 충돌하는데 이 때 발생하는 열전자 운동에너지의 대부분은 열로 변하여 타겟을 가열하나 일부분의 에너지는 X선으로 변환되어 방사된다.

필라멘트 부근에는 열전자를 집속시키기 위한 집속캡(**cap**)이 있다. 양극의 타겟은 열전자의 충돌에 의해 온도가 매우 높아진다. 따라서 특히 고전압에서 사용하는 투과검사용 X선관에는 융점이 높은 텅스텐(**W**) 금속이 타겟으로 사용된다. 열전자가 충돌해서 X선이 발생하는 장소를 초점(**focus**)이라 하는데, X선관의 초점크기는 초점을 보는 방향에 따라 다르기 때문에 실 초점과 실효초점의 두 가지 호칭 방법이 있다. 그림 3.4에 나타낸 바와 같이 A 방향에서 본 초점의 크기가 실제의 초점 크기, 즉 실 초점 크기이나 실용적으로는 B 방향에서 본 초점 크기, 즉 실효초점이 이용되고 있다. 또한, 열전자가 음극에서 양극으로 이동하는 양을 관전류라 하는데, 관전류는 필라멘트에 흐르는 전류에 비례한다.

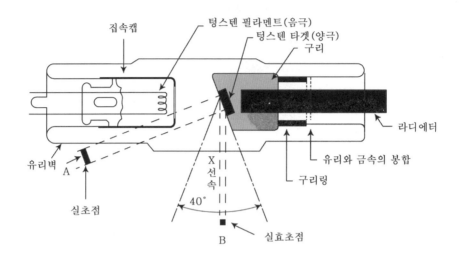

그림 3.4 X선관의 구조

3) X선의 종류

(a) 백색 X선

그림 3.5은 텅스텐을 타깃으로 사용한 X선관에서 관전압을 변화시켰을 때 X선의 파장과 강도의 관계를 나타내고 있다. 종축의 X선의 강도는 X선의 초점으로부터 일정거리에서의 조사 선량율에 해당한다. 곡선은 각각 연속된 파장분포를 가지고 있다. 이와 같은 연속스펙트럼을 가지는 X선을 백색 X선이라 한다. 백색 X선은 여러 종류의 에너지, 즉 다양한 파장을 가지는 X선의 집합체이다.

그림 3.6에서 관전압 $50\ kV$ 경우를 생각해 보자. 관전압 $50\ kV$에 의해 가속된 열전자는 타깃에 충돌하기 직전에 $50\ keV$의 운동에너지를 가지게 된다. 충돌에 의해 이 열전자의 에너지의 100%가 X선으로 변환되면 그 X선의 양자에너지는 $50\ keV$가 된다. 그러나 이와 같은 충돌은 거의 불가능하고 대개의 경우 열전자의 운동에너지의 일부 또는 전부가 열에너지로 변환하고 그 나머지가 X선 에너지로 변환한다. 다시 말해 타깃에 충돌하기 직전의 전체 열전자는 $50\ keV$의 에너지를 가지나, 충돌 후 X선으로 변환된 X선 광양자가 갖는 에너지는 $50\ keV$가 최고이고 이보다 낮은 여러 에너지 값을 갖는 백색 X선이 된다. 그림 3.6의 곡선으로부터 어느 파장 보다 짧은 파장의 X선은 존재하

지 않음을 알 수 있다. 이 점의 파장을 최단파장 λ_{min} 이라 한다.

그림 3.5에서 관전압이 높을수록 최단파장은 짧은 쪽으로 이동하고 곡선의 최고 강도를 나타내는 파장도 단파장 쪽으로 이동함을 알 수 있다. 백색 X선의 전강도는 그림 3.5의 곡선과 가로축으로 둘러쌓인 면적으로 나타난다. 관전압이 높을수록 X선의 전강도는 커지지만 그 크기는 관전압에 제곱에 거의 비례한다. 또한, 관전압이 일정할 경우 X선의 강도는 관전류에 비례한다.

타깃 금속의 종류를 바꾸었을 때 백색 X선의 강도는 타깃 금속의 원자번호에 거의 비례한다. 따라서 투과검사용 X선관의 타깃으로 원자번호가 높고 융점이 높은 텅스텐을 사용함으로써 X선의 발생효율을 높일 수 있다.

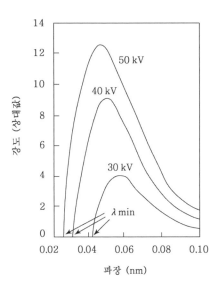

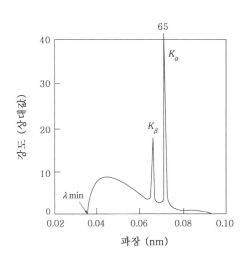

그림 3.5 백색 X선의 파장과 강도　　그림 3.6 몰리브덴 타깃의 백색 X선 및
특성 X선 스펙트럼(관전압; 35 kV)

(b) 특성 X선

그림 3.6은 타깃 금속을 M_o(몰리브덴)으로 한 X선관에 35 kV의 관전압을 걸었을 때의 X선스펙트럼을 나타낸 것이다. 이 경우 연속스펙트럼에서 백색 X선의 최단파장은 식 (3.4)으로부터 0.035 ㎚가 된다. 또한, 파장이 0.071 ㎚의 K_a선과 0.63 ㎚의 K_β선인 두개의 선스팩트럼으로 나타난다. 이들 선스팩트럼의 X선은 타깃 금속의 종류에 의해 정해지는 "특성 X선"이라 한다. 이들 특성 X선의 파장은 관전압이 바뀌어

도 변하지 않고 타깃 금속 고유의 값을 가지며 일정 한계치 이상의 관전압(여기전압이라 한다)이 주어진 경우에 발생한다. 그러나 백색 X선의 전강도에 비해 강도가 낮기 때문에 X선 투과검사에는 거의 기여하지 못한다.

(c) 단색 X선

특성 X선과 같이 선스펙트럼의 단일 파장을 가지는 X선을 단색 X선이라 한다. 다시 말해, 단일 에너지를 가지는 X선이 단색 X선이다. 따라서 매우 많은 단색 X선의 집합체는 백색 X선이라 생각할 수 있다.

4) X선 발생 장치

(a) X관 관

① 유리관

유리관은 고용융점을 갖는 유리로 만들어졌고 내부의 높은 진공의 내파힘에 견딜 수 있는 충분한 강도를 갖고 있어야 한다. 유리관의 모양은 tube에 연결되는 전기회로에 따라 결정되며 이 유리관은 X선이 발생 될 때의 전기의 힘, 압력 및 온도 등에 견딜 수 있도록 그 외부에 절연 물질로 채워져 있다. 절연 물질로 가장 많이 사용하는 것이 기름과 가스이다.

유리관 속이 진공이어야 하는 이유로는 고속도의 전자는 공기 중에서 이온화하여 에너지를 손실하므로 이것을 방지하기 위함이며, 필라멘트의 산화 및 연소를 방치하고, 또한 전극간의 전기적 절연을 위한 것이다.

② 음극(*Cathode*)

음극은 필라멘트(*filament*)와 포커싱컵(*focusing cup*)으로 되어 있다. 일반적으로 순철과 니켈로 되어 있는 포커싱컵은 방출된 전자를 양극으로 곧바로 이동할 수 있도록 정전기적 렌즈의 기능을 갖고 있으며, 필라멘트는 음극에서 전자를 방출하는 선원이다.

필라멘트는 일반적으로 전기적 특성과 열적 특성이 좋은 텅스텐 선을 사용한다. 텅스텐의 전기적 특성에 의하여, 필라멘트를 통해 전류가 흘러 전자가 발생할 수 있는 온도까지 가열된다. 이때 필라멘트에 흐르는 전류를 변화시키면 이에 따라 전자의 방출수가 변한다. 대부분의 X선 장비들은 관전류를 일정하게 고정시키고 변압기 조절을 통해 전압을 조정할 수 있도록 되어 있다.

③ 양극(*Anode*)

양극은 일반적으로 구리로 되어 있어 표적으로부터 고온의 열을 전도시킬 수 있는 열전도성이 좋고 높은 전기적인 금속 전극이다. 표적물질은 고원자 번호를 가지며 용융온도가 높고, 열진도성이 높아야 하며 낮은 증기압을 갖는 물질이어야 하므로 텅스텐, 금, 프리티늄 등이 사용되나, 최근 가장 많이 사용하는 것이 구리 전극봉 안에 텅스텐을 사용하는 것이다. 전자 빔에 대한 표적의 방향은 초점의 크기와 모양에 강하게 영향을 받는다. 응용분야에 따라 0 ~ 30°까지 경사를 띄는데 지향성 장비에서 20°정도로 하며 이 경우에 X선의 분포가 주로 관축에 직각인방향이 된다. 실제로 최대 강도는 +12°에서 나타난다.

④ 초점 (*focal spot*)

초점이란 X선 튜브 안에서 X선이 발생시 전자가 충돌하는 표적의 초점부위로부터 발생되는 면적을 말하며 초점이 작을수록 사진의 섬세도를 증가시키므로 방사선 사진의 질을 좋게 해준다. 즉, 방사선 사진의 영상의 섬세도는 방사선 선원의 크기(즉, 초점)에 의해 결정 된다.

일반적으로 양극의 표적면은 각도를 갖고 장치되어 있어, 실제 초점보다 작게 보인다. 이와 같은 초점을 실제 초점에 대한 유효적 초점(*effective focal spot*)이라고 한다.

X선의 강도는 빔의 중심에서 멀어질수록 감소하며, 표적물질의 기울기는 약 20°정도이다. 경사효과(*heel effect*)란 0°에서 20°까지의 X선 강도가 가장 크게 나타나는 것을 말한다.

(b) X선관 창

X선 튜브에서 가장 중요한 두 가지 사항은 표적물질에 의한 초점의 크기와 X선 튜브의 창(*X-ray tube window*)이다. 창은 유리관의 벽두께의 일면으로 다른 부분보다 얇은 곳이다. 대부분 공업용 X선 튜브는 그 외부가 금속으로 된 틀로 싸여 있으며 이것은 저전압 및 고전압의 전원을 연결하기 위한 것뿐만 아니라 작업자를 고전압에 의한 감전으로부터 보호해 주고, 작업자나 기타 외부인들에 대해 불필요한 방사선으로부터 차폐의 역할을 하고 X선 광선 중 필요한 부분으로만 방출시킬 수 있도록 하기 위한 것이다.

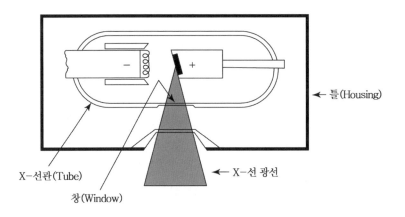

그림 3.7 X선관 창의 구조

(c) 변압기

변압기란 전압을 증감시킴으로서 교류전압을 변화시킬 수 있는 기기로 X선 장비에 필요한 변압기에는 자동변압기, 고전압변압기, 필라멘트(*filament*)변압기 등이 있다.

(d) X선 제어 장치

X선 장비의 제어장치에는 전류전압 조절장치. 계시기. 지시 등이 포함되어 있어 X선을 조절할 수 있으며 고전압에 의해 손상을 입지 않도록 보호회로가 준비되어 있다. 제어장치의 세 가지 중요 기능은 다음과 같다.

① 관전류의 조절
② 관전압의 조절
③ 노출시간의 조절

(e) 고에너지 X선 장치

전자의 발생을 이용하여 X선을 방출시키는 X선 장비에는 특수용도로 사용되거나, 매우 높은 고전압이 요구될 경우 특수한 전자 가속장치를 이용하여 수천 kV에서 수십 MeV까지의 전압을 사용하는 것이다.

① 공진 변압기형 X선 장치
② 반데그라프형 발생 장치
③ 베타트론 가속장치
④ 선형가속기

나. γ 선의 발생

γ 선은 방사성의 원자핵이 붕괴할 때 방사되는 전자파(電磁波)이며, X선과 동일하다. 원자핵은 양자(陽子)와 중성자(中性子)로 구성되어 있으며, 양자수, Z와 중성자수 N의 합계가 질량수 A이다. 예를 들어 천연 코발트(Co)의 질량수 A는 59이고, 원자번호 Z(양자의 수는 원자번호에 해당)는 27, 중성자수 N은 32로, 이 Co를 $^{59}_{27}$Co 또는 ^{59}Co로 표시한다.

이 ^{59}Co를 원자로(原子爐)에 넣어서 중성자를 흡수시키면 중성자가 1개 증가하여 A=60(Z=27, N=33)의 ^{60}Co(Co 60)이 된다. 이 ^{60}Co의 원자핵은 불안정하기 때문에 그림 3.8과 같이 0.31 MeV의 β선(전자)을 방사함과 동시에 1 개의 중성자가 양성자로 변해 A=60(Z=28, N=32)의 ^{60}Ni의 제 1 여기상태가 된다. 이것이 제 2 여기상태로 이행할 때에는 1.17 MeV의 β선을 방사하고, 안정상태로 이행할 때에는 1.33 MeV의 γ 선을 방사한다.

다시 말해서, 1개의 ^{60}Co 원자가 붕괴하면 1.17 MeV, 1.33 MeV인 2 개의 γ 선 양성자가 방사된다. 이 ^{60}Co과 같이 방사선을 방사하는 원소를 "방사성 동위원소(radioisotope)" 또는 약칭해서 RI라 한다.

방사선투과검사에 이용되고 있는 γ 선원으로는 이 ^{60}Co(Cobalt 60) 외에 ^{192}Ir(Iridium 192), ^{137}Cs(Cesium 137)등이 있다.

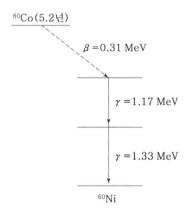

그림 3.8 ^{60}Co의 붕괴도

1) γ 선의 성질

ⓐ 방사능의 측정- Bq (또는 Ci) 강도

방사성동위원소의 특성은 여러 가지 인자에 의해 규정되며, 그 중의 하나가 선원의 붕괴를 측정하는 단위인 큐리이다. 이것은 라듐 $1g$의 방사능에 해당하는 단위로서, 초당 3.7×10^{10}개의 붕괴를 의미한다. 각각의 동위원소마다 붕괴형태 및 방출되는 γ선과 붕괴 후의 거동이 다르기 때문에 서로 다른 방사성 물질의 비교에는 바람직하지 못하지만, 동일한 동위원소인 각기 다른 여러 선원의 강도를 비교해야 하는 방사선 투과검사에서는 대단히 중요하다.

ⓑ 반감기

모든 방사성 동위원소는 안정한 상태로 붕괴하며, 방사성 동위원소가 붕괴하여 최초의 원자수가 반으로 줄어드는데 요하는 시간을 반감기라 하며, 방사성 동위원소가 붕괴하는 율을 측정하는데 사용된다. 즉 방사성 동위원소는 붕괴하면서 방사선을 방출하는데, 그 세기 즉 선원의 강도는 시간이 지남에 따라 약해진다. 그 세기(강도)가 반으로 줄어들 때까지의 시간을 "반감기(半減期)"($T_{1/2}$)라고 한다. 반감기 및 붕괴상수는 물질 고유의 값이며, 어떠한 방법으로도 반감기를 늘이거나 줄일 수는 없다. 반감기와 붕괴상수와의 관계는 다음과 같다.

$$T_{\frac{1}{2}} = \frac{0.693}{\lambda} \ , \ \text{여기서} \ T_{\frac{1}{2}} = \text{반감기} \ , \ \lambda = \text{붕괴상수}$$

동위원소의 시간에 따른 강도는 다음의 식으로 표시할 수 있다. 즉, 최초의 동위원소의 세기에서 시간이 흐름에 따라 지수함수적으로 감소하는 성질을 갖는다.

$$\frac{I}{I_0} = e^{-\lambda t} = (\frac{1}{2})^n , n = \frac{t}{T} \ \dots\dots\dots\dots\dots\dots\dots\dots\dots\dots \ (3.5)$$

여기서, I 는 현재의 동위원소의 강도, I_0 는 최초 동위원소 강도, t는 경과된 시간, T는 반감기를 나타낸다. $\frac{t}{T}$ 는 경과한 반감기의 횟수를 나타낸다. 즉, 최초에 $100 \ Ci$의 강도를 갖는 방사선원이 2번의 반감기를 지난다면,

$100 \times (\frac{1}{2})^2 = 25 \ Ci$가 된다.

2) γ선 에너지와 X선 에너지

γ선의 에너지는 keV 또는 MeV로 나타내며, X선의 에너지는 관전압인 kVp로 나타낸다. eV는 전자볼트(***electron Volt***)라는 단위이며, 1개의 전자가 $1Volt$의 전기장에 의해 가속된 크기의 에너지를 말한다. 단위 앞의 킬로($kilo$)는 10^3 (1000배)이며 메가($Mega$)는 10^6, 기가($Giga$)는 10^9을 나타낸다.

kVp는 X선관에 의해 발생된 X선의 최대 에너지에 해당한다. 대개 X선관에 의해 방출되는 X선의 평균 에너지는 최대 에너지의 약 40[%]가 되는 곳에 분포한다. 이에 반하여 γ선은 동위원소의 종류에 따라 고유한 에너지를 가진다. 이러한 관계를 고려해 본다면, $3MeV(=3000kVp)$의 X선 발생장치는 $3MeV \times 40\% = 1.2MeV$ 이므로, 평균 $1.2MeV$의 에너지를 갖는 Co-60 γ선의 투과능력과 $3MeV$ X선 발생장치의 투과 능력은 비슷함을 알 수 있다.

3) γ선 선원

γ선 선원에서는 방사성 물질이 방사선을 방출하므로 초점은 방사성 물질의 전표면이 되므로 가능한 한 그 선원의 크기를 적게 할 수 있는 것이 요구된다.

방사선 사진에 사용되는 대부분의 동위원소는 그 직경과 길이가 거의 같은 원통형으로 되어 있어 어느 면을 사용하여도 초점으로서의 선원의 형태를 갖게 된다.

방사성 동위원소에는 여러 가지가 있으나 주로 공업용 방사선 사진에 사용되는 방사선 선원의 종류와 그 적용 두께 등을 표로 나타내었다.

표 3.1 방사선원의 종류와 적용 두께

동위 원소	반감기	에너지	적용 두께(철판)
Th-170	약 127일	0.084 Mev	12.7mm(1/2″) 이하
Ir-192	약 74일	0.137 Mev	76mm(3″) 이하
Cs-137	약 30.1년	0.66 Mev	89mm($3\frac{1}{2}$″) 이하
Co-60	약 5.3년	1.17(1.33) Mev	229mm(9″) 이하
Ra-226	약 1620년	0.24~2.20 Mev	127mm(5″) 이하

4) γ 선 투과검사의 장·단점

γ 선을 이용하여 사진을 얻을 때 X선과 비교하여 다음과 같은 장·단점이 있다.

ⓐ 장점

① 동일한 kV 범위일 경우 X선 장비보다 가격이 저렴하다.

② 이동성이 좋다.

③ 가이드 튜브가 들어갈 수 있는 작은 구멍만 있으면 촬영이 가능하다.

④ 외부 전원이 필요 없다.

⑤ 360° 또는 일정 방향으로 투사의 조절이 가능하다.

⑥ 장비의 취급 및 보수가 간단하다.

⑦ 초점이 일반적으로 작아서, 짧은 초점-필름 거리가 필요한 경우 특히 적당하다.

⑧ 투과 능력이 매우 크다.

ⓑ 단점

① 안전관리를 철저히 하여야 한다.

② X선에 비해 감도가 떨어진다.

③ 투과 능력은 사용하는 동위원소에 따라 다르다.

④ 반감기가 짧은 동위원소의 교환이 고가이다.

3.2.3 방사선의 성질

가. 방사선과 물질의 상호작용

X선이 물질이 조사되어 물질 내를 전파할 때 X선은 그 물질에 뭔가 변화를 주는 동시에 물질에 의해 흡수되기도 하고 산란하여 방향이 바뀌기도 한다. 이와 같은 현상을 X선과 물질과의 상호작용이라 한다. X선은 물질이 상호작용을 할 때 주로 원자와 작용하는데, 원자핵과는 거의 작용하지 않고 원자핵 주위의 전자와 작용한다. 주된 상호작용으로는 광전효과(*photoelectric effect*), 톰슨산란(*Thomson scattering*), 콤프톤산란(*Compton Scattering*), 전자쌍생성(*pair production*) 등이 있다.

1) 광전효과

X선의 광양자가 물질에 입사하여 원자의 K각의 궤도전자와 충돌할 경우, X선 광양자의 에너지가 K전자의 결합에너지 보다 크면 K전자를 궤도 바깥으로 튀어나가게 하며 광양자의 에너지는 모두 원자에 흡수되어 버린다. 이 현상을 광전효과라 하고 이 광전효과에 의해 떨어져 나간 전자를 광전자라 한다.

2) 톰슨산란 (*Rayleigh*산란)

X선이 물질에 입사한 방향을 바꾸는 것이 산란이다. 이 때 방향을 바꾸어도 X선의 파장이 변하지 않는 산란을 톰슨(*Thomson*)산란 또는 Rayleigh산란이라 한다. 또한 이 산란은 광양자의 에너지가 변하지 않기 때문에 탄성산란이라고도 한다.

톰슨산란의 경우는 파장이 변화하지 않기 때문에 각각의 전자에 의해서 산란된 X선이 서로 간섭을 일으키므로 때문에 가간섭성 산란이라 한다. 결정체에 의한 X선의 회절은 이 산란선의 간섭의 결과이다. 이 톰슨산란이 일어나는 정도는 원자번호에 비례한다.

3) 콤프톤효과(콤프톤산란)

X선이 물질에 입사하여 산란할 때 산란후의 X선 광양자의 에너지가 감소하는 현상을 콤프톤효과 또는 콤프톤산란이라 한다. 콤프톤산란에서는 산란할 때 충돌한 전자에 에너지를 주어 원자 바깥으로 튀어나가게 하기 때문에 산란한 X선의 에너지 ε' 은 입사 X선의 에너지 ε 보다 낮아진다. 이때 튀어나간 전자를 되튐전자라 한다. 콤프톤효과가 일어나기 전후에 효과에 관여한 X선의 광양자와 전자의 사이에는 에너지 보존법칙과 운동량 보존법칙이 성립한다. 입사 X선의 방향에 대하여 산란 방향의 각도(산란각) θ가 커지면 에너지 ε 과 ε' 의 차는 커지게 된다. 콤프톤효과는 궤도전자에 의해서보다는 주로 물질내의 자유전자와의 상호작용에 의해 발생한다.

4) 전자쌍생성

전자쌍생성은 아주 높은 에너지의 X선의 광양자가 원자핵의 근처의 강한 전장을 통과할 때, 광양자가 소멸하고 그 대신에 음전자와 양전자가 생성하는 현상이다.

따라서 광양자의 에너지는 음전자와 양전자의 정지질량의 합에 해당하는 에너지 $2m_0 C^2$ (=1.02 *MeV*)이상의 에너지를 갖지 않으면 안 된다. 여기서 전자 한 개의 질량에 해당하는 에너지는 $m_0 C^2 = 0.511$ *MeV*이다.

나. 방사선의 감쇠

방사선이 물체에 입사하는 방향을 바꾸지 않고 직진하여 물체를 투과하는 직접투과선과 도중에 물질과의 상호작용에 의해 발생하는 산란선으로 나눌 수 있다. 따라서 직접투과선의 강도는 상호작용에 의한 흡수, 산란에 의해 점차 감쇠하고. 상호작용이 일어나는 정도는 방사선의 에너지, 물질의 종류 및 그것의 두께에 따라 변화한다.

발생한 산란선의 산란각이 그림 3.9에 나타낸 것과 같이 90°이하의 범위인 산란선을 전방산란선이라 하고, 90°를 넘는 범위의 것을 후방산란선이라 한다.

1) 직접투과선의 감쇠

방사선투과검사에 사용되는 X선은 백색 X선이지만 직접투과선의 강도가 투과두께에 의해 감쇠하는 경우에는 에너지가 단일한 단색 X선과 백색 X선의 경우로 나누어 검토해볼 필요가 있다.

ⓐ 단색 X선의 경우

강도가 I_o인 단색 X선(광양자 에너지가 일정)이 두께 T(㎝)의 물체를 투과한 후의 직접투과선의 강도를 I라 하면, I와 I_o의 관계는 다음 식 (3.6)으로 표현된다.

$$I = I_o e^{-\mu T}$$

또는 $\dfrac{I}{I_o} = e^{-\mu T}$ ·· (3.6)

μ : 선흡수계수 (cm^{-1})
e : 자연대수의 밑(e=2.71828······)이다.

식 (3.6)에 대수를 취해 변형하면 식 (3.7)이 된다.

$$\ln I = \ln I_o - \mu T$$

또는 $\ln \left(\dfrac{I}{I_o} \right) = -\mu T$ ·· (3.7)

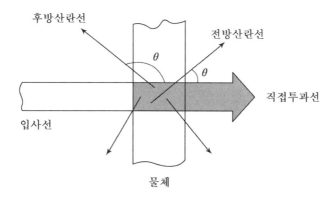

그림 3.9 직접 투과선과 산란선

물체의 두께 T를 횡축에 선형 눈금으로 잡고 투과율과 $\dfrac{I}{I_o}$를 종축에 대수눈금으로 나타내면, 단색 X선의 강도는 그림 3.10와 같은 직선이 된다. 두께 T가 증가하고 μ가 클수록 투과선이 급격히 감쇠하는 것을 알 수 있다. 흡수계수μ는 감쇠의 정도를 정량적으로 나타내는 계수로, 방사선의 에너지가 낮을수록 커지고 투과물질의 원자번호나 밀도가 클수록 커진다.

감쇠의 정도를 흡수계수 μ 외에 반가층의 두께 h로 나타내기도 한다. 그림 3.10에 나타낸 것과 같이 시험체의 어떤 두께를 투과함으로써 투과선의 강도가 1/2로 감소하는 두께를 반가층이라 하고 h로 표시한다.

이상의 조건에 의해 식 (3.7)에 $I/I_0 = 1/2$, $T = h$를 대입하면, 반가층 h와 흡수계수 μ 사이에는 다음 식 (3.8)의 관계가 성립한다.

$$h = \frac{\ln 2}{\mu} = \frac{0.693}{\mu} \quad\cdots\cdots\cdots\cdots\cdots\cdots\cdots\cdots\cdots\cdots\cdots\cdots\cdots\cdots\cdots\cdots\cdots\cdots\cdots (3.8)$$

따라서 μ 나 h 중 하나를 알면 다른 쪽은 식 (3.8)로 구할 수 있다.

ⓑ 백색 X선의 경우

실제로 투과검사에서는 단색 X선을 사용하지 않고 백색 X선을 사용한다. 백색 X선의 경우 직접 투과선을 실측하여 그림 3.10과 같이 나타내면 감쇠곡선은 직선으로 나타나지 않고 아래쪽으로 오목한 곡선이 된다. 그 한 예를 그림 3.11에 나타낸다.

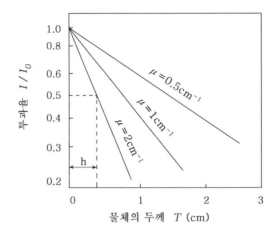

그림 3.10 단색 X선의 감쇠곡선

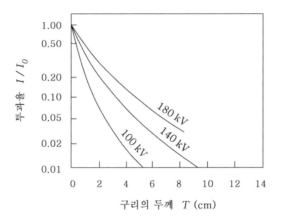

그림 3.11 백색 X선의 감쇠곡선

그림 3.11에서는 횡축은 강의 두께를 ㎜ 로 나타내며 파라미터를 관전압으로 나타내고 있다. 백색 X선은 여러 가지 에너지(파장)의 X선의 집합체로 에너지가 낮은 성분일수록 흡수되기 쉬우므로, 직접투과선의 X선스펙트럼의 두께가 두꺼워짐에 따라 직접투과선의 성분은 에너지가 낮은 성분이 급속히 감쇠하고 에너지가 높은 성분의 분율이 커져 전체적으로 흡수계수가 작아지는 쪽으로 옮겨 간다.

그러므로 백색 X선의 경우 두께 T가 변하게 되면 선흡수계수 μ가 변하기 때문에 입사선의 강도 I_0와 투과선의 강도 I의 관계를 식 (3.6) 또는 식 (3.7)과 같이 나타낼 수 없다. 그러나 그림 3.11에서 볼 수 있듯이 투과두께가 두꺼워질수록 곡선은 점점 직선에 가까워짐을 알 수 있다. 이것은 선흡수계수가 점차 일정한 값에 접근하는 것을 나타낸다.

따라서 백색 X선의 경우도 두께가 어느 정도 이상으로 두꺼워진 범위에서는 근사적으로 (3.6), (3.7)식이 성립한다고 생각할 수 있다.

2) 산란선이 있을 경우의 감쇠

실제 방사선투과검사에서는 그림 3.12에 나타낸 것과 같이 백색 X선을 시험체에 넓은 조사범위로 조사한다. 시험체 배후의 어느 점 P에 도달하는 방사선을 고려해 보면, 직접투과선 I 이외에 시험체 내부에서 발생한 산란선 I_s 도 동시에 도달한다. 여기서 I_s 는 시험체 내의 각 점에서 발생하여 P점에 도달한 산란선이다.

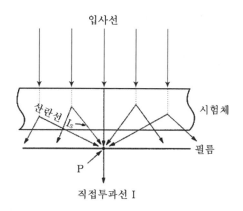

그림 3.12 P점에서의 직접투과선과 산란선

따라서 임의의 점 P에 도달하는 방사선의 강도 I_p 는 다음 식과 같이 된다.

$$I_p = I + I_s \quad\text{(3.9A)}$$

여기서 산란선의 강도 I_s와 직접투과선의 강도 I와의 비 I_s/I 를 산란비라 하고, n으로 나타내면 (3.9A)식은 (3.9B)식이 된다.

$$I_p = I(1+n) \quad\text{(3.9B)}$$

따라서 (3.9B)식을 입사 X선의 강도 I_0에 대한 투과율로 나타내면 식 (3.10)이 된다.

$$\frac{I_P}{I_o} = \frac{I}{I_o}(1 + n) \quad \cdots\cdots\cdots\cdots\cdots\cdots\cdots\cdots\cdots\cdots\cdots\cdots\cdots\cdots\cdots\cdots\cdots\cdots\cdots\cdots\cdots (3.10)$$

다. 전리작용

기체에 방사선을 쪼이면 전기적으로 중성이었던 기체의 원자 또는 분자는 이온으로 분리된다. 이것을 방사선의 전리작용이라 한다. 전리되는 기체분자의 수는 조사된 방사선량에 비례한다. 따라서 이 작용을 이용해서 조사선량을 측정할 수가 있다.

라. 형광작용

방사선은 육안으로 직접 볼 수가 없지만 형광 물질에 방사선을 쪼이면, 형광 물질은 방사선의 에너지를 흡수하여 들뜨게 되며, 안정한 상태로 되돌아 올 때에 황색, 청색 등의 형광을 발한다. 이 작용을 형광작용이라 한다.

형광 물질에는 ZnS, CdS, $CaWO_4$ 등 여러 가지 종류가 있으며, 형광 증감지, 투시법의 형광 판 및 측정기 등에 이용되고 있다.

마. 사진작용

사진 필름에 방사선을 쪼이면, 빛을 쬐었을 때와 마찬가지로 필름의 사진유제 속의 할로겐화은에 방사선이 흡수되어 현상핵, 즉 잠상을 만든다. 이 작용을 사진작용이라 한다. 그러나 방사선에 의한 사진작용은 보통 빛에 의한 경우보다도 작다. 사진작용은 방사선 사진 촬영, 방사선 피폭선량의 측정에 이용한다. 노출된 필름을 현상, 정착의 사진처리를 하면 잠상이 생겼던 부분이 화학반응을 일으켜 검은 색의 황화은으로 변하여 사진 상이 된다.

바. 거리에 따른 방사선 강도의 변화

방사선의 발생원(타깃)으로부터 임의의 거리 d에서 방사선 다발에 대한 수직 단면적을 S라 하면 그 점에서 방사선의 강도 I는 d^2에 반비례하기 때문에 I는 $1/d^2$에 비례한다. 따라서 선원으로부터 거리 d_1 및 d_2에서 방사선의 강도를 I_1 및 I_2라 하면 다음의 식 (3.11)이 얻어진다.

$$\frac{I_1}{I_2} = \frac{d_2^2}{d_1^2} \dots\dots\dots\dots\dots\dots\dots\dots\dots\dots\dots\dots\dots \quad (3.11)$$

즉, 진공 중에서 방사선의 강도는 초점으로부터의 거리의 제곱에 반비례한다. 이 현상을 그림으로 나타낸 것이 그림 3.13이며, 이 관계를 방사선의 강도에 관한 거리의 반제곱(역자승) 법칙이라 하며 노출 계산에 이용한다.

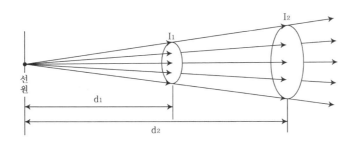

그림 3.13 거리의 역제곱 법칙의 원리

3.2.4 투과 사진의 상질

투과사진으로 찾아낼 수 있는 가장 작은 흠집의 크기를 사진 감도라 하고 이것에 영향을 미치는 인자는 투과사진 콘트라스트와 명료도로 나누어 생각할 수 있다. 표 3.2는 방사선투과사진 감도에 영향을 미치는 인자를 정리해 놓은 것이다.

표 3.2 방사선 투과 사진 감도에 영향을 미치는 인자

투과사진 콘트라스트		명료도	
시험체 콘트라스트	필름 콘트라스트	기하학적 요인	입상성
시험체의 두께 차 방사선의 선질 산란 방사선	필름의 종류 현상시간, 온도 및 교반 농도 현상액의 강도	초점크기 초점-필름간 거리 시험체-필름간 거리 시험체의 두께 변화 스크린-필름접촉상태	필름의 종류 스크린의 종류 방사선의 선질 현상시간, 온도

방사선 투과사진에서 감도는 선명도와 명암도가 조화된 상태를 나타내는 척도이다. 선명도란 각기 다른 농도의 경계면에 대한 명확도 또는 섬세도를 나타내는 말로 사용되며 윤곽이 매우 뚜렷한 경우 선명도가 높다는 것이다. 명암도란 사진의 농도, 즉 검고 흰 정도를 말한다. 즉, 사진의 감도가 좋다라고 하는 것은 명암도와 선명도가 적절한 상태를 유지하고 있다는 것을 말한다. 방사선 투과사진 감도에 영향을 미치는 인지들을 정리한 표이다.

가. 선명도에 영향을 주는 요인

방사선 사진에서 선명도에 영향을 주는 직접적인 요인은 다음과 같다.

1) 고유불선명도

X선이나 γ선은 어떤 물질을 통과할 때 필연적으로 광전효과, 콤프톤 산란, 전자쌍 생성 등과 같은 상호작용이 일어나 이온화 과정에 의한 흡수가 수반되는데, 필름을 통과할 때도 이러한 현상들이 필름 안에서 일어나게 되어, 그 결과로 생성되는 자유전자에 의해서 영상이 불선명하게 되는 것을 고유불선명도(*inherent unsharpness*)라 한다.

2) 산란방사선

X선이나 γ선이 물체에 부딪힐 때 일부는 흡수되고 일부는 산란되면 일부는 투과되기도 한다. 전자는 빛이 산란하듯이 전 방향으로 산란되면, 산란에 의해 발생되는 방사선은 파장이 증가되면 최초의 방사선에 비해 약하고 침투력도 현저히 낮다.

산란방사선(*scattered radiation*)은 시험편을 포함하여 카세트, 벽, 마루, 책상 등 어느 부분, 어느 물질에서도 방사선을 직접 받게 되면 발생된다. 특히 두꺼운 물체의 방사선 사진에서는 산란방사선이 필름에 미치는 전방사선의 양에 대해 큰 비율을 차지한다. 예를 들어 3/4인치 두께의 철판의 방사선 사진에서는 시험편으로부터 받는 산란방사선은 필름에 도달할 때 최초 방사선의 강도의 약 2배 정도이며 2인치 두께의 알루미늄의 방사선 사진에서는 최초의 방사선의 강도에 2.5배 이상이 된다. 산란방사선은 일반적으로 내면산란, 측면산란, 후방산란으로 구분된다.

내면산란이란 시험편 자체내부·외부에 의하여 산란되거나 반사되는 것 또는 카세트에서 산란되는 방사선이며 측면산란이란 시험물이 위치한 주위의 벽, 책상 등을 통해서 산란되는 방사선을 말하며 후방산란이란 필름 및 시험물이 놓은 책상 또는 마루 등으로부터 산란되는 방사선이다.

이러한 산란방사선들은 영상을 불선명하게 하므로 가능한 한 방지하도록 하여야 한다. 또한 산란방사선은 방사선의 질을 저하시키므로, 여러 가지 장비를 이용하여 침입을 막거나, 약화시켜 사진에 영향이 적도록 하기 위하여 다음과 같은 조치를 필요로 한다.

① 후면 납판 사용 : 필름 뒤에 납판을 놓아 후방 산란 방사선의 침입을 방지하는 방법
② 마스크의 사용 : 제품 주위에 납판을 둘러서 불필요한 일차 방사선을 흡수, 산란방사선을 방지하는 방법
③ 필터의 사용 : 덮개의 일종으로 방사선을 선별하여 산란방사선의 발생을 약하게 하는 방법이며 X선에만 적용된다.
④ 콜리메타, 다이아프렘, 콘의사용 : 덮개의 일종으로 필요한 부분만 방사선을 보내어 산란 방사선의 영향을 줄이는 방법
⑤ 납증감지의 사용 : 카세트 내의 필름 전후면에 납증감지를 부착하여 산란 방사선의 침입을 막는 방법

3) 기하학적 불선명도

X선 및 γ 선은 광선이 갖는 일반 법칙을 따르기 때문에 방사선에 의한 상의 형성은 광선의 관점으로 설명될 수 있다. 기하학적 불선명도(*geometric unsharpness; Ug*)를 무시할 수 있을 정도로 작게 하는 데 필요한 초점-필름간 거리는 필름 또는 필름과 스크린의 조합, 초점 크기 및 시험체-필름간 거리에 의존한다. 기하학적 불선명도에 영향을 주는 요인에는 다음 4가지가 있다.

① 초점 또는 선원의 크기
② 선원과 필름과의 거리
③ 시험물과 필름과의 거리
④ 선원, 시험물, 필름의 배치관계

즉, 동일한 기타 조건에서 초점의 크기는 작을수록 선명도를 좋게 하며 선원과 시험물의 거리는 실용적인 조건하에서 길수록 좋다. 또한 필름은 가능한 한 시험체에 가깝게 밀착시키는 것이 좋으며 시험물의 형상은 가능한 한 시험물, 선원, 필름의 배치가 방사선의 중심에 수직이 되도록 한다. 시험물의 배치는 필름과 수평이 되게 배치하여야 선명도가 좋게 된다.

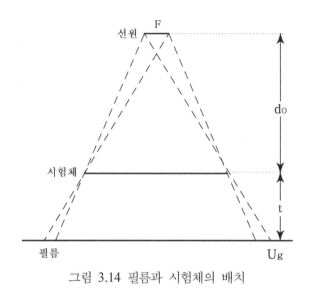

그림 3.14 필름과 시험체의 배치

기하학적 불선명도는 다음의 공식에 의하여 계산할 수 있다.

$$U_g = F \cdot \frac{t}{d_0} \quad \cdots\cdots\cdots\cdots\cdots\cdots\cdots\cdots\cdots\cdots\cdots\cdots\cdots\cdots\cdots\cdots\cdots \quad (3.12)$$

여기서 U_g = 기하학적 불선명도
F = 방사선원의 크기
t = 시험체와 필름의 거리
d_0 = 선원 - 시험체의 거리

d_0와 t는 동일 측정단위이고, U_g의 단위는 F와 동일 단위이어야 한다. 초점크기 F는 통상 어떤 일정의 방사선원에 대해서는 결정되어 있으므로, 값은 본질적으로는 단순히 d_0/t의 비율로서 관리된다.

4) 필름의 입상성

방사선 필름에 나타나는 상은 수많은 미세한 은입자에 의해 형성되며, 각각의 입자들은 아주 작아서 단지 현미경을 통해서만 볼 수 있다. 그러나 이 조그만 입자들은 상대적으로 큰 덩어리를 형성하여 육안 또는 저배율의 확대를 통해 볼 수 있다. 이러한 덩어리를 형성하는 것을 가시적인 효과 즉 입상성이라 한다.

일반적으로 느린 필름은 보다 낮은 입상성을 나타내며, 방사선의 투과량이 증가함에 따라 입상성이 증가한다. 또한, 방사선사진에서는 입도가 적을수록 좋은 선명도를 얻게 된다.

나. 명암도에 영향을 주는 요인

방사선 투과사진의 명암도는 시험체 명암도(*subject contrast*)와 필름명암도(*film contrast*)에 의해 영향 받는다. 시험체의 명암도란 시험물에 투과된 방사선의 강도의 범위에 따라 결정되며 필름의 명안도란 필름 자체가 갖고 있는 명암도의 특성을 말한다.

또한 방사선 투과사진의 명암도는 산란방사선의 영향도 무시할 수 없으며, 특히 명암도에 영향을 주는 산란방사선은 주로 후방산란의 영향이 크다.

1) 시험체명암도

시험체의 두께가 거의 일정하고 평면인 시험편의 방사선 투과사진은 모든 부분을 통과하는 방사선의 강도가 동일하기 때문에 시험체에 의한 명암도의 차이가 없이 일정하게 된다.

반면 두께가 다르거나 같은 두께일지라도 밀도가 다른 시험편을 통과하는 방사선은 그 강도가 다르기 때문에 명암도의 차가 생기게 됨으로 시험체의 두께의 차 또는 밀도의 차에 대한 명암도를 고려하여야 한다. 이러한 명암도를 시험체명암도(*subject contrast*)라고 하며 시험체의 명암도는 사용된 방사선의 에너지, 시편의 두께의 차 및 시편의 밀도의 차에 의해 그 영향을 받는다.

2) 필름명암도

필름명암도(*film contrast*)란 방사선이 필름에 노출되어, 주어진 에너지에 대한 농도의 차이를 나타내는 필름 자체의 특성을 말한다. 방사선 투과검사에 사용되는 필름에는 많은 종류가 있으며 각각의 제조 회사와 제조 회사에 따른 필름의 종류에 따라 필름의 명암도의 특성이 다르다.

3.2.5. 투과 사진의 콘트라스트

시험체에 결함이 있으면, 그 크기에 따라 결함부분과 건전부 사이에 투과선의 강도차 ΔI 가 생기고, 투과 사진상에서는 ΔI 에 비례하여 사진의 농도차가 생긴다. 이 농도차를 투과사진의 콘트라스트라 하며 ΔD로 표시한다. 콘트라스트 ΔD가 클수록 결함은 식별하기 쉬워지고 반대로 ΔD가 작아지면 식별하기 어려워지며 어느 값 이하가 되면 식별할 수 없게 된다.

시험체 내에 크기 ΔT인 블로우 홀(공동)과 같은 결함이 존재한다고 하면, 그 때 블로우 홀에 대한 투과사진의 콘트라스트 ΔD는 식 (3.13)으로 표현된다.

$$\Delta D = -0.434 \frac{\gamma \mu \sigma \Delta T}{(1+n)} \cdots\cdots\cdots\cdots\cdots\cdots\cdots\cdots\cdots\cdots\cdots\cdots\cdots\cdots\cdots\cdots \quad (3.13)$$

γ : 필름 콘트라스트(**film contrast**), μ: 선흡수계수, σ: 기하학적 보정계수, n: 산란비이다.

식 (3.13)에서 높은 콘트라스트를 얻기 위해서는 분자항의 γ, μ, σ가 가능한 크고 분모인 $(1+n)$은 가능한 한 작아지도록 촬영조건을 선택해야 한다.

가. 필름 콘트라스트 γ

γ를 크게 하기 위해서는 γ가 큰 특성을 가지는 X선 필름을 선택한다. 또 γ의 값은 농도에 거의 비례하기 때문에 농도를 높인다. 그러나 관찰기(필름 viewer)의 밝기에는 한계가 있어 농도가 어떤 값을 넘으면 투과광이 적어지므로 ΔD가 커도 식별이 어려워진다. 그러므로 표준적인 식별조건에서 사진농도가 거의 일정할 경우 농도 D는 2.5정도가 가장 적합하다.

나. 흡수계수 μ

흡수계수 μ를 크게 하기 위해서는 에너지가 낮은 X선이나 γ선을 사용한다. X선의 경우 관전압을 낮추면 에너지가 낮은 X선이 나오며, γ선의 경우 에너지가 낮은 γ선원을 선택해야 한다.

그러나 에너지가 낮은 X선은 투과력이 작기 때문에 시험체의 두께가 두꺼워지면 노출시간이 길어져 실제 작업에서는 작업능률이나 장치의 사용상의 제한을 받을 때가 있으므로 이를 고려하여 적절한 조건을 선택해야 한다.

다. 기하학적 보정계수 σ

σ는 방사선원의 크기(X선의 경우 초점의 크기)나 대상이 되는 결함의 크기 및 촬영배치에 의해 결정되는 인자로 최대값은 1이다.

각 규격의 규정을 만족시키는 촬영배치를 취하면 σ의 값은 거의 1에 근사한 값이 얻어진다. 그러나 보다 검출도가 높은 정밀검사의 경우 주어진 $(L_1 + L_2)/L_2$의 비, 즉, m값을 규정치 보다 크게 하는 편이 좋다.

라. 산란비 n

촬영에 있어서 산란비는 작으면 작을수록 좋지만, 산란비 n과 촬영조건과의 관계는 복잡하며 이는 촬영기술의 가장 중요한 부분이다. 그래서 산란비 n을 작게 하기 위한 여러 가지의 기술적인 검토가 이루어지고 있다. 시험체에 대한 조사범위를 좁게 해서 산란선을 적게 하는 좁은 조사범위 촬영법이 그 일례로, 정밀검사의 경우에 이용되고 있다.

3.2.6. 투과 사진의 관찰 조건

적절한 촬영조건으로 만족스러운 상질의 투과사진을 얻었다 하더라도 최종 관찰의 단계의 관찰조건이 부적절하면 검출해 놓은 결함도 식별할 수 없게 된다.

가. 식별한계 콘트라스트

투과사진에서 결함 또는 투과도계의 존재를 확인할 수 있는지의 여부는 투과사진상에서 결함상의 농도 D_2와 건전부의 농도 D_1의 농도차 $D_2 - D_1$, 즉 투과사진의 콘트라스트 ΔD가 사람의 시각으로 인식할 수 있는 최소의 농도차 $\Delta D_{\min}$ 보다 큰지 작은지에 의해 결정된다. 이 $\Delta D_{\min}$를 식별한계콘트라스트라 한다.

투과사진의 콘트라스트 ΔD 가 $\Delta D_{\min}$ 보다 큰 조건 즉 (3.14)식

$$| \Delta D | \geq | \Delta D_{\min} | \quad \cdots\cdots\cdots\cdots\cdots\cdots\cdots\cdots\cdots\cdots\cdots\cdots \quad (3.14)$$

을 만족하는 경우 결함을 식별할 수 있다.

한편 ΔD 가 $\Delta D_{\min}$ 보다 작은 경우, 즉 (3.15)식

$$| \Delta D | < | \Delta D_{min} | \quad \cdots\cdots\cdots\cdots\cdots\cdots\cdots\cdots\cdots\cdots\cdots\cdots\cdots\cdots\cdots\cdots\cdots \quad (3.15)$$

의 조건의 경우 결함을 식별할 수 없다. 여기서 ΔD 는 (3.13)식으로 얻어진다.

나. 투과사진의 관찰 방법

어떤 크기의 상에 대한 식별한계 콘트라스트 ΔD_{min} 은 관찰조건에 따라 변화하는데, 어두운 방에서 투과사진의 농도에 적합한 밝기의 관찰기를 사용할 경우 가장 좋은 관찰조건이 되며 ΔD_{min} 은 가장 작아진다.

이 경우 투과사진을 직접 투과한 광 이외의 광, 즉 관찰기의 광원의 빛이 직접 눈으로 들어오지 않고 투과사진의 크기에 적합한 크기의 마스크를 사용하여 관찰해야 한다.

그러나 밝은 방에서 관찰하거나 적절한 마스크를 사용하지 않고 관찰하게 되면 투과사진을 투과한 광 이외의 광이 눈으로 들어와 때문에 적절한 관찰조건에서 벗어나므로 ΔD_{min} 이 낮아지지 않아 결함이 제대로 식별되지 않는 경우가 생긴다.

3.2.7 투과 검사와 화상처리

투과사진의 상에서 시험체를 투과한 방사선의 강도 및 강도의 차는 사진의 농도 및 농도차로서 식별되는데, 사람이 식별해 내는 최소의 농도차 ΔD_{min} 은 그 투과사진의 농도와 관찰조건에 따라 복잡하게 변화한다.

한편, 보통 촬영을 한 투과사진에서는 시험체의 형상, 결함 등에 의한 투과선의 강도 변화의 정보는 X선 필름유제의 은 입자에 큰 정보량으로 축적되어 있다. 그러나 그 투과사진을 어떤 관찰조건에서 관찰할 경우에는 정보량에 의해 만들어진 상 중에서 식별할 수 있는 범위가 한정되어, 식별해내지 못하는 부분이 존재하게 된다. 이와 같이 식별되지 않는 부분을 식별할 수 있도록 하기 위해서는 촬영조건을 변화시키고, 부분적으로 농도를 변화시킴으로써 콘트라스트를 높여 재촬영해야 한다.

최근에는 컴퓨터를 응용한 화상처리기술의 적용으로 1회의 촬영으로부터 얻은 정보를 넓은 범위까지 가시화시키고, 상질도 여러 가지 기법으로 개선시킨 화상을 얻을 수 있게 되었다.

가. 투과사진과 화상처리

X선 필름에 축적되어 있는 정보는 아날로그 정보이므로 각종 화상처리를 하기 위해서 디지털화 장치(*digitizer*)를 이용하여 아날로그 정보를 디지털 정보로 전환한다. 그 디지털 정보를 이용하여 투과검사의 목적에 따라 최적의 화상처리를 한다. 화상처리를 하면 콘트라스트 강조, 상의 윤곽 강조, 선명도 등의 화상 강조 및 평활화, 기타 각종 연산처리가 가능하게 된다.

판 두께차이나 피사체 콘트라스트가 큰 시험체, 반면에 콘트라스트를 얻기 어려운 시험체 등 종래의 투과사진으로는 적절한 화상이 얻을 수 없는 경우에 그 원화상에 화상처리를 함으로서 폭 넓고 적절한 화상을 얻을 수 있다. 현재 방사선투과검사의 화상처리 시스템으로 NIPS(*Nippi Image Processing System*)이 실용화되어 있다. 이 시스템에서는 12 *bit* (4096 계조)의 화상 해상도를 가지는 디지털화 장치를 원화상에 적용하여 원화상 정보를 디지털화한 후, 그것에 각종 화상처리를 한다. 아울러 화상표시를 하기 위한 PC, 프린터, 광자기 디스크, CRT를 조합하여 화상처리 시스템을 구성하고 있다.

나. 이미징 플레이트와 화상처리

지금까지는 방사선투과사진상을 기록할 매체로써 X선 필름이 전적으로 사용되어 왔으나 형광체를 2차원에 고밀도로 박막층에 도포한 이미징 플레이트가 개발되었다. 이미징 플레이트(*Imaging Plate; IP*)는 X선의 투과선량의 분포를 2차원적으로 기억·축적하는 기능을 가지고 있다. 이미징 플레이트의 형광체는 X선의 조사를 받으면 형광을 발하고 X선의 조사가 끝나면 발광이 급격히 감쇠하나, 다음에 그것에 가시광 또는 적외선을 조사하면 다시 형광의 발광이 증가하는 특성을 가지고 있다. 이 특성을 휘진(輝盡) 발광현상이라 하는데, 이 현상에 의해 발광하는 형광의 강도는 최초에 조사된 X선량에 비례하므로 이 현상을 이용하여 이미징 플레이트는 X선 필름과 같이 방사선의 검출과 동시에 기록매체로 이용된다.

이 이미징 플레이트에 축적된 X선의 정보를 형광으로 바꾸어 전기신호로 변환하고, 다시 디지털 신호로 변환하기 위해 화상 읽음 장치가 사용된다. 이미징 플레이트를 한방향으로 이동시키고, 그 직각방향에 레이저 빔을 주사시켜 이미징 플레이트에서 발생한 형광을 광 검출기를 통하여 전기신호로 변환한다. 여기서 디지털화된 신호는 나아가 화상기록장치, CRT화상표시장치, 광디스크 화상 파일장치를 이용하여 각종의 화상처리를 하고, 검사 목적에 따른 화상이 얻어진다.

이미징 플레이트를 이용한 화상처리 시스템으로는 후지필름의 공업용 FCR(*Fuji Computed Radiography*) 시스템이 실용화되어 있다.

이 FCR system의 화상읽음장치로 의해 읽어 내는 계조는 10 *bit* (1024 계조)가 되고 있다. 이미징 플레이트는 공업용 X선 필름에 비해 감도가 높고, 관용도(*latitude*)가 넓은 등 장점이 있으며, 두께의 변화가 큰 시험체의 촬영에 유효하고 노출시간의 단축이 가능하며 암실이 필요 없는 등 작업의 실용적인 면에서도 주목되고 있다.

3.3 방사선투과검사 장치 및 기기

3.3.1 방사선투과검사 장치

가. X선투과검사 장치

X선 발생장치는 그림 3.15의 X선관을 사용하는 저에너지의 X선 발생장치와 입자가속기를 이용하는 고 에너지의 X선 발생장치로 나눈다. 고에너지 X선 장치는 강의 두께가 100 ㎜ 를 넘는 아주 두꺼운 시험체의 검사에 사용하고, 그 외의 경우에는 저 에너지 X선 장치를 사용한다.

또한 저에너지의 X선 장치는 그것의 형식에 따라 일체형과 분리형으로 나눈다. 또한 보다 높은 에너지의 X선 출력을 얻기 위해서는 높은 관전압을 필요로 하는데, 일체형에서는 관전압을 높이려면 X선 발생기의 무게와 부피가 커지게 되고 취급이 곤란해지기 때문에 관전압 400 kV 이하의 장치에 적용되고 있다.

그림 3.15에 일체형 X선 장치의 구조와 겉모양을 나타내었다.

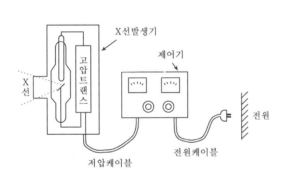

그림 3.15 일체형 X선 장치의 구조와 겉모양

분리형은 X선관, 고압발생기 및 제어기로 분리되어 있고 전용 조사실에 설치하여 사용하는 경우가 많다. 냉각기, 정류장치를 구비하고 있어 이동은 곤란하나 높은 X선 출력이 얻어지며 연속사용이 가능한 것 등의 이점이 있다.

고에너지 X선 발생장치로는 500 keV ~ 6 MeV 의 에너지의 van de Graaff 발생기, 1 ~ 10 MeV 의 linear accelerator (*Linac*이라고도 한다), 20 ~ 30 MeV 의 Betatron 등이 있다. 고에너지 X선 장치는 두꺼운 시험체를 촬영할 수 있을 뿐만 아니라 초점의 크기가 작고 산란 방사선의 방향이 입사방사선의 방향으로 있을 확률의 증가하여 투과 방사선량이 증가하므로 필름 노출이 증가하며 선명도가 높은 사진을 찍을 수 있다.

나. γ 선투과검사 장치

γ 선투과검사 장치는 X선투과검사 장치처럼 특별히 전원을 필요로 하지 않으며 작고, 가벼
기 때문에 검사하는 장소로 수시 이동하여 사용할 수 있는 장점이 있다.

그림 3.16과 같이 γ 선투과검사 장치는 주로 다음과 같이 3가지로 구성되어 있다.

(가) γ 선원을 담아두는 선원 용기

(나) γ 선원을 정해진 위치까지 보내기 위한 전송 관 및 조작 관

(다) γ 선원의 출입 등을 원격 조작하는 제어기

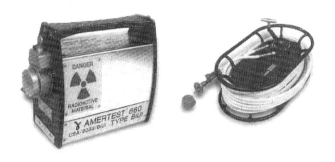

그림 3.16 ^{192}Ir용의 γ 선 투과 검사장치

표 3.3 방사선투과검사에 널리 사용하는 방사성동위원소의 특성값

특 성	원 소			
	코발트	세슘	이리듐	트리움
원자번호	27	55	77	6
질량수(g/mol)	60	137	192	170
반감기	5.27년	30.1년	74.3일	129일
화학적 형태	Co	CsCl	Ir	Tm_2O_3
밀도 (g/cm^3)	8.9	3.5	22.4	4
γ선에너지(MeV)	1.33-1.17	0.66	0.31-0.47-0.60	0.084-0.052
β선에너지(MeV)	0.31	0.5	0.6	1.0
1 GBq당 mSv/h·m	310(1.35)	80(0.34)	125(0.55)	0.7(0.0030)
실제비방사능(GBq/g)	1,850	925	13,000	37,000
1 cm^3 당 실제 GBq	17,000	3,300	300,000	150,000

선원 용기는 γ 선의 누설이 최소가 되도록 γ 선의 흡수가 큰 납, 텅스텐합금, 우라늄합금 등으로 만든다. 선원 용기는 선원을 용기에서 꺼내지 않고 γ 선을 조사할 수 있도록 되어 있는 것도 있고, 옥외에서 선원 용기로부터 검사부위까지 선원을 밀어내어 γ 선을 조사할 수 있도록 되어 있는 것이 있다. 현재 투과 검사에 널리 사용하고 있는 γ 선원으로 ^{192}Ir 및 ^{60}Co이 있다. 이 중에서 ^{192}Ir은 에너지가 비교적 낮고 취급이 쉽기 때문에 많이 사용한다.

최근에는 판의 두께가 얇은 시험체에 적용하기 위하여 저에너지의 γ 선원으로 ^{169}Yb가 주목을 받고 있으며 시험적으로 사용되고 있다. 그림 3.16은 ^{192}Ir용의 γ 선 투과 검사 장치의 한 예이다. 표 3.3에 이들 γ 선원의 여러 가지 성능을 나타내었다.

3.3.2 방사선투과검사 기기

가. X선 필름

1) 필름의 구조

X선 필름은 유연하고 투명한 폴리에스테르 필름 바탕의 양 쪽 면에 사진유제를 얇게 발라 놓은 것이다. 사진 유제는 방사선에 민감한 브롬화은(AgBr) 등의 할로겐화은의 미세한 입자를 갖풀(젤라틴)에 섞어 놓은 것을 말한다.

X선 필름은 보통 감광속도(*film speed*)를 높이고, 한 쪽 면의 사진 유제 피막의 두께를 얇게 하기 위하여 양쪽 면에 발라서 만든다. 사진 유제의 피막이 얇으면 사진처리가 좋아지는 이점도 있다. 그러나 아주 또렷한 상을 얻으려고 할 때는 한 쪽 면에만 사진 유제를 바른 필름을 사용한다.

2) 사진농도

사진농도(*film density*)는 필름의 검은 정도를 나타내는 척도이며, 투과농도와 반사농도가 있다. 투과 농도 D 는 다음 식으로 정의한다. X선 필름에 입사한 빛의 강도 L_0 에 대한 필름을 투과한 후의 빛의 강도 L 의 비를 대수로 나타낸 것이다.

$$D = \log_{10}\left(\frac{L_o}{L}\right) \quad \text{...} \quad (3.16)$$

3) 필름의 특성

ⓐ 특성곡선

그림 3.17은 필름의 특성을 그림으로 나타낸 것이다. X선 필름에 조사된 선량, 즉 상대 노출량 E와 사진처리 후에 얻어진 사진농도 D와의 관계를 나타낸 곡선을 필름 특성 곡선이라 한다. 이것을 H&D곡선(*Hurter & Driffield curve*)이라고도 하는데 필름의 특성을 보여주고 있다.

가로축은 상대 노출량 E를 대수 눈금 이고, 세로축은 사진농도 D를 선형 눈금으로 정하여 그린 것이다. 이 때 상대 노출량 E를 이것의 대수 값으로 나타내기도 한다. 필름의 특성은 필름의 감광 속도, 필름 콘트라스트, 입상성으로 나타낸다. 실제 촬영조건을 결정하기 위한 노출도표의 작성과 노출 조건의 변경 등에 널리 이용되고 있다.

그림 3.17에서 곡선 A와 곡선 B를 비교하면 B 필름의 감광속도가 A 필름보다 빠른 것을 알 수 있다.

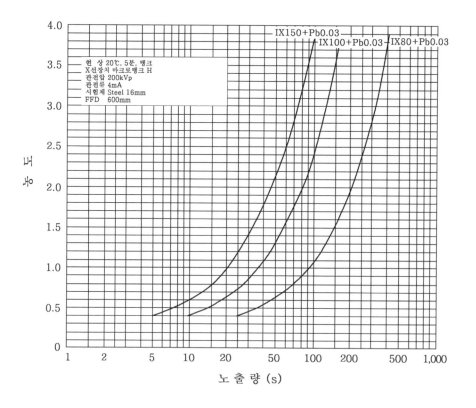

그림 3.17 X선 필름의 특성 곡선

ⓑ 감광 속도

어떤 필름에 대하여 규정된 사진농도, 보통 2.0을 얻는데 필요한 노출량의 역수로 나타낸다. 따라서 그림 3.17에서 A, B 필름의 특성곡선의 위치로 상대적인 감광 속도(**film speed**)를 알 수 있다. 특성곡선이 제일 왼 쪽에 있는 필름의 감광 속도가 가장 빠르다.

ⓒ 필름 콘트라스트

특성 곡선의 기울기를 필름 콘트라스트(**film contrast**)라 한다. 사진농도에 따라 필름 콘트라스트는 달라지며 투과사진의 감도에 영향을 미친다.

ⓓ 입상성

X선 필름에 나타나는 상은 수많은 작은 입자로 만들어지며, 이 작은 입자들이 상대적으로 큰 덩어리를 형성하면 사진농도의 불균일이 생기고 눈으로 느낄 수 있게 된다.

이러한 덩어리를 형성하는 정도를 입상성(**graininess**)이라 한다. 입상성이 거칠면 섬세한 사진 상을 얻기 어렵다. 보통 감광 속도가 늦은 필름일수록 입상성은 아주 미세해서 좋은 상을 얻을 수 있다.

모든 필름의 입상성은 사용하는 방사선의 에너지, 투과 방사선의 양, 사진처리 조건에 따라 달라진다.

ⓔ 필름의 종류

공업용 X선 필름은 크게 형광 증감지를 짝지어 사용해야하는 것과 그렇지 않은 것으로 나눈다. 앞의 것을 스크린형 필름이라 하고, 뒤의 것을 논 스크린형 필름이라 한다. 스크린형 필름은 반드시 형광 증감지를 같이 사용해야 하는 필름이지만, 논 스크린형 필름은 증감지를 사용하지 않고서도 촬영할 수 있고, 금속박 또는 형광 증감지를 사용할 수도 있는 필름이다. 그리고 ASTM E 94에서는 X선 필름을 표 3.4와 같이 필름의 특성 즉 감광 속도, 필름 콘트라스트, 입상성에 따라 네 종류로 분류한다.

1형 필름은 높은 상질을 얻으려할 때나 방사선 흡수가 낮은 경금속의 촬영에 사용한다. 일반적으로 방사선투과검사에 많이 사용하는 것은 2형 필름이다.

표 3.4 X선 필름의 분류(ASTM E 94)

필름의 종류	필름의 특성			비고
	감광 속도	필름콘트라스트	입상성	
1형	느리다	아주 높다	아주 미세하다	(1) 형광스크린을 사용 (2) 연박 스크린 사용 (3) 사용한 형광스크린 의 종류에 따라 결정
2형	중간이다	높다	미세하다	
3형	빠르다	중간이다.	거칠다	
4형	아주 빠르다(1) 중간이다(2)	아주 높다(1) 중간이다(2)	(3)	

나. 증감지(스크린)

증감지는 X선 필름의 감도를 높이기 위해 사용되는데, 금속박 증감지, 형광 증감지 및 금속 형광 증감지의 3종류가 있다.

1) 금속박 증감지

방사선의 조사에 의해 금속박으로부터 발생하는 2차 전자의 사진작용을 이용하는 것이다. 금속으로는 원자번호가 높은 중금속을 이용하며 현재 주로 연박(*lead foil*)을 사용하고 있다.

연박의 두께는 0.03 ㎜ ~ 0.3 ㎜ 의 범위에서 사용할 방사선의 에너지에 따라 선택한다. 금속박(*metal foil*) 증감지는 산란방사선을 막아주어 투과사진의 상질을 좋게 하는 효과도 있다.

2) 형광 증감지

X선에 의해 발생하는 형광의 사진작용을 이용하는 것으로, 수십에서 수백 정도의 높은 증감율을 가지나 금속박 증감지에 비해 상의 흐림이 크기 때문에 균열과 같은 미세한 결함의 검출에는 합당하지 않다.

3) 금속 형광 증감지

연박 위에 형광물질을 도포한 구조로 되어 있다. 형광 증감지에 의한 높은 증감율과 연박에 의한 산란선의 저감 효과의 양쪽의 장점을 살릴 목적으로 만들어졌다. 상의 선명도는 연박 증감지에 비해 다소 떨어진다.

다. 상질계

상질계(*IQI; image quality indicator*)는 방사선투과사진의 화상의 질의 좋고 나쁨이나 투시 영상의 좋고 나쁨을 평가하는 투과도계, 계조계, 선질계 등을 모두 일컫는 말이다.

1) 투과도계

투과도계(*penetrameter*)는 바늘형(선형), 유공형(판형), 유공계단형 등이 있다. 우리나라에서 가장 일반적으로 사용하고 있는 것은 바늘형과 유공형 투과도계이다.

ⓐ 바늘형 투과도계

바늘형은 형상에 따라 일반형과 띠형으로 분류된다. 그림 3.18는 KS A 4054(2000)에 규정된 바늘형 투과도계의 예이다. 일반형은 선 지름이 각각 다른 7개의 선이 X선의 흡수가 적은 고분자재료 속에 나란히 배치되어 있고, 띠형은 같은 선 지름을 가지는 9개의 선으로 구성되어 있다.

그림 3.18에서 형의 종류를 나타내는 호칭번호 04F(일반형)나 F040(띠형)에서 F는 재질을 표시하는 기호이며, 재질 기호에는 F, S, A, T, C가 있다. F는 철, S는 스테인리스 스틸, A는 알루미늄, T는 티타늄, C는 구리를 의미한다. 그리고 04 또는 040은 선 지름이며 0.4 ㎜ 또는 0.40 ㎜ 를 의미한다. 일반형에서 04는 7 개의 선 중에서 제일 굵은 선의 지름이 0.4 ㎜ 을 나타낸 것이고, 제일 가는 선의 지름은 이것의 반의반이다.

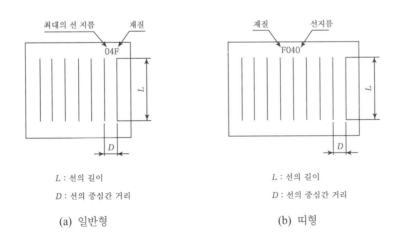

그림 3.18 바늘형 투과도계의 모양

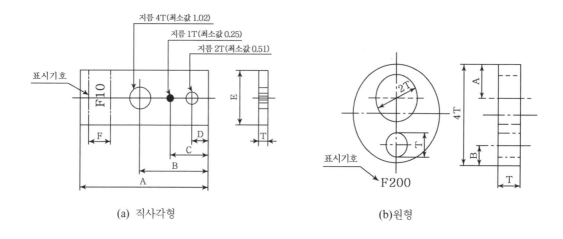

지름 4T(최소값 1.02)

지름 1T(최소값 0.25)

지름 2T(최소값 0.51)

표시기호

F10

E

T

F

D

C

B

A

(a) 직사각형

2T

4T

A

B

T

표시기호

F200

T

(b)원형

그림 3.19 유공형 투과도계의 모양

ⓑ 유공형 투과도계

유공형 투과도계는 판에 관통 구멍을 뚫어서 만든다. 그림 3.19은 유공형 투과도
계이다. 유공형 투과도계는 ASTM(*American Society for Testing and Materials*)표
준으로 정해진 것을 한국 산업 규격에서 채택한 것이다. 호칭번호 FE10에서 FE는
재질을 표시하는 기호이며, 재질 기호에는 FE, AL, CU, SS. MG 등이 있다. 그리고
10은 판의 두께, T인데 10/1000 in(인치)를 의미한다. 세 개의 구멍이 있고, 구멍의
지름은 1T, 2T, 4T이다.

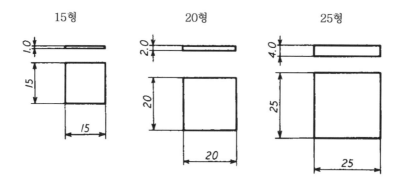

15형   20형   25형

1.0   2.0   4.0

15   20   25

15   20   25

그림 3.20 1단형 계조계의 모양

2) 계조계

계조계(***step wedge***)는 바늘형 투과도계를 사용할 때 검사에 사용하는 방사선 에너지가 검사에 알맞은 것인지를 확인할 목적으로 이 투과도계와 함께 사용한다. 1단형의 판상인 것과 2단형의 스텝상인 것이 있으며, 그림 3.20은 1단형 계조계의 모양이다.

라. 농도계와 관찰기

1) 농도계

사진농도를 측정하는 기계를 농도계라 한다. 농도계는 교정검사된 표준농도필름으로 교정하여 사용하여야 한다.

2) 관찰기

투과사진을 관찰하기 위해서는 투과사진의 뒷면에서 적절한 밝기의 균일한 빛을 비추어 주어야한다. 이 조명 기기를 관찰기라 한다. 관찰기는 빛의 밝기를 조절할 수 있는 것이 좋다.

마. 기타 필요한 기기

1) 필름홀더 및 카세트

사진촬영을 하기 위하여 X선 필름을 검사 장소로 옮길 때 빛에 노출되면 안된다. X선 필름을 빛에 노출되지 않도록 담아 옮길 수 있는 기기를 필름홀더 또는 카세트라고 한다. 필름홀더는 비닐로 봉투처럼 만든 것으로 X선 필름을 두 장의 증감지 사이에 샌드위치처럼 포개어 그 속에 밀어 넣을 수 있다. 카세트는 바깥에서 빛이 들어가지 않도록 만든 얇은 경금속 상자이다.

2) 필름마커

투과사진을 식별하기 위하여 사진에 글자나 기호를 새겨 넣는데 사용하는 도구이다. 보통 납 글자나 기호를 사용한다.

3.4. 방사선투과사진 촬영 및 판독방법

3.4.1 필름의 선택

X선 필름은 여러 가지 종류가 있고 각각 그것의 특성이 다르므로 검사의 목적에 알맞은 필름을 선택하여 사용해야 한다. 이 때 필름 제조회사의 제품에 대한 권고 내용을 참조하는 것도 좋다.

적은 비용으로 요구되는 상질을 만족시킬 수 있는 것을 선택한다. 필요이상으로 상질의 수준을 높임으로써 비용을 많이 들여서는 안 된다.

일반적으로 입상성이 미세하고 필름 콘트라스트가 높으면 높은 상질의 투과 사진을 얻을 수 있지만 이 필름은 감광 속도가 늦기 때문에 노출시간이 길어지고 높은 강도의 방사선이 필요하게 되어 비용이 높아진다.

3.4.2 노출조건의 결정

방사선 투과 사진을 촬영하여 규정된 사진농도 범위의 투과사진을 얻으려면 노출량이 정확해야 된다. 정확한 노출량은 사용하는 X선 발생장치의 노출도표에서 구할 수 있다.

가. 노출인자

노출인자는 관전류 또는 감마 선원의 강도, 노출시간 그리고 선원·필름사이의 거리를 조합한 양이며, 식 (3.17)와 같다.

$$\frac{I \cdot t}{d^2} = E \cdots\cdots\cdots (3.17)$$

E : 노출인자

I : 관전류[A] 또는 감마 선원의 강도[Bq]

t : 노출시간[s]

d : 선원·필름사이의 거리[m]

투과 사진의 촬영에서 노출 시간은 필름의 종류, 필름 면에 이르는 방사선의 강도, 짝지어진 스크린의 특성, 요구되는 사진농도에 의해 결정된다.

나. 노출도표

이론적으로 원하는 사진농도를 얻을 수 있는 노출조건을 정하는 것은 쉽지 않기 때문에 일반적으로 장치의 제조회사가 제공한 노출도표를 이용한다. 그림 3.21는 노출도표의 예이다.

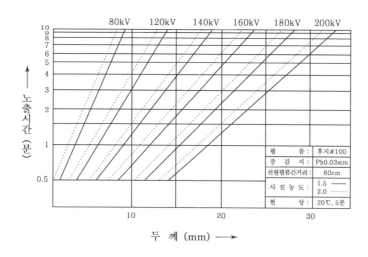

그림 3.21 노출도표

이 노출도표는 특정 X선 장치에 대해 만들어졌으며, 시험체의 재질, 필름의 종류, 사용하는 스크린의 특성, 선원·필름사이의 거리, 필터의 사용, 사진처리 조건 및 사진농도가 정해져 있다.

이 노출도표에서 구한 노출시간으로 촬영할 때 노출도표에 정해진 조건 중에서 하나라도 달라지면 기대하는 사진농도의 투과사진을 얻을 수 없다.

다. 노출조건의 변경

1) 선원·필름사이의 거리와 노출시간의 관계

노출도표에서 처음 구한 노출시간, t_1으로 촬영하여 사진농도 2.5인 투과 사진을 얻었을 때 관전류는 그대로 두고 선원·필름사이의 거리만 d_1에서 d_2로 바꾸어 같은 상질, 즉 같은 사진농도의 투과사진을 얻으려면 새 노출시간, t_2는 식 (3.18)으로 계산하면 된다.

$$t_2 = t_1 \times \frac{d_2^2}{d_1^2} \quad \cdots\cdots\cdots\cdots\cdots\cdots\cdots\cdots\cdots\cdots\cdots\cdots\cdots\cdots\cdots\cdots (3.18)$$

2) 사진 농도와 노출시간의 관계

필름특성곡선을 이용하여 사진 농도를 바꾸는 노출조건을 결정할 수 있다. 노출도표가 사진농도 2.0의 조건으로 만들어 졌을 때 사진농도 3.0의 사진을 얻으려면 이것에 맞도록 식 (3.19)을 이용하여 노출인자를 바꾸어야 한다.

$$E_2 = E_1 \times f \quad\text{(3.19)}$$

여기서 E_2 : 사진농도 3.0을 얻기 위한 노출인자

E_1 : 노출도표에서 찾은 사진농도 2.0의 노출인자

$f = \dfrac{E_{r3.0}}{E_{r2.0}}$: 보정계수

보정계수, f는 필름 특성곡선에서 얻은 상대노출량, E_r의 비이다. $E_{r2.0}$은 사진농도 2.0일 때 상대 노출량이고 $E_{r3.0}$은 사진농도 3.0일 때 상대 노출량이다. 특성곡선에서 상대 노출량이 대수 눈금으로 되어 있으면 반대수 값을 구하여 계산하면 된다.

3.4.3 촬영배치

가. 선원 · 필름사이의 거리

선원·필름사이의 거리는 결함의 선명도와 노출시간에 영향을 미친다. 선원·필름사이의 거리가 멀면 멀수록 선명도는 좋아지지만 노출시간은 거리의 제곱에 비례하여 길어지게 된다. 선명도를 만족시킬 수 있는 최소 거리를 잡아야 한다.

그림 3.22과 같이 선원 · X선 필름사이에는 시험체가 놓이고, 선원이 있는 쪽 시험부의 표면에는 투과도계, 계조계 및 시험부의 범위 표지를 절차서에 규정된 위치에 배열한다. 이 때 선원·투과도계사이의 거리는 멀게, 그리고 투과도계·X선 필름사이의 거리는 아주 가깝게 붙여야 한다. 투과도계 · X선 필름사이의 거리는 조절할 수 없으므로 선원 · 투과도계사이의 거리의 조절이 선원·필름사이의 거리의 조절이 된다.

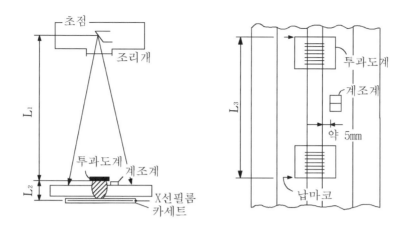

그림 3.22 촬영배치의 일례

그림 3.22에 나타난 것과 같이 선원·투과도계 사이의 거리를 L_1, 투과도계·필름사이의 거리를 L_2라 하면 선원·필름사이의 거리는 $(L_1 + L_2)$이 된다. 선원의 크기 f와 기하학적 불선명도 U_g사이의 관계는 식 (3.20)으로 표시된다.

$$L_1 = \frac{f \cdot L_2}{U_g} \quad \text{...} \quad (3.20)$$

어떤 규격은 U_g 값을 정해 놓고 그 값을 만족시키는 L_1값을 결정하도록 하고 있고, 또 다른 어떤 규격은 $L_1 + L_2$를 L_2의 몇 배수 이상이 되어야 한다고 규정하고 있다. 이는 흠집 또는 투과도계의 상이에 의한 기하학적 배치에 따라 확대되거나 그림자에 의한 상의 흐림이 생기지 않도록 규정한 것이다.

f 와 L_2는 X선 장치와 시험체가 결정되면 변하지 않는 값이다. 따라서 L_1의 크기에 따라 U_g가 변한다. L_1이 길어질수록 U_g는 작아지고, 상의 흐림이 작아지므로 결함이나 투과도계의 상은 또렷하게 보인다.

나. 방사선의 조사방향과 시험부의 유효 범위

방사선의 조사는 원칙적으로 시험부에서 방사선이 투과할 두께가 가장 얇아지는 방향으로 하는 것이 바람직하다. 즉, 평면 시험체라면 그 면에 수직인 방향으로 조사한다. 그러나 선원에서 나오는 방사선은 빛처럼 퍼져나가므로 방사선 빔의 중심부는 시험체 면에 수직이지만 빔의 가장자리 쪽에서는 수직이 아니다.

따라서 이곳에서 방사선이 투과하는 두께는 실제 두께보다 커진다. 보통 방사선이 투과하는 두께가 실제 두께의 10%를 넘지 않는 범위까지를 검사 유효범위, L_3로 잡는다.

L_1이 길어지면 L_3도 커질 수 있고, L_3가 정해져있을 경우 이에 따라 L_1이 조정되어야 한다. 만약 이러한 조건에서 벗어나면 빔의 가장자리에서는 가로균열 같은 것의 검출도가 떨어지게 된다.

다. 투과도계의 배치

원칙적으로 투과도계는 시험체의 선원 쪽 면에 배치하며, 이것이 불가능할 때에만 필름 쪽에 배치하는 것을 허용한다. 투과도계를 놓는 위치 또한 중요한데 일반적으로 시험부를 방해하지 않고, 불선명도가 가장 크게 나타날 곳에 놓도록 하고 있다. 이것은 규격에 따라 다소 차이가 있으며, 선형 투과도계의 경우 방사선 빔의 가장자리 쪽에 놓도록 규정하고 있지만 유공형 투과도계의 경우 놓는 위치를 특별히 제한하지 않고 있다.

라. 유효범위의 표시

투과사진의 유효범위는 선원 쪽 시험체의 표면에 화살표 또는 납 숫자를 놓아 표시한다. 이 때 납 글자가 시험부를 가리지 않도록 주의해야 한다.

3.4.4 사진처리

자동현상기는 사진 처리액의 농도, 현상시간 및 온도를 자동으로 조절하면서 일정하게 처리해 주므로 양질의 사진을 얻을 수 있다.

수동 사진처리는 말 그대로 손으로 직접 처리하는 방법이며 소량의 검사를 할 때 많이 사용한다. 수동 사진처리 공정은 현상, 정지, 정착, 수세, 건조의 다섯 단계로 이루어진다. 전체 처리 절차는 최소 60분 정도의 시간이 소요된다.

3.4.5 투과사진의 판독과 보고서 작성

가. 사진 판독실

(1) 방사선 투과사진은 주위에서 빛이 들어오지 않는 어두운 곳, 즉 따로 마련된 사진 판독실에서 관찰한다.

(2) 사진 판독실에는 관찰기, 농도계, 계단형 표준농도필름, 판독용 자, 검사 성적서 작성 용지 및 관련 산업 규격, 검사 절차서 등을 비치해 둔다.

나. 상질의 확인

투과사진의 상질을 점검할 때는 먼저 필름의 표지가 올바르게 되어있는지 확인한다. 그리고 투과사진의 시험부 내에 기계적 또는 화학적으로 생긴 흠집이 있는지 살펴본다. 이 때 판독에 지장을 줄 수 있는 흠집이 있어서는 안된다.

1) 시험부 내의 흠집의 확인

시험부 내에 결함으로 혼동할 가능성이 있거나 결함을 가릴 가능성이 있는 기계적, 화학적, 또는 기타의 흠집이 있는지 확인한다.

2) 투과도계의 식별도

사용한 투과도계의 종류가 시험체의 두께에 알맞은 것인지, 그리고 그것의 배치가 옳은지 먼저 확인한다.

ⓐ 바늘형 투과도계의 경우

관찰기에 투과사진을 올려놓고 시험부 내에서 뚜렷하게 보이는 투과도계의 선들 중에서 최소 선지름이 규격에서 정해 놓은 값 이하인지 확인한다.

ⓑ 유공형 투과도계의 경우

뚜렷하게 보이는 투과도계의 구멍의 지름이 규격에 정해 놓은 것인지 확인한다. 보통 2-2T 상질을 가장 많이 사용한다.

3) 시험부의 사진농도 범위

농도 측정에 앞서 검·교정된 계단형 표준농도 필름을 사용하여 농도계의 정확도를 점검한다.

ⓐ 바늘형 투과도계를 사용했을 경우

시험부 내의 결함이 아닌 곳의 사진농도를 측정하여 최고 농도와 최저 농도 값이 검사 절차서에서 정한 값을 만족시켜야 된다.

이 때 최고 농도는 시험부의 중앙 부근에서 측정하여 가장 높은 값으로 하고, 최저농도는 시험부의 유효범위의 오른 쪽이나 왼 쪽의 끝 부분의 농도를 측정하여 가장 낮은 값으로 정한다.

ⓑ 유공형 투과도계를 사용했을 경우

이 경우도 최고 농도와 최저 농도 값이 검사 절차서에서 정한 값을 만족시켜야 된다. 그런데 투과도계가 보증할 수 있는 농도범위는 투과도계 본체 농도의 -15%, +30%의 범위이므로 이 조건도 같이 만족되어야 한다.

4) 계조계의 값

시험체의 모재 두께에 맞는 계조계를 선택했는지 확인한 다음 계조계의 중앙 부분의 농도를 몇 번 측정하여 평균한 값으로 계조계의 값을 구하여 검사 절차서에서 정한 값을 만족시키는지 확인한다. 유공형 투과도계를 쓸 경우에는 계조계를 사용하지 않는다.

다. 결함의 등급 분류

투과사진의 상질에 이상이 없으면 판독 가능한 필름이 된다. 필름판독에 알맞은 조건 즉 관찰기의 밝기, 주위의 밝기 등이 적절한 조건 하에서 필름에 나타난 결함을 찾아 종류를 구분하고 크기를 측정하든가 표준필름의 결함 크기와 비교하던가 하여 결함의 등급을 정하고 제품의 수명에 미칠 영향을 고려하여 판정한다.

라. 보고서 작성

판독결과에 대한 보고서방사선 투과사진 필름의 판독결과에 대한 보고서를 작성할 때에는 방사선 투과사진에 대한 완전하고 정확한 정보를 포함해야 한다. 판독 후 문서화해야 되는 최소의 내용은 다음과 같으며, 이외에도 다른 항목이 추가될 수 있다.

(1) 계약서 또는 구매서에서 적용하도록 요구된 적용코드, 규격, 시방서 및 절차서를 분명하게 기술해야 한다. 여기서는 물론 합격기준 및 검사요원의 자격기준이 포함되어야 한다. 코드, 규격 및 시방서의 예외조항이 있다면 또한 명기되어야 한다.
(2) 적용코드로부터는 요구되는 품질수준 및 촬영기법, 시험체의 두께에 따른 투과도계의 선정을 참고해야 한다.

(3) 촬영에 사용된 노출기법

① 필름이 나타내는 범위 및 식별번호를 포함한 촬영배치도(*shooting sketch*)

② kV, mA, 표적-필름간 거리 및 표적의 크기(X선), 선원의 종류 및 강도, 선원-필름간거리 및 선원의 크기(γ선)

③ 필름형 및 사용된 스크린

④ 기하학적 불선명도의 계산값

⑤ 브로킹(*Blocking*) 또는 마스킹(*Masking*)

⑥ 수동 또는 자동현상처리

⑦ 요구되는 품질수준 및 얻어진 품질수준

⑧ 요구되는 농도 및 측정된 농도

(4) 보수(*repair*)에 관한 사항을 문서화함으로써 최종 점검자가 원인 및 시정행위를 알 수 있도록 해야 한다. 보수(*repair*)후에 촬영된 방사선 투과사진에는 보수되었음을 나타내는 표시가 있어야 한다. 또한 시험체의 표면상태로 확인된 지시도 시정방법과 더불어 표면지시임을 기록해야 한다. 시정행위 후에 방사선 투과검사가 행해지지 않았다면 그 사실을 기록해야 한다.

(5) 각 방사선 투과사진의 배치상황을 명시해야 한다. 기록하도록 되어 있는 모든 지시는 분류하여 크기를 측정 기록해야 한다. (예, 결함번호 No.7, 슬래그 게재, 길이20[㎜])

3.4.6 기타 특수한 방사선투과검사 방법

가. 디지털 방사선투과검사

필름을 사용하는 방사선투과 사진과 디지털방사선 기법(*digital radioscopy method*)의 차이는 인화된 사진과 캠코더의 차이와 비슷하다. 필름을 사용하는 방사선 기법은 암실 작업, 현상 작업, 판독 과정에서 많은 시간과 노력을 필요로 하며, 필름의 보존이나 복사 등이 용이하지 않다. 현상폐액과 같은 폐기물의 배출도 많다.

디지털 방사선 기법은 TV 또는 모니터 등을 통해서 직접 실시간으로 내무 결함의 존재 유무를 판별할 수 있으며, 명암도나 선명도 등을 컴퓨터그래픽 기법으로 처리하여 결함의 판별능력을 높일 수 있고, 무엇보다 속도적인 측면과 소모품이 필요 없다는 장점을 가지고 있다. 필름의 화소가 한 장당 1억5천 정도에 이르나 디지털 기법은 보통 30만화소 정도를 사용하고 있어서 해상도에 있어서 많은 차이를 나타낸다. 하지만 최근에는 일반적으로 요구되는 해상도를 만족할 수 있을 정도로 기술이 발전되었다.

필름을 사용하지 않고, 방사선 영상을 얻는 원리는, 필름 대신에 CsI, NaI 등의 섬광물질을 이용해 방사선을 가시광선으로 변환하고, 이를 영상화하는 것으로. 이미지의 저장 방식에 따라 CCD카메라의 영상을 녹화하는 아날로그 방식과 이미지를 디지털화하여 저장하는 디지털 방식으로 구분할 수 있다.

실시간 영상을 얻기 위해서는 두께 및 재질에 의해 조사시간이 제한되므로 주로 알루미늄 합금, 강 박판 등의 경우에만 적용이 가능하다. 조사시간이 길어지는 경우에는 CCD소자를 직선으로 배치한 스캐너 등을 이용하여 이미지를 저장하거나, 조사 후에 레이저를 이용하여 잠상을 얻어내는 특수하게 제작된 이미지 플레이트(*image plate*)를 사용하기도 한다. 실시간 방사선 투과 장비에서는 검사대상 제품을 회전, 이동 할 수 있는 이송장치와 방사선 영상을 가시광선으로 변화하는 영상 증배장치(*image intensifier*), 영상을 촬영하는 CCD 카메라가 사용된다.

나. 실시간 라디오그래피

실시간 라디오그래피(*radiography*)는 정적 및 동적 현상이 방사선의 투과 상을 필름 등의 투과사진을 만들지 않고 바로 눈이나 TV 모니터로 관찰하는 방법이다. 실시간 라디오그래피로 가장 초기에 행해진 방법은 직접투시법이었는데, 시험체의 투시상을 형광판에 의해 광으로 변환한 후, 그 상을 납유리를 통해 직접 눈으로 관찰하는 방법이다.

그러나 최근에는 X선 상을 가시 상으로 변환하는 방법으로 아주 다양한 방법이 이용되고 있으며, 더욱이 광증폭기나 광학계를 통하여 관찰은 TV 모니터로 하고 있다. X선 상의 광 변환소자로는 형광체, 신티레이터, 다이오드를 이용한 것이 있으며, 또는 X선 상을 형광 등으로 광 변환하지 않고 직접 전기신호로 변환하여 화상화하는 방법도 이용되고 있다. 촬영 목적에 따라 여러 가지 방식이 이용되고 있으나 현재 가장 널리 이용되고 있는 방식은 X선 화상 증강 장치이다.

X선에 의한 시험체의 투과 상은 먼저 형광판 ①에 의해 형광 상으로 변환되며, 그 형광의 강도에 따라 광전자 변환부②의 광전면에 의해 광전자가 방출된다. 방출된 광전자는 전장에 의해 가속되고 집속되어 광전 형광판에 결상되며, 그 영상은 광학계를 통해 눈으로 관찰되거나 더 나아가 화상처리기를 통하여 TV 모니터를 통해 관찰된다.

최근에는 실시간 라디오그래피의 시스템으로 소형화를 꾀하고 있으며, 보다 더 넓은 실용화를 위한 각종 센서의 연구개발이 진행되고 있다.

다. 중성자 라디오그래피

중성자 라디오그래피(***neutron radiography***)는 방사선으로 중성자선을 사용한다. X선은 원자번호가 낮은 가벼운 물질일수록 흡수가 작고, 물질의 원자번호와 질량, 밀도가 커짐에 따라 흡수도 커지는 성질이 있다. 그러나 중성자선은 원자번호와는 별로 관계가 없이 특정의 수소(H), 물(H_2O), 보론(B)등 가벼운 물질에는 흡수가 아주 크며, 철(Fe), 납(Pb) 등 중금속에는 흡수가 작은 성질이 있다. 중성자의 이 같은 특성을 이용하여 두꺼운 금속제의 용기나 구조물의 내부에 존재하는 가벼운 수소화합물 등의 검출이 가능하다.

1) 중성자 원

중성자선의 발생원으로 원자로, 입자가속기 또는 방사성 동위원소가 이용된다. 중성자는 에너지의 크기에 의해 고속중성자, 열중성자, 냉중성자로 나누어지는데, 중성자 라디오그래피에서는 열중성자가 사용되고 있다.

원자로의 노심에서 나온 중성자는 에너지가 높기 때문에 파라핀, 흑연 등의 감속재로 감속하여 열중성자로 이용한다. 입자가속기에는 몇 가지 종류가 있으나 실용적으로는 소형 사이크로트론이 이용되고 있다. 또한, 방사성 동위원소에는 여러 가지 원소가 있는데, 특히 ^{252}Cf(***Californium*** 252)이 주로 이용되고 있다.

2) 촬영 방법

중성자 원에서 나온 중성자는 여러 방향으로 나가기 때문에 중성자를 일정 방향의 빔으로 나가게 함으로써 상질을 좋게 만들기 위해 콜리메이터를 사용한다. 콜리메이터에는 직관형, 슬릿형, 다이버전트(***divergent***)형이 있는데, 주로 다이버전트형이 이용되고 있다. 중성자는 X선처럼 직접적인 사진작용을 일으키지 않기 때문에, 중성자를 콘버터에 반응시키고 콘버터로부터 2 차적으로 발생하는 2차 전자나 콘버터의 방사화를 이용한다. 촬영방법에는 직접법과 간접법이 있다.

3) 중성자 라디오그래피의 적용

중성자의 발생원인 원자로, 가속기는 X선 장치에 비하여 설비가 훨씬 대형이고 고가이기 때문에 이용조건이 한정된다. 그러나 X선 투과검사로 곤란한 검사 대상물이나 특수한 검사 목적에 대한 이용범위가 넓다.

원자력분야에서는 사용 연료의 비파괴검사에, 우주항공관계에서는 로켓의 화공품(火工品), 날개, 회전날개 등의 비파괴검사에 이용되고 있다. 기타 일반 공업에서는 터빈 블레이드나 열교환기 파이프의 검사 등에 이용되고 있다.

라. 입체 방사선 사진

사람의 눈은 원근감을 느낄 수 있다. 이것은 왼쪽 눈과 오른쪽 눈이 약간 다른 각도에서 한 물체를 바라봄으로써, 두 영상이 뇌에서 조합되어 원근감이 느껴지게 되는 것이다. 실제로 산업 현장에서 자주 사용되지는 않지만, 이러한 원리를 이용해서 두 장의 방사선 사진을 촬영한 후, 그림과 같은 특수하게 제작된 기구에서 관찰하게 되면, 물체 내부의 상태를 원근감을 가지고 관찰할 수 있다. 이러한 사진 기법을 입체 방사선 사진(*stereoradiography*)이라 한다.

마. 파라렉스 방사선 사진

입체 방사선 사진의 원리를 이용하면, 동일 필름에 방사선원의 위치를 이동시켜서 두 번의 방사선 조사를 한 후에, 물체 내 결함의 위치를 결정할 수 있는데, 그림에서와 같이 필름-결함 간 거리 d를 아래 식으로 계산할 수 있다.

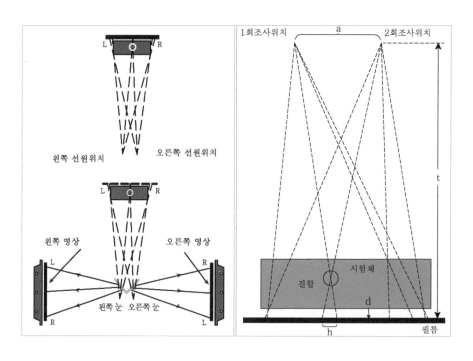

그림 3.23 입체 방사선 사진   그림 3.24 파라렉스 기법

$$d = \frac{bt}{a+b}$$

여기서, d = 결함과 필름 사이의 거리

b = 필름 상에서 결함 위치의 이동거리

t = 방사선원과 필름간의 거리

a = 방사선원의 이동거리

바. 단층촬영

단층촬영(*tomography*) 기법은 의학 분야에서 널리 쓰이고 있는 방법으로, 특정 단면의 영상을 강조하고, 다른 층의 영상을 흐리게 하여 단면 정보를 나타내는 사진 기법이다. CT-Scan(*computerized axial tomography scan*)이라는 용어로 널리 알려져 있다.

3.5 방사선투과검사의 적용 예

　방사선투과검사는 내부결함의 검출에 적합한 비파괴검사방법으로 압력용기, 선체, 배관 및 기타 각종 구조물의 용접부나 주조품 등의 검사에 널리 적용되고 있다. 또한 최근에는 콘크리트 내부 구조의 검사, 조사에도 널리 이용되고 있다. X선으로 촬영한 투과사진의 일례를 그림 3.25, 그림 3.26에 나타내었다.

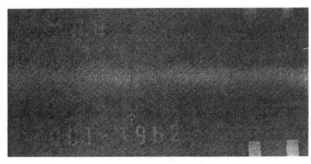

(a) 횡균열의 투과사진

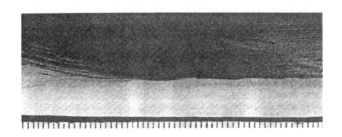

(b) 투과 사진의 화살표 부분의 단면 사진 (용접선에 평행으로 절단)

그림 3.25 용접부의 횡균열

　결함 중에서도 블로우 홀, 슬래그 혼입 등과 같이 방사선의 투과방향에 대하여 두께의 차가 있는 결함은 검출이 쉽다. 이에 비해 균열과 같이 결함의 틈이 아주 좁은 결함은 균열의 방향에 대하여 방사선의 조사각이 커지게 되어 투과하는 두께의 차가 아주 작아지게 되므로 검출이 어려워진다.

　또한 투과사진에서는 내재하는 결함의 2차원적인 모양, 크기, 분포 등을 직관적으로 알 수 있으며 결함의 종류도 추정하기 쉽다. 1장의 투과사진만으로 결함의 높이나 두께방향의 위치를 알 수 없으나 조사방향을 바꾸어 2 장 촬영하는 입체 촬영법을 이용함으로써 결함의 높이나 위치를 알 수 있다.

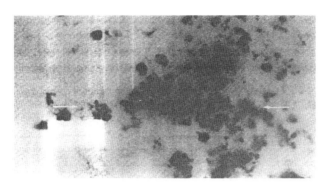

(a) 모래 혼입 및 개재물의 투과사진

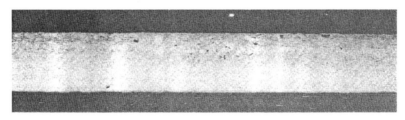

(b) 단면 사진 (투과 사진의 화살표 위치에서 절단)

그림 3.26 청동 주물의 X선 투과사진

3.6 방사선 안전관리

방사선에 피폭되면 인체에 방사선장해가 생긴다. 그러나 방사선이 인체에 미치는 영향은 복잡하여 피폭선량과 인체의 부위에 따라 다르며, 선량이 작기 때문에 장해가 표면적으로 나타나지 않더라도 유전적 영향을 미칠 우려가 있다.

그러므로 방사선을 취급할 때에는 피폭선량이 가능한 한 적어지도록 세심한 주의를 기울이지 않으면 안 된다. 방사선을 얕봐서는 절대 안되지만 그렇다고 너무 겁낼 필요는 없다. 방사선은 우리 생활 주위의 여러 분야에 다양하게 이용되고 있다.

3.6.1 방사선의 신체적 영향

1895년 독일의 뢴트겐에 의한 X선의 발견, 1896년 프랑스의 베커럴에 의한 우라늄 방사능 발견, 큐리(*Curie*) 부부의 라듐 발견이래, 인류는 거의 지난 1세기 동안 방사선을 이용해 왔다. 초기에는 과피폭으로 인한 피부홍반 등이 발생하였으며, 큐리 부부는 백혈병으로 사망하는 것과 같은 방사선의 위험이 알려졌다.

인체에 피폭된 방사선은 직접적으로는 인체세포와 작용하여 여기 및 이온화 반응으로 세포의 변화, 손상, 상해 및 장해 또는 이로 인한 손해를 일으키는 한편, 간접적으로는 인체 내의 물과도 반응하여 물을 이온화시켜 화학적으로 매우 활성적인 유리기($H°$및 $OH°$), H_2O_2및 발생기 산소를 생성하여 세포에 영향을 미친다.

방사선에 의한 영향은 확률적 영향(*stochastic effect*)과 결정적 영향(*deterministic effect*)으로 구분할 수 있는데, 확률적 영향은 장기간 동안의 저선량 피폭에 의하여 만성적으로 나타나는 신체적 영향으로, 대개 발암과 유전적 장해가 대표적이다. 결정적 영향은 주로 짧은 시간 동안 집중적인 방사선 피폭에 의해 일어나는 급성 신체적 영향이다. 이에는 피부장해, 생식선의 피폭에 따른 불임 및 백내장 등이 속한다.

확률적 영향은 방사선의 누적 피폭 후 변형 또는 손상된 체세포가 정상세포로 회복되지 않고, 이상복제 능력을 가진 악성 종양이나 암으로 발전하는 것, 또는 생식세포의 유전자 변이나 염색체 변위로 인하여 후손에게 이상 유전 형질이 전달되는 유전적 장해를 유발하는 것이다.

3.6.2 방사선의 양과 단위

일반적으로 방사선량의 측정은 방사선의 전리작용을 이용한다. 물질의 단위 질량에 생성된 이온을 측정하면 입사 방사선의 양을 알 수 있고, 이것을 물질에 준 에너지량으로 나타낼 수 있다. 이온 수의 측정은 조사선량의 측정에 해당하고, 물질에 준 에너지량은 흡수선량에 해당한다.

가. 조사선량

조사선량(***exposure***)은 X선 또는 γ 선이 공기를 통과할 때, 공기와의 상호작용에 의해 생긴 전자를 공기 1 kg 중에 전리로 생성된 이온 또는 전자의 전기량, C(***Coulomb***)으로 계측하는 선량의 단위이다. 조사선량의 국제단위는 C/kg 이지만 상용 단위로 R(***Roentgen***)이 있다. 1R은 건조한 공기 1kg 중에 2.58×10^{-4} C의 이온전하량을 만드는 선량을 말한다. 즉, 조사선량은 방사선이 공기 중의 분자를 이온화시킨 정도를 양으로 표현한 것이다. 공기의 단위 질량당 생성된 + 또는 - 이온의 전하량으로 정의되며, C/kg 또는 R(***Roentgen***)의 단위를 사용한다. $1R = 2.58 \times 10^{-4}$C/kg의 관계가 있다.

$$X = \frac{발생이온의\ 양}{단위공기의\ 질량} = \frac{\Delta Q}{\Delta m}$$

나. 흡수선량

방사선이 물질과의 상호작용을 하여 단위 질량의 물질에 준, 즉 물질이 흡수한 에너지를 흡수선량(***absorbed dose***)이라 한다. 흡수선량은 물질의 단위 질량당 흡수된 방사선의 에너지를 말하며, 조사선량은 공기에 대한 것으로 제한되었지만, 흡수선량은 임의의 물질이 피폭 대상이라는 것이다. 즉 흡수선량은 방사선이나 물질의 종류에 관계없이 정의된 양이며, 물질 1kg이 1J의 에너지를 흡수했을 때 1Gy(***Gray***)라고 한다. rad라는 상용 단위도 있다. 흡수선량의 단위로 그레이(***Gray***, Gy) 또는 rad가 사용되며, 다음과 같은 관계가 있다.

$$1\,Gy = 1\,Joule/kg(J/kg)$$
$$1\,rad = 100\,erg/g$$
$$1\,Gy = 100\,rad$$

$$D = \frac{\Delta E}{\Delta m} = \frac{흡수된\ 에너지}{매질의\ 단위질량}$$

다. 등가선량

등가선량(*equivalent dose*)은 흡수선량에 당해 방사선의 방사선 가중치를 곱한 양을 말한다. 동일한 흡수선량이라도 즉, 같은 에너지가 조직 또는 장기에 흡수된다 하더라도 방사선의 종류에 따라 생물학적 영향이 다르게 나타난다.

이렇게 생물학적 효과를 동일한 선량값으로 보정해주기 위하여 도입한 가중치를 방사선 가중치(*radiation weighting factor*)라고 한다.

등가선량의 단위로 시버트(*Sievert*, Sv) 또는 rem이 사용되며, 1 Sv = 100 rem의 관계가 있다. 흡수선량과의 관계에서 광자에 대한 방사선 가중치의 값은 1이므로 1 Gy에 대한 등가선량은 1 Sv의 관계가 있다.

$$H = W_R \times D$$

라. 유효선량

유효선량(*effective dose*)은 인체 내 조직간 선량분포에 따른 위험 정도를 하나의 양으로 나타내기 위하여 각 조직의 등가선량에 해당 조직의 조직 가중치를 곱하여 이를 모든 조직에 대해 합산한 양을 말한다. 유효선량의 단위로는 등가선량과 같이 Sv가 사용된다.

3.6.3. 방사선의 측정

방사선은 인간의 감각으로 감지할 수 없다. 방사선의 검출이나 측정은 방사선과 물질의 상호작용에 의해 물질분자 또는 원자에 생긴 여기나 전리를 직접 이용하는 것 또는 이것에 의해 생긴 형광작용, 사진작용 등을 이용하는 등 여러 가지 계측기기가 있다.

여기서는 방사선 투과 검사에 쓰이는 X선, γ선의 측정법, 특히 방사선의 방호를 목적으로 사용하는 기기를 알아본다.

가. 개인 모니터링

1) 필름뱃지의 착용

필름뱃지(*film badge*)는 방사선 투과검사에 사용되는 필름과 유사한 필름의 조각으로 피폭된 선량을 측정한다. 전리 방사선이 필름을 감광시키는 것을 이용한 것이며 필름이 검게 되면 많은 양의 방사선이 조사되었다는 것을 나타낸다.

필름에 조사된 선량은 농도계(*densito-meter*)로 측정한다. 필름뱃지용 필름은 방사선에 대해 적절한 반응을 일으켜야 되고 판독자가 반응정도를 정확하게 판독할 수 있는 것으로서 특별히 고안된 뱃지 속에 고정시키게 되어 있다. 최근에는 필름뱃지보다 성능이 우수한 열형광선량계(*TLD*)의 사용이 증가하고 있다.

2) 포켓도시메타

포켓도시메타(*pocket dosimeters*)의 원리는 가스를 채워 넣은 전리함이다. 미세한 수정사가 충전용 전극에 연결되어 있으며, 충전기는 전자를 전극에 공급시키는 데 사용된다.

만일 도시메타가 전리방사선에 조사되면 생성된 이온들은 수정사 및 고정전극에서 극성이 중화되게 된다. 이렇게 극성이 중화되면 수정사와 고정전극 사이에 서로 밀리는 힘은 감소하게 되며 수정사는 고정전극 쪽으로 이동하게 된다.

만일 도시메타의 한쪽 끝을 통하여 들여다보면 수정사의 실상을 볼 수 있으며, 이러한 실상은 눈으로 보아서 수치를 읽을 수 있도록 되어 있는 비례눈금 위에 나타난다.

3) 개인 모니터링 장비의 활용

필름선량계 혹은 열형광선량계(*TLD*)는 방사선 작업종사자가 필수적으로 착용하여 선량을 측정하도록 법으로 정하고 있다. TLD는 근래에 필름뱃지를 대신하여 급속히 사용이 증가되고 있다. 측정 원리는 격자 결함을 갖는 결정체에 방사선을 조사시킨 후 가열하면 빛(형광)을 발생하는 열형광 현상을 이용하여 피폭선량을 구한다. 저선량부터 대선량까지 피폭선량 측정이 가능하고 측정 결과에 대한 판독이 간단하나 방사선의 종류와 에너지를 알 수 없고 기록의 영구 보존이 불가능하다. 그러나 이런 법정선량계만으로는 방사선에 대한 안전을 확보 할 수 없으므로 보조적인 측정 장비를 사용하여야 한다. 매일 또는 작업 단위별로 선량을 확인할 수 있는 포켓도시메타와 순간적인 방사선 피폭 여부를 확인할 수 있는 방사선경보기(*radiation alarm monitor*)를 함께 사용한다. 즉 방사선 작업 시 피폭을 가능한 한 최소화하기 위해 사용되는 보조 선량계로써 방사선이 감지되면 경고음과 경고등이 표시되어 방사선 유무를 눈과 소리로 감지할 수 있다. 개인 경보기는 방사선 작업 시 선원 탈락을 가장 빨리 알 수 있는 측정기 이다.

나. 공간 모니터링-서베이미터

서베이미터(*survey meter*)는 공간 방사선량률(단위시간당 조사선량)을 측정하는 기기인데, 일반적으로 방사선 작업에는 휴대용 서베이미터를 주로 사용한다. 서베이미터는 방사선을 검출하기 위해 가스를 채워 넣은 원통형의 튜브를 사용한다. 가스충전식 튜브에는 전리함과 G.M관(*Guiger-Müller Tube*)이 있는데, 전리함 서베이미터와 G.M 서베이미터 둘 다 방사선 투과검사에서 γ 선의 양을 측정하는 데 사용되지만 G.M 서베이미터가 더 정확하며 작은 양의 방사선에도 매우 민감하기 때문에 자주 사용한다.

방사선 작업자가 사용하는 서베이미터는 정해진 주기마다 교정을 하여야 한다. 모든 서베이미터는 마지막으로 교정 받은 날짜를 기록한 표지가 붙어 있어야 한다. 방사선 작업자는 항상 작업 전에 서베이미터의 교정 상태 및 작동 가능 여부를 확인하고 나서 사용하도록 한다.

3.6.4 방사선 피폭의 관리

방사선을 잘못 취급하여 피폭되면 인체에 장해가 발생할 수 있다. 방사선 투과 검사에서 방사선을 취급하는 작업자는 방사선 안전에 각별히 유의해야 한다.

방사선을 취급할 때 피폭을 방호하기 위해 다음 3원칙을 치켜야 한다.

(1) 방사선의 선원과 사람과의 거리를 멀리 한다.
(2) 방사선의 선원과 사람사이에 차폐물을 설치한다.
(3) 방사선의 발생시간 즉 사용시간을 줄인다.

가. 방사선 작업 관리

방사선 관리는 넓은 의미의 산업안전에 속한다고 할 수 있다. 따라서 방사선 관리의 기준은 방사선을 취급하는 자의 안전을 확보하는데 있으며, 방사선 피폭과 방사선 작업으로 얻는 이익을 저울질하여 평가하게 된다.

방사선 작업 종사자는 작업을 처음 시작하기 전에 방사선의 사용 방법, 선원의 접근, 피폭시간, 방사선구역 설정, 방사선 작업의 순서와 작업을 할 때 취해야 할 행동에 대해 미리 교육을 받아야 한다.

나. 허용선량

원자력법 시행령에는 개인의 피폭선량 한도를 정해 놓고 있다.

3.6.5 방사선 차폐

방사선을 취급 및 사용할 때 수반되는 외부방사선 피폭의 방어방법에는 다음과 같은 3가지 원리가 적용된다.

가. 시간

피폭선량은 피폭시간에 비례하기 때문에 가능한 피폭시간을 짧게 한다. 동일한 작업조건하에서 작업을 하더라도 작업시간(또는 체류시간)을 줄인다면 결과적으로 피폭선량을 감소시킬 수 있다.

총 피폭선량은 방사선량률과 피폭시간의 곱으로 표현되며 피폭시간을 단축하는 방법으로는 사전에 작업계획을 수립하는 것과 모의훈련(*mock-up training*) 및 기능숙련을 실시하는 방법이 있다.

나. 거리

방사선의 강도 또는 피폭선량은 점상 선원으로부터의 거리 자승에 반비례하기 때문에 작업자는 선원으로부터 가능한 거리를 멀리하도록 한다.

예를 들면, 0.5(㎜) 두께의 백금캡슐에 들어 있는 10 mCi Ra 선원에서 1[m] 떨어진 지점의 조사선량률이 8.25[mR/h] 일 때, 2[m] 떨어지면 1/4(약 2mR/h)로, 10[m] 떨어진 곳에서는 약 1/100(80μR/h)로 감소한다.

참고로 공기 중에서 1 Ci 선원으로부터 1[m] 떨어진 지점의 조사선량률(R/h)을 "조사선량률 상수"라 하고 RHM(*Rontegen per hour at 1 meter*)이라고 표시한다.

다. 차폐체

X선, γ선의 강도는 물질 중에서 지수식($I = I_0 e^{-\mu x}$)에 따라 감소한다. 즉, 선흡수계수 μ가 크고 (밀도와 원자번호가 큰 물질) 흡수 두께가 두꺼울수록 투과선량은 더욱 감소한다. 그러므로 방사선원과 작업자 사이에 흡수계수가 크고 두께가 두꺼운 차폐체를 가능한 많이 배치하여야 한다.

차폐체는 가능한 선원 측에 가깝게 위치시키는 것이 효율적이며, 차폐물로는 고갈우라늄, 텅스텐, 납, 철, 콘크리트 등이 이용된다. 특히 콘크리트는 고에너지 X선, γ선의 구조적인 차폐체에 경제적 이점으로 이용된다.

3.6.6 방사선 관련 법규

1928년 방사선의 피폭과 방호를 위해서 국제 X선, 라듐 방어위원회(*International X-ray Commission on Radiological Protection*)가 구성되고, 1950년에 이르러 국제방사선방어위원회(*ICRP : International Commission on Radiological Protection*)로 명칭을 변경하여 오늘에 이르고 있다. 각국에서는 이 위원회의 권고에 따라 자국 내의 법규를 정하는 경우가 많다.

우리나라에서는 1958년에 원자력법이 제정되었으며, 원자력법시행령, 원자력법시행규칙, 과기부 고시 등에 따라 동위원소 및 발생장치의 사용이 규제되고 있다. 최신 법규와방사선 관련 정보는 교육과학기술부 홈페이지(www.most.go.kr)이나 원자력안전기술원(www.kins.re.kr)에서 열람할 수 있다.

가. 개인 피폭 선량 한도

원자력법에서는 1990년에 발간된 ICRP 60에 따라 선량한도가 법규화 되어 있다 방사선 작업종사자가 작업으로 인한 과피폭을 방지하기 위하여 방사선 작업종사자에 대해서 연간 선량한도와 총 5년간 선량한도를 규정하였다.

나. 방사선 관리 구역

방사선 관리 구역은 외부 방사선량률이 주당 $400\,\mu Sv$ 이상인 곳을 말하며, 사람의 출입을 관리하고 출입자에 대한 방사선 장해를 방지하기 위하여 경계에는 법정표지를 부착하여 필요한 주의사항을 게시하고 방어울타리 등을 설치하여 일반인이 구역 내에 들어가지 못하도록 감시하며 출입을 통제하여야 한다. 그리고 경고등은 가능한 사방에 설치하여야 한다.

익 힘 문 제

1. 방사선투과검사의 원리를 설명하시오.
2. 방사선투과검사(**RT**)와 초음파탐상검사(**UT**)는 체적검사법으로 용접부의 내부 결함탐상에 주로 이용되는 비파괴검사법이다. 결함검출과 관련하여 두 방법의 특징을 비교 설명하시오.
3. X선 및 γ 선투과검사의 특징을 비교하여 장단점을 기술하시오.
4. 방사선 투과검사(**RT**)와 중성자투과검사의 차이점을 서로 비교하여 설명하시오.
5. 방사선투과검사에 이용되는 γ 선원의 종류를 들고 그 특성을 비교하여 설명하시오.
6. 방사성동위원소의 반감기란 무엇인가?
7. X선과 물질의 상호작용에 대하여 설명하시오.
8. 반가층에 대해 설명하시오.
9. 공업용 X선 필름의 종류를 들고 특성을 비교하여 설명하시오.
10. 방사선 투과사진의 콘트라스트에 영향을 미치는 인자에 대하여 설명하시오.
11. 방사선종사자의 개인 피폭선량계의 종류와 그 원리 및 장단점을 설명하시오.
12. X선 투과사진의 등급 분류방법의 요점을 설명하시오.
13. 방사선 과피폭(**over exposure**)시 인체에 미치는 영향에 대하여 설명하시오.
14. 방사선투과검사 시 방사선 장해발생 예방대책에 대하여 설명하시오.

제4장 초음파탐상검사

4.1 초음파탐상검사의 개요

4.1.1 개요

초음파(*ultrasonic wave*)란 귀로 들을 수 있는 음파(주파수 20 Hz ~ 20 kHz)보다 높은 주파수 성분을 갖는 음파를 말한다. 초음파는 전자파와 비교하면 속도가 늦기 때문에 MHz 정도의 주파수를 사용한 경우, 파장이 짧고, 파의 직진성과 분해능이 높다.

초음파는 다음과 같은 특이성을 갖기 때문에 비파괴검사에 활용되고 있다.

① 파장이 짧다. 초음파탐상에 사용하는 초음파의 파장은 수 ㎜ 이다. 따라서 지향성이 예리하며 빛과 비슷하여 직진성을 갖는다.

② 탄성적으로 기체 · 액체 · 고체의 성질이 음향적으로 현저히 다르기 때문에 초음파는 액체와 고체의 경계면에서 반사, 굴절, 회절하는 성질이 있다. 따라서, 결함과 같은 불연속부에서 잘 반사하고 결함검출이 가능하게 한다.

③ 고체 내에서 잘 전파한다. 물질 내에서 초음파의 전파속도는 초음파가 전달되는 물질의 종류와 초음파의 종류에 의해 결정된다.

④ 원거리에서 초음파빔은 확산에 의해 약해진다.

⑤ 재료에 따라서 결정 입계면에서 초음파가 산란에 의해 약해진다.

⑥ 고체 내에서는 종파 및 횡파의 2종류의 초음파가 존재하며 이들은 서로 모드변환을 일으킨다.

또한, 초음파는 재료내부를 전파하면서 재료내부 조직의 영향을 받기 때문에 방사선과 같이 재료내부를 평가할 수 있다. 이러한 성질들을 이용해서 의료진찰, 공업재료 탐상·물성평가, 어군 탐지기 등의 검사·탐상, 탄성표면파소자를 중심으로 하는 전자·통신부품 및 초음파 에너지를 이용한 초음파 가공·세정 등에 초음파가 널리 사용되고 있다. 측정방법 및 대상에 따라 고감쇠재의 측정이나 음향방출의 측정에는 1 MHz 이하, 일반강의 탐상에는 2 ~ 10 MHz 정도, 수침법에 의한 음향영상 계측에는 50 MHz 이하, 초음파현미경에서는 500 MHz 이상의 주파수가 각각 이용되고 있다.

4.1.2. 초음파탐상검사의 원리

초음파탐상검사(*ultrasonic testing; UT*)은 초음파가 가지고 있는 물리적 성질을 이용하여 시험체 중에 존재하는 결함을 검출하고, 검출한 결함의 성질과 상태를 조사하는 비파괴검사이다. 초음파에 의한 비파괴평가기술은 원자력 발전설비, 석유화학 플랜트 등 거대설비·기기의 건전성(*integrity*) 및 신뢰성 확보와 잔존수명 예측기술로 그 적용범위가 확대되어 가고 있다. 초음파비파괴평가기술은 파괴시험이나 다른 비파괴평가 기술에 비해 간편한 측정, 높은 측정 정밀도, 시험결과 도출의 신속성, 검사비용의 절감 등 많은 장점을 가지고 있다. 초음파탐상검사는 철강 재료나 그 용접부의 비파괴시험방법으로 압력용기나 건축철골 등의 구조물에 주로 적용되고 있다. 철강재료 이외에 신소재로 주목받고 있는 세라믹이나 FRP등 첨단재료의 초음파에 의한 재료평가(*materials evaluation*)등에 적용될 때는 초음파비파괴평가(*ultrasonic nondestructive evaluation; UNDE*)라는 용어가 많이 사용되고 있다.

재료 내부에 초음파펄스를 입사시킬 때 반사파(이하 에코라고 한다)의 거동을 수신기의 브라운관상에 도식적으로 나타내면 그림 4.2와 같다. 재료 내부에 흠(*flaw*) 등의 반사원이 없으면, 송신펄스의 저면반사파(*backwall echo*)는 표면·저면에서 반사를 반복하기 때문에 여러 개의 저면에코만 관찰된다. 재료 내부의 음속 C 가 일정하다고 가정하면, 저면에코의 시간간격 $\triangle t$는 빔진행거리 $2L$을 전파하는데 필요한 시간이고, $C = 2L/\triangle t$의 관계가 있다. 시험체의 판두께 L을 모르는 경우, 시험체의 음속(*velocity*)을 알고 있으면 $\triangle t$를 측정함으로서 L을 구할 수 있다. 반대로 시험체 두께 L을 알고 있을 때는 $\triangle t$를 측정함으로서 음속 C 를 구할 수 있다.

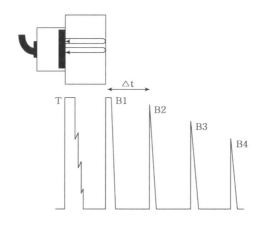

그림 4.1 펄스반사법의 원리

초음파가 물체내부를 전파할 때, 전파과정에서 에너지가 손실되기 때문에 수신강도는 저하되게 된다. 이론적으로는 $2L$의 전파에 대한 초음파의 크기 저하는 단위 길이로 나타내고, 감쇠계수(***attenuation coefficient***)를 측정할 수 있다. 음속이나 감쇠는 재료의 기본 물성치로서 재료의 종류, 상태에 의존하기 때문에 이러한 측정값의 변화로 조직이나 기계적 성질 등을 평가할 수 있다.

초음파탐상시험의 원리는 그림 4.2와 같이 탐촉자로부터 보통 1 ~ 10 MHz의 초음파펄스를 시험체에 입사시켰을 때 내부에 결함이 있으면 그곳에서 반사되어 되돌아오는 초음파(에코)가 탐촉자에 수신되는 원리를 이용하여 주로 내부결함의 위치 및 크기 등을 비파괴적으로 조사하는 결함검출기법이다. 결함의 위치는 송신된 초음파가 수신될 때까지의 시간으로부터 측정되고, 결함의 크기는 수신되는 초음파의 에코높이 또는 결함에코가 나타나는 범위로부터 측정한다.

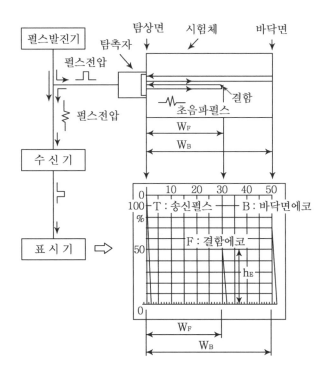

그림 4.2 초음파 탐상기의 동작원리와 빔 진행거리

초음파는 결함에서도 반사되기 때문에 시험체에 결함이 있으면 건전재에서 나타나지 않는 결함에코가 그림 4.2과 같이 송신에코와 저면에코사이에서 관찰된다. 재료내부의 음속이 일정하면 ①결함에코의 위치측정에서 결함의 깊이, ②결함에코의 수신신호의 크기에서 결함의 크기를 평가할 수 있다.

초음파를 이용한 측정법에서 이론적으로는 측정 인자가 1개 또는 여러 개가 존재하여 간단히 측정할 수 있으나, 실제 초음파 측정에 의한 정량적 측정을 하기 위해서는 초음파의 전파에 대한 충분한 이해가 필요하다. 예를 들어 탐상결과 얻어진 그림 4.3과 같은 수신파형은 복수의 결함에코가 검출된 것처럼 보이지만, 실제로는 1개의 결함에서 얻어진 파형이다. 이처럼 탐상파형에서 가장 단순한 경우에도 각각의 에코에 대한 경로를 파악할 수 없다면 결함의 정성적 평가는 어렵다.

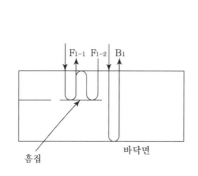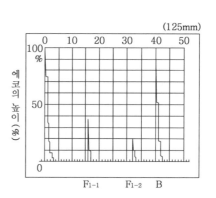

그림 4.3 초음파 탐상파형의 예

4.1.3 초음파탐상검사의 적용 및 특징

초음파탐상검사는 방사선투과검사와 함께 체적시험(*volumetric examination*)으로, 내부결함을 찾아내는 것을 목적으로 사용하고 있다. 이 두 검사방법은 서로 결함을 검출하는 원리가 다르기 때문에 검출하는 능력에도 차이가 있다. 용접부의 초음파 탐상 검사에서 미세 균열, 용입부족, 융합불량 등의 결함은 방사선 투과 검사에서보다 잘 검출된다. 그러나 초음파 탐상 검사는 방사선 투과 검사에 비해 결함의 종류를 구별하기 어렵고, 검사 기술자의 기술 능력에 따라 검출 결과가 달라질 수 있으며, 결함의 내용을 기록하여 보존하는 것이 뒤떨어지는 단점이 있다.

그러나 초음파 비파괴 검사 기술은 파괴시험이나 다른 비파괴 평가 기술에 비해 간편한 측정, 높은 측정정도, 시험결과 도출의 신속성, 검사비용의 절감 등 많은 장점을 가지고 있다.

초음파 탐상 검사는 일반적으로 금속재료의 가공품 즉 판재, 단조품, 주조품, 용접부 등의 결함 검사에 많이 사용한다. 특히 압력용기의 용접부, 건축 구조물의 용접부의 결함 검사에 활용도가 높다. 철강재료 이외에 신소재로 주목받고 있는 세라믹이나 FRP등 첨단재료의 재료평가에도 널리 활용되고 있다.

원자력 발전설비, 석유화학 플랜트 등 거대설비·기기의 건전성(*integrity*) 및 신뢰성 확보와 잔존수명 예측기술로 그 적용범위가 확대되어 가고 있다. 금속의 결정조직이 미세하면 초음파의 전파성이 좋기 때문에 직경이 수 m 되는 큰 단강품의 내부에 있는 작은 결함까지 검출할 수 있다. 그러나 결정조직이 거칠면 결정입계에서 초음파가 산란되어 전파하는 초음파의 감쇠가 커져 큰 결함이라도 검출하기 어려울 때가 있다.

표 4.1 초음파탐상검사의 장·단점

장점	단점
· 전파 능력이 우수하다. · 균열 등 미세한 결함에 대해서도 감도가 높다. · 내부 결함의 위치, 크기 배향을 정확히 측정할 수 있다. · 검사결과를 신속히 알 수 있다. · 검사자 또는 주변 사람에 대한 장애가 없다. · 이동성이 좋다.	· 수동 검사를 할 때 검사자는 검사 경험이 있어야 한다. · 검사절차를 이해하는데 검사자의 폭넓은 지식이 필요하다. · 초음파의 전달효율을 높이기 위해 접촉매질이 필요하다. · 표준시험편 또는 대비시험편이 필요하다. · 재료의 내부조직에 따른 영향이 크다. · 결함의 검출 능력은 결함과 초음파 빔의 방향에 따른 영향이 크다.

초음파탐상에서는 아주 작은 결함을 검출할 수 있다. 즉, 탐상 조건이 좋으면 파장의 1/2 정도 크기의 결함을 검출할 수 있는데, 주파수가 5 MHz 의 초음파를 사용할 경우 철강 재료에서 1 ㎜ 정도 크기의 결함은 확실히 검출할 수 있다. 그러나 결함의 형상과 배향은 결함의 검출능력에 뚜렷한 영향을 미친다. 다시 말해 초음파의 빔이 균열과 같은 면상결함에 수직으로 부딪히면 탐촉자로 되돌아오는 반사파는 크지만 블로우 홀과 같은 구상결함에서는 반사파가 여러 방향으로 산란되기 때문에 탐촉자로 되돌아오는 반사파는 매우 작다. 따라서 초음파 탐상검사를 할 때는 결함면에 초음파가 가능한 한 수직으로 부딪히도록 탐상 방법을 선택하는 것이 좋다.

4.2 초음파탐상검사의 기초

4.2.1 초음파의 종류와 성질

초음파에는 여러 가지의 파동모드가 있는데, 재료나 모드 및 전파매체의 조건에 따라 이들이 혼재하고 계면에서는 모드변환이 일어난다. 초음파 계측에서는 이러한 여러 가지 모드의 특징을 이용하여 측정하기 때문에 X선 등에 비해 전파의 해석이 복잡해지는 요인이 된다. 일반적으로 고체내에서 관찰되는 초음파의 모드에는 종파(*longitudinal wave*), 횡파(*shear wave*), 표면파(*Rayleigh wave*) 그리고 판파 등이 있다. 그림 4.4는 초음파의 진동모드를 도식적으로 나타내고 있다.

가. 종파

종파(*Longitudinal wave; L-wave*)는 그림 4.4(a)에서와 같이 파의 진행에 따라 밀(*compression*)한 부분과 소(*rarefaction*)한 부분으로 구성되기 때문에 일명 압축파(*compression wave*)라고도 불린다. 종파는 입자의 진동방향이 파를 전달하는 입자의 진행방향과 일치하는 파를 말한다. 이 파는 초음파탐상시험의 수직탐상에 주로 이용되는 진동형태로, 다른 형태의 파로 변환되기도 한다. 종파는 고체뿐만 아니라 액체, 기체에서도 존재하며, 강의 경우 음속이 5900 m/s 로 가장 빠르다.

나. 횡파

일반적으로 강 용접부의 초음파 사각탐상에서는 SV파(*vertically shear wave*)라 불리는 횡파(*transverse wave, shear wave; S-wave*) 초음파가 주로 이용되고 있다. SV파는 탐상면에 대해 초음파의 진행방향이 수직으로 진동하는 횡파를 말하고, SH파(*horizontally shear wave*)는 초음파가 탐상면과 수평방향으로 진동하는 횡파를 말한다. SH파는 횡파진동자를 탐촉자의 축 방향으로 이용, 진동자로 부터 발생한 횡파를 점성이 높은 접촉매질을 통하여 시험체에 전파시킨다.

SH파는 SV파와 같은 반사면에서 모드변환이 없고 탐상도형이 간단하여 판정이 용이하며, 굴절각을 90도에 가깝도록 하면 표면 SH파가 되어 높은 효율로 탐상면을 따라 전파하는 것이 가능하다.

종래에 주로 이용되고 있는 SV파 사각탐상은 고체표면에 거의 수직으로 전파하는 파로, 수직방향의 특성평가에 적합하다. SV파는 고체 계면에서 반사시 횡파 → 종파 → 횡파로 모드변환(*mode conversion*)을 일으키고 다중에코의 멀티모드파가 되기 때문에 시험체가 얇은 경우는 파의 판정이 곤란하게 된다.

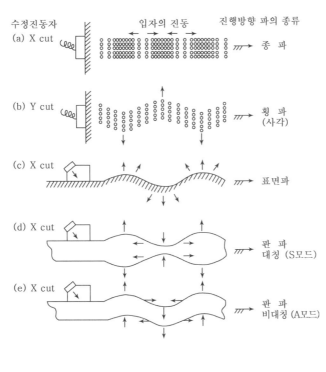

그림 4.4 초음파의 종류

이에 비해 SH파는 고체표면층 직하로 전파하기 쉬운 진동면을 갖고 횡파 → 종파로의 모드변환을 하지 않기 때문에 순수모드로 취급 가능하다. 횡파는 동일한 재질에 대해서 종파속도의 약 1/2정도이기 때문에 동일한 주파수에서 종파에 비해 짧은 파장을 갖게 된다.

다. 표면파

고체 내에서 종파와 횡파는 서로 독립적으로 존재할 수 있으나, 경계면에서는 일반적으로 종파와 횡파가 발생하고 조건에 따라서는 거의 완전히 상호 모드 변환한다. 그림 4.4(c)는 자유경계면, 즉 공기에 접해있는 경계면에서 표면파의 설명도로 나타내고 있으며, 입자의 진동은 면에 수직한 횡파성분과 면에 평행한 종파성분이 있다. 따라서 입자는 그 위치에서 타원형으로 진동하며 재료의 표면층만을 전파해 간다. 표면파(*surface wave, Rayleigh wave*)는 표면으로부터 1파장 정도의 매우 얇은 층에 에너지의 대부분이 집중해 있고, 표면부근의 입자는 종진동과 횡진동의 혼합된 거동을 나타낸다. 표면파는 Rayleigh에 의해 최초로 설명되었으며, 시험체의 표면결함검출에 주로 사용되며, 음속은 횡파의 약 90% 정도이다.

표면파는 시험체 표면으로부터 1파장 정도 깊이의 범위에서 전파한다. 높은 주파수는 음압이 표면근방에 집중하기 때문에 표면에 개구한 결함의 검출에는 적합하고, 낮은 주파수는 표면 아래 수 ㎜ 정도까지 전파하므로 표면직하의 결함검출에 유리하다. 그러나 기본적으로 표면파는 탐상면상의 장해물이나 요철에 의한 표면상태의 영향을 받기 쉬운데, 이로 인한 감쇠가 크고 방해에코가 쉽게 나타날 수 있기 때문에 필릿 용접부 등의 결함탐상에는 적절하지 않다.

크리핑파(*creeping wave*)는 재료의 자유표면 방향으로 전파하는 종파를 사용하는 탐상법으로 크리핑파의 송·수신은 비교적 용이하나 횡파에 의한 반사파도 동시에 전파하기 때문에 탐상도형이 복잡해져 결함에코의 해석이 어렵고, 결함에서 에너지의 일부가 연속적으로 횡파(*SV*파)로 모드 변환하여 전파하기 때문에 감쇠가 현저해지는 단점이 있다.

크리핑파는 시험체에 종파 임계각으로 입사한 경우에 발생하고 시험체 내부를 직진하는 종파로 시험체표면의 영향을 받지 않으므로 표면직하(*subsurface*)의 탐상에 유리하다. 거리에 따라 감쇠가 심하기 때문에 탐상 범위는 일반적으로 짧다. Head wave 또는 lateral wave라고도 한다.

경계면이 물인 경우에는 이 파는 고정표면에서 발생하여 수중에 누설되므로 길게 지속되지 못한다. 이것을 누설탄성표면파(*leaky surface acoustic wave; LSAW*)라 부른다. 누설탄성표면파는 물을 접하고 있는 면에 종파를 경사로 입사시켰을 때 표면층으로 전파하는 탄성파이다. 이 파는 전파하면서 종파로 모드 변환(*mode conversion*)되고 물속에서 누설된다. 파가 전파하는 깊이는 표면 아래 약 1파장 정도이다. 누설탄성표면파는 초음파현미경에 활용되어 표면층 미소영역에서의 탐상이나 조직관찰, 응력측정 등에 응용이 시도되고 있다.

라. 판파

판파(*plate wave*)는 재료의 비파괴검사에 이용되는 초음파의 또 다른 형태로 유도초음파(*ultrasonic guided wave*) 또는 램파(*Lamb wave*)라고도 한다. 이 파는 몇 파장 정도의 두께를 갖는 금속 내에 존재하는데, 재질의 전 두께를 통하여 진행하는 복합된 진동형태로 구성되기 때문에 박판의 결함검출에 사용된다. 판파의 진동양식의 특성은 밀도, 금속의 탄성특성과 구조, 금속시편의 두께 및 주파수에 영향을 받는다. 판파는 대칭모드(*S-Mode*)와 비대칭모드(*A-Mode*)의 2종류가 있다.

유도초음파는 구조물의 기하학적인 구조를 따라 전파하기 때문에 기존의 종파나 횡파를 사용한 국부검사(*point by point*)법에 비해 탐촉자의 이동 없이 고정된 지점으로부터 대형 설비 전체를 한 번에 탐상할 수 있어 광범위인 동시에 장거리비파괴탐상을 효율적으로 수행할 수 있어 시간적, 경제적 효율이 뛰어나다. 유도초음파는 상기와 같은 장점을 가지고 있음에도 불구하고 아직 해결되어야할 어려움으로 유도초음파가 전파해가는 모드가 무한히 많이 존재함으로 인해 다양한 모드의 선택을 통한 측정 민감도를 향상시킬 수 있는 장점도 있지만, 여러 개의 모드가 동시에 수신될 때 신호해석과 모드확인(*mode identification*)이 어렵다는 것이다.

4.2.2 초음파의 음속·파장·주파수

4.2.2.1 음속

초음파가 매질 중을 전파하는 속도, 즉 음속 C 는 일반적으로 초음파가 전파하는 매체의 탄성계수와 밀도에 의해 결정된다.

$$c = \sqrt{\frac{E\,(탄성계수)}{\rho\,(밀도)}} \quad\text{..}\quad (4.1)$$

기체 및 액체 중에서는

$$C = \sqrt{\frac{K}{\rho}} = \sqrt{\frac{101325\,\text{kg/ms}^2 \times 1.401}{1.293\,\text{kg/m}^3/(1+20/273)}} = 343\,\text{m/s}$$

여기서 K는 체적탄성계수, ρ는 밀도이다. 20℃ 1기압의 공기에서는

$P = 760\,\text{mmHg} = 1.03323\,\text{kgf/cm}^2 = 10332.3\,\text{kg/m}^2 = 10332.3 \times 9.80665\,\text{N/m}^2$ 이

$= 101325\,\text{N/m}^2 = 101325\,\text{Pa} = 101325\,\text{kg/ms}^2, \text{k} = 1.401, \rho = 1.293 + (\frac{20}{273})\,\text{kg/m}^3$

다. 푸아송비를 고려한 종파속도 C_L, 횡파속도 C_S는 다음 식으로 표시된다. 물의 경우는 $K = 2.2 \times 10^9\,N/㎡ = 2.2 \times 10^9\,kg/\text{ms}^2$, $\rho = 1000\,\text{kg/m}^3$ 이므로

$$C = \sqrt{\frac{K}{\rho}} = \sqrt{\frac{2.2 \times 10^9\,\text{kg/ms}^2}{10000\,\text{kg/m}^3}} = 1,483\,\text{m/s}$$

고체 중에서는 종파와 횡파가 존재하고, 푸아송비를 고려한 종파속도 C_L, 횡파속도 C_S는 다음 식으로 표시된다.

$$C_L = \sqrt{\frac{E(1-\nu)}{\rho(1+\nu)(1-2\nu)}} \quad\text{...} (4.2)$$

연강의 경우는 $E = 21,400 \, \text{kgf/mm}^3 = 21,400 \times 9.80665 \times 10^6 \, \text{kg/ms}^2$, $\upsilon = 0.28, \rho = 7,700 \, \text{kg/m}^3$ 으로 하면 종파속도 C_L는 $5,902 \, \text{m/s}$ 가 된다.

또, $G = 8,200 \, \text{kgf/mm}^3 = 8,200 \times 9.80665 \times 10^6 \, \text{kgf/ms}^2$으로 하면, 횡파의 음속 C_S는 $3,232 \, \text{m/s}$ 가 된다.

$$C_S = \sqrt{\frac{E}{2\rho(1+\nu)}} = \sqrt{\frac{G}{\rho}} \quad\text{...} (4.3)$$

- E : 종탄성계수 또는 영률(**Young's modulus**)
- υ : 푸아송비(**Poisson's ratio**, 강에서는 약 0.28, 알루미늄은 약 0.34)
- K : 체적탄성계수(**shear modulus**, 기체의 경우는 압력 × 정압비열과 정적비열과의 비, k)
- G : 횡(전단)탄성계수 또는 강성률

한편, 표면파의 음속 C_R은 Bergmann의 근사식으로부터 다음과 같이 표시된다.

$$C_R = \frac{0.87 + 1.12\nu}{1+\nu} \sqrt{\frac{G}{\rho}} \cong 0.9C_S \quad\text{.......................................} (4.4)$$

4.2.2.2 파장과 주파수

공기 중에서 음파는 압축파(소밀파)로 기압이 밀한 부분과 소한 부분으로 존재한다. 수면에 돌을 떨어뜨렸을 때 수면파 그림 4.5과 같이 파의 산과 산 또는 골과 골 사이의 거리 간극을 파장(**wave length**)이라 부르고 λ로 표시한다. 그리고 파의 산과 산 또는 골과 골 사이의 시간 간극을 파의 주기(**period**)라 하고 T로 표시한다. 또, 단위시간당의 주기수를 주파수(**frequency**)라 하고 f로 표시하는데, 주파수와 주기와의 관계는 다음 식으로 주어진다.

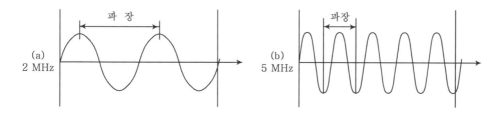

그림 4.5 초음파 측정에 사용되는 파형과 주파수, 파장

$$f = \frac{1}{T} = \frac{\omega}{2\pi} \quad\text{··} \quad (4.5)$$

또한, 시간과 위치에 대해서도 파형은 동일하다. 이 때 C 는 파동의 속도이고 다음 식으로 나타난다. 다시 말해 입자가 매초 f회 진동한다고 하면 1초 마다 파장 λ의 f배 만큼 파는 진행하게 된다. 바꿔 말하면 음속 C 로 1초 간에 진행하는 것은 동일하게 된다.

$$C = \frac{\lambda}{T} = f\cdot\lambda \quad\text{···} \quad (4.6)$$

$$k = \frac{\omega}{C} \quad\text{··} \quad (4.7)$$

강중에 종파가 전파할 때 주파수 $2\,\mathrm{MHz}$와 $5\,\mathrm{MHz}$인 경우의 파장을 구해보면

$$\lambda = \frac{C}{f} = 5{,}900 \times 10^6 / 2 \times 10^6 = 2.95\,\mathrm{mm} \quad\text{이고,}$$

$5\ \mathrm{MHz}$의 경우는 1.18 mm가 된다. 또 강 중위 초음파의 전파거리를 계산해보면 전파거리 x는 음속 c에 전파시간 t를 곱한 값으로 $1\ \mu s$ 간에 전파되는 거리는

$$x = ct = 5{,}900 \times 10^6 \times 1 \times 10^{-6} = 5.9\,\mathrm{mm} \quad\text{이다.}$$

초음파의 파장은 주파수와 반비례의 관계가 있기 때문에 주파수가 높으면 파장은 짧아진다. 초음파가 반사되는 반사원의 크기는 파장의 1/10정도이고, 반사된 초음파의 음압(*sound pressure*)에서 크기가 측정 가능한 결함의 최소크기는 파장의 1/2정도라고 알려져 있다. 따라서 작은 결함까지 검출하기 위해서는 파장이 짧은 초음파, 즉 높은 주파수의 초음파를 사용할

필요가 있다. 그러나 너무 높은 주파수를 사용하면 파장이 짧아져 시험체의 결정입계 등에서 산란이 발생하기 때문에 시험체 내부까지 초음파가 도달하지 못한다. 즉, 주파수는 시험체 및 검출할 결함에 적당한 크기로 결정해야한다. 일반적으로 초음파계측에서는 1 ~ 10MHz의 주파수가 많이 이용되고 있다. 따라서 강중에서의 초음파 파장은 대략 6 ~ 0.6 ㎜ 정도를 사용하고 있다. 표 4.2는 여러 물질에 대한 음속과 주파수 5MHz 에서의 파장값을 나타내고 있다.

표 4.2 각종 물질의 음속과 파장

물 질	비 중	횡파속도 [m/s]	종파속도 [m/s]	종 파 파 장[㎜]		
				2.25[MHz]	3[MHz]	5[MHz]
알루미늄	2.69	3,130	6,350	2.8	2.1	1.3
강	7.7	3,200	5,900	2.6	1.9	1.2
황 동	8.54	2,070	4,630	2.1	1.5	0.93
아크릴수지	1.18		2,670	1.2	1.3	0.53
베이클라이트	1.4		2,590	1.15	0.86	0.52
물	1.0		1,430	0.64	0.48	0.29
기 름	0.92		1,390	0.62	0.46	0.28
공 기	0.0012		330	0.15	0.11	0.066

기체, 액체, 고체의 매체 중을 전파하는 음속은 음속 모드와 매체의 재료정수에 따라서 고유한 값을 가진다. 예를 들어 종파를 비교해보면, 공기중에서의 음속은 약 340 m/s, 수중에서는 약 1,480 m/s, 강중에서는 약 5,900 m/s이고, 세라믹 중에서는 약 10,000 m/s를 초과하는 경우도 많다. 음속은 액체, 기체 내에서 온도의 영향을 강하게 받기 때문에 온도에 대응해서 음속이 변하게 된다. 반면, 고체 내에서 온도의 차이에 의한 음속의 변화는 거의 없지만 모드 차이에 의한 음속차이가 크다. 예를 들어 강중에서의 종파음속 C_L은 5,900 m/s, 횡파음속 C_S는 3,230 m/s, 표면파의 음속 C_R은 2,980 m/s이다. 음속은 또한 재료에 따라 차이를 보인다. 강은 열처리에 의해서 조직이 조대해져도 음속의 변화는 아주 작다. 따라서 초음파탐상에서는 측정대상의 재료에서 음속은 일정하다고 가정하고 탐상을 하게 된다.

4.2.3 초음파의 발생과 수신

　기계적인 신호(초음파펄스)와 전기신호와의 변화에는 여러 방법이 있고 전자력(電磁力)을 이용하는 방법, 압전소자를 이용하는 방법이 실용화되고 있다. 압전소자는 압전현상, 역압전현상을 일으키는 물질이다. 압전효과란 그림 4.6과 같이 어떤 종류의 물질에 힘이 가해지면 힘의 크기에 비례한 전압이 생기는 현상을 말한다. 역압전현상은 그 역의 현상 다시 말해 전압을 가하면 가해진 전압에 비례한 변형이 생기는 현상이다. 이들 현상을 압전효과(*piezoelectric effect*)라 부른다.

　판형의 압전소자 양면에 전극이 붙어있는 것을 진동자라 부른다. 진동자의 양극에 송신부로부터 송신되어 온 펄스전압을 가하면 진동자는 그 두께에 대응한 신축의 진동(공진)을 개시한다. 이 진동은 수회 반복한 후 감쇠하여 정지한다. 그림 4.7과 같이 진동자의 편면을 시험체에 접촉시키면 시험체의 접촉면은 진동자의 신축에 의해 종파가 보내져 들어간다. 이것이 초음파의 송신이다.

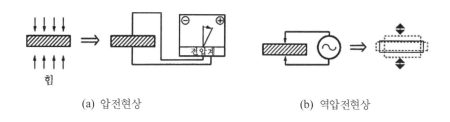

(a) 압전현상　　　　　　　　　　(b) 역압전현상

그림 4.6 압전효과

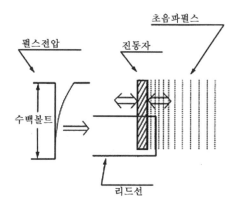

그림 4.7 초음파펄스의 송신

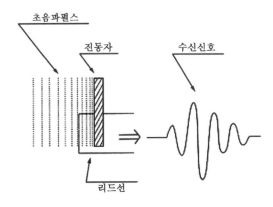

그림 4.8 초음파펄스의 수신

그림 4.8과 같이 진동자가 접촉해 있는 면에 종파가 전파해 오면 면이 진동하기 때문에 진동자면에 힘이 가해진다. 그리고 진동자 면에는 가해진 힘에 비례한 전압이 생긴다. 이 전압이 수신신호로 수신부에 송신된다. 이것이 초음파의 수신이다.

이상과 같이 탐촉자에서 가장 중요한 역할을 담당하고 있는 진동자에는 표 4.3과 같은 여러 종류의 압전소자가 목적에 따라 선택 적용되고 있다.

압전 특성을 갖는 많은 재질 중에서 비파괴검사를 목적으로 사용되는 것으로는 지르콘티탄산 납(*PZT, lead zirconate titanate*), 티탄산 바륨($BaTiO_3$, *barium titanate*), 니오비움산 납($PbNb_2O_6$, *lead metaniobate*), 황산 리튬($LiSO_4$, H_2O, *Lithium sulfate*) 등이 사용된다. 수정은 가장 오래된 압전 재질로써 투명하고 단단하다. 화학적으로도 단지 몇 가지를 제외하고는 부식에 대한 안정성을 갖는다. 수정은 또한 기계적, 전기적으로 안정하며, 불용성이며 큐리점(*Curio point*)이 높기(약 576℃) 때문에 고온에서 사용이 요이하다. 수정을 이용할 때의 단점은 불필요한 진동 양식을 발생하기가 쉬우므로 모드변환(*mode conversion*)가 일어나기 쉽다. 또한 일반적인 결정체 중에서 가장 음향에너지 송신 효율이 나쁘다.

황산 리튬의 송신 효율은 티탄산 바륨과 수정의 중간이지만 수신 효율은 가장 좋다. 전기적 임피던스가 수정과 같기 때문에 수정용으로 설계된 장치에 그대로 사용이 가능하다. 또한 음향임피던스가 낮아 수침탐촉자용으로 적당하다. 그러나 황산 리튬은 물에 쉽게 녹기 때문에 물에서 사용할 때에는 방수가 잘 되지 않으면 안된다. 수정이나 티탄산 바륨에 비해 아주 좁은 펄스를 낼 수 있어 분해능을 낼 수 있다. 다른 압전체에 비해 기계적 저항성이 낮으며 130℃ 에서 결정수가 이탈되기 때문에 고온에서의 사용은 불가능하다.

표 4.3 압전소자의 종류와 특징

종류	특징	용도	기호
수정	· 온도 경년 변화가 적고 안정하다. · 변환 효율이 낮다. · X-Cut, Y-Cut의 2종류가 있다.	· 기준 탐촉자	Q
지르콘티탄산 납	· 변환 효율이 높다.	· 고감도가 요구 되는 탐촉자	Z
황산리튬	· 기계적 댐핑을 걸기 쉽다. · 물에 녹는다. · 음향임피던스가 낮다.	· 고분해능 탐촉자	M
메타니오브산 납	· 내부에서의 진동 감쇠가 크고 기계적 댐핑을 걸기 쉽다. · 고주파수 탐촉자의 제작에 불리	· 고분해능 탐촉자	
니오브산 리튬	· 고주파수 탐촉자의 제작에 유리 · 약 1200℃ 까지 압전성을 유지하는 것 이 가능 · 분해능은 좋지 않다.	· 고주파수의 탐촉자	

니오비옴산 리튬(*Lithium niobate*)은 가장 높은 큐리점(1210 ℃)를 갖고 있기 때문에 특히 고온에서의 사용이 가능하다.

티탄산 바륨은 큰 단결정(*single crystal*)을 만드는 것이 불가능하기 때문에 소결자기로써 만든다. 이 재질은 수용성이며 화학적으로도 안정하며 100 ℃까지는 온도에 의해 영향을 받지 않는다. 티탄산 바륨은 가장 좋은 송신효율을 갖는다. 수정의 경우보다도 더 심한 파형변이의 영향을 받는다. 아주 높은 기계적 임피던스를 가지며 초음파 수신 효율이 나쁘다. PZT는 기계 전기적 커플링이 좋고 티탄산 바륨 보다 높은 큐리점을 갖는다.

니오비옴산 납은 다른 압전 자기에 비해 특별한 장점을 가지고 있다. 짧은 펄스를 만들기 위해 결정(진동자)의 뒤쪽에 댐핑재를 부착하는 것이 일반적이다. 이 경우 결정을 댐핑할 뿐만 아니라 결정 뒤쪽으로의 방사된 파를 흡수해야 한다. 그러나 높은 음향임피던스를 갖는 결정의 경우에는 요구되는 특성이 서로 상충되기 때문에 실제로는 간단한 것이 아니다. 그러나 니오비옴산 납은 고유의 내부 댐핑이 높기 때문에 추가의 댐핑재를 붙이지 않고 사용이 가능하고 이는 또한 감도에도 좋은 영향을 주게 된다.

4.2.4 초음파의 반사와 통과

4.2.4.1 수직입사

2개의 매질이 그림 4.9와 같이 평행한 면으로 밀착해 있을 때 한쪽 매질에서 다른 쪽 매질로 초음파가 경계면에 수직으로 입사하면 일부는 경계면에서 수직으로 반사하고 나머지는 수직으로 통과한다. 즉, 탐촉자로부터 재료 내부에 초음파를 송신하였을 때 초음파에너지의 대부분은 경계면에서 반사되고 일부만 통과한다. 경계면에서 음파의 반사량은 두 매질의 음향임피던스(*acoustic impedance, Z*)비에 좌우되는데, 계면에서의 반사와 굴절현상은 초음파탐상시험에서 결함 등의 검출에 있어 중요한 역할을 한다. 음향임피던스는 서로 다른 재질에서의 음속차에 기인하며, 재질이 음파의 진행을 방해하는 것을 의미한다. 특정 매질의 음향임피던스는 재질의 밀도에 음속을 곱한 값으로 계산한다.

$$ Z = \rho \cdot C \quad\cdots\cdots\cdots\cdots\cdots\cdots\cdots\cdots\cdots\cdots\cdots\cdots\cdots\cdots\cdots\cdots\cdots \quad (4.8) $$

일반적으로 경계면에 초음파가 수직입사(*normal incidence*)한 경우 초음파는 그곳에서 반사되는 성분과 통과하는 성분으로 나누어진다. 반사와 통과의 비율은 경계면에 접하는 두 물질의 음향임피던스에 따라 정해진다. 이 때 경계면에서의 음압반사율(*reflection coefficient*) $r_{1\rightarrow2}$ 는 다음 식으로 표시된다.

$$ r_{1\rightarrow2} = \frac{P_R}{P_i} = \frac{Z_2 - Z_1}{Z_1 + Z_2} \quad\cdots\cdots\cdots\cdots\cdots\cdots\cdots\cdots\cdots\cdots \quad (4.9) $$

표 4.4 종파수직입사시의 음압반사율

단위 : (%)

물 질	음향임피던스 Z $(10^6\ kg/m^2 s)$	공기	기 름	물	글리세린	아크릴 수지	강
알루미늄	16.90	100	86	84	75	68	46
강	46.02	100	95	94	90	87	
아크릴수지	3.22	100	43	37	14		
글리세린	2.42	100	31	24			
물(20℃)	1.48	100	7				
기 름	1.29	100					
공 기	4×10^{-4}						

그림 4.9와 같이 제 1매질의 음향임피던스를 Z_1, 제 2매질의 음향임피던스를 Z_2라 할 때, 음압반사율 $r_{1 \to 2}$은 입사파의 음압 P_i에 대한 반사파의 음압 P_R의 비로 나타낼 수 있다. 표 4.4는 각종 매질간의 음압반사율을 나타내고 있다. 강과 공기 사이에서는 거의 100% 반사가 일어나고, 강과 물 사이에는 94% 반사가 일어난다. 이들은 음향임피던스의 차가 크면 반사가 크고, 매질이 달라도 음향임피던스가 같은 값이면 반사가 일어나지 않음을 나타내고 있다.

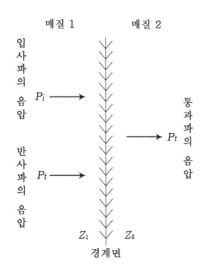

그림 4.9 계면에 수직입사한 경우의 반사와 통과

음압 P_i 의 초음파가 경계면을 통과하여 매질 2에서 음압이 P_t 가 되었다고 하자. 이때의 음압통과율(*transmission coefficient*) $t_{1 \to 2}$ 는 다음 식으로 표시된다.

$$t_{1 \to 2} = \frac{P_t}{P_i} = \frac{2Z_2}{Z_1 + Z_2} = 1 + r_{1 \to 2} \quad\cdots\cdots\cdots\cdots\cdots\cdots\cdots\cdots\cdots\cdots\cdots (4.10)$$

여기서 $r_{1 \to 2}$는 제1매질에서 제2매질로 초음파가 수직입사했을 때의 음압반사율이다. 매질 2로부터 매질 1에 초음파가 수직으로 입사하였을 때의 음압통과율 $t_{2 \to 1}$은 다음 식으로 주어진다.

$$t_{2 \to 1} = \frac{2Z_1}{Z_1 + Z_2} = 1 + r_{2 \to 1} \quad\cdots\cdots\cdots\cdots\cdots\cdots\cdots\cdots\cdots\cdots (4.11)$$

여기서 $r_{2\to1}$은 초음파가 제2매질에서 제1매질로 초음파가 수직입사했을 때의 음압반사율이다. 따라서 제1매질에서 제2매질로 수직입사했을 때 초음파가 완전반사하고 매질1에 되돌아왔을 때의 음압통과율, 다시 말해 경계면을 초음파가 왕복 통과하는 비율을 음압왕복통과율라 하고, 그 때의 음압을 P_T라 하면 음압왕복통과율 $T_{1\to2}$는 다음 식으로 정의된다.

$$T_{1\to2} = \frac{P_T}{P_i} \times \frac{P'_T}{P_T} = \frac{2Z_2}{Z_1+Z_2} \times \frac{2Z_1}{Z_2+Z_1} = \frac{4Z_1Z_2}{(Z_1+Z_2)^2} = 1 - r^2_{1\to2} \cdots \ (4.12)$$

4.2.4.2 경사 입사

1) 반사와 굴절

초음파가 경계면에 경사로 입사하면 반사파와 굴절파도 경사를 갖고 발생한다. 액체와 기체 사이에서는 입사파·반사파·굴절파 모두 종파이나, 고체 내에서는 입사파는 종파·횡파이면 반사파·굴절파는 종파와 횡파의 2종류로 발생한다. 그림 4.10은 이 관계를 나타내고 있다. 그림에서 입사각 α_L, α_S과 반사각 $\beta_L \cdot \beta_S$ 및 굴절각 $\theta_L \cdot \theta_S$ 사이에는 빛과 같은 관계가 성립한다. 입사측의 속도를 C_i, 굴절측의 속도를 C_L, C_S라 하면 파동방정식으로부터 다음 식이 얻어진다.

$$\frac{C_i}{\sin\alpha_L} = \frac{C_L}{\sin\theta_L} = \frac{C_S}{\sin\theta_S} \quad \cdots\cdots\cdots\cdots\cdots\cdots\cdots\cdots\cdots\cdots\cdots\cdots \ (4.13)$$

이 식을 스넬의 법칙(*Snell's law*)이라 부르고 입사각 i, 반사각 β, 굴절각 θ와 음속의 관계는 이 식으로 나타낼 수 있다. 매질 2의 음속 C_L, C_S가 매질 1의 음속 C_i 보다 클 때 입사각 i를 증가해 가면 굴절각 θ는 90°가 된다. 이때의 i 를 임계각(*critical angle*)이라 부르고 이 이상의 입사각에서는 굴절파는 존재하지 않고 모두 반사해버린다. 이 현상을 전반사라 부른다.

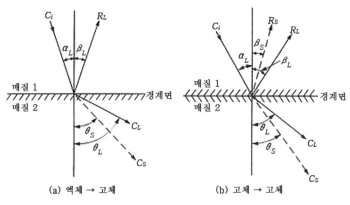

α: 입사각, β: 반사각, θ: 굴절각, R: 반사파
C: 통과파(L은 종파, S는 횡파)

그림 4.10 경사입사시의 반사와 굴절

그림 4.10에서 알 수 있듯이 초음파가 경계면에 경사 입사하였을 때 반사와 굴절에 의해 종파의 일부가 횡파로 변환되는 경우가 있다. 이러한 경우를 모드 변환(***mode conversion***)에 의해 횡파가 발생했다고 말한다. 모드는 물질내부의 진동양식을 구별할 때 사용되는 용어로 종파, 횡파 및 표면파는 각각 종파모드, 횡파모드 및 표면파모드라 불린다. 즉 표면파도 모드변환에 의해 종파나 횡파로 변환된다.

4.2.5 초음파의 음장 특성

4.2.5.1 전파 거리의 영향

탐촉자의 진동자에 전압이 가해지면 진동자는 진동한다. 이 때 진동자에 접해있는 매질도 진동하고 초음파가 되어 매질 속에 빔으로 전달되어 간다. 초음파의 전파양식은 진동자의 크기, 진동자의 진동주파수에 관계하고 진동자의 전파 매질 속에서 독특한 음의 크기 분포가 형성되는데 이것이 음장이다. 진동자가 만드는 음장의 한 예를 그림 4.11에 나타낸다. 흰 부분은 음압이 높고, 검은 부분은 음압이 낮은 부분이다.

그림 4.11 진동자가 만드는 초음파 빔의 음장

진동자에서 가까운 곳에서는 가는 모양으로 되고 음압의 변화가 심하고 복잡하지만 원거리에서는 음압의 변화가 비교적 단순하다는 것을 알 수 있다. 원형진동자의 음축상(중심축상)의 음압은 다음 식으로 주어진다.

$$P_x = 2P_0 \sin\left[\frac{ka}{2}\left((1+(\frac{x}{a})^2)^{1/2} - \frac{x}{a}\right)\right] \quad \cdots\cdots\cdots\cdots\cdots\cdots\cdots\cdots\cdots\cdots\cdots (4.14)$$

여기서, P_x : 진동자 전면 중심축상 에서의 평균음압
$$k = 2\pi/\lambda \; (\textbf{\textit{wave number}})$$
$$a = \text{진동자의 반경}$$

식 (4.14)에서 $x \geq a$, 즉 충분한 원거리라 가정하면 다음과 같이 표현된다.

$$P_x = 2P_0 \sin\left[\frac{ka}{2}\frac{x}{a}(1+\frac{1}{2}(\frac{a}{x})^2 - 1\right]$$
$$= P_0\frac{\pi D^2}{4}\frac{1}{\lambda x} = P_0\frac{A}{\lambda x} \quad \cdots\cdots\cdots\cdots\cdots\cdots\cdots\cdots\cdots\cdots\cdots\cdots (4.15)$$

n: 기준화 거리, $n = \dfrac{4\lambda x}{D^2}$ D: 진동자의 직경

A: 진동자의 단면적 λ: 파장

원형진동자의 중심축상의 음압은 거리 x가 증가함에 따라 점점 작아지는 것을 알 수 있다. x_0 보다 가까운 범위를 근거리음장(**Fresnel zone** 또는 **near field**)이라 하는데, 중심축상의 음압 P_x의 최후의 산의 위치까지의 거리를 나타내고 있으며, 다음 식으로 주어진다.

$$x_0 = \frac{D^2}{4\lambda} = \frac{D^2\cdot f}{4C} \quad \cdots\cdots\cdots\cdots\cdots\cdots\cdots\cdots\cdots\cdots\cdots\cdots\cdots\cdots (4.16)$$

D: 원형진동자의 직경 λ : 파장
f : 주파수 C : 음속

식 (4.16)으로부터 근거리음장한계거리 x_0는 진동자직경의 제곱에 비례하고 파장에 반비례하여 변화하는 것을 알 수 있다. x_0보다 먼 거리에서는 중심축상에서의 거리에 의한 음압 P_x 는 근사적으로 식 (4.15)로 나타낼 수 있으며 이 범위를 원거리음장(**Fraunhofer zone** 또

는 *far field*)이라 한다. 원거리음장에서 P_x는 진동자의 면적 A에 비례하고, 거리 x에 반비례하고 있다. 중심축상의 음압이 거리에 반비례하여 작아지는 것은 초음파가 확산해가며 전파해가기 때문이다.

표 4.5 근거리음장한계거리 x_0

파동양식	종파					
주파수(MHz)	1	2	2.25		4	5
진동자 지름(mm)	30	20	18	28	20	20
알루미늄	36	32	29	70	64	80
강	38	34	31	75	68	85
물	152	135	123	298	270	338
기름	162	144	131	317	288	360

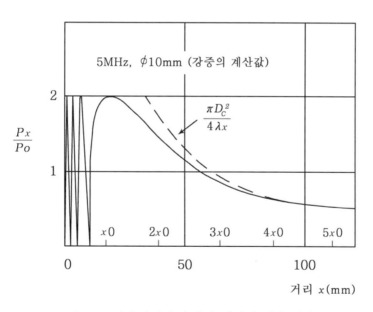

그림 4.12 음축상에서 음압의 거리에 의한 변화

4.2.5.2 전파 방향의 영향

진동자는 일정방향으로 초음파를 강하게 방사하는 성질이 있다. 이것을 지향성(*beam spread, angle of directivity*)이라 한다. 충분한 원거리에서는 중심(음축) 상에서 제일 강하고 음축으로부터 멀어질수록 급격히 약해진다. 그 정도는 진동자가 클수록, 주파수가 높을수록 현저해진다.

음축상의 음압을 1로하고 주목하고자하는 방향의 음압을 나타내는 함수를 지향계수라 부른다. 원형진동자의 지향계수 D_C는 다음 식으로 표시될 수 있다.

$$D_C = \frac{2\ J_1(m)}{m} \quad \cdots\cdots\cdots\cdots\cdots\cdots\cdots\cdots\cdots\cdots\cdots\cdots\cdots\cdots\cdots\cdots\cdots\cdots\cdots\cdots\cdots\cdots \quad (4.17)$$

$J_1(m)$: Bessel function

m : $kasin\phi$

k : $2\pi/\lambda$

a : 진동자의 반경, (진동자의 직경 D) / 2

ϕ : 주목하는 방향의 음축으로 부터의 각도

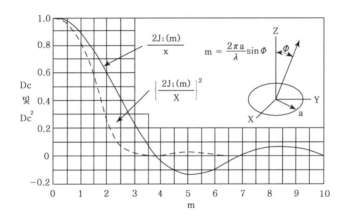

그림 4.13 원형진동자의 지향계수

D_C 와 m의 관계를 식 (4.17)로 계산한 결과는 그림 4.13에 나타낸다. $m = 3.83$에서 $D_C = 0$ 이 되고 $m = 3.83$에 대응하는 각도 ϕ를 지향각이라 부른다. 그 각도를 ϕ_0 라 하면

$$\phi_0 = \sin^{-1}\frac{3.83}{ka} = \sin^{-1}3.83\frac{\lambda}{\pi D}$$

$$= \sin^{-1}[1.22\frac{\lambda}{D}]\ (rad) \doteqdot 70\ \frac{\lambda}{D}\ (degree) \quad \cdots\cdots\cdots\cdots\cdots\cdots\cdots \quad (4.18)$$

이 된다.

그림 4.14는 원형진동자의 지향성 계산결과이다. 원형그래프의 원주방향은 진동자의 중심축방

향을 0도로 할 때의 경사각 ϕ를, 원형그래프의 반지름방향은 진동자의 중심축상의 음압을 1로 할 때의 음압비를 나타낸다. 진동자의 중심축방향의 음압이 가장 강하고, 경사각 ϕ가 커지게 되면 음압은 점점 약해지다가 0이 된다. 이때의 각도 ϕ_0을 지향각(*angle of directivity*)이라고 한다. 실제로는 진동자에서 송신된 초음파 에너지는 진동자의 중심축 방향을 포함한 지향각까지의 범위에 집중된다. 지향각 ϕ_0(도)은 식 (4.18)에서 알 수 있듯이 진동자의 직경에 반비례하고 파장에 비례한다는 것을 알 수 있다. 지향각이 크면 지향성은 둔하다고 하고, 지향각이 작으면 지향성은 예리하다고 한다.

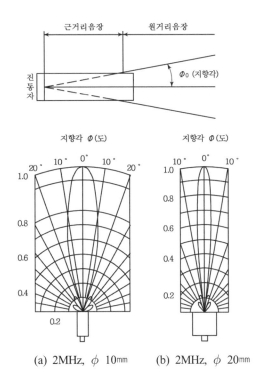

(a) 2MHz, ϕ 10mm　　(b) 2MHz, ϕ 20mm

그림 4.14 원형진동자의 지향성의 계산결과

그림 4.14는 주파수가 같아도 진동자의 직경이 2배가되어서 지향각이 절반이 되어서 지향성이 2배 예리해지는 예를 나타낸다. 같은 탐촉자를 이용하더라도 매질과 음속이 다르기 때문에 파장도 다르고, 지향각도 다르다.

표 4.6 지향각 ϕ_0

단위: (도)

파동 양식	종파					
주파수 (MHz)	1	2	2.25		4	5
진동자 직경 (mm)	30	20	18	28	20	20
알루미늄	14.7	11.0	10.9	7.0	5.5	4.4
구리	13.8	10.4	10.2	6.6	5.2	4.2
아크릴 수지	6.3	4.8	4.8	3.1	2.4	2.0
물	3.5	2.6	2.6	1.7	1.3	1.1

4.2.6 초음파의 전파 특성

4.2.6.1 확산 손실

초음파의 빔은 근거리음장 한계거리를 넘으면 확산하고 거리가 증가함에 따라 에코높이는 낮아진다. 이 특성은 DGS 선도로 나타내지며 원형평면결함의 경우 탐상거리에 대한 에코높이를 이론적으로 나타내고 있다. 실제의 탐상에서 탐상거리가 큰 시험체를 탐상하는 경우에는 탐상거리에 따라 평가가 동일하게 되도록 탐상감도 조정을 할 필요가 있다.

4.2.6.2 전달 손실

진동자에서 발생한 초음파는 접촉매질을 거쳐 시험체에 전파된다. 이 때 탐촉자가 접촉하는 시험체의 표면이 거칠다든가 울퉁불퉁하다든가 또는 시험체가 원통형 또는 구형인 경우 초음파가 시험체에 충분히 전파되지 못하여 결함을 탐상한 경우 평활한 면의 시험체에 비해 동일 크기의 결함에도 에코높이는 낮아진다.

1) 표면거칠기의 영향

표면거칠기의 영향에 대해서는 그림 4.15에 나타내는 바와 같이 거칠기에 따라 감도가 변화하고 있다. 이 원인의 하나는 탐촉자의 탐상면에서 접촉매질의 층이 일정하지 않는 것을 들 수 있다. 그림 4.15는 평활한 탐상면을 갖는 시험체 저면에코 높이가 접촉매질 층의 두께의 차에 의한 에코높이가 어느 정도 변화하는 가를 측정한 결과이다. 일반적으로 시험체의 표면이 거칠면 주파수가 낮은(파장이 긴) 쪽이 감도의 저하량이 적다.

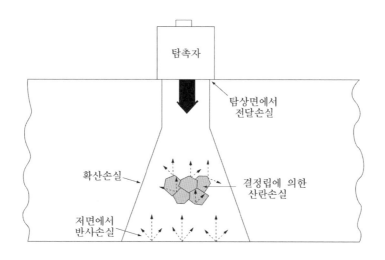

그림 4.15 초음파의 손실과 감쇠

2) 곡률의 영향

탐상면에 곡률이 있는 경우 예를 들면 봉강이나 강관의 원주방향으로부터의 탐상에는 탐촉자는 선접촉에 가까운 상태이고 그림 4.15에 나타내는 바와 같이 접촉 부분에서 떨어질수록 접촉매질 층이 두꺼워져 초음파는 통과하기 어려워진다. 따라서 곡률이 있는 시험체의 탐상에는 작은 탐촉자가 유효하다.

사용하는 접촉매질, 탐촉자의 주파수 및 보호막의 영향은 표면거칠기의 경우와 같이 접촉매질의 음향임피던스가 클수록 탐촉자의 주파수가 낮을수록 또 보호막을 사용한 경우가 곡률에 의한 에코높이의 저하량은 작아진다.

3) 이면 및 탐상면에서의 반사손실

이면이 울퉁불퉁하면 초음파는 반사할 때 산란 반사하여 손실이 생긴다. 이것은 초음파가 탐상면에서 반사하는 경우에 생긴다. 특히 수직탐상에서는 탐상면이 평활한 경우에도 탐상면에서 반사하는 경우 초음파의 일부는 탐촉자 측으로 되돌아오기 때문에 반사손실이 생긴다.

수직탐상에서 저면에서의 반사손실이나 사각탐상에서 탐상면 및 이면에서의 반사손실은 시험체 중의 초음파의 파장과 반사면의 거칠기에 의존한다. 초음파의 파장이 짧을수록 또 반사면이 거칠수록 반사손실은 크게 된다. 사각탐상에서 이면에서 반사손실의 측정 예를 그림 4.15에 나타낸다.

4.2.6.3 초음파의 감쇠

1) 감쇠의 원인과 표시

초음파가 금속 중을 전파하는 경우 확산에 의한 감쇠(확산감쇠) 외에 결정입에 의한 산란 및 금속의 내부 마찰 때문에 초음파의 에너지가 감쇠한다. 감쇠의 크고 작음은 현장에서는 다중반사횟수의 많고 적음으로 표시되나 이론적 취급의 경우에는 감쇠계수로 표시된다. 실험적으로 감쇠계수의 절대치를 측정하기 위해서는 조직인자에 의한 감쇠 이외에 그림 4.15와 같이 파면에 전파함에 따른 확산으로 인한 확산손실(*divergence loss*)이나 시험체표면·저면에서의 입사·반사에서 수반되는 반사손실(*reflection loss*)에 대해서도 보정할 필요가 있다. 반대로 감쇠가 작은 재료의 초음파측정을 할 경우에는 확산손실이나 반사손실을 주로 고려하는 경우가 많다.

일반적으로 초음파가 매질 중을 x방향으로 전파하는 경우에는 그 음압의 감쇠는 평면파(확산하지 않고 전파하는 파)에 대해 다음 식으로 표시할 수 있다.

$$P_x = P_0 \cdot \exp[-\alpha_0 \cdot x],$$

$$\alpha_0 = \frac{1}{x} \cdot 20\log_{10}\frac{P_0}{P_x} \quad\text{...} \quad (4.19)$$

P_0 : 음파의 최초 음압($x = d$인 장소에서의 음압)

x : 음파의 전파거리

P_x : 거리 x만큼 전파후의 음압

이는 초음파 평면파가 재료 중을 진행할 때 초음파가 재료에 따라서 어느 정도 감쇠하는가를 나타내는 재료정수이다. α_0를 감쇠계수(*attenuation coefficient*)라 하고 단위는 dB/㎜이다. 재료의 감쇠계수는 주파수에 크게 의존하고 일반적으로 주파수가 높을수록 감쇠계수는 커진다.

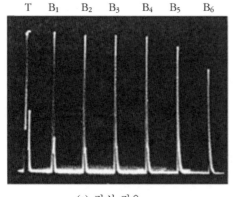 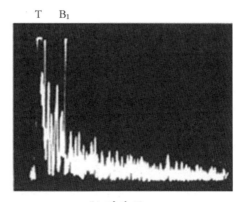

(a) 감쇠 작음	(b) 감쇠 큼
(임상 에코 없음)	(B₂는 임상에코에 묻혀 보이지 않음)

그림 4.16 감쇠파형

그림 4.16은 수직탐상에서 다중반사도형을 촬영한 결과이다. 또, 산란파의 일부는 탐촉자에 되돌아와 감쇠노이즈(임상에코라 부른다)로 관찰된다. 결정입계 등의 산란인자에 의한 산란감쇠가 있다.

4.2.7 결함에 의한 반사

4.2.7.1 원형평면결함으로부터의 에코높이

그림 4.17은 표준시험편 STB-G와 같이 탐상면에 평행한, 즉 초음파 빔에 수직한 원형평면결함(*flat bottom hole; FBH*)이 거리 x 에 위치한다고 가정한다. 직경 D의 원형진동자로부터 발생한 음압 P_0의 초음파가 결함 위치에 도달했을 때의 초음파의 수신음압 P_x는 다음과 같다.

$$P_x = P_0 \frac{\pi D^2}{4\lambda\pi} = P_0 \frac{A}{\lambda\pi}(x > 1.6x_0) \quad\text{(4.20)}$$

위의 관계로부터

$$P_F = P_x \frac{\pi D_f^2}{4\lambda\pi} = P_x \frac{A_F}{\lambda x}(x > 1.6x_0) \quad\text{(4.21)}$$

P_F : 결함으로부터의 반사파가 진동자에 입사하였을 때의 음압 (수신음압)

P_x : 결함에서의 입사파의 음압 (빔중심축상의 거리 x점의 음압)

D_F : 결함의 직경

x : 진동자로부터 결함까지의 거리 (빔진행거리로 생각하여도 좋다)

A_F : 결함의 면적

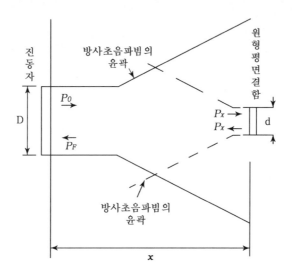

그림 4.17 원형 평면 결함에 의한 초음파의 반사

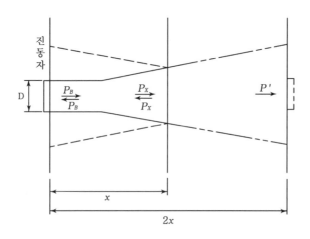

그림 4.18 큰 평면에 의한 초음파의 반사

결함에코높이는 결함의 면적에 비례하고 거리의 2승에 비례한다.

$$P_F = P_x \frac{\pi D_F^2}{4\lambda\pi} = P_0 \frac{\pi D^2}{4\lambda\pi} \times \frac{\pi D_F^2}{4\lambda x} = P_0 \frac{A \cdot A_F}{\lambda^2 \cdot x^2} \quad \text{.................................} \quad (4.22)$$

따라서 브라운관에 측정되는 에코높이 h_F(%)는 수신음압에 비례하기 때문에 비례정수를 K라 하면 다음과 같이 나타낼 수 있다.

$$h_F = K \cdot P_F = K \cdot P_0 \cdot \frac{\pi^2 D^2 D_F^2}{16\lambda^2 x^2} \quad \text{...} \quad (4.23)$$

탐상면으로부터의 깊이 X_S의 위치에서 직경 D_S의 원형평면결함을 가공한 대비시험편을 이용하여 그 에코높이 h_S(%)가 되도록 감도조정을 하였다고 하면 윗 식으로부터 다음 식이 성립한다.

$$h_S = K \cdot P_0 \cdot \frac{\pi^2 D^2 D_s^2}{16\lambda^2 x_s^2} \quad \text{...} \quad (4.24)$$

동일한 탐상감도로 탐상하여 빔거리 x의 위치에 h_F (%)의 결함에코가 검출되었다면 식 (4.23)이 성립하고, 두 식의 비를 취하면 결함의 직경 D_F 는 다음과 같이 된다.

$$D_F = \sqrt{\frac{h_F}{h_S} \cdot \frac{x}{x_S}} \cdot D_S \quad \text{...} \quad (4.25)$$

검출된 결함에코가 빔중심축에 수직인 원형평면결함이라고 가정하였을 때 그 직경은 식 (4.25)로부터 간단히 구할 수 있다. 이것을 시험편방식에 의한 감도조정의 원리라 부른다.

4.2.7.2 저면에 의한 에코높이

수직탐상의 경우 탐상감도의 조정에 저면에코를 이용하는 경우가 있다. 그림 4.18은 두께 T 시험체의 저면에서 초음파의 반사 형태를 나타낸 것으로 진동자에서 발생한 초음파는 거리 T의 위치에 있는 저면에서 전반사하여 진동자에 되돌아온다. 이 때 수신된 초음파의 음압 P_B는 점선으로 나타낸 것과 같이 시험체 두께의 2배 즉 거리 $2T$의 위치에 있는 면에 입사할 때의 음압 P_{2T} 와 같다고 생각할 수 있다. 따라서 $2T \gg 4x_0$ 에서 수신음압 P_B는 식 (4.20)의 x에 $2T$를 대입하여 다음과 같이 표시된다.

$$P_B = P_{2T} \fallingdotseq \frac{\pi D^2}{8\lambda T} = P_0 \cdot \frac{A}{2\lambda T} = P_0 \cdot \frac{\pi x_0}{2\pi} \quad \text{(4.26)}$$

저면에코높이는 어느 정도이상의 두꺼운 시험체에서는 두께에 반비례하게 된다. 또한, 브라운관 상에 나타나는 저면에코높이를 $h_B(\%)$로 하면 다음과 같이 표시할 수 있다.

$$h_B = K \cdot P_B \fallingdotseq K \cdot P_0 \cdot \frac{\pi D^2}{8\lambda T} \quad \text{(4.27)}$$

저면에코를 이용하여 탐상기의 감도를 조정한 후 탐상했을 때 높이 $h_B(\%)$의 결함에코가 검출되었다고 하면, 식 (4.27)로 표시되고 식 (4.23)과의 비를 구하여 결함의 직경 D_F에 대해 정리하면 다음과 같이 된다.

$$D_F = \sqrt{\frac{h_F}{h_B} \times \frac{2\lambda x^2}{\pi T}} \quad \text{(4.28)}$$

위의 식에서 우변의 각각의 값은 측정 또는 계산 가능하고 결함을 빔 중심축에 수직한 원형평면결함이라고 가정했을 때의 직경 D_F가 구해진다. 이것은 저면에코방식에 의한 감도조정의 원리라고도 불린다. 여기서 결함크기로 부터 결함크기의 추정이 가능한 것은 결함에코 높이가 동일한 거리에 있는 저면에코보다 작은 경우에 한한다. 저면에코높이와 동일하게 되는 원형평면결함의 최소직경을 D_{cr}이라 하면 식 (4.28)에서 $\frac{h_F}{h_B}$, $T = x$로 치환함으로써 다음과 같이 나타낼 수 있다.

$$D_{cr} = \sqrt{\frac{2\lambda x}{\pi}} \quad \text{(4.29)}$$

따라서 식 (4.25), 식 (4.28)에 의해 에코높이로부터 결함크기의 추정이 가능한 것은 식 (4.29)에 표시된 한계치수 D_{cr}보다 작은 결함에 한한다. 이것을 초과하는 결함에는 에코높이가 일정하게 되고 탐촉자를 이동시켰을 때의 에코높이의 변화로부터 결함의 크기 (다시 말해 결함지시길이)를 측정할 수 있다.

4.2.8 특수한 경로에 의한 에코

4.2.8.1 지연 에코

초음파 빔의 퍼짐에 비교하여 폭이 좁은 시험체나 시험체 표면의 주변부에 탐촉자를 닿게 하면 초음파 빔이 측면에 닿게 되어 모드 변환을 일으켜 지연 에코로 불리는 에코가 나타난다. 수직탐촉자를 사용하여 가늘고 긴 재료를 그 단면에서 탐상하면 그림 4.19에 나타내듯이 초음파 빔의 대부분은 직진하여 반사측의 단면(저면)에서 반사하여 탐촉자에 되돌아온다. 초음파 빔의 퍼짐에 의해 종파 초음파의 일부가 측면에 기울어져 입사하면 반사시에 다른 일부의 초음파가 모드 변환(종파 → 횡파)을 일으킨다.

이 횡파의 초음파가 반사측의 측면에 기울어져 입사하거나 또한 반사시에 횡파 초음파의 일부가 모드 변환(횡파 → 종파)을 일으키는 것처럼 측면에 기울어져 입사할 때마다 모드 변환을 일으키면서 탐촉자로 되돌아온다. 탐촉자에서 수신되는 초음파는 모두 표시기상에 에코로서 나타나지만, 직접 저면에서 반사된 초음파에 비교하여 모드 변환을 일으킨 초음파는 전파거리가 길고, 게다가 속도가 늦은 횡파가 되어 있기 때문에 저면 에코 B보다 지연되어 수신된다. 이 에코를 지연 에코라 한다.

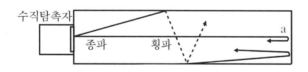

그림 4.19 지연 에코의 경로

저면 에코와 지연 에코의 빔진행거리의 차를 $\triangle W_n$로 하면 $\triangle W_n$은 (4.30)식으로 나타낼 수 있다.

$$\Delta W_n = \frac{nd}{2} \sqrt{(\frac{C_L}{C_S})^2 - 1} \quad \text{.....................................} \quad (4.30)$$

여기에서 d는 시험체의 폭, C_L은 시험체 중의 종파 음속, C_S는 시험체 중의 횡파 음속, n은 시험체 중의 폭을 횡단한 회수로 저면 에코에서 세어 n번째에 나타나는 에코이다.

시험체가 강철인 경우에는 종파 음속 $5,900\,m/s$, 횡파 음속 $3,230\,m/s$ 로 계산하면 (4.31)식처럼 된다.

$$\Delta W_n = 0.76nd \quad \text{...} \quad (4.31)$$

이들은 반드시 저면 에코보다 나중에 발생하기 때문에 결함 에코로 오인하지 않는 것이 중요하다.

4.2.8.2 원주면 에코

둥근 봉을 직경 방향으로 수직 탐상을 하면 탐촉자의 접촉 부분의 폭이 매우 좁아져, 그 결과 접촉 부분을 통과하는 초음파 빔의 폭도 좁아지며 직경이 작은 진동자를 편성한 수직 탐촉자와 같아져 초음파 빔의 지향각이 커지며, 그림 4.20에 나타내듯이 저면 에코 후에 일종의 지연 에코(N_3, N_3', N_5, N_5')가 나타난다. 이들 에코는 다음에 나타내는 이유에 의해 발생한다.

둥근 봉의 측면에 수직탐촉자를 닿게 하였을 때 탐촉자가 접촉하는 부분의 폭이 매우 좁아진다. 때문에 초음파는 시험체의 내부에는 치수가 매우 작은 진동자를 사용한 것과 같은 전달 방식을 하여 지향각이 커진다. 크게 퍼져 내부에 전달된 초음파는 둥근 봉의 내부를 반사하면서 돌며, 그 일부가 그림 4.20에 나타내는 경로를 더듬어 탐촉자에 되돌아오며, 저면 에코에 뒤져서 에코로서 나타난다.

그림 4.20(a)는 초음파가 종파 그대로 둥근 봉에 내접하는 정삼각형의 변을 경로로 한 경우이다. 저면 에코의 빔진행거리 W_{B1}(직경 D와 같다.)에 대하여 이 에코 N_3의 빔진행거리는 1.30D가 된다. (b)그림은 탐촉자의 접촉부가 정점에서 둥근 봉에 내접하는 이등변 삼각형의 변을 경로로 했을 때이다. 종파가 진행된 초음파가 1회째의 반사로 모드 변환하여 삼각형의 저변을 횡파로서 진행하며, 2회째의 반사에서 다시 모드 변환하여 종파로서 되돌린 경우이다.

이 에코 N_3'의 빔진행거리는 강철의 경우 1.68D가 된다. 또한 (c)그림에 나타내듯이 종파가 성형(星型) 오각형에 반사하는 경우도 있다. 이들을 원주면 에코라 한다. 원주면 에코의 경우도 지연 에코와 마찬가지로 저면 에코보다 나중에 나타나므로 결함 에코로 오인하지 않도록 할 필요가 있다.

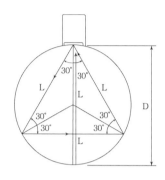

(a) 원주면 에코 N_3 빔진행거리=$1.30D$

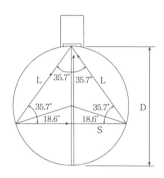

(b) 원주면 에코 N_3의 빔진행거리 $1.68D$

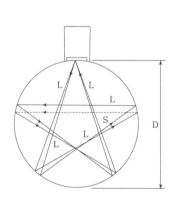

(c) 원주면 에코 N_5의 빔진행거리=$2.38D$

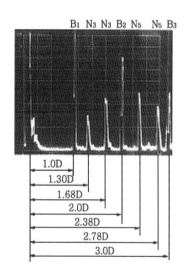

(d) 원주면 에코(강철의 경우)
N_5의 빔진행거리=$2.78D$

그림 4.20 원주면 에코(강철의 경우)

4.2.9 에코높이에 영향을 미치는 인자

초음파 탐상에서 에코 높이에 영향을 미치는 인자에는 다음과 같은 것이 있다.
① 결함의 크기, ② 결함의 형상, ③ 결함의 기울기, ④ 전달 손실,(표면 거칠기), ⑤ 확산 손실(음장) ⑥ 초음파의 감쇠(산란, 점성), ⑦ 주파수

실제의 탐상에서는 이들 인자가 복잡하게 영향 받아 에코 높이를 변동시킨다. 초음파 탐상을 계획하는 경우에 이들 영향을 미리 파악한 후에 탐상하려고 하는 재료, 검출해야 할 결함, 그 밖의 표면의거칠기 등에 따라 탐상 조건의 설정을 하지 않으면 안된다. 또한 탐상 결과를 해석하는 경우에도 이들 점에 대하여 감안하지 않으면 안된다. 여기에서는 전항에서 기술하지 않았던 결함의 크기, 결함의 형상, 결함의 기울기, 주파수에 대하여 기술한다.

가. 결함의 크기

실제의 시험체의 초음파 탐상으로 결함 에코의 높이에 큰 영향을 미치는 것은 결함의 크기, 형상 및 그 기울기이다. 결함의 면에 대하여 초음파가 수직으로 입사되는 것이라면 결함의 면적이 큰 것이 초음파 빔을 보다 많이 반사시키기 때문에 에코 높이는 높아진다. 탐상 거리가 근거리 음장 한계 거리(x_0)가 1.6배 정도까지는 거의 진동자의 치수와 같은 초음파 빔이 퍼지며 그것보다 먼 곳은 점차로 확산하여 거리 증가에 따라 초음파 빔의 강도는 약해져 간다. 이 1.6 x_0 근방까지는 결함의 크기가 진동자의 크기(사각 탐상의 경우에는 외관 진동자 사이즈) 정도까지는 결함의 면적에 비례하여 에코 높이는 높아지지만, 그것 이상에서는 포화되어 최대 에코 높이를 나타내어 일정해진다.

결함의 크기가 작은 경우는 탐촉자 마다 DGS 선도를 사용하여 결함의 크기를 원형 평면 결함에 치환하여 추정할 수 있다. 또한 결함의 크기가 근거리 음장에서 진동자의 크기 이상, 혹은 원거리 음장에 있어서도 빔이 퍼짐 이상의 결함이 있으면 마치 수직 탐상의 저면 에코와 마찬가지의 높은 에코 높이를 얻을 수 있다.

일반적으로 에코 높이는 결함의 크기의 지표로서 사용할 수 있다. 강관의 수직 탐상과 같이 결함이 평면적이고 결함의 면에 대하여 수직으로 초음파 빔이 입사되는 경우 이와 같은 현상은 현저해진다.

나. 결함의 형상

결함의 크기와 함께 결함의 형상이 에코 높이에 미치는 영향은 크다. 강판이나 단강품의 철강 제품이나 강재의 용접부의 초음파 탐상 시험에서 검출을 목적으로 하는 결함에는 평면상의 균열, 비금속 개재물, 기공, 슬래그혼입 감기, 용해 불량 등 결함의 형상은 여러 가

지이다. 초음파 빔이 이들 결함에 닿아 반사하는 경우 빔에 수직 방향으로 퍼져 있는 면상의 결함에서는 큰 에코 높이가 얻어지며 기공과 같은 구상(球狀)의 결함에서는 작은 에코 높이밖에 얻을 수 없다.

이것은 초음파가 닿은 반사원이 초음파의 발신 원으로 생각한 경우, 원래의 진동자의 부분에 얼마만큼 강한 초음파 빔을 도달시킬 수 있을지를 생각하면 알기 쉽다.

구상(球狀)의 결함과 같이 넓은 범위에 광각도로 반사하면 진동자로 되돌아오는 초음파는 작아지며, 작은 에코 높이가 되며, 반대로 결함 형상이 오목 모양이 되어 원래의 진동자에 집속하는 것 같은 상태로 반사하면 에코 높이는 높아진다.

다. 결함의 기울기

평면상의 결함으로 생각한다면 결함이 기울어짐에 따라 초음파의 반사 지향성은 기울며 원래의 진동자로 되돌아오는 초음파 빔은 매우 작아지며 에코 높이는 낮아진다.

초음파 지향각 $P_0 \fallingdotseq 70\lambda/D = C/(f-D)$ 에서 나타나듯이 진동자의 크기가 작고 주파수가 낮을수록 넓어진다. 따라서 기울어진 평면상의 결함이 예상되는 경우에는 낮은 주파수가 진동자 크기가 작은 탐촉자를 사용하는 편이 검출하기 쉽다.

용접부 등에 발생하는 균열, 융합 불량 등의 자연 결함은 평면상의 결함이라도 실제의 결함면의 성상은 미세하게 보면 요철이 있으며 초음파를 잘 반사시키므로 약간 정도의 기울기가 있어도 검출할 수 있다. 그러나 두꺼운 강판 용접부의 용해 불량처럼 기계 가공된 면이 그대로 남아 있는 것은 결함면이 평활하기 때문에 초음파 빔에 대하여 결함면이 기울어져 있으면 지향각이 둔한 경우 검출은 곤란하다.

라. 주파수

일반적으로 초음파 탐상을 하는 경우에는 사용하는 탐상기와 탐촉자를 사용하여 감도 조정을 한 후 탐상을 하기 때문에 주파수에 의해 에코 높이가 높아지기도 하고 낮아지기도 하는 경우는 없다.

초음파 탐상에서 주파수의 영향으로서 검출하려고 하는 결함의 크기가 매우 작은 경우 높은 주파수의 파장이 짧은 초음파가 아니면 검출은 곤란해진다. 그러나 높은 주파수의 초음파는 탐상 거리가 커지면 감쇠가 현저하기 때문에 두꺼운 시험체에는 적용이 곤란해진다. 한편 낮은 주파수는 감쇠가 작기 때문에 빔 노정이 커지는 두꺼운 시험체에 적합하지만 높은 주파수의 초음파의 경우와 상반하여 작은 결함의 검출이 곤란해진다.

현재에서는 얇은 강판의 미소 개재물의 검출이나 IC나 LSI 회로의 접속 상태의 검사 등에 50 MHz 정도의 높은 주파수를 사용한 수직 탐상이 행해지고 있다. 한편 단강품이나 주강품의 검사에는 1 MHz 또는 2 MHz의 낮은 주파수의 탐촉자가 사용되어 두께가 두꺼운 시험체의 탐상에 적용되고 있다. 또한 오스테나이트계 스텐레스강의 용접부는 결정립이 커져 감쇠가 크기 때문에 횡파의 사각 탐상에서는 탐상이 곤란하기 때문에 파장이 길고 감쇠가 작아지는 종파 사각 탐촉자를 사용하여 사각 탐상이 이루어지고 있다.

4.3 초음파탐상장치 및 시험편

4.3.1 초음파탐상기

초음파탐상장치는 초음파탐상기, 탐촉자, 탐촉자케이블 등으로 구성된다. 탐상을 할 때에는 탐상장치 이외에 표준시험편(***standard test block; STB***) 또는 대비시험편(***reference block; RB***), 접촉매질(***couplant***), 스케일, 기록용지, 탐촉자주사용치구(治具) 등이 필요하다. 철강 제품이나 강판 용접부에서 자동탐상이 사용되는 경우는 탐촉자 주사기능, 기록장치, 마킹장치, 비드추종장치 등이 있다.

가. 아날로그 탐상기

일반적인 펄스반사식 초음파탐상기(***ultrasonic flaw detector***)는 발신부, 수신부, 브라운관 표시부(***CRT***), 시간축부 및 전원부로 구성된다. 송신부는 고전압(500 V 이상)의 전기펄스를 생성하고 그 전기펄스를 탐촉자 중의 진동자에 인가하여 초음파를 발생시키는 기능을 가지고 있다. 수신부는 반사하여 되돌아온 에코를 수신하고 그 음압을 전압으로 바꿈과 동시에 증폭하는 기능을 갖는 부분이다. 표시기의 세로축은 반사원에서 되돌아 온 초음파에 의한 음압을 나타내고 있으며 가로축은 초음파가 송신되어 반사원에서 되돌아올 때까지의 시간으로 거리에 정비례하므로 가로축은 반사원까지의 거리를 나타내며 전 횡축 폭을 "측정범위"라고 부르고 있다.

1) 종축관계노브

  ⓐ 송신조정

사용하는 탐촉자에 대해 최적의 송신상태를 얻기 위해 조작하는 노브이다. 펄스전압을 변화시키며 이 조작으로부터 탐촉자로부터 송신된 초음파펄스의 전압 및 진동횟수가 변화한다. 진동횟수가 많으면 송신펄스의 폭이나 에코의 폭이 넓어지게 되고 분해능이 떨어진다. 수신부의 증폭능력이 부족하다고 판단될 때는 펄스전압을 높게 하는 것이 좋다. 그러나 일단 탐상감도를 설정한 후에 조작하면 결함에 대한 평가가 달라지기 때문에 송신조정은 반드시 탐상감도를 설정하기 전에 행해야 한다.

  ⓑ 게인 조정

탐상감도를 조정할 때 이용된다. 보통 데시벨(dB) 단위로 눈금이 매겨져 있는데,

데시벨은 식 (4.32)로 정의되고 에코높이의 비를 나타내는데 이용된다.

$$H(dB) = 20\log_{10}(h_2/h_1)$$ ·· (4.32)

H (dB) : h_2의 h_1에 대한 비의 값을 dB 단위로 표시한 값
h_1 (%) : 에코높이 (예를 들면 기준에코높이)
h_2 (%) : 에코높이 (예를 들면 결함에코높이)

ⓒ 리젝션

임상(林狀)에코를 제거하기 위한 노브로 대부분의 리젝션(***rejection***)은 에코가 마치 기선 밑으로 침몰하는 변화를 일으킨다. 그 결과 표시되는 에코높이는 수신된 초음파펄스의 음압에 비례하지 않을 수도 있기 때문에 "증폭직선성"이 상실될 우려가 있다.

2) 횡축관계노브

브라운관상에 나타난 에코위치를 직접, 결함까지의 거리(빔 진행거리)로 읽기 위해 우선 브라운관의 횡축을 거리의 눈금에 대응시킬 필요가 있다. 이 대응을 취하기 위한 조정(측정범위의 조정)을 할 때에 조작하는 노브이다.

ⓐ 측정범위조정노브

이 노브에는 브라운관상에 관찰 가능한 범위를 크게 변화시킬 수 있는 거친 조정노브와 연속적으로 변화시킬 수 있는 미세조정노브가 있다. 이들 노브를 조작하면 브라운관에 나타나는 에코의 간극을 임의로 변화시킬 수 있다.

ⓑ 펄스위치조정노브

이 노브를 조작하면 브라운관에 나타나는 에코의 간극을 변화시키지 않고 임의의 위치로 이동시킬 수 있다. 말하자면, 영점위치조정과 같은 역할을 한다.

ⓒ 음속조정노브

브라운관상에 나타나는 에코의 간극을 변화시킬 때 사용한다.

3) 그 외 조정노브

ⓐ 펄스반복주파수 절환

이 노브를 조작하여 펄스반복주파수(*pulse repetition frequency; PRF*)를 높이면 소인횟수(掃引回數)가 많아지기 때문에 표시화면이 밝아지고, 자동탐상의 속도를 높일 수 있다. 그러나 펄스반복주파수를 너무 높이면 수직탐상의 경우 잔향에코가 나타나기 쉬운데, 특히 초음파의 감쇠가 적은 재료를 수직탐상할 경우에 나타나기 쉽다.

ⓑ 게이트의 기점 및 폭 조정

게이트가 작동되면 일반적으로 기선(基線)의 일부분이 높아지거나 낮아진다. 이렇게 변화한 범위를 탐상게이트라 하는데, 이 범위에 먼저 설정된 문턱값(*threshold*) 이상의 에코가 나타나면 부저가 울리기도 하고 ON-OFF 신호를 외부에 출력한다. 또한, 그 에코 높이에 비례한 크기의 신호를 잡아내는 것도 가능하다.

ⓒ 거리진폭보상회로

동일 반사원이라도 반사원의 위치에 따라 표시되는 에코높이가 다르다. 다시 말해 탐촉자로부터 가까운 거리에 위치한 결함과 동일한 크기의 결함이 먼 거리에 위치한 경우, 먼 거리에 위치한 결함으로부터의 에코높이는 작게 된다. 이는 거리가 증가함에 따라 초음파가 확산에 의해 약해지고 재질에 따른 감쇠를 일으키기 때문이다. 동일 크기의 결함에 대해서 거리에 관계없이 동일한 에코높이를 갖도록 전기적으로 보상하는 것을 거리진폭보상(*distance amplitude compensation; DAC*)회로라 한다.

나. 디지털 초음파탐상기

디지털탐상기는 수신신호를 아날로그로부터 디지털로 변환하고 수치로 기억하기도 하고 가공하기도하는 것이 가능하다. 따라서 탐상 데이터로부터 곧바로 음속값이나 측정범위 정보, 에코높이구분선 정보 등 많은 데이터를 기억하는 것이 가능하여 편리하다. 그러면서도 탐상데이터의 샘플링을 짧게 하지 않으면 최댓값이 바뀌게 되기도 하고 탐상의 주사속도를 빠르게 할 수 없는 등의 문제가 있다. 최근에는 처리 속도가 빠른 PC가 출현하여 이러한 문제를 해결하고 있다.

디지털탐상기에는 아날로그탐상기의 소인부에 해당하는 부분이 없고 대신 샘플링 신호 및 변환 신호를 만드는 시간축부가 있다. 수신부에는 수신된 신호를 샘플링 처리하고 기억한다. 샘플링 간격이 짧을수록 실제의 탐상도형에 가깝게 된다.

표시부는 액정 등의 반도체소자가 사용된다. 디지털탐상기에는 아날로그탐상기에는 없는 편리한 기능이 있고, 탐상기의 조도의 기억, 빔진행거리의 수치표시, 사각탐상에서 반사원의 깊이나 반사원-탐촉자거리의 표시가 가능하고 탐상도형의 기억도 가능하다. 그러나 사각탐촉자를 사용하여 탐상하는 경우 디지털탐상기도 아날로그탐상기와 동일하게 표준시험편을 이용하여 입사점, 굴절각의 측정을 해야 한다.

다. 초음파 두께계

초음파탐상기와 동일한 원리로 강판이나 강관의 부식부의 두께를 측정하는 장치로 초음파 두께계가 있다. 수직탐상으로 빔진행거리를 읽으면 반사원까지의 거리를 측정하는 것이 가능하다. 이 빔진행거리를 재료의 두께로 전기적으로 계측이 가능하도록 한 것이다.

라. 자동 탐상 장치

철강제품의 제조공장에서 두꺼운 강판이나 강관 또는 대구경 가스배관의 현장 원주용접부 등의 초음파탐상에 자동탐상이 이용되고 있다. JIS G 0584(아크용접 강관의 초음파 탐상검사방법)에는 자동탐상에서 탐상장치에 대해 다음과 같이 규정하고 있다. 다시 말해 「자동탐상에서 탐상장치는 탐상기 및 탐촉자 외에 이송장치, 탐촉자 추종장치, 자동추종 장치, 자동경보장치 및 마킹장치 또는 기록장치를 구성한다」 라고 되어 있다.

이와 같이 자동탐상장치는 수동탐상장치에 비해 다음과 같은 추가 기능이 필요하다.

① 탐촉자 주사 또는 시험체 반송의 자동 기구가 있을 것.
② 결함에코를 자동 검출할 수 있는 게이트회로 또는 파형수록 가능
③ 탐촉자의 추종장치 또는 용접부 등의 자동이송장치
④ 음향결합이 불량한 경우의 검출 및 보상 또는 경보장치
⑤ 결과의 자동기록장치나 자동마킹장치

자동화에 의한 이점의 하나는 탐상의 고속화가 되도록 되어있어 그러기 위해서는 펄스반복 주파수가 높게 설정되어 있다. 펄스반복주파수(PRF)가 낮은 상태로 반송속도를 빠르게 하면 탐상을 할 수 없는 부분이 생긴다. 또 대부분의 자동탐상장치는 탐촉자의 마모를 피하기 위해 수침법이나 갭법을 채용하고 탐촉자의 수도 복수로 한다.

시험체의 형상이 일정한 동시에 단순할수록 탐상작업을 자동화하기 쉽다. 예를 들면 강판이나 강관 등의 제조라인 중의 검사에 자동탐상장치가 도입되고 있다.

자동화에 의한 또 다른 이점은 작업자에 의한 차이가 적다는 것이다. 게이트의 위치나 탐

상감도의 조정을 인위적으로 하는 경우 작업자에 의한 차이가 생길 수 있으나 자동화는 게이트의 위치나 탐상감도의 조정을 자동적으로 설정하는 경우는 작업자에 의한 차이가 생기지 않는다.

다음에 탐촉자의 주사 또는 시험체의 반송이 위치 제어된 기계로 되어 있기 때문에 앞에 기술한 기본표시 외에 표시방법으로 탐상결과를 직관적으로 아는 것이 가능해진다. 기본표시 이와의 표시방법에는 「단면표시(*B-Scope*)」, 「평면표시(*C-Scope*)」가 있고 이 모두 탐촉자의 위치정보가 필요한 표시방법이다.

4.3.2 초음파 탐촉자

탐촉자는 탐상기 본체의 송신부로부터 송신되어 오는 전기신호를 초음파 펄스로 변환하고 또 초음파펄스를 수신하면 전기신호로 변환하여 탐상기 본체에 보내는 역할을 한다.

표 4.7 탐촉자의 종류

구 분	용 도	형 식	
수 직	직접접촉용	표 준 (1진동자)	보호막붙임 보호막없음 보호막붙임
		2진동자 (분할형)	지연재붙임 지연재없음
	국부수침용	막붙임 막없음	
	수침용	--------	
	기 타	타이어탐촉자 집속탐촉자	
사 각	직접접촉용	표준(1진동자고정각) 가변각 2진동자(분할형)	
	국부수침용	--------	
	기 타	타이어탐촉자 집속탐촉자	고정각 가변각

초음파측정을 할 때, 가장 중요한 인자중 하나는 탐촉자의 선정이다. 탐촉자에는 여러 형식의 탐촉자가 시판되고 있고 그 목적에 따라서 적절한 형식의 탐촉자를 사용한다. 표 4.7은 탐촉자의 종류, 표 4.8은 JIS Z 2350에 따른 탐촉자의 표시방법을 나타낸다.

현재 많은 탐촉자가 시판되고 있는데, 주파수및 진동자크기가 다른 것, 최근에는 광대역형 탐촉자라고 부르는 것과 집속형 탐촉자 등 선정폭이 넓어졌다. 종래에는 고온 하에서의 초음파 측정은 어려웠지만 300 ~ 400℃까지도 충분히 측정이 가능하게 되었다.

표 4.8 탐촉자의 표시방법(KS B 0535)

표시 순위	내 용	종 별 · 기 호
1	주파수대역폭	보통 : N[※1], 광대역 : B[※2]
2	공칭주파수	수직은 변화없음(단위 : MHz)
3	진동자재료	수정 : Q, 지리콘·티탄산납계자기 : Z 압전자기일반 : C, 압전소자일반 : M
4	진동자의 공칭치수	원형 : 직경 (단위 : mm) 각형 : 높이×폭 (단위 : mm) 2진동자는 각각의 진동자치수이다.
5	형 식	수직 : N, 사각: A, 종파사각 : LA, 표면파 : S 가변각 : LA, 수침(국부수침포함) : I, 타이어 : W 2진동자 : D를 더함 , 두께측정용 : T를 더함
6	굴 절 각	저탄소강중에서의 굴절각을 나타내고, 단위는° [ ] 알루미늄용의 경우에서는 굴절각의 뒤에 AL을 붙임.
7	공칭집속범위	집속형이 경우에는 F를 붙이고, 범위는 mm단위

(주) (※ 1) N은 생략가능.
　　 (※ 2) 고분해능탐촉자를 의미

표시 예 　(예 1) 5 Q 20 N:
　　　　　　　보통 주파수대역을 가지고, 5 MHz , 수정진동자의 직경 20mm의 직접접촉용 수직탐촉자
　　　　(예 2) B 5 Z 14 I F15-25
　　　　　　　광대역주파수폭을 가지고, 5 MHz, 지르콘·티탄산납계자기의 직경이 14mm, 집속범위가 15-25mm
　　　　　　　의 집속수침용 　수직탐촉자

측정대상물에 따라서 실험에 어느 탐촉자를 사용하는 것이 좋은가를 결정하는 것은 어려운 문제이다. 따라서 정도 높은 탐상을 하기 위해서는 시행착오법(*try and error*)에 의지하는 경우가 많다. 일반적으로 주파수가 높은 것을 사용하면 분해능과 더불어 지향성도 향상

되고 결함위치나 깊이의 측정정도도 향상되어 근접한 결함의 분리나 표면근방의 결함도 쉽게 검출할 수 있다.

4.3.2.1 수직탐촉자

일반적으로 "수직탐촉자(*normal probe*)"는 직접접촉용, 표준용(1진동자) - 보호막 부착, 보호막 없음, 지연재부착 - 등으로 분류된다. 보호막부착 수직탐촉자는 보호막의 영향에 의해 감도여유치나 분해능이 다소 떨어지지만 주강표면 등과 같이 탐상면이 거친 것에 적용할 경우, 연질의 보호막이 거친 탐상면과 잘 접촉하기 때문에 보호막이 없는 경우보다 안정된 탐상을 할 수 있다. 탐상면이 매끈하게 다듬질되어 있는 경우에는 보호막이 없는 수직탐촉자를 이용하여 감도여유치나 분해능을 양호한 상태로 탐상하는 것이 좋다.

집속수직탐촉자는 구면진동자 또는 음향렌즈를 이용하여 시험체 내부의 일정거리에 초점이 설정하면 초점 근방에서는 초음파빔이 가늘게 교축되기 때문에 미소결함으로부터 높은 에코를 얻을 수 있고 방위분해능도 높아 작은 결함의 검출이나 결함위치·크기의 정밀측정에 적합하다. 또한 임상에코가 나타나는 재료의 탐상에 이용하면 S/N비가 대폭 개선된다. 적용시에는 미리 에코높이의 거리특성 및 지향특성을 측정하여 놓고 목적에 맞는 집속범위 및 빔폭을 갖는 탐촉자를 선택한다. 집속형탐촉자(*focused probe*)는 초음파빔을 집속함으로서 지향성을 최대한 향상시킬 수 있다.

일반적으로 두께방향으로 진동하는 압전소자를 잔동자에 이용하여 종파를 송·수신하지만, 폭방향으로 진동하는 특수한 압전소자를 진동자로 이용하면 횡파수직탐촉자가 되고 횡파를 송·수신하게 된다. 횡파수직탐촉자는 음향이방성의 측정에 이용되나, 기름이나 글리세린으로는 횡파를 전달하지 못하므로 횡파 전파용의 접촉매질이 필요하게 된다.

4.3.2.2 사각탐촉자

탐상면에 경사로 초음파를 전파시키는 탐촉자를 총칭하여 사각탐촉자라 부른다. 사각탐촉자에는 초음파를 탐상면에 경사로 입사시키기 위해 쐐기가 필요하게 된다.

일반적으로 사각탐촉자(*angle probe*)는 직접접촉용, 표준형(1진동자, 고정각)으로 쐐기 내부는 진동자로부터 송신된 종파가 전파하지만 시험체와 경계면에서의 모드 변환을 이용하여 시험체내부에서는 횡파를 굴절 전파시킨다. 이 경우 입사각이 종파의 임계각 이상이 되도록 설정되어 있기 때문에 종파는 시험체에 전파하지 않는다. 일반적으로 강 내부에서 횡파의 굴절각이 45°, 60° 및 70°가 되도록 제작된 탐촉자가 시판되고 있다. 이 각도를 공칭굴절각이라 부르고 실제의 굴절각은 반드시 45°, 60°, 70°가 되지 않기 때문에 실제 사용하는 경우에는 실측할 필요가 있다.

SH파 사각탐촉자는 폭방향으로 진동하는 진동자를 이용하여 진동방향이 탐상면과 평행하게 되도록 하면 탐상면에서 모드 변환이 없는 횡파의 사각탐촉자가 된다. 이 횡파는 SH파라 부르고 이 탐촉자를 일반적인 횡파(SV파) 사각탐촉자와 구별하여 SH파 사각탐촉자라 한다.

종파사각탐촉자는 입사각이 종파의 임계각보다 작고, 시험체에 종파가 굴절 전파하도록 제작된 탐촉자이다. 오스테나이트계 스테인레스 강용접부등에서는 조대결정립에 의한 임상에코가 크고 횡파에 의한 탐상은 곤란하여 종파사각탐촉자(굴절각 45°~ 60°)가 사용된다. 사용시에는 다음 사항에 유의할 필요가 있다. ⅰ) 횡파도 동시에 전파하기 때문에 일반 강재 등 초음파의 감쇠가 작은 재료에 적용하면 횡파에 의한 에코도 CRT 상에 나타나기 때문에 탐상이 어려워진다. ⅱ) 이면에서 반사되면 거의 횡파로 모드 변환하기 때문에 직사법에 한정된다.

가변각 사각탐촉자는 입사각이 변화 가능한 구조로 되어 있고 설정하는 각도에 따라 일반형, 종파사각 및 표면파탐촉자로 사용이 가능하며, 일반적으로 형상·치수가 다소 크다.

4.3.2.3 기타 특수 탐촉자

1) 2진동자탐촉자

2진동자탐촉자는 송·수신용진동자를 조금씩 경사로 배치하고 1개의 탐촉자에 조립되어 있다. 양(兩)진동자를 음향격리면(隔離面)으로 분리하고 있기 때문에 수침법에서와 같이 표면에코를 수신하는 것이 없으며(표면에코는 거의 나타나지 않는다), 불감대(*dead zone*)가 없기 때문에(또는 매우 적다) 표면 직하의 결함의 검출이나 두께측정에 사용되고 있다.

즉, 송·수신의 진동자를 조금씩 경사로 배치하고 있기 때문에 교축점(송·수신진동자 중심축의 교점)이 생기는데, 에코높이는 이 교축점에서 최대가 되고 이곳을 벗어나면 급격히 저하한다. 따라서 2진동자 탐촉자는 교축점 근방의 검출능이 높아지는 것으로부터 특정 부위를 S/N비 높게 탐상하려는 경우 등에 이용된다.

2) 광대역형탐촉자(고분해능탐촉자)

진동의 지속횟수가 매우 작은 초음파펄스를 송·수신하는 탐촉자를 말한다. 진동횟수가 매우 작은 초음파펄스는 그 진동성분의 주파수범위가 넓기 때문에 광대역이라고 불린다. 초음파펄스의 진동회수가 적으면 표시되는 에코의 폭이 짧고 분해능이 높기 때문에 고분해능탐촉자라고도 불린다. 이 분해능이 질을 충분히 발휘되기 위해서는 탐상기 본체의 수신부에도 광대역증폭기가 필요하다.

동일 탐촉자라도 탐상기의 조합에 따라서 파형이 변화함을 보여주고 있다. 이 탐촉자는 박판의 탐상이나 두께측정, 근거리결함의 분리를 목적으로 사용되는 것 외에 조직이 조대한 재료의 탐상에도 이용되고 있다.

4.3.3 기타 사용기기

4.3.3.1 탐촉자 케이블

탐촉자 케이블은 고주파케이블의 양단에 접속하기 위해 접전이 부착되어 있다. 탐촉자 케이블의 접전에는 여러 종류가 있고 탐상기와 탐촉자의 접전에 맞는 것을 사용한다. 접전의 착탈 방법은 각각의 종류에 따라 다르고 탐촉자 케이블을 급격한 각도로 구부린다든가 잘못 취급하면 접속불량이나 단선의 원인이 되기 때문에 주의할 필요가 있다.

4.3.3.2 접촉매질

초음파의 전달효율을 향상시키기 위해 탐상면과 탐촉자 사이에 도포하는 액체를 접촉매질(*couplant*)이라 한다. 접촉매질에는 물, 기계유, 페이스트, 글리세린 페이스트 등이 사용되고 있다. 탐촉자가 시험체에 접하는 탐상면이 거칠 경우 초음파의 전달능력은 접촉매질의 종류에 따라 달라진다. 밀도와 음속의 곱한 상태인 음향임피던스가 큰 접촉매질 일수록 초음파의 전달능력이 뛰어나다. 글리세린이나 글리세린 페이스트는 기계유나 물에 비해서 음향 임피던스가 크다.

접촉 매질로는 탐상면이 평면으로 평활한 경우에는 주로 기계유나 물을 이용하고, 표면이 거칠 경우나 곡면이 있는 경우에는 주로 글리세린이나 글리세린 페이스터 등을 이용한다. 횡파 수직 탐촉자, SH파 사각 탐촉자 및 표면 SH파 탐촉자를 사용하는 경우에는 횡파 전용의 접촉매질을 사용한다. 표준 시험편을 사용하는 경우는 방청을 하기 때문에 기계유를 사용한다.

4.3.4 시험편

초음파 탐상 장치의 교정, 조정 및 탐상감도의 조정 등에 이용되는 시험편은 규격에 따라 표준시험편(*standard test block; STB*)과 대비시험편(*reference block; RB*)으로 분류된다.

4.3.4.1 표준시험편의 종류와 용도

표준시험편(*standard test block; STB*)은 일본공업규격(*JIS*)이나 IIW 등의 규격에 근거하여 제작되고 권위 있는 기관에서 검정된 시험편을 말한다. 이 시험편은 탐상 장소, 탐상 시기가 달라도 탐상 결과를 상호 비교할 수 있는 보편성을 가져야 한다. 동일형식의 시험편을 사용하여 감도조정을 한 탐상은 상호 비교가 가능하다.

표 4.9 표준시험편 및 대비시험편의 종류와 용도

명 칭	주 용 도						관 계 규 격 사용상의 주의 등
	수 직 탐 상			사 각 탐 상			
	측정범위 조정	탐상감도 조정	성능특성 측정	측정범위 조정	탐상감도 조정	성능특성 측정	
STB-G		O	O				KS B 0817
STB-N	O	O	O				KS B 0817 원칙적으로 수침법 또는 갭법에서 사용
STB-A1	O		O	O	O	O	KS B 0817
STB-A2					O	O	KS B 0817
STB-A3				O	O	O	KS B 0817, 현장체크용
STB-A21					O	O	KS B 0817
STB-A22						O	KS B 0817
RB-4		O	O		O	O	KS B 0896, 용접부탐상 사용
RB-5					O		KS B 0896
RB-6 RB-7 RB-8					O	O	KS B 0896, 곡률 이음부 탐상용
ARB		O	O		O	O	일본건축학회
RB-D		O	O				2진동자 수직탐상용

대비시험편(*reference block; RB*)은 미세결함의 검출, 특수재료의 탐상 외에 탐상목적에 대응하는 표준시험편이 제정되어 있지 않는 경우에 사용된다. 또 시험체의 조건(탐상면의 거칠기, 곡율, 초음파의 감쇠정도, 음속 등)이 표준시험편과 크게 다른 경우도 있다. 이와 같은 경우에는 시험체와 동등한 초음파특성을 갖는 재료로 시험편을 제작하는 것이 좋다.

표준시험편의 용도로는

① 반사원 위치의 측정에 필요한 시간축의 조정(측정범위의 조정),
② 반사원으로부터 에코높이의 측정에 필요한 종축의 조정(탐상감도의 조정),
③ 탐상장치의 점검에 필요한 탐상장치의 특성 및 성능의 측정 등이 있다.

대비시험편 제작 시 유의할 점으로는

① 재료의 선택 : 시험체와 동등한 초음파특성을 갖는 재료를 선택한다.
② 인공결함의 형상·치수 : 탐상목적으로부터 결정한다.
③ 가공정밀도의 관리 : 반사원이 되는 부분에는 정도가 요구된다.

표준시험편의 취급 시에는 표준시험편 및 대비시험편 모두 초음파탐상시험에서 표준이 되는 신호를 얻기 위해 항상 재현성이 확보되도록 흠이 생긴다든가 녹이 발생하지 않도록 해야 한다. 그러나 실제 시험체의 탐상에서는 시험체와 표준시험편 사이에 표면거칠기의 차에 의한 전달손실, 결정립의 대소에 의한 산란 감쇠의 차에 의해 얻어진 탐상 결과에 차이가 생기는 경우가 많다. 표 4.9는 표준시험편과 대비시험편의 종류와 용도를 나타내었다.

4.3.4.2 대비시험편의 종류와 용도

대비시험편(*RB*)은 시험체 또는 시험체와 초음파 특성이 동일한 재료를 가공하고 제작한 것이다. 수직 또는 사각탐촉자의 감도교정곡선(*DAC* 곡선) 작성용으로 사용되며, 주로 탐상감도의 조정에 활용된다. 이 시험편을 이용하여 탐상감도를 조정하면 표면 상태의 차나 내부 조직의 영향을 받지 않고 시험체의 초음파 특성에 따라 평가가 가능하다. 실제 탐상의 관련 규격서에서는 대비시험편에 대한 제작 사양을 언급하고 있으므로 자체 제작하여 사용하는 것이 일반적이다. 표 4.10은 대비시험편의 종류와 용도를 나타내고 있다.

표 4.10 대비시험편의 종류와 특징

대비시험편의 명칭	용도 및 특징
RB-4	용접부의 사각탐상 및 수직탐상의 탐상감도 조정 거리진폭특성곡선의 작성 시험편 또는 시험체와 초음파특성이 근사한 강재로 제작
RB-D	2진동자 수직탐촉자의 성능점검 2진동자 수직탐촉자를 사용하는 경우의 탐상감도의 조정 2진동자 수직탐촉자를 사용하는 경우의 측정범위의 조정두께계의 조정

대비시험편 제작 시 유의할 점으로는

① 재료의 선택 : 시험체와 동등한 초음파특성을 갖는 재료를 선택한다.
② 인공결함의 형상 · 치수 : 탐상목적으로부터 결정한다. 인공결함의 종류로는 평저드릴구멍(*flat bottom hole; FBH*), 드릴구멍(*side drilled hole; SDH*), 노치(*notch*), 슬릿(*slit*) 등이 사용된다.
③ 가공정밀도의 관리 : 반사원이 되는 부분에는 정밀도가 요구된다. 그리고 표준시험편의 취급 시에는 초음파탐상시험에서 표준이 되는 신호를 얻기 위해 항상 재현성이 확보되도록 흠이 생긴다든가 녹이 발생하지 않도록 해야 한다.

4.3.5 탐상장치의 성능과 점검

4.3.5.1 점검

초음파 탐상장치는 사용 환경이나 사용 시간에 따라 열화되어 간다. 점검에는 일상점검(매 시험 전), 특별점검(원거리 운송, 고장 수리 시), 정기 점검이 있고 점검의 종류에 따라 내용도 다르다. 초음파탐상장치는 사용 환경이나 사용 시간에 따라 열화 되어간다. 점검에는 일상점검(매 시험 전), 특별점검(원거리 운송, 고장 수리 시), 정기 점검이 있고 점검의 종류에 따라 내용도 다르다. 일상 점검은 초음파 탐상 시험이 정상적으로 이루어지는가를 시험 시에 점검하는 것으로 탐촉자 및 부속품을 포함하여 점검한다. 정기 점검은 1년에 1회 이상 정기적으로 실시하는 점검으로 아래의 항목 및 점검(측정)방법에 따라 소정의 성능이 유지되어 있는지를 확인한다.

4.3.5.2 탐상기의 성능

초음파 탐상기에 요구되는 성능으로는 초음파 탐상기 본체의 시간축 직선성, 증폭 직선성, 분해능의 3가지가 중요하다. 표 4.11은 KS B 0534에서 정하고 있는 탐상기와 탐촉자의 성능을 나타내고 있다.

1) 증폭직선성

증폭직선성(*amplitude linearity*)은 입력에 대한 출력의 관계가 어느 정도 비례관계가 있는가를 나타내는 성능을 말한다. 즉, 데시벨 조정기의 조절에 따라 신호의 크기가 일정한 비율로 커지거나 또는 작아지는 것을 말한다. 이 성능이 나쁘면 정확한 에코높이가 얻어지지 않고 결함을 빠뜨리기도 하고 또 결함을 과소 또는 과대하게 평가된다.

2) 시간축직선성

시간축 직선성(*horizontal linearity*)은 탐상기의 시간축에 표시되는 저면 다중에코의 간극이 어느 정도 『등간격』인가를 표시할 수 있는 성능을 말한다. 시간축은 결함까지의 위치 정보이기 때문에 시간축의 직선성이 나쁘면 결함 위치의 측정 오차가 커진다.

표 4.11 탐상기와 탐촉자의 성능(KS B 0534)

항목	사각	수직
증폭 직선성	±3%	
시간축 직선성	±1%	
감도 여유값	$40dB$ 이상	
접근한계길이	20×20 25 mm 이내 14×14 20 mm 이내 10×10 15 mm 이내 5×5 7 mm 이내	-
원거리분해능	2MHz 9 mm 이하 5MHz 5 mm 이하	2MHz 9 mm 이하 5MHz 6 mm 이하
불감대	2MHz 20×20 5 mm 14×14 25 mm 5MHz 10×10 15 mm 5×5 8 mm	2MHz 15 mm 5MHz 10 mm
빔중심축의 어긋남	2°이내	-

3) 분해능

분해능(*resolution*)이라는 것은 탐촉자로부터의 거리 또는 방향이 다른 근접한 2개의 반사원을 표시기 상에 2개 에코로 식별할 수 있는 성능이다. 분해능에는 원거리분해능, 근거리분해는 및 방위분해능이 있다. 원거리분해능은 탐상면 으로부터 떨어진 위치에 있는 2개의 반사원 으로부터 에코를 식별할 수 있는 능력이다.

근거리 분해능은 수직탐상에서 탐상면에 근접한 반사원 으로부터의 에코를 식별할 수 있는 능력이다. 또, 방위분해능은 탐상면 으로부터 동일거리에 있는 2개의 반사원을 2개 에코로 식별할 수 있는 능력이다. 분해능은 사용하는 탐촉자의 주파수가 높을수록 또 댐핑이 양호할수록 좋지만 그 성능을 발휘하기 위해서는 탐상기의 수신부가 증폭하는 주파수 대역이 넓을수록 좋다.

방위분해능은 탐촉자의 폭 방향(좌우방향)에 근접한 결함에 대해 어느 정도 떨어져있으면 2개의 결함으로 식별할 수 있는가를 나타내는 말로 사용되는 것으로 방위분해능은 탐상면 으로부터 동일거리에 있는 2개의 반사원을 2개 에코로 식별할 수 있는 능력이다.

4.3.5.3 탐촉자의 성능

탐촉자의 성능을 표시하는 항목은 여러 가지가 있으나 이들은 서로 상반되는 성능을 갖기 때문에 한 가지 성능이 다른 것보다 우수하다 해서 반드시 좋은 탐촉자라고 말할 수 없다. 따라서 탐상의 목적에 적합한 특성이나 성능을 갖춘 탐촉자를 선택하는 것이 바람직하다.

1) 접근 한계 길이

입사점에서 탐촉자 선단까지의 길이를 말하며, 사용 전에는 반드시 측정할 필요가 있다. 이는 덧살이 있는 용접부를 탐상할 때 탐촉자가 근접하는 것이 불가능한 한계를 의미하고 짧을수록 좋다.

2) STB 굴절각

표준시험편 STB A1 또는 A3형계시험편을 이용하여 측정하는 초음파의 굴절각도이다. 사각탐상에서는 접근한계길이와 함께 사용 전에는 반드시 측정할 필요가 있다.

3) 불감대

송신펄스의 폭이나 쐐기내 에코(사각탐촉자의 경우)로 인해 탐상이 불가능하게 되는 영역을 의미한다. 따라서 불감대(*dead zone*)는 짧을수록 좋다.

4) 주파수

탐촉자에 표시되는 주파수를 공칭주파수, 탐상에 적용되는 주파수를 시험주파수라 부른다. 시험주파수는 탐상기의 성능, 시험체의 음향특성 등의 영향을 받기 때문에 반드시 공칭주파수와 일치하는 것은 아니다.

5) 빔 폭

구(球) 또는 원주형의 반사원에 초음파 빔이 수직방향으로(직경방향) 겨냥하였을 때 얻어지는 반사원위치와 에코높이와의 관계를 빔폭특성이라 한다. 이 특성은 시험체를 검사할 때 탐촉자의 주사 피치를 결정하는 중요한 요소 중의 하나이다.

6) 집속 범위

초음파 빔을 접속시켜 미세한 결함을 검출할 목적으로 제작된 집속탐촉자의 특성으로 거리진폭특성을 측정하고, 최대에코를 나타내는 거리를 집속거리라 부른다.

7) 치우침각

초음파 빔이 본래 송신되어야 하는 방향과 실제로 송신된 초음파 빔 중심축과의 『각도차』를 말한다. 이 각도의 차가 크면 실제 검사의 판정에 오류가 생기고 가능한 한 작을수록 좋다.

4.4 초음파탐상검사 기법

초음파탐상검사는 주로 강판, 단강품 및 이들 용접부 등의 검사에 적용되고 있다. 이 때 대상이 되는 시험체의 재질, 형상·크기 및 검출해야할 결함에 대하여 충분히 파악하는 것을 시작으로 초음파탐상시험의 적부가 검토되고 그리고 시험방법, 시험조건의 선정이 가능하게 된다. 이 장에서는 이들 초음파탐상시험의 적용에 앞서 시험체에 대해 조사해 놓아야할 항목과 시험방법의 선정, 동시에 초음파탐상검사의 적용방법에 대해 기술한다.

4.4.1 시험체의 조사와 초음파특성

가. 시험체의 재질 및 형상 · 치수

강판, 단강품 및 용접부의 초음파탐상시험을 하기 전에 도면에 의한 검사체의 재질 및 형상 등에 대해 조사하여 활용할 필요가 있다. 시험체의 형상 · 치수에 대해서는 도면에 의해 어느 정도 조사가 되지만 구조물은 항상 도면대로 제작되어있다고 보증할 수 없기 때문에 검사기술자가 계측하고 확인하는 것이 중요하다.

나. 시험체 중의 음속

시험체 중의 음속은 파동의 양식(모드)이나 음파가 전파하는 시험체의 종류에 의해 정해지고, 예를 들면 강중에서는 종파음속은 약 $5,900\,\text{m/s}$, 횡파음속은 약 $3,230\,\text{m/s}$ 이다. 시험체 음속의 측정방법은 KS B 0533(JS Z 2355)에 규정되어 있으나 실용적으로는 보통 초음파탐상장비를 이용하는 것이 가능하다. 예를 들면 어떤 재료의 종파음속을 측정하는 경우 그 재료의 두께를 알고 있는 개소와 STB-A1과 같이 두께와 음속을 알고 있는 시험편이 있으면 좋다. 초음파탐상기 표시기의 횡축은 초음파의 전파시간을 나타내기 때문에 예를 들면 STB-A1을 이용하여 측정범위를 조정했을 때 음속을 측정하고자하는 재료의 기지의 두께 $t(\text{mm})$의 저면에코가 CRT상의 횡축의 $x(\text{mm})$위치에 나타났다고 하면 시험체의 음속 C_2는 다음 식으로 표시된다.

$$C_2 = \frac{t}{x} \cdot C_1 \quad \text{...} \quad (4.33)$$

단, C_1은 STB-A1 중의 종파음속이다.

횡파수직탐촉자를 이용하면 동일방법으로 횡파음속의 측정이 가능하다. 또 보통의 사각 탐촉자를 이용하여 횡파음속을 측정하는 경우는 STB-A1 등으로부터 측정범위를 조정해 놓으면 초음파의 전파거리 $W_F(W)$를 반사원의 깊이 d_F(판두께 t) 및 탐촉자의 위치 y로 부터 구해놓고 CRT상에서 읽은 빔진행거리 x와의 비를 이용하여 식 (4.34) 으로부터 시험체 중의 음속 C_{S2}를 구하는 것이 가능하다.

$$C_{s2} = \frac{W_F}{x} \cdot C_{s1} \quad\cdots\cdots\cdots\cdots\cdots\cdots\cdots\cdots\cdots\cdots\cdots\cdots\cdots\cdots\cdots \quad (4.34)$$

단, C_{S1}은 STB-A1의 횡파 음속

다. 음속 차의 보정

측정범위의 조정에 이용한 시험편과 시험체와의 음속이 다른 경우는 보정이 필요하게 된다. 보정 방법으로는 미리 음속이 다르다는 것을 고려하여 초음파탐상기의 시간축을 조정해 놓는 방법과 나중에 음속의 차를 환산하는 방법 2가지가 있다. 여기서 측정범위의 조정에 이용하는 시험체의 음속을 C_1, 검사체의 음속을 C_2라 하면 각각 다음과 같이 보정하는 것이 된다.

전자의 방법을 적용하는 경우 측정범위의 조정에 이용한 시험편의 치수를 t_1라 할 때 CRT상에서 이 치수와 등가한 검사체의 치수 t_2는 다음과 같이 구한다.

$$t_2 = \frac{C_2}{C_1} \cdot t_1 \quad\cdots\cdots\cdots\cdots\cdots\cdots\cdots\cdots\cdots\cdots\cdots\cdots\cdots\cdots\cdots\cdots \quad (4.35)$$

여기서 시험편의 치수 t_1으로부터의 에코를 시험체의 치수 t_2라 간주하고 측정범위를 조정한다. 물론 시험체에 기지의 치수가 있으면 그 부분을 사용하여 측정범위 조정이 가능하다. 상기의 방법은 빔진행거리의 읽음이 직접 가능한 이점이 있으나 측정범위 조정에 이용하는 에코가 CRT상의 눈금과 눈금 사이에 나타나는 경우가 있어 조정이 어려운 경우가 있다.

후자의 방법을 이용하는 경우는 표준시험편 등을 이용하여 측정범위를 조정해 놓고 시험체를 탐상하였을 때 나타나는 에코의 위치 x_1을 그대로 읽고 후에 다음 식에 의해 음속비 C_2/C_1을 곱하여 빔진행거리를 구한다.

$$x_2 = \frac{C_2}{C_1} \cdot x_1 \quad \cdots\cdots\cdots\cdots\cdots\cdots\cdots\cdots\cdots\cdots\cdots\cdots\cdots\cdots\cdots\cdots\cdots\cdots\cdots\cdots\cdots\cdots\cdots\cdots \quad (4.36)$$

이 방법은 표시기 상에 읽은 에코의 위치를 그 때 마다 환산하여 빔진행거리를 구할 필요가 있고 사각탐상에서는 CRT상의 빔진행거리의 읽음 외에 굴절각의 보정이 필요하게 된다. 예를 들면 STB-A1을 이용하여 굴절각을 측정하는 경우는 시험체와의 음속의 차를 스넬의 법칙으로부터 보정해 놓을 필요가 있다. 표준시험편 및 시험체의 음속을 각각 C_1 및 C_2라 놓고 STB 굴절각을 θ_1이라 하면 시험체 중의 굴절각 θ_2는 다음 식으로 표시 된다.

$$\theta_2 = \sin^{-1}\left[\frac{C_2}{C_1} \cdot \sin\theta_1\right] \quad \cdots\cdots\cdots\cdots\cdots\cdots\cdots\cdots\cdots\cdots\cdots\cdots\cdots\cdots\cdots\cdots\cdots\cdots \quad (4.37)$$

라. 전달손실 및 감쇠계수

초음파의 손실과 감쇠에 대해서는 탐상면의 표면상태가 시험범위 전체에 걸쳐 일정하며, 탐상면이나 저면에서의 반사손실은 무시할 수 있을 정도로 적다고 가정하고, 전달손실과 산란에 의한 감쇠의 보정방법을 고려한다. 탐상기의 감도조정에 시험편방식을 이용하는 경우 감도조정용 시험편과 시험체와의 전달손실과 감쇠계수가 양쪽이 다르게 되고(대비시험편을 이용하는 경우도 다른 것으로 취급한다) 보정에는 이들 차를 측정해 놓을 필요가 있다. 또 저면에코방식의 경우 보정이 필요 없다고 생각할지모르나 결함에코와 저면에코와는 시험체 중을 전파하는 거리가 다르기 때문에 산란에 의한 감쇠의 보정만이 필요하게 된다.

마. 시험체의 음향이방성

강재 중에서 초음파의 음속이나 감쇠 등의 초음파의 전파특성이 탐상방향에 따라 다른 경우가 있고 이런 재료를 음향이방성이 있는 재료라 부른다. 예를 들면 압연 강판에서는 주압연방향(L방향)과 이에 직각인 방향(C방향)에서 초음파의 전파특성이 다르다는 것이기 때문에 탐상에 앞서 이들을 측정할 필요가 있다. 음향이방성은 특히 사각탐상에 미치는 영향이 크고 JIS Z 3060에서는 다음과 같이 STB 음속을 측정하고 이 값 어느것도 규정값을 넘는 경우에는 음향이방성이 T는 재료로 간주하고 STB 와의 음속비에 의해 사용하는 굴절각을 규정하고 있다.

4.4.2 시험방법 및 시험조건의 선정

초음파탐상시험에는 여러 방법이 있고 시험대상물이나 시험의 목적에 따라 탐상방법을 선정한다. 우선 각종 탐상방법의 종류에 대해 설명하고 다음에 기본적인 탐상방법 및 탐상조건을 선정하는 경우 고려해야할 사항에 대해 설명한다.

가. 탐상방법의 종류와 특징

초음파탐상법은 표 4.12 에서와 같이 여러 방법들이 있으나 현재 가장 널리 이용되고 있는 초음파탐상시험법은 펄스반사법이다. 연속적으로 탐상하는 자동탐상의 경우에는 펄스투과법이나 연속파를 이용한 장치가 있으나 거의 대부분은 펄스반사법(*pulse echo method*)이 사용되고 있다.

표 4.12 초음파탐상법의 종류

초음파형태	송수신방식	탐촉자수	접촉방식	표시방식	진동양식·전파방향
펄스파법 연속파법	반사법 투과법 공진법	1탐촉자법 2탐촉자법	직접접촉법 국부수침법 전몰수침법	A-scan법 B-scan법 C-scan법 D(T)-scope법 F-scan법 P-scan법	수직법(종파·횡파) 사각법(종파·횡파) 표면파법 판파법 크리핑파법 누설표면파법

1) 원리에 의한 분류

초음파탐상법을 원리에 의해 분류하면 펄스반사법, 투과법, 공진법으로 분류할 수 있다. 초음파탐상시험에 이용되고 있는 초음파는 펄스파(*pulse wave*)와 연속파(*continuous wave*)가 있는데, 현재에는 펄스파가 널리 이용되고 있고 수 μ초(1 μ초=1×10^{-6}초)정도의 짧은 시간내의 진동을 시험체에 전달시킨다. 초음파펄스를 보낸 시간부터 초음파펄스를 수신한 순간까지의 경과시간(*time of flight; TOF*)을 측정하는 것으로부터 결함이나 저면 등의 반사원까지의 거리를 알 수 있다.

펄스반사법은 초음파의 진동지속시간이 수 μ초 이하의 매우 짧은 초음파펄스를 시험체에 입사시켜 시험체 저면이나 결함 등의 반사면으로부터 반사신호를 수신함으로써 반사면의 위치나 크기를 알아내는 방법이다. 이것은 초음파탐상의 가장 일반적인 방법으로 협의의 초음파탐상은 이 방법을 가르킨다.

투과법은 2개의 송·수신 탐촉자를 사용하여 송신탐촉자에서 송신된 초음파가 시험체중을 통과하여 수신되는 과정에서 시험체내의 결함에 의한 산란 등의 원인에 의해 초음파가 감쇠하는 정도로부터 그 시험체내부의 결함크기를 아는 방법이다. 이 방법은 결함이나 시험체의 조직에 의한 초음파의 감쇠로부터 판단하는 것으로, 시험체의 다른 표면에서 초음파를 송·수신하는 경우가 많다. 투과법에는 연속파 및 펄스파가 사용 가능하나 대부분 펄스파를 사용하며, 탐촉자와 시험체 사이에서의 초음파의 안정적인 전달이 중요하므로 시험체 표면이 특별히 양호한 경우를 제외하고 수침법이 이용되는 경우가 많다.

2) 표시방법에 의한 분류

초음파탐상 결과의 표시 또는 기록방식으로는 수신신호(에코) 등의 정보를 CRT상에 어떠한 도형으로 표시하는 가에 따라 분류된다.

ⓐ 기본표시(*A-Scope*표시)

기본표시에서 횡축은 초음파의 전파시간을 거리로 나타내고 종축은 수신신호(에코)의 크기를 나타내기 때문에 탐촉자를 댄 위치에서 에코높이, 에코위치, 에코파형의 3가지 정보가 탐상기의 표시기에 탐상도형으로 직접 표시된다. 이 방법은전체적인 파악에 어려움이 있으나 장치의 사용이 간편하고 저가이기 때문에 현재 가장 널리 사용되고 있다. 에코파형의 표시방법으로 RF파형 및 DC파형이 있으나 현재 초음파탐상기의 대다수가 DC파형 표시되기 때문에 이 책에 도시되는 탐상도형의 대부분은 DC파형의 기본표시를 나타내고 있다. 또한 기본표시의 응용으로 탐촉자를 전후주사 시켰을 때 기본표시를 중첩하여 하나의 도형으로 표시하는 것이 있다. 이것을 MA-Scope표시라 하는데, 결함의 형상을 추정하는 경우에 이용된다.

ⓑ 단면표시(*B-Scope*표시)

단면표시는 A-Scope의의 에코높이의 신호에 휘도변조를 하여 탐촉자의 위치 또는 이동거리와 탐촉자 전파시간 또는 반사원의 깊이위치를 표시하는 방법이다. 언어진 도형은 시험체를 탐촉자의 주사선으로 절단하였을 때의 단면상(斷面像)이고, 주사선 아래 이상부의 깊이위치와 그 분포 또는 저면까지의 거리변화에 의한 판두께의 측정 등이 가능하다.

ⓒ 평면표시(*C-Scope*표시)

평면표시는 탐상면 전체에 걸쳐 탐촉자를 주사시키고 결함에코가 나타난 탐촉자 위치, 즉 결함위치를 평면도처럼 표시하는 것이다. 탐상면과 저면 사이에 결함이 있는 경우 그 결함에코높이에 대응하여 표시점의 휘도를 높인다. 컬러표시의 경우에는 색을 변화시킨다. 결함에코를 채취하기 위한 감시범위(탐상면으로부터의 거리)를 게이트에 의해 이동시키든가 또는 에코높이 대신에 결함에코까지의 시간변화를 색별로 표시하면 탐상면으로부터 어느 일정깊이마다 표시한 결함의 평면도가 얻어진다.

3) 접촉방법에 의한 분류

탐촉자의 시험체에 접촉방법을 분류하면 직접접촉법은 시험체 표면에 기계유나 글리세린 등의 접촉매질을 도포하고 탐촉자를 직접 접촉시켜 가면서 탐상하는 방법이다. 탐촉자와 시험체표면(탐상면) 사이의 공극(空隙)을 없애기 위해 접촉매질(*couplant*)을 사용한다. 접촉매질로는 탐상면이 평면으로 평활한 경우에는 주로 기계유나 물을 이용하고, 표면이 거칠 경우나 곡면이 있는 경우에는 주로 글리세린이나 페이스터 등을 이용한다.

4) 초음파의 전파방향과 파동양식에 의한 분류

초음파 탐상시험에 이용되고 있는 초음파의 종류(파동양식)는 전술한 바와 같이 종파, 횡파, 표면파가 있고, 종파와 횡파는 시험체 내부에, 표면파는 탐상면에 따라 전파한다. 초음파의 전파방향과 파동양식에 따라 탐상방법을 분류하면 수직법은 시험체 표면에 대해 수직방향으로 초음파를 전파시키는 방법으로 보통 종파가 사용된다. 주단강품, 압연강재, 클래드 등의 검사에 적용된다. 수직법에서는 수직탐촉자가 많이 이용되며, 시험체의 표면부근의 탐상에는 2진동자 수직탐촉자에 의한 방법이 이용되고 있다.

사각법은 초음파를 탐상면에 대해 경사방향으로 전파시키는 방법이다. 통상의 사각탐촉자에는 쐐기각을 굴절종파의 임계각 이상으로 설정하여 횡파만 전파하도록 만들어져 있다. 사각법은 용접부의 탐상법으로 많이 사용되는데, 1탐촉자법 외에 탠덤주사법, V 주사법, K 주사법 및 두갈래 주사법과 같은 2탐촉자법이 평면결함의 검출용으로 채용되고 있다. 사각법의 특수한 응용으로 크리핑파를 이용하는 방법이 있다.

표면파법은 표면파(*Rayleigh wave*)를 사용하여 시험체 표층부의 결함을 검출하는 방법이다. 표면파 탐촉자는 굴절횡파에 대한 임계각에 가까운 각도로 쐐기로부터 시험체에 입사하도록 만들어져 있다. 표면파는 그 음압이 거리의 평방근에 역비례하는 형으로 원통파형으로 전파하기 때문에 확산에 의한 감쇠가 적어 먼 곳에까지 전파한다. 또 곡면에서도 잘 전파하기 때문에 압연롤, 터빈블레이드 및 하니컴 구조부재등의 표층결함 검사에 적용되고 있다. 표면파법은 결함검출과 함께 결함깊이 측정에도 이용되고 있다.

판파법은 시험체에 판파(*Lamb wave*)를 전파시켜 탐상하는 방법이다. 판파는 가변각탐촉자를 사용하여 입사각 θ_i 가 $\theta_i = \sin^{-1}(C_i/C_p)$의 조건을 만족하도록 설정하여 발생시킨다. 여기서, C_i는 쐐기의 음속, C_p는 판파의 위상속도이다. 위상속도는 사용주파수와 판파의 곱 및 판파의 모드에 의해 결정된다. 입사각을 바꾸면 여러 모드의 판파가 발생한다.

판파법은 표면결함과 내부결함을 동시에 검사하는 것이 가능하고 전파시 확산손실이 적기 때문에 검사가능거리는 1 m 이상에까지 미친다. 단, 수침법을 적용하는 경우 파동의 에너지가 수중에서 방사되기 때문에 전파손실이 크고 검사가능거리는 수 ㎝ 이하로 된다.

5) 탐촉자 수에 의한 분류

사용하는 탐촉자의 수에 따라 분류하면 1탐촉자법과 2탐촉자법으로 나눌 수 있다.

1탐촉자법은 초음파의 송신과 수신을 1개의 탐촉자로 병용하는 방법이고 2탐촉자법은 2개의 탐촉자를 사용하여 초음파의 송신과 수신을 2개의 탐촉자로 별개로 하는 방법이다. 입사각을 바꾸면 여러 모드의 판파가 발생한다.

나. 시험방법의 선정

실제로 초음파탐상검사를 적용 시에 고려해야할 사항으로는 시험체의 형상·치수, 재질과 함께 발생하기 쉬운(검출해야 하는) 결함의 위치, 형상·치수, 방향성 등의 정보이다.

1) 탐상방향의 선정

초음파탐상검사에서는 초음파의 진행방향에 수직하게 결함이 존재할 때 결함으로부터의 반사에코는 크게 나타나 검출이 용이하게 된다. 따라서 수직탐상을 적용하는 경우 시험체 전체가 초음파 빔이 미치지 못하므로 검출해야 할 결함의 발생위치, 방향에 대응한 탐상방향을 선정하지 않으면 안된다. 다시 말해, 결함을 가장 잘 검출할 수 있는 방향은 일반적으로 결함의 투영 면적이 최대가 되는 방향, 다시 말해 결함을 가장 크게 볼 수 있는 방향이다. 예를 들면 압연재에서는 내부결함이 압연방향에 길게 펴져 있기 때문에 판 두께 방향에서의 투영 면적이 최대가 된다. 탐상방향을 선정하는 경우 기본적으로 고려해야할 사항은 다음과 같다.

① 발생이 우려되는 결함의 위치 및 방향을 상정한다.
② 결함에 초음파가 반사되는 면이 수직이 되는 면을 탐상면으로 한다.
③ 시험체의 구조상 ②와 같은 표면이 탐상면이 아닌 경우는 이면으로부터의 탐상이나 반사회수의 변경 등을 고려하여 탐상면을 결정한다.
④ 횡파사각탐촉자를 사용하는 경우 굴절각 40° 이상 70° 이하의 범위에서 결함을 수직에 가까운 방향으로부터 겨냥할 수 있는 굴절각을 선정한다.
⑤ 결함의 발생 위치(시험 대상 부위) 전체를 커버하도록 주사범위를 결정한다.

사각탐상검사의 경우는 시험체표면 (탐상면)에 대해 경사로 초음파를 투입하여 탐상하는 방법으로 표면에 대해 경사를 갖는 결함(표면에 평행하지 않는 결함)의 검출과 평가에 적합하고 용접부나 단조품에 적용된다. 탐상방향을 선정하는 경우 수직탐상과 같이 시험부 전체를 초음파 빔이 미치게 하는 것만 아니고 검출해야 할 결함의 발생위치, 방향을 고려하지 않으면 안된다.

2) 탐촉자의 선정
ⓐ 주파수

시험주파수의 선정에서 고려해야 하는 것은 검출한계가 되는 결함크기(파장의 1/10 정도), 탐촉자 및 결함의 지향특성, 산란에 의한 감쇠나 SN비, 탐상면의 거칠기 및 곡률에 의한 전달손실 등을 고려해야 한다. 일반적으로 보통의 사각탐상에는 횡파초음파가 사용되고 있고 용접부의 탐상에는 2 ~ 5 MHz 의 주파수가 많이 사용되고 있다. 초음파의 파장이 짧을수록 결함에 의한 초음파는 반사되기 쉽기 때문에 주파수가 높을수록 미소결함 검출능은 높아진다. 검출한계가 되는 결함크기는 보통강에서 파장의 1/2 ~ 1/10 정도이다. 주파수가 높을수록 탐촉자의 지향성은 예리하기 때문에 결함위치의 측정정밀도를 높이기 위해서는 높은 주파수가 좋다.

그러나 초음파 빔은 가늘기 때문에 탐촉자의 주사 피치는 작게 할 필요가 있다.

초음파의 파장이 금속의 결정립의 크기와 같지 않거나 그 이하일 때 다시 말해 주파수가 너무 높은 경우 또는 결정립이 조대한 경우에는 산란감쇠가 크고 또 결정립계에서 산란 등에 의한 임상에코가 나타나게 되고 결함검출이 곤란해진다. 이와 같은 경우에는 저주파수를 사용한다.

ⓑ 진동자 치수

진동자 크기의 선정시 고려해야 하는 것은 수직탐상의 경우와 같이 근거리 음장 한계거리와 지향성을 고려해야 한다. 진동자 크기가 크게 되면 근거리 음장 한계가 길어지므로 근거리 결함의 검출에는 적합하지 않다. 따라서 시험대상 부위까지의 최단거리가 적어도 근거리 음장 한계거리 이상이 되도록 진동자크기를 선택하면 최대 에코높이를 나타내는 탐촉자 위치로부터 결함크기를 정밀하게 측정할 수 있다. 진동자의 지향성은 결함위치를 정확히 측정할 수 있으므로 지향성이 예리하도록 진동자치수는 큰 것을 선택하면 좋다.

ⓒ 굴절각

굴절각의 선정시 먼저 고려되어야 하는 것은 시험체의 형상과 치수, 예상되는 결함의 방향, 초음파가 결함에 수직에 가까운 방향으로 부딪히게, 가능한 한 짧은 빔 진행거리로 탐상할 수 있는 굴절각을 선정할 필요가 있다. 용접부의 사각탐상에서는 접근한계길이로 인해 탐상불능영역이 존재하기 때문에 주의해야 한다. 그리고 편측용접부의 용입불량(루트용입불량)이나 루트균열 등의 이면에 개구해 있는 결함을 사각탐상할 경우 사용하는 탐촉자의 굴절각에 따라 횡파로부터 종파로의 모드 변환이 발생하는 것이 있다.

ⓓ 불감대

불감대(*dead zone*)라는 것은 빔진행거리상에서 얼마만큼 가까운 거리에 있는 결함을 검출할 수 있는 가를 나타내는 것으로 불감대가 길면 표면근방의 탐상이 곤란하게 된다.

3) 시험조건의 선정

ⓐ 검출레벨

검출레벨이라는 것은 결함의 평가대상으로 하는 하한의 에코높이 레벨로 초음파 탐상시험을 실시하고 이 레벨을 넘는 에코가 나타났을 때 그 반사원의 위치나 크기 등을 측정하고 그것들에 의해 시험체를 평가 또는 시험체 그 후의 처치를 결정하게 된다.

따라서 검출레벨은 초음파탐상시험에 의해 검출해야 할 결함을 빠뜨리지 않는 최저레벨로 결정할 필요가 있고 검출해야 할 결함의 최소크기와 그 에코높이를 참고로 하여 설정한다.

ⓑ 탐상감도와 감도표준시험편

초음파탐상검사를 하는 경우 시간축과 함께 반드시 종축의 탐상감도도 조정해야 한다. 탐상감도라는 것은 결함에코(또는 관찰, 감시하려 하는 에코)를 브라운관상에 어느 정도의 크기로 표시하는가를 말하며 결함검출을 목적으로 하는 초음파탐상시험에는 검출레벨이 브라운관상에서 관찰하기 쉬운 적절한 높이가 되도록 설정한다. 감도조정 방법은 시험체의 저면에코를 이용하는 저면에코방식과 표준시험편이나 대비시험편에 정해진 크기의 인공 결함으로부터의 에코높이를 기준으로 하는 시험편방식이 있다.

저면에코방식에 의한 감도조정은 시험체의 건전부에서 저면에코높이를 미리 정해진 값이 되도록 게인조정노브를 조작(경우에 따라서는 펄스에너지도 조작)한다. 이 방식에서는 시험체의 표면상태에 의한 결함에코 높이의 변화(다시 말해 탐상면에서 전달효율의 변화)가 보정되는 것 외에 두꺼운 판재에서는 산란감쇠에 의한 에코높이의 저하를 보정하는 효과가 있다. 단 탐상면에 가까운 결함일수록 결함에코를 과대평가할 가능성이 있기 때문에 주의해야 한다.

시험편방식에 의한 감도조정은 적당한 표준시험편(**STB**) 또는 대비시험편(**RB**)의 표준구멍으로부터의 에코높이를 미리 정해져있는 값이 되도록 게인조정노브를 조작한다. 표준시험편을 사용하는 경우 시험체와의 초음파 특성 다시 말해 탐상면의 거칠기와 재료(산란감쇠)의 차에 의한 전달효율과 감쇠계수의 차가 큰 경우 감도보정이 필요하게 된다. 대비시험편을 사용하는 경우는 시험체와 동일한 초음파 특성을 갖는다는 것을 확인할 수 있으면 감도조정을 할 필요가 없다.

4.4.3 수직탐상법의 기본

수직탐상법이란 시험체 표면에 수직으로 초음파가 진행하도록 탐촉자를 배치하고 접촉매질를 통해 시험체 내에 초음파를 전파시켜 결함이나 저면으로부터의 에코높이나 위치를 구하고 시험체의 건전성을 조사하는 방법이다.

가. 결함의 검출방법

그림 4.21에 수직탐상법의 개요를 나타내고 있다. 결함이 존재하지 않는 건전부에서는 (a)에서와 같이 브라운관에는 저면에코만이 나타나고 결함부에서는 (b)과 같이 저면에코 앞에 결함에코가 나타난다. 따라서 결함을 검출하는 데는 그림 4.21와 같이 탐상면에서 탐촉자를 이동(주사)시키면서 브라운관을 관찰하고 저면에코 앞에 나타나는 에코(결함에코)를 찾아 결함의 유무를 조사한다.

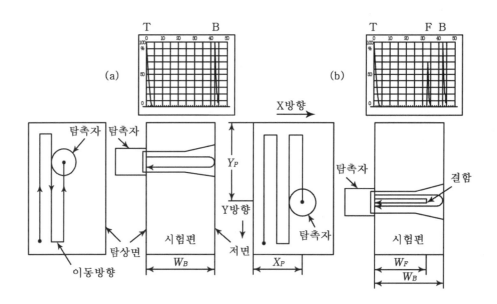

그림 4.21 수직탐상법의 개요

나. 결함위치의 측정방법

탐상에 앞서 브라운관 횡축의 각 눈금이 몇 mm 에 상당하는가를 표준시험편(**STB-A1, STB-N1**) 또는 대비시험편을 이용하여 조정한다. 이것을 측정범위의 조정 또는 시간축의 조정이라 부른다.

조정된 시간축에 있어서 건전부에서는 브라운관에 나타나는 저면에코의 빔진행거리 W_B가 시험체의 두께 t에 상당하고 t는 다음 식으로 구할 수 있다.

$$t_1 = W_B \quad\text{.. (4.38)}$$

한편, 결함부에서는 결함이 탐촉자의 직하에 있는 것으로 브라운관에 검출된 결함에코의 최대높이를 나타내는 에코의 빔진행거리 W_F와 그 때의 탐촉자 위치 (X_P, Y_P), 결함위치(Y_F, Z_F)는 각각 다음 식으로 구하는 것이 가능하다.

탐상의 기점부터 결함까지의 X 방향거리 $X_F = X_p$

탐상의 기점부터 결함까지의 Y 방향거리 $Y_F = Y_p$

탐상면으로부터 결함까지의 Z 방향(두께방향)거리 $Z_F = W_F$

다. 결함에코 높이의 측정과 표시방법

탐상에 앞서 검출해야할 결함에코높이(검출레벨)를 CRT 상에서 보기 쉬운 높이(미리 종축의 몇 눈금으로 할 건지 정해 놓는다)가 되도록 게인을 조정하여 놓고 이것을 탐상감도의 조정이라 한다. 탐상감도를 조정한 후 검출한 결함의 최대에코높이는 결함의 최대에코높이 h_F (%) 또는 탐상감도를 조정했을 때의 에코높이를 그 때의 게인조정노브의 값을 H_{S-G} (dB)로 표시한다.

라. 결함크기의 측정

1) 에코높이에 의한 측정

결함에코높이와 대비시험편 또는 표준시험편의 표준결함에코의 높이를 비교해서 결함의 크기를 추정한다. 결함크기가 초음파빔 폭 보다 작은 경우에는 에코높이와 결함크기와에는 좋은 상관관계가 있기 때문에 에코높이로부터 결함크기를 측정하는 것이 가능하다. 파장 λ, 진동자 직경 D, 빔진행거리 x, 결함의 직경 d 및 에코높이 F와의 사이에는 DGS 선도라 불리는 선도로 표시되는 관계가 있기 때문에 λ, D, x 및 F의 값을 미리 아는 것으로부터 결함직경 d를 측정하는 것이 가능하다.

이 방법은 초음파 빔의 중심축에 대해 수직한 원형평면결함이라는 가정하에 등가결함직경을 측정하는 방법이다. 따라서, 이와 같은 조건을 만족하는 두꺼운 강판이나 단강품의 미압착 균열 등에는 고정밀도로 측정하는 것이 가능하나 용접부에서 발생하는 슬래그혼입, 융합불량 등에 대한 사각탐상에는 과소평가하는 경우가 있다. 즉, 이 방법이 적용 가능한 원거리음장에서의 결함의 한계치수 d_{cr}은 아래 식으로 주어지고 이 이상의 크기에는 적용할 수 없다.

$$d_{cr} = \sqrt{\frac{2\lambda x}{\pi}}$$ ·· (4.39)

결함에코높이 F와 결함부에서 얻어진 저면에코높이 B_F의 비가 결함직경 d 와 상관관계가 있는 것을 이용하여 결함크기를 측정하는 것이 가능하다.

2) 결함 크기의 측정

초음파탐상검사에서는 그림 4.22와 같이 탐촉자의 이동거리에 따라 측정된 결함의 겉보기 결함의 지시길이라 한다.

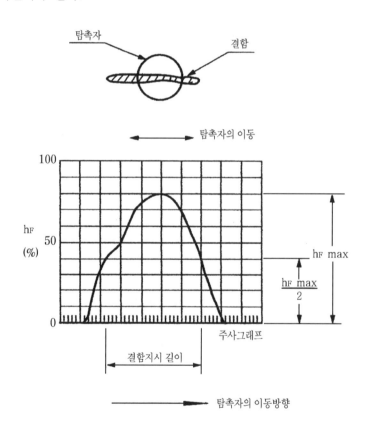

그림 4.22 결함지시길이의 측정

결함의 지시길이를 측정하는 방법은 규격 또는 사양서 등에 정해져 있다. 결함크기가 초음파빔 보다도 큰 경우에는 에코높이와 결함크기와 상관관계가 없기 때문에 에코높이로 부터 결함크기를 구하는 것은 불가능하다. 이와 같은 경우에는 탐촉자를 이동하였을 때 에코가 나타나는 탐촉자의 이동거리를 잡고 결함크기(결함지시길이)로 하는 방법이 적절하다.

이들 방법에는 대별하여 De dB drop법과 문턱값에 의한 방법이 있다. 일반적으로는 6 dB, 10 dB, 20 dB 등이 이용되고 있다. 용접부의 탐상에는 L선 Cut법이 많이 이용되고 있다.

3) 전파시간을 이용하는 방법

초음파의 전파시간을 이용한 측정법은 음속이라고 하는 안정된 동시에 편차가 적은 인자를 측정 파라미터로 하기 때문에 비교적 정도 좋은 크기측정이 가능하다. 이들의 방법에는 단부에코법, 종파산란에코법, 모드 변환표면파법, 산란파법, 표면파법등이 있다.

4) 결함높이의 측정방법

초음파 탐상시험에 의한 결함높이 측정방법을 정리하면 그림 4.23과 같다.

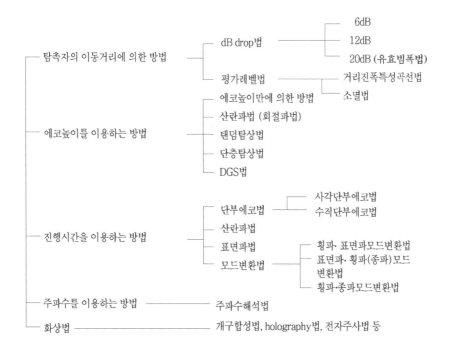

그림 4.23 초음파탐상에 의한 결함높이 측정법

4.4.4 사각탐상법의 기본

사각탐상법은 초음파를 탐상면에 대해 경사방향으로 전파하는 초음파 빔을 이용하여 탐상하는 방법이고, 용접부 등의 검사에 많이 이용되고 있다. 일반적으로 사용되고 있는 사각탐촉자에서는 진동자로부터 발생한 종파가 쐐기 속을 경사로 전파하고 탐상면에서의 굴절에 의해 종파가 횡파로 모드 변화하고 횡파만이 시험체 속을 어떤 각도로 전파해 간다. 따라서 결함을 검출하였을 때의 탐상도형은 송신 펄스 T 및 결함 에코 F가 나타나고 수직 탐상에서의 저면에코 B는 나타나지 않는다. 또 초음파 빔의 중심이 부딪칠 때 결함 에코 F의 에코높이는 최대가 된다.

이 장에서는 사각탐상을 할 경우에 반듯이 알아야 할 결함의 검출방법, 탐상방향의 선정, 검출레벨과 탐상감도의 설정, 결함지시길이의 측정방법, 탐상시 주의점, 탐상결과에 대한 평가방법 등을 설명한다.

가. 결함의 검출 방법

그림 4.24는 사각탐상법의 개요를 나타낸다. 건전부에서는 결함에코는 물론 수직탐상시에 나타나는 저면에코도 나타나지 않는다. 한편 결함이 있는 부분에서는 초음파가 결함 면에 수직 또는 수직에 가까운 각도로 입사하면 결함에코가 나타난다.

직사법 및 1회반사법에서 탐촉자를 전후로 주사하는 범위(전후주사범위)와 결함에코를 감시하는 범위는 각각 다음 식으로 표시된다.

① 직사법의 경우

전후주사범위 $\leq Y_{0.5S} = t \cdot \tan\theta$ ·················· (4.40)

감시범위 $\leq W_{0.5S} = t/\cos\theta$ ·················· (4.41)

② 1회반사법의 경우

$Y_{0.5S} <$ 전후주사범위 $\leq Y_{1.0S} = 2t \cdot \tan\theta$ ·················· (4.42)

$W_{0.5S} <$ 감시범위 $\leq W_{1.0S} = 2t/\cos\theta$ ·················· (4.43)

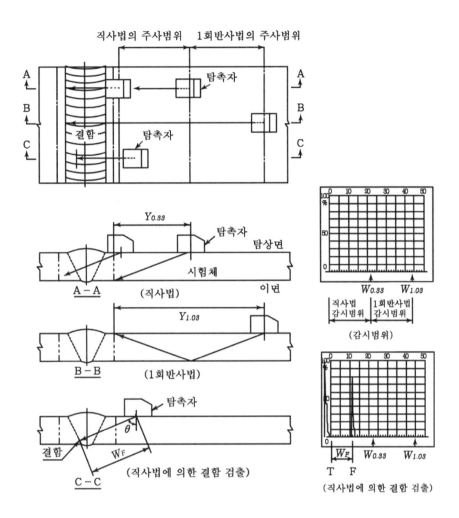

그림 4.24 사각탐상법의 개요

나. 결함 위치의 측정방법

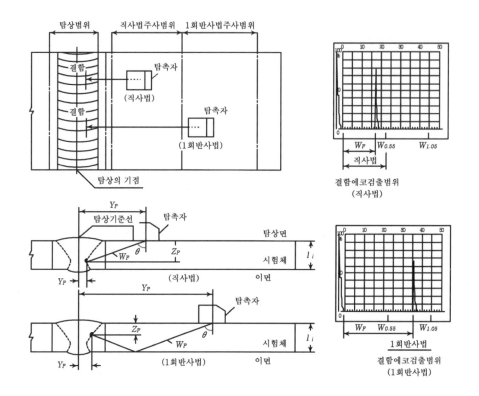

그림 4.25 결함위치의 측정방법

탐상에 앞서 탐상기의 측정범위의 조정 및 사각탐상의 탐촉자의 입사점과 굴절각을 측정하여 놓는다. 결함위치는 그림 4.25와 같이 탐상방법(직사법인지 1회반사법인지)에 따라 결함의 최대 에코높이를 검출했을 때의 탐촉자 위치(X_F, Y_F) 및 결함에코의 빔진행거리 W_F 로부터 다음 식에 의해 구하는 것이 가능하다

이와 같이 사각탐상에서는 초음파 빔이 경사 방향으로 전파하기 때문에 수직 탐상에서와 같이 빔진행거리 W_F 만으로는 결함의 위치를 구할 수가 없다. 따라서 먼저 사각탐촉자의 입사점과 굴절각을 측정하고 측정범위를 조정한 후 결함에코가 최대가 되는 위치에서의 빔진행거리 W_F 로부터 결함의 위치를 기하학적으로 추정한다.

① 직사법의 경우

X 방향 결함 위치 : $X_F = X_p$ ·································· (4.44)

Y 방향 결함 위치 : $Y_F = Y_p = W_F \cdot \sin\theta$ ·································· (4.45)

Z 방향 결함 위치 : $d_F = W_F \cdot \cos\theta$ ·· (4.46)

② 1 회반사법의 경우

X 방향 결함 위치 : $X_F = X_p$ ·· (4.47)

Y 방향 결함 위치 : $Y_F = Y_p = W_F \cdot \sin\theta$ ·· (4.48)

Z 방향 결함 위치 : $d_F = 2t - W_F \cdot \cos\theta$ ······································ (4.49)

여기서

X_F : X 방향(용접선 방향)의 탐촉자 위치에서 탐상의 기점으로부터 탐촉자 중심
까지의 거리

Y_F : Y 방향(용접선에 수직한 방향)의 탐촉자 위치에서 탐상 기준선으로부터 입
사점까지의 거리

t : 시험체의 두께

탐상감도의 조정은 STB-A2 또는 RB-41 등의 감도조정용 시험편의 표준 구멍을 탐상
하고 그 에코높이를 정해진 높이에 맞춘다.

1) 감도의 조정방법

ⓐ STB A2 ⌀ 4×4 표준구멍을 1.0 스킵(*skip*)으로 탐상하고 그 에코높이를 80%에 조정한다.

ⓑ RB-41 No. 2의 표준구멍을 탐상하고 그 에코높이를 100%에 조정한다.

ⓒ RB-41 No. 3의 표준 구멍을 이용하여 거리진폭특성곡선을 작성하여 놓고 표준 구멍으
로부터의 에코 높이를 이 곡선(H선)에 맞춘다.

이와 같이 하여 탐상감도를 조정한 후 시험체를 탐상하여 결함에코를 검출하고 그 최
대에코 높이는 다음의 어느 방법으로 측정, 표시한다.

2) 에코높이 표시

(a) % 표시 h_F (%)

수직탐상의 경우와 동일하게 결함의 최대에코높이 h_F (%)을 측정 또는 표시한
다. h_F (%) = 45(%) 등으로 표시한다.

(b) dB 표시 H_F (%)

수직탐상의 경우와 동일하게 결함의 최대에코높이 h_F (%)를 게인조정노브를 사
용하여 h_S (%)로 맞추고 그 때의 게인조정노브의 값 H_{F-G} (dB)을 읽는다. 감도
조정시의 게인조정노브의 값을 H_{S-G} (dB)라 하면 $H_F(dB)$는 식 (4.50)에 의해

구하는 것이 가능하다.

$$H_F = -\left(H_{F-G} - H_{S-G}\right) \qquad\qquad\qquad\qquad\qquad\qquad (4.50)$$

다. 결함 크기의 측정

우선 결함 끝에 상당하는 결함에코높이 $h_{se}(\%)$를 정해 놓는다. 최대에코높이를 나타내는 탐촉자 위치로부터 결함의 크기 방향을 따라 탐촉자를 주사한다. 그림 4.26과 같이 결함에 코높이가 $h_{se}(\%)$와 일치할 때 탐촉자 위치를 결함의 끝으로 하고 결함의 양 끝단을 구한 다. 다음에 양단의 간극을 측정하여 결함의 크기(결함지시길이)로 한다. 결함 끝에 상당하는 결함에코높이는 규격이나 기술 기준에 정해져 있고 대표적인 것으로 다음이 있다.

① 결함의 최대에코높이의 1/2높이
② 감도조정에 사용한 에코높이구분선(H선)의 1/4높이
    (에코높이구분선 L선)

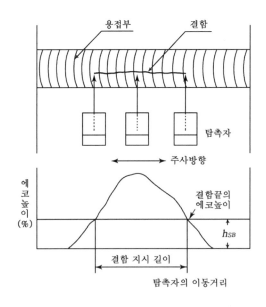

그림 4.26 결함 크기의 측정 예

4.5 초음파탐상검사의 적용 예

초음파탐상검사를 실제로 구조물이나 완제품에 적용할 때는 규격, 절차서, 지침서 등에 따라 실시한다. 일반적인 검사대상물에 적용할 수 있는 규격의 각각에는 검사방법, 검사조건이 명기되어 있으므로 규격을 충분히 이해하고 그것에 따라서 검사를 실시하게 되면 필요한 결함을 놓치지 않고 검출할 수 있으며 결함의 합부판정을 할 수 있게 되어 있다.

4.5.1 대상이 되는 결함의 초음파적 특징

강판에 주로 발생하는 결함은 제강 과정에서 발생한 파이프, 기포, 탈산생성물로 비금속개재물 등이 있고, 압연에 의해 늘어난 표면에 평행한 층상의 결함이 있다. 결함에는 내부 결함과 표면 결함이 있지만, 일반적인 초음파탐상검사의 대상이 되는 것은 내부 결함으로 대부분은 슬래브 제조시의 기포나 비금속개재물이 원인이다. 주로 많이 발생하고 검출 대상이 되는 결함으로는 ① 라미네이션(*lamination*), ② 비금속 개재물(***nonmetallic inclusion***), ③ 표면결함(***surface defect***) 등이 있다. ① 라미네이션은 압연방향으로 얇은 층이 발생하는 내부결함으로, 강괴(鋼塊; ***ingot***)내에 수축공(收縮空; ***shrinkage cavity***), 기공(*blowhole*), 슬래그(*slag*) 또는 내화물이 잔류하여 미압착 부분이 생기게 되고 이것이 분리되어 빈 공간이 형성된 것이다. ② 비금속 개재물은 강괴 제조시 슬래그, 탈산생성물(Al_2O_3, MnO, SiO_2, MnS) 등의 불순물이 들어간 것으로, 미세한 크기로 존재한다. 이들 미세한 비금속개재물은 존재위치, 크기, 밀도 등에 따라서 용접결함의 발생 원인이 되기도 하고 기계적 성질에 영향을 미치기도 하지만, 강재의 용도에 따라 유해성의 정도가 다르기 때문에 하나의 개념으로 양부를 판단하기는 어렵다. ③ 표면결함에는 부풀음(*blister*), 각종균열, 강괴 제조시의 스플래쉬(*splash*)나 기공이 존재하는 경우에 발생하는 스캡(*scab*), 큰줄무늬의 홈(***macro-streak flaw***) 등이 있다.

이들 결함의 크기는 완전히 얇게 떨어진 라미네이션이라 불리는 큰 것으로부터 현미경이 아니면 관찰 할 수 없을 정도의 미소한 비금속개재물까지 여러 종류가 있다. 강판의 결함은 압연에 의해 늘려져 판면에 평행하게 편평해져 있기 때문에 판 두께 방향의 수직 탐상을 주로 하게 된다. 검출된 결함의 종류를 추정하는 것은 각각의 결함에 의한 탐상지시의 특징도 중요하지만 결함의 분포 상태도 중요한 판단요소가 된다. 표 4.13에 강판에서 발생하는 대표적인 결함의 종류와 초음파탐상지시의 특징을 나타내고 있다.

일반적으로 판재의 탐상에서는 결함 면에 대해서 수직으로 초음파를 입사시키기 때문에 수직탐상이 사용되고 있다. 판재를 수직 탐상하였을 때 탐상지시의 예를 그림 4.27에 나타내고 있다.

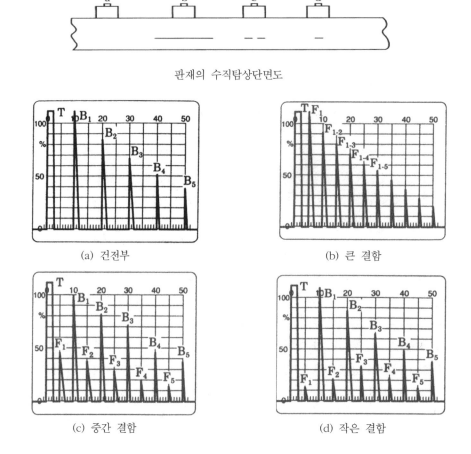

판재의 수직탐상단면도

(a) 건전부

(b) 큰 결함

(c) 중간 결함

(d) 작은 결함

그림 4.27 판재 수직탐상의 탐상지시의 예

시험체 건전부를 탐상하면 (a)와 같이 저면으로부터 규칙적인 다중반사지시가 얻어진다. 라미네이션 등의 매우 큰 결함(초음파 빔 보다 큰 결함)이 있을 때는 (b)와 같이 탐상면과 결함 사이에 초음파가 왕복하여 저면에코는 얻어지지 않고, 결함에코의 다중반사가 나타난다. 중간 정도 크기의 결함(초음파 빔의 크기보다 작지만, 비교적 큰 결함)을 탐상할 때는 (c)와 같이 제1회 저면에코 B_1 앞에 제1회 결함에코 F_1이 나타난다. 결함이 판 두께 방향의 중앙에 있는 경우는 그림과 같이 제2회 저면에코 B_2의 앞에 제2회 결함에코 F_2가 나타나고, 에코높이는 점점 더 저하되어 간다. 결함이 판 두께 방향의 중앙에 있는 작은 결함(초음파 빔의 크기보다 매우 작은 결함)을 탐상하였을 때는 (d)와 같이 제1회 저면에코 B_1 앞에 제1회 결함에코 F_1이 나타나지만, 그림과 같이 F_2, F_3가 되면서 에코높이는 점점 높아진다. 이것을 적산효과(*Supreimpose effect*)라고 부르고, 그림 7.2에서와 같이 F_1에서는 초음파의 진행거리가 첫 번째인데 비하여 F_2, F_3가 되면서 그 경로가 많아지고 이것들이 더해져서 화면상에 에코로 나타나기 때문이다.

표 4.13 두꺼운 판의 내부 결함과 그 특징

결함 명칭	대표적 탐상지시	특징
비금속 개재물	T B_1 $F_1 F_1'$	· Al, Si, Mn 등 산화물로 Al_2O_3, SiO_2 형태로 존재 · ○ 결함이 흩어져 존재
수소성 결함 (흩어져 존재하는 미소한 결함)	T B_1 B_2 F	· 수소가 확산하기 때문에 압연 후 1~2일 정도 후에 검출 · ○ 또는 △의 점상의 결함으로 분포 면적은 넓음
미소한 라미네이션(lamination)	T $B_1 B_2$ F	· 얇은 두께 중앙부에 주로 발생 · 선상의 △ 결함 또는 ○ 결함
2장 균열 또는 라미네이션	T $F_1 F_2$ F_3 F_4	· 면적을 갖는 X결함이 주로 발생 · 판 끝에 주로 분포

○, △, X: KS D 0233에 의한 결함의 정도

그림 4.28와 같이 결함위치가 판 두께 방향의 중앙에서 벗어난 위치에 있으면 탐상방향에 따라서는 제1저면에코 B_1의 앞에 2개의 결함에코가 나타나는 것이 있다. 이것은 1개의 결함에 의한 결함인가, 2개의 결함에 의한 결함인가는 저면에서 탐상하는 것에 의해 판단하는 것이 가능하다. 또 2개의 에코가 1개의 결함에 의한 것인 경우 각 에코에 대해서는 그림 4.29 (a), (b)와 같이 기호를 붙인다.

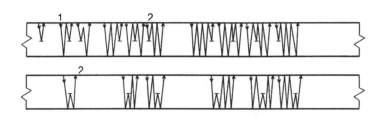

그림 4.28 작은 결함에 의해 적산효과가 나타나는 경우 초음파의 전파경로

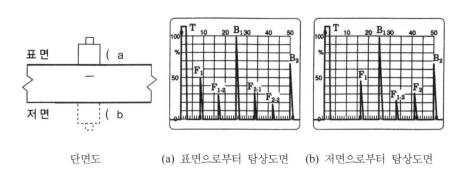

단면도　　　(a) 표면으로부터 탐상도면　　　(b) 저면으로부터 탐상도면

그림 4.29 판 두께 방향의 중앙에서 벗어난 위치에 결함이 있는 경우

4.5.2 강판의 탐상 규격

강판의 대표적인 수직탐상 규격으로는 표 4.14의 원자로, 보일러, 압력 용기 등에 사용하는 고품질 킬드강을 대상으로 한 KS D 0233과 강 구조 건축물의 구조재로 판 두께 방향에 현저하게 높은 응력이 작용하는 부재를 대상으로 한 KS D 0040이 있다. 또한 외국 규격에는 압력 용기용 강판의 초음파 탐상 검사를 대상으로 한 JIS G 0801, 건축용 강판의 초음

파 탐상 검사에 의한 등급 분류와 판정 기준을 대상으로 한 JIS G 0901, 압력 용기용 강판을 대상으로 한 ASTM A 435, 특수용 용도 강판 등을 대상으로 한 ASTM A 578 등이 있다.

표 4.14 강판의 수직 탐상 규격

규격 번호	규격품
KS D 0233	압력 용기용 강판의 초음파 탐상 검사 방법
KS D 0040	건축용 강판 및 평강의 초음파 탐상 검사에 따른 등급 분류와 판정 기준
JIS G 0801	압력 용기용 강판의 초음파 탐상 검사
JIS G 0901	건축용 강판의 초음파 탐상 검사에 의한 등급 분류와 판정 기준
ASTM A 435	압력 용기용 강판의 수직 초음파 탐상 검사
ASTM A 538	특수용 용도 강판 및 클래드(clad) 강판 초음파 탐상 검사

4.5.3 탐상 시 주의해야 할 사항

가. 적산효과

적산효과(*superimpose effect*)란 결함이 작은 경우에 결함 에코가 1회째 보다, 2회째, 3회째가 더 높아지는 현상을 말한다. 에코의 적산은 결함이 판 두께의 중앙부에 있는 경우, F_1에서는 하나의 반사 경로이지만, F_2에서는 3경로, F_3에서는 5경로와 같이 반사 경로가 증가하기 때문에 이들 에코가 더해져 합쳐짐에 의해 수 회째까지의 결함 에코는 점점 높아지며 그 후에는 확산, 감쇠에 의해 결함 에코 높이는 낮아진다.

이와 같은 현상은 결함이 작고 판 두께가 얇으며(특히 20 ㎜ 이하가 많음) 감쇠가 적은 경우에 나타나는 현상이다.

나. 전달 손실

초음파가 시험체 내로 전파할 때 탐상면에 투과할 때의 전달 손실, 시험체를 전파할 때의 확산과 결정립계에서의 산란에 의한 감쇠, 시험체의 표면에서 반사할 때의 반사 손실이 발생한다.

탐상면에서의 전달 손실은 시험체의 표면거칠기, 주파수, 접촉매질 등의 영향을 받으며 표면이 거칠고 주파수가 높을수록 또한 접촉 매질의 음향 임피던스의 값이 작을수록 전달 손실은 커진다. 따라서 탐상면이 거친 경우나 곡률이 있으면 전달손실이 크게 되고, 재료의 결정입이 조대하면 초음파의 감쇠가 크게 된다.

이와 같은 재료에 표준시험편으로 탐상감도를 조정하고 탐상하면 결함을 놓치거나 과소평가할 수 있다.

따라서 감도보정에 사용한 표준시험편과 대상물이 되는 시험체와의 초음파특성의 차이를 미리 조사하여 감도조정을 할 필요가 있다.

4.5.4 단강품의 탐상

강판은 소재의 검사이며, 재료의 건전성 보증으로서 검사가 실시되지만, 단강품은 그대로 또는 기계가공을 해서 구조물의 일부나 기계부품으로서 사용되므로 반제품의 검사로서 실시되는 경우가 많다. 또 그 용도도 선박, 자동차, 철강, 화학, 기계, 토목건설 등 넓은 분야에서 사용되고 있다. 이것들은 어느 것도 사용되는 조건이 명확하며 검출해야 할 결함의 종류 및 크기가 확실하게 되어 있다.

단강품은 그 무게가 1 kg 으로부터 10톤 이상이 되는 대형 제품에 이르기까지 형상이 매우 단순한 것부터 복잡한 것까지 여러 종류가 있고, 또 크기도 각종 제품에 따라서 다르다. 또한 회전기기에 사용되는 제품은 정지 상태로 사용하는 단조품에 비하여 피로강도가 더욱 문제 시 되므로, 초음파 탐상의 중요성이 더욱 강조된다. 결함의 종류로는 모래 흔적이나 편석과 같은 단조 과정에 나타나는 가늘고 긴 결함과 파이프 결함과 같은 기공형 그리고 수소에 의한 머리카락과 같은 단조 방향에 특히 관계없이 발생하는 결함으로 나눌수 있다.

단강품에 주로 발생되는 결함으로는 ① 담금질 균열, ② 다공질 기공, ③ 비금속 개재물, 모래 홈 등이 있다.

① 담금질 균열의 경우는 담금질(*quenching*)을 하면 심하게 급냉되기 때문에 외면은 강하게 수축하고 내부는 냉각에 의한 수축이 지연된다. 다시 말해 담금질을 하면 표면이 먼저 마르텐사이트 상태로 경화하고, 그보다 다소 늦게 내부가 마르텐사이트 변태를 한다. 마르텐사이트 변태는 상당히 큰 체적팽창을 일으키기 때문에 이미 경화해 있는 외면에 의해서 강한 인장응력이 작용한다. 특히 모서리나 두께 차가 있는 부분 등에서

는 이와 같은 강한 인장응력이 집중하여 균열이 발생하게 되는 경우이다.

② 다공질 기공의 경우는 강괴 중심 부근에는 미세한 입계균열 또는 입계에서 발생한 미소한 공동에 의해 결정립의 결합력이 약해진 부분이 존재한다. 이와 같은 부분은 단조 시에 충분히 단련되어 압착되는 것이 보통이지만 공극(空隙)이 현저하게 나타나기도 하고 단련이 불충분할 때에는 압착되지 않고 일부가 남아 결함이 된다. 이와 같은 결함을 다공질기공(*loose structure porosity*)이라 한다.

③ 비금속 개재물, 모래 흠 등의 경우는 강괴의 내부에 존재하는 비금속 개재물은 일반적으로 상당히 미세한 것이다. 그러나 불순물이 많고 냉각응고 과정을 천천히 거치면 모여서 커지게 된다. 또, 주형의 일부가 탈락되어 혼입되는 것이 있다. 육안으로 볼 수 있을 정도로 큰 것을 모래흠(*sand mark*)이라 부른다. 이들 결함은 단조에 의해 가늘고 길게 늘어나기도 하지만 평판형 으로 되어 있는 것이 보통이다.

단강품의 탐상방법은 주강품 탐상과는 달리 결정입의 크기가 크지 않기 때문에 높은 주파수를 사용할 수 있으며, 결함도 입자성형 방향으로 비교적 직선형이므로 탐상이 용이하다. 다만, 균열일 경우에는 방향성이 없으므로 주의하여야 한다. 보통 단강품의 탐상에는 수직탐상이 흔히 사용되며, 근거리음장을 보정하기 위하여 분할형 탐촉자를 사용한다. 탐상 주파수는 4 ~ 6 MHz 가 많이 사용되며, 경우에 따라서는 10 MHz 의 높은 주파수를 사용하는 경우도 있다. 사각탐상은 수직탐상으로 확인된 결함의 모양이나 깊이 등을 확인하기 위한 특수한 경우에 사용되며, 피검체의 모양으로 인하여 수직탐상이 불가능할 때 사용된다.

사용 중 피로로 인하여 발생하는 서비스 형태의 결함은 발생부위가 정해져 있으므로 시방서 등으로 규정하여 정기적으로 그 부분만을 선택하여 검사를 하는 것이 통례이다. 크기가 큰 단조품에 발생되는 결함은 피로 균열이나 구속으로 인한 균열 등이 성형과정의 결함이므로 많은 공정을 거치기 전에 탐상하여 불필요한 경비를 줄이는 방법으로서도 사용된다.

표 4.15 단강품에서 주로 발생되는 내부 결함과 대표적인 탐상지시

결함의 종류	탐상지시	검출 부위와 특징
편석 결함		둥근 축 모양의 시험체에서는 외주에서 지름 방향으로의 탐상으로 결함 에코가 검출되어 F_1 및 F_2는 지름 또는 두꺼운 중간부에서 띠 모양으로 층이 되어 보인다. (F_2는 검출되지 않는 경우가 있음)
백점		합금강 등으로 드물게 검출된다. 매우 날카로운 결함 에코가 발생하여 중간부에서 중심부에 걸쳐 광범위하게 검출되며 또한 저면 에코의 저하가 크다. 길이 방향에서는 저면부를 제외한 부위에서 검출되고 축방향의 탐상에서도 검출된다.
미소기공		거의 중심 부근에 집중되어 결함 에코가 검출되어 개개의 결함 에코는 중복된 형태로 명료하게 분리하는 일이 적다. 결함이 큰 경우에는 저면 에코의 저하가 뚜렷하다. 길이 방향에서는 강괴의 표층부에서 중앙부에 검출되어 축 방향에서의 탐상에서도 검출된다.
모래 흠		강괴에서의 저면부 또한 중심부에 검출되는 경우가 많으며 각 결함 에코는 분리하여 나타나는 경우가 많다. 특히 국부적으로 검출되는 경우가 많다. 편석 내에 개재하는 경우 편석 결함과의 구별이 어렵다.
파이프		강괴의 표층부 그리고 중심부에 결함 에코가 검출되며 그 수는 비교적 적다. 결함 에코 높이는 변화가 있어도 축 방향으로 연속되어 나타나며 저면 에코의 저하를 동반하는 경우가 많다.
단조 균열 (forging crack)		파이프와 유사한 탐상지시이지만, 강괴에서 위치에 관계없이 검출되는 경우가 많다.
조대 결정립		표면 근처에서 임상 에코가 발생한다. 저면 에코의 변화에 주의하여 사용 주파수를 바꾸어 다른 결함과 구별할 필요가 있다. 일반적으로 감쇠가 크기 때문에 감쇠계수의 측정이 바람직하다.

* : 탐상지시는 B_{G1}(건전부의 제 1회째의 저면 에코 높이): 80%로 한 경우를 나타냄.
　　F: 결함 에코, B: 저면 에코

4.5.5 단강품의 탐상 규격

단강품의 초음파탐상검사에 사용되는 규격으로서는 미국의 ASTM A388이 있으며 단강품의 대표적인 수직 탐상 규격을 표 4.16에 나타낸다. 두께 20 ㎜ 이상 및 외경부의 곡율반지름이 50 ㎜ 이상의 탄소강 및 저합금강의 단강품을 대상으로 한 KS D 0248이 있다. 또한 그 외 외국규격으로는 탄소강 및 저합금강의 단강품을 대상으로 한 JIS G 0587, 선용(船用) 크랭크 축 등을 대상으로 한 JFSS 13 등이 있으며, 터빈 및 발전기 로터를 대상으로 한 ASTM A 418 등이 있다.

표 4.16 단강품의 탐상 규격

규격 번호	규격품
KS D 0248	탄소강 및 저합금강 단강품의 초음파 탐상 검사 방법
JIS G 0587	탄소강 및 저합금강 단강품의 초음파 검사 방법 및 검사 결과의 등급 분류 방법
JFSS 13	선박용 단강품에 대한 초음파 탐상 기준
ASTM A 388	두꺼운 단강품의 초음파 탐상 검사 방법
ASTM A 418	단강품 터빈 및 발전기용 로터의 초음파 탐상 검사 방법

4.5.6 용접부의 탐상

용접은 조선, 차량, 압력용기, 건축철골, 교량 등 각종구조물이나 기계제작의 기반 기술로써 이들 각종 용접구조물의 품질관리·품질보증에 매우 중요한 기술이다. 검사원은 검사대상의 대부분인 용접에 대해 용접방법, 용접이음, 용접부의 성질 등(특히 용접결함)에 대해서는 충분한 지식과 경험이 필요하다. 용접결함은 용접설계의 잘못, 용접공의 기량 부족이나 부주의 또는 용접시공관리 상의 문제 등에 의해 발생한다. 이러한 의미에서 용접공을 포함한 용접관리가 매우 중요한데 이것이 품질관리와 품질보증으로 이어지게 된다.

용접 결함 중 대표적인 내부 결함은 균열, 용해 불량, 융합 불량, 슬래그 혼입 및 블로우 홀(*blow hole*)이다. 근래 대부분의 구조물에는 용접부가 있으며 그 검사에는 과거의 방사선

투과 검사를 대신해서 초음파탐상검사가 많이 적용되고 있다. 용접부에 발생하는 결함은 재질, 개선형상, 용접자세 등에 따라 발생하기 쉬운 결함의 종류에 다소 치우침이 있지만 일반적으로 기공, 슬래그 혼입, 용입부족, 융합불량, 균열 등이다. 이러한 용접부의 결함을 검출하기 위해서는 용접부 전체를 초음파빔이 커버하도록 여러 방향에서 탐상한다. 용접시공 전에 개선면을 체크하고 개선각도, 루트간격, 홈면의 상태를 관찰해 놓으면 발생할 가능성이 있는 결함을 예상 할 수가 있다. 또 용접 후에 루트면의 위치를 정확히 알 수 있도록 적당한 위치에 표시를 해둘 수도 있다.

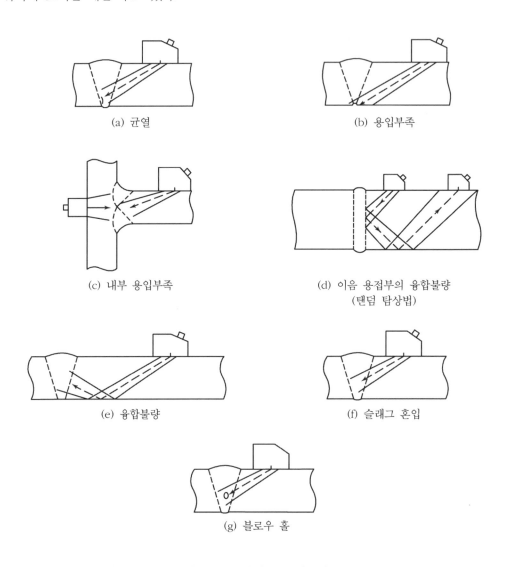

(a) 균열

(b) 용입부족

(c) 내부 용입부족

(d) 이음 용접부의 융합불량
(탠덤 탐상법)

(e) 융합불량

(f) 슬래그 혼입

(g) 블로우 홀

그림 4.30 용접결함의 검출방법

발생할 결함의 종류는 어느 정도 예상되므로 그것에 따라서 중점적으로 탐상 하는 것도 가능하다. V개선이나 베벨홈용접부의 용입부족에 대해서는 직사법에 의해 용접선으로 따라서 탐상 한다. 개선면의 융합불량에는 홈면에 될 수 있으면 수직에 가까운 각도에서 초음파 빔이 입사하도록 탐상면, 반사횟수 및 굴절각을 선정해도 좋다.

좁은 개선 용접부에서는 개선면의 융합불량이 탐상면에 대해서 수직방향이 되기 때문에 탐촉자를 2개 사용하는 탠덤 탐상법의 적용이 좋다.

횡균열은 초음파 빔이 용접선과 평행 또는 근접해거 탐상 한다. 용접 덧붙임을 제거했을 경우 용접선 위에서 탐촉자를 용접선 방향으로 향해 탐상하면 검출하기 쉽다. 모서리 이음이나 T이음 등 수직탐상이 효과적인 용접부에는 수직탐상을 병용한다. 탐상면은 일반적으로는 거친 경우가 많이 있으므로 접촉매질은 글리세린 또는 글리세린 페이스트를 사용한다.

사각 탐상에서는 특히 굴절각이 커지면 같은 두께를 탐상하는 경우 작은 굴절각에 비교하여 빔진행거리가 길어진다. 따라서 전반 거리에 의한 초음파의 감쇄를 고려하여 결함 에코를 검출하여 평가하는 것이 중요해진다. KS B 0896에서는 STB A2의 ϕ 4×4 ㎜의 세로 구멍 또는 RB-41의 가로 구멍을 이용하여 거리 진폭 특성에 의한 에코 높이 구분선을 작성한다.

표 4.17에 각종 결함에 대한 탐상지시 및 주사지시의 특징을 나타낸다. 기공 등의 작은 단독 결함 개선면의 융합불량 등의 편평한 평면결함이나 균열 등의 거친 평면결함 및 밀집 기공 등과 같은 밀집결함 등에 의해 탐상지시(에코의 형상이나 패턴)이나 전후 및 좌우 주사에 의한 주사지시가 기본적으로 다르다. 따라서 이들의 특징은 결함의 종류나 형상을 추정하는 경우에 중요한 도움이 된다.

표 4.17 각종 결함에 대한 탐상지시 및 주사지시의 특징

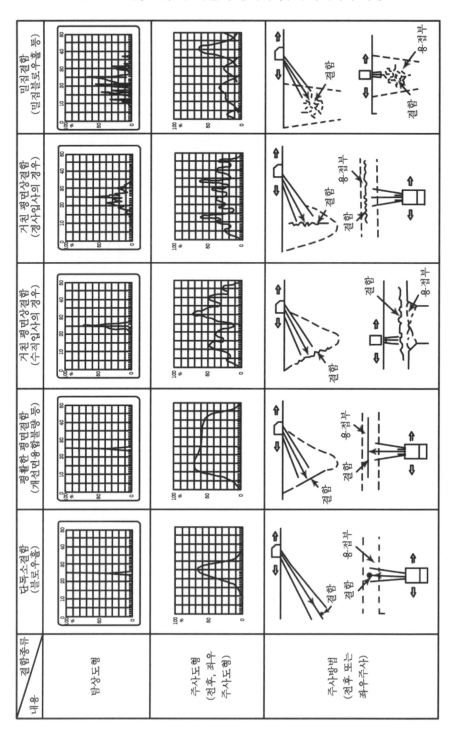

결함종류 내용	단독소결함 (블로우홀)	평활한 평면결함 (개선면융합불량 등)	거친 평면상결함 (수직입사의 경우)	거친 평면상결함 (경사입사의 경우)	밀접결함 (밀접블로우홀 등)
탐상도형					
주사도형 (전후, 좌우 주사도형)					
주사방법 (전후 또는 좌우주사)					

익 힘 문 제

1. 초음파의 정의와 특이성에 대해 기술하시오.

2. 펄스반사식 초음파탐상검사의 원리에 대해 기술하시오.

3. 초음파탐상시험의 장·단점과 적용한계에 대해 기술하시오.

4. 표층부의 결함 검출에 활용되고 있는 표면파(*Rayleigh wave*), 크리핑파(*Creeping wave*) 및 표면 SH파의 발생방법과 전파 특징에 대해 기술하시오.

5. 판파(*Lamb wave*)와 누설탄성표면파(*leaky surface acoustic wave*)의 발생방법과 특징에 대해 기술하시오.

6. 초음파 파장과 결함검출의 한계치수에 대해 기술하시오.

7. 횡파가 종파보다 미세 결함검출에 유리한 이유를 기술하시오.

8. 1 MHz 탐촉자로 강(*steel*;음속 5,900 m/s)에 초음파가 전파할 때 파장은 얼마인가?

9. 수침법으로 주파수 5MHz 탐촉자로 수직탐상을 하였다. 이 때 강재 표면에서 음압반사율은 몇 %인가? 재료의 정수는 다음과 같다.

	탄소강	물
음속	5,900 m/sec	1,486 m/sec
밀도	7.9 g/cm^3	1.0 g/cm^3

10. 수침법에서 초음파가 14°의 각도로 강재에 전달되었다면 강재 내에서 횡파의 굴절각은 몇 도가 되겠는가? (단, Vs = 3,200 m/s, Vw = 1,500 m/s)

11. 2Q20N으로 18-8스테인레스강을 탐상하는 경우의 근거리음장한계거리와 지향각은 얼마인가? 단, 18-8스테인레스강의 종파속도는 5,790 m/s, 횡파속도는 3,100 m/s이다.

12. 초음파의 모드변환(*mode conversion*)에 대해 기술하시오.

13. 수직탐상에서 시험편방식과 저면에코방식에 의한 탐상감도조정의 방법을 비교 설명하시오.

14. 초음파의 감쇠의 원인과 감쇠계수의 정의에 대해 기술하시오.

15. 탐상장치에서 게이트(*gate*)의 기능과 사용목적에 대해 기술하시오.

16. 탐상장치에서 리젝션(*rejection*)의 기능과 사용시 주의할 사항에 대해 기술하라.

17. 펄스반복주파수(*PRF*) 사용시 주의해야 할 사항과 PRF를 너무 높여 사용하면 어떠한 결과가 발생할 수 있는가?
18. DAC 회로의 기능과 사용목적을 기술하라.
19. 압전효과와 초음파의 발생과 수신 방법을 설명하시오.
20. 점집속형 수직탐촉자의 특성과 적용분야에 대해 기술하라.
21. 대비시험편을 자작할 때 주의할 점을 기술하시오.
22. 초음파탐상에 이용되고 있는 접촉매질의 종류와 사용목적, 적용례를 조사·보고하라.
23. 초음파탐상시험 결과를 영상화하는 목적을 기술하시오.
24. 수직탐상에서 탐상방향의 선정 시 고려해야 할 사항을 기술하시오.
25. 검출레벨과 탐상감도에 대해 기술하시오.
26. 지연 에코에 대해 아는 바를 기술하시오.
27. 원주면 에코에 대해 아는 바를 기술하시오.
28. 임상 에코(*grass*)의 발생요인과 대책에 대해 기술하시오.
29. 결함지시길이의 측정방법에 대해 기술하시오.
30. 6 dB drop법과 KS B 0896에 근거한 결함지시길이 측정방법을 비교·설명하시오..
31. 결함높이의 측정방법에 대해 기술하시오.

제 5 장 음향방출검사

5.1 AE의 개요

초음파계측법의 대부분은 레이더와 같이 초음파 신호를 시험체에 직접 입사한 후 결함으로부터 되돌아오는 수신파를 검출하여 재료의 불균일 조직, 결함 등에 관한 정보를 제공해주고 상호작용을 조사하는 능동적(*active*)인 비파괴계측기법이다. 이에 비해 음향방출검사(*acoustic emission testing; AT*)에서는 그림 5.1에서의 지진의 계측과 같이 재료 내부에서 전위(轉位), 균열(龜裂)등의 결함생성이나 질량의 급격한 변위가 생기면 에너지 해방과 함께 탄성파(*elastic wave*)가 발생한다. 그것이 재료 내를 전파하는 것이 AE파인데, 변환자(재료 내를 전파하는 기계적 진동인 AE파를 전기적 신호로 변환한다)로 이 AE파의 진동을 포착하고 해석하여 재료 내부의 동적 거동을 파악하고 결함의 성질과 상태를 평가하는 수동적(*passive*)인 비파괴계측기법이 AE법이다. AE법은 지진의 계측에서 복수의 지진계를 설치하여 지진의 발생위치나 규모 그리고 지진의 발생 메커니즘을 검출하는 것과 동일한 원리로 시험체에 복수의 AE센서를 설치하고 균열발생위치를 추정하는 동시에 수신파의 파형해석으로 균열의 형태나 정도 등의 많은 정보를 해석할 수 있다.

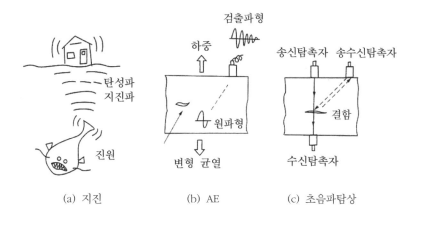

(a) 지진   (b) AE   (c) 초음파탐상

그림 5.1 지진, 음향방출검사(AE)와 초음파탐상검사(UT)의 개념도

AE계측에서는 초음파법에서 보다 낮은 100 kHz 에서 1 kHz 정도의 초음파를 수신, 해석하는 것이 일반적이다. 이 변환자에 의한 검출파형은 진폭이 예리하고 큰 돌발(*burst*)형과 작은 파가 연속적으로 생기는 연속(*continuous*)형으로 나눌 수 있다. AE파의 검출에는 강유전체의 압전소자가 사용되는데, 이 소자는 초음파법의 경우와 다르게 AE파의 수신에만 이용된다. 수신된 AE파는 증폭되어 데이터 축적·해석 장치에 이송된 후 기록·해석된다. 측정자가 초음파법과 같이 파형을 측정하는 타이밍을 측정자가 제어할 수 없기 때문에 발생하는 AE파의 일부를 데이터 수집에서 트리거 신호로 사용하거나 파형정보를 카운트해서 AE파의 수를 기록, 정보량을 줄일 필요가 있다.

AE파는 미끄럼변형, 쌍정변형, 상변태, 균열의 발생·전파 등에 의해 발생하기 때문에 이러한 현상의 해석에 유용하다. AE파의 측정 파라미터는 AE파의 수, 평균 강도, 진폭, 주파수 스펙트럼, 발생위치 등이 있다.

AE파의 가장 중요한 이용은 압력용기에 압력을 가했을 때, 또는 압력이 걸려있을 때 발생하는 균열에 수반하는 AE를 검출하고 그 발생원의 위치를 파악하여 파괴를 미연에 방지하는데 있다. 발생원의 위치를 파악하는 데에는 지진에서 진원의 결정과 동일한 기법이 이용된다.

5.2 AE원의 종류

각종 재료의 AE원(源, *source*)을 표 5.1에 나타내고 있다. AE원은 그 발생기구의 특징으로부터 재료의 균열이나 변형에 수반하는 것을 1차 AE, 마찰, 액체나 기체의 누설(*leak*) 등에 수반하는 것을 2차 AE로 분류하고 있다.

표 5.1 AE 기술에 이용되는 정보

재료	형태	요인	AE의 종류	
			연속형 (2차 AE)	돌발형 (1차 AE)
금속	미끄럼 변형	항복, Luders 변형, 세레이션	○	
	쌍정 변형, 상 변태	융해, 응고, 마르텐사이트 변태		○
	미소 균열	(탄화물, 개재물) 균열, 박리 (수소에 의한) 입계균열, 입내벽개균열		○
	거시 균열	미소균열의 합체, 주 균열의 성장	○	○
복합재	매트릭스 균열	항복, 이물질 혼입		○
	섬유파단	초기결함(흠)		○
	박리	매트릭스-박리, 적층간	○	○
	파면의 마찰	매트릭스-박리, 적층간	○	
세라믹	미소 균열	조대입자, 기공, 제 2상 입자		○
	거시 균열	미소 균열의 합체, 주 균열의 성장		○

AE 변환자에 검출되어 증폭된 AE신호파형을 오실로스코프화면에 나타내면 그림 5.2(a), (b)와 같은 2 가지 파형이 관찰된다. (c)는 검사시의 환경잡음을 포함한 계측계의 잡음(배경잡음; *background noise*)이다. (a)는 1차AE의 경우로 대부분이 단발(短發)현상인 급격한 상승과 지수함수적인 감쇄를 나타내며 시간적으로 이산된 파형으로 관찰되기 때문에 돌발형AE(*burst AE, burst emission*)이라 한다. (b)는 2차AE의 경우로 돌발형AE가 개개로 분리될 수 없을 정도의 높은 빈도로 발생되기 때문에 (c)의 연속상의 잡음과 그다지

큰 차 없는 파형으로 관찰된다. 다시 말해 2차AE의 대부분은 단발현상이 단시간에 연속하여 생기기 때문에 연속형AE(*continuous AE, continuous emission*)라 한다.

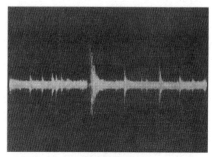

(a) 돌발형 AE

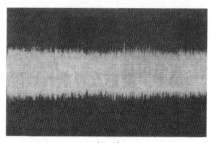

(b) 연속형 AE

(c) 잡음레벨

그림 5.2 오실로스코프에서 관찰된 AE신호파형

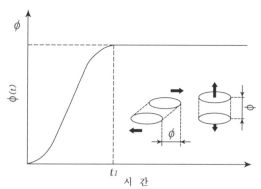

그림 5.3 Step응답으로 표시되는 AE원

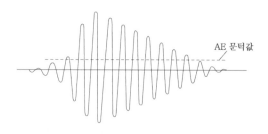

그림 5.4 AE신호의 모식도

AE현상원은 그림 5.3과 같이 균열이나 변형의 변위 ϕ가 시간 τ에서 발생하는 step상의 돌발현상에 근사하는데, 연속형이나 돌발형 어느 것도 AE현상의 기본은 리크(***leak***)음원을 제외하면 과도적인 현상이므로 주기진동과는 다르다. AE발생원에 있어서 AE파는 impulse 적으로 방출되기 때문에 돌발형과 연속형이라는 분류는 어디까지나 파형 관찰 상의 분류에 지나지 않는다는 것에 주의해야 한다. 그러므로 AE신호를 그림 5.4와 같이 진폭이 감쇠하는 정현파적 파형으로 가정하여 설명할 수 있다. AE계측을 하는 경우 배경잡음으로부터 AE신호를 판별하기 위해 수신증폭기의 출력신호를 그림 5.4와 같이 잡음레벨(***noise level***) 보다 조금 또는 상당히 높은 문턱값(이것을 AE문턱값; ***AE threshold voltage***) V_t을 미리 설정하는 것이 기본이다.

5.3 AE 계측시스템

그림 5.5는 보통 AE검사에 활용되고 있는 AE계측계의 기본적 구성을 나타내는 블록선도이다. 계측시스템은 AE변환자, 증폭기, 필터 등으로 구성되는 AE검출부, AE신호 변별회로(*comparator*), 데이터 레코더 등으로 구성되는 신호처리부, 이들 결과를 나타내는 표시부 등으로 구성된다.

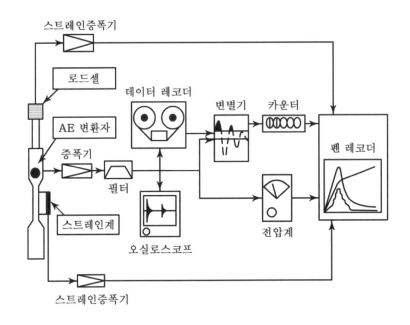

그림 5.5 AE 계측계의 블록선도

5.3.1 측정계

가. AE 변환자(*AE sensor, AE transducer*)

AE 변환자의 구조는 그림 5.6과 같으며, 강유전체의 압전성을 이용한다. 보통 PZT라 불리는 지르콘티탄산납 10 ㎜ 직경 전후의 종파진동자를 많이 이용한다. AE 변환자는 그 주파수특성에 의해 크게 고감도 협대역공진형과 저감도 광대역비공진형으로 나눌 수 있다. 고감도 협대역공진형은 목적으로 하는 계측대역에 공진을 갖는 압전소자를 이용하여 공진점에서 감도를 높이고 이 공진특성을 어느 정도 완화시켜(Q값을 낮춘다) 검출대역을 넓게

한 압전소자를 AE변환자용에 가장 많이 이용되고 있다. 한편, 저감도 광대역비공진형은 계측영역 대역보다 높은 대역인 5 MHz 나 10 MHz 에 공진을 갖는 압전소자를 이용하고 공진점 이외의 대역에서 신호를 검출하는 것이다. AE 신호로 취급하는 주파수영역은 100 kHz ~ 1 MHz 가 일반적으로 이용하고 있다.

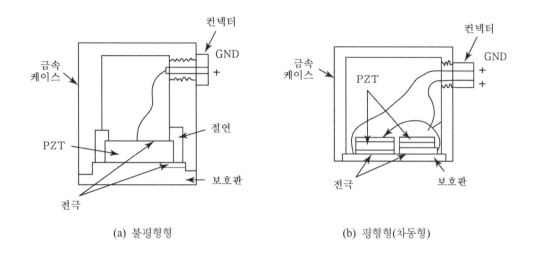

(a) 불평형형   (b) 평형형(차동형)

그림 5.6 압전형 AE 변환자의 구조

나. 증폭기(*Pre-Amp, Main-Amp*), 필터(*Filter*), 잡음대책

AE 변환자로부터의 출력은 보통 Pre-Amp 입력 환산으로 수 μV 에서 수 mV 정도의 미약한 신호이기 때문에 여러 종류의 신호처리를 하려면 50 ~ 100 dB 정도의 증폭이 필요하다. 증폭기의 내부 잡음은 낮을수록 바람직하지만 그 하한은 열잡음으로 규정되어 있다. AE 신호에는 이 외에도 시험기의 진동 등에 의한 환경잡음이 포함되어 있기 때문에 이들을 제거하기 위해 변환자의 공진주파수에 해당하는 특정주파수 영역만을 계측하는 대역필터(*band pass filter*)를 조합할 필요가 있다.

5.3.2 AE 신호처리 파라미터

AE 변환자로부터 검출된 신호의 AE 파라미터는 전기적 신호처리법에 따라 다음의 3종류로 나누어진다.

① 잔류잡음을 포함하는 모든 파형의 2승평균(RMS)전압을 구한다.
② 신호레벨에 문턱값(***threshold***)을 걸고 포락선(***ringing***)파형을 펄스카운트 처리한다.
③ 신호레벨에 문턱값을 걸고 파형을 A/D변환하여 수록하고 연산처리 한다.

①은 문턱값을 걸지 않고 연속적으로 신호강도의 변화를 검출하지만 ②, ③은 문턱값을 걸어 잔류잡음과 AE 신호를 식별하고 문턱값을 넘는 신호에 대해 그 빈도나 신호강도를 검출한다.

가. 실효치 전압(RMS 전압)

AE 신호 실효치(***AE root mean square value***)는 측정이 간단하고 AE의 크기를 평가할 수 있어 AE 계수(計數)와 함께 AE 발생율을 나타내는 유효한 파라미터이다. 실효치는 신호의 평균에너지를 제곱근한 것으로, 계측의 원리는 신호(교류)전류를 열에너지로 변환하고 거기에 상당하는 직류에너지를 표시하는 것이다. AE 실효치는 연속형 AE의 경우 AE 계수율과 동일한 AE 발생율 특성을 나타내고 있으며 문턱값의 영향을 받지 않는 점이 유리하다.

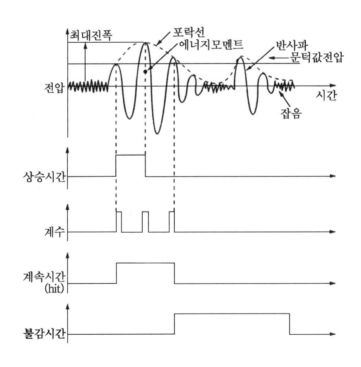

그림 5.7 AE 검출파형처리법의 파라미터와 처리방법

나. AE 계수

AE 신호의 발생 수나 발생빈도를 계수하는 방식으로는 그림 5.8과 같이 AE 문턱값을 설정하고 그것을 넘는 파의 수를 전부 변별기(弁別器, *comparator*)와 pulse count를 이용하여 세는 AE 계수법이 가장 일반적으로 이용되어 왔다.

AE 계수방식에서 임의로 설정한 단위시간당의 AE 계수(計數, *AE count, emission count, ring down count*)를 AE계수율(*AE count rate*)이라 하고, AE 검사를 통해 누계한 수를 누계 AE계수(*cumulative AE count*) 또는 AE계수총수(*AE total count*)라 한다.

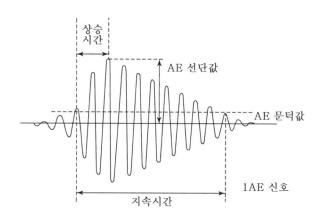

그림 5.8 AE 신호의 특성 파라미터

다. 사상

AE 발생수와 검출수를 대응시키기 위해 이용되는 파라미터가 사상(事象, *hit, event*)이다. hit의 신호처리방법에는 아날로그법과 디지털법이 있다. 아날로그법에는 검출파형을 포락선검파하고 그 신호가 문턱값을 넘는 곳부터 문턱값 이하가 되는 곳 까지를 hit로 한다. 디지털법에서는 계수펄스를 변환자의 **flip-flop**회로에 입력하고 계수펄스의 연속을 일괄 처리한다.

hit 처리에는 반사파를 독립한 hit로 세지 않도록 hit 종료 후 일정시간 count를 정지시킨 불감시간(*dead time*)을 설정한다. 종래에는 hit를 사상이라 불렀으나 최근 복수의 계측채널을 갖는 계측장치가 등장하면서 새로운 정의가 필요하게 되었다. 따라서 하나의 계측채널에 식별된 AE 신호를 hit라 하고, 후에 기술하는 위치표정으로부터 하나의 AE원으로부터 검출된 hit의 집단을 사상이라 한다. 그러므로 계측채널이 하나인 계측장치에서는 Hit = 사상이지만, 2채널 이상의 위치표정 기능을 갖는 계측장치에는 위치표정hit(*located event*)가 사상이 된다.

라. 최대진폭

1 hit 중의 최대진폭전압을 최대진폭 또는 AE 선두치(先頭値, ***AE peak amplitude***)라 한다. 또한, 사상의 최대진폭이라 부르는 경우에는 최초로 변환자에 도달한 hit 채널(***first hit***)의 진폭을 가르킨다.

마. AE 에너지

AE 사상에너지의 추정에 이용되고 있는 파라미터로 AE 에너지(***AE event energy***)가 있다. 사상에너지는 AE 신호의 순시치를 $f(t)$로 하였을 때 순시치의 2승 적분의 값에 비례한다고 가정하여 AE 에너지 E는 다음 식으로 주어진다.

$$E = \int_0^T f(t)^2 dt \qquad\qquad (5.1)$$

여기서 T 는 1 AE 사상의 지속시간(AE 신호의 포락선이 문턱값을 넘고 있는 사이의 시간)이다.

바. 에너지 모멘트

AE신호의 파형형상의 특징을 표시하는데 에너지 모멘트(***energy moment***)라 불리는 파라미터가 제안되고 있다. 이것은 AE신호의 포락선 검파파형의 순시치를 $a_i(t)$라 하였을 때

$$Tem = \sum_{i=0}^{n} a_i^2 \cdot ti \cdot \frac{dt}{Et} \qquad\qquad (5.2)$$

$$Et = \sum_{i=0}^{n} a_i^2 \cdot dt \quad (총에너지) \qquad\qquad (5.3)$$

로 정의된다. n 은 시각 t_s로부터 t_{ei}까지 sampling수이고 dt는 샘플링 간극이다. 에너지 모멘트는 신호파형의 에너지 중심을 나타내기 때문에 보통 관찰되는 AE신호에서 파형의 예리함과 집중도를 나타내는 파라미터로 불린다.

에너지 모멘트는 피로나 복합재료의 파괴 등에 있어서 발생 원인이 다른 AE식별 등에 특히 유리한 파라미터가 된다. 또, 에너지 모멘트는 상승시간이나 진폭 모멘트에 비해 잡

음이나 계측 문턱값의 변화에 대해 안정한 결과가 얻어진다.

사. 신호지속시간

신호의 지속시간(*duration*)은 1 hit의 지속시간으로, 아날로그법에서는 포락선 검파된 AE 신호가 문턱값을 넘어서 문턱값 이하가 될 때까지의 시간을 말하고 디지털법에서는 계수펄스의 연속 간극이다.

아. 상승시간

상승시간(*rise time*)은 1 hit가 문턱값을 넘어서부터 최대진폭에 이를 때까지의 시간이다.

자. 주파수해석

변형, 파괴에 수반하는 AE파의 주파수 스펙트럼(*power spectrum*)은 그 재료의 변형기구나 파괴기구를 반영하고 있음을 예측할 수 있기 때문에 여러 가지 방법으로 측정되고 있다.

주파수해석은 검출파형을 고속 파형 수록장치에서 A/D변환하여 수록하고 컴퓨터나 전용 연산회로를 이용하여 푸리에 변환(*FFT*)을 한 후, 그 파워스펙트럼(*power spectrum*)을 구하는 것이다. 최근에는 AE대역까지 계측 가능한 고속 FFT analyzer가 비교적 저가로 시판되고 있어 돌발형AE에서는 개개의 AE hit의 패턴분류에 이용되고 연속형AE에서는 현상 변화의 식별에 이용되고 있다.

5.4 AE 계측순서

그림 5.9은 AE 계측의 흐름도를 나타내고 있다. AE 계측의 순서는 ① 부하방식·상태, ② AE 변환자의 설치위치·방법, ③ 잡음대책, ④ 계측감도의 조정, ⑤ 데이터 수록속도, ⑥ 데이터 해석 등이다.

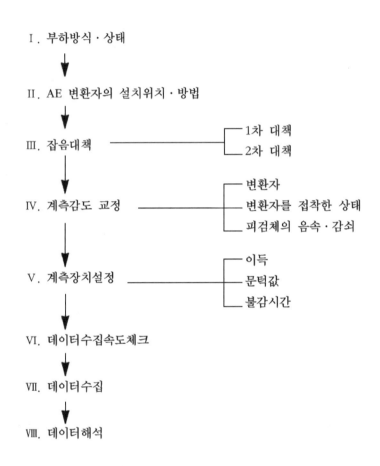

Ⅰ. 부하방식 · 상태

Ⅱ. AE 변환자의 설치위치 · 방법

Ⅲ. 잡음대책 ── ┌ 1차 대책
　　　　　　　└ 2차 대책

Ⅳ. 계측감도 교정 ── ┌ 변환자
　　　　　　　　　　├ 변환자를 접착한 상태
　　　　　　　　　　└ 피검체의 음속 · 감쇠

Ⅴ. 계측장치설정 ── ┌ 이득
　　　　　　　　　　├ 문턱값
　　　　　　　　　　└ 불감시간

Ⅵ. 데이터수집속도체크

Ⅶ. 데이터수집

Ⅷ. 데이터해석

그림 5.9 AE 계측의 흐름도

1) 부하방식·상태

AE계측에서는 우선 목적으로 하는 현상을 검출하기 위해 외적조건으로 부하방법·상태를 선택 또는 파악 한다. 부하방식·상태에 따라서 목적으로 하는 현상을 가장 높은 감도로 검출하는 AE 변환자의 설치위치·방법을 검토해야 한다.

2) AE 변환자의 설치위치·방법

AE변환자의 설치위치 방법을 결정할 때에는 ⓐ 커플링 방법, ⓑ 탄성파 전파경로, ⓒ 변환자의 설치환경, ⓓ 재현성 등을 고려할 필요가 있다. ⓐ에서 제품검사 등에 구조상·기능상의 문제로 커플링을 사용할 수 없는 경우에는 AE변환자의 수신파 측의 면에 고무판을 붙인 피검체에 압접하거나 물을 매체로 검출한다. 이들 경우에는 투과율과 감쇠율의 문제로 인해 계측감도가 20 ~ 40 dB 저하하는 경우가 많기 때문에 문턱값의 설정에 주의해야 한다. ⓑ에는 샤프연필심이나 펄스 등의 의사 AE원을 음원의 위치로부터 입력하고 변환자의 설치위치를 변화시킴으로써 검출감도의 변화를 구한다. 탄성파 전파경로로부터 탄성파의 반사모드변환합성이 생기기 때문에 최적의 설치장소를 설정해야 한다. ⓒ에서는 압전소자의 큐리점을 넘지 않는 온도, 외부잡음의 영향을 가능한 한 받지 않는 장소에 설치한다. ⓓ에서는 계측감도의 재현성이 있는 AE 변환자의 접촉법 및 교정법을 선택할 필요가 있다.

3) 잡음대책

AE는 피시험체에 부하를 주지 않으면 발생하지 않기 때문에 부하 시에 부하장치, 치구 등으로부터 잡음이 발생하는 것을 피해야 한다. 사용 중인 피시험물에서는 더욱 많은 잡음발생이 예상된다. 예를 들어 압력용기 등에서는 수압시험시의 노즐로부터의 기포발생음 등이 예상된다.

4) 계측감도의 교정

계측감도의 교정에는 ① 변환자 자체의 감도교정, ② 변환자 부착 감도교정, ③ 피검체의 음속감쇠특성의 계측이 있는데 이들의 총합특성에 의해 계측감도를 결정한다.

5) 계측장치의 설정

AE 장치의 기본설정항목에는 ① 게인, ② 문턱값, ③ 불감시간이 있다.

ⓐ 게인(*gain*)의 설정

게인설정은 Pre-Amp와 Main-Amp에서 한다. Pre-Amp에서는 계측 Dynamic range 를 확보하기 위해 최대진폭의 AE신호가 Pre-Amp최대출력 전압 이하가 되도록 게인을 설정한다. Main-Amp에서는 각사상의 AE 파라미터의 변화가 크고 계측 Dynamic range를 넓게 취하도록 게인을 설정한다.

ⓑ 문턱값(*threshold*)의 설정

문턱값의 최소레벨은 Pre-Amp의 입력저항과 내부 잡음에 의해 정해진다. 문턱값은 계측 가능한 최소레벨의 설정 외에 계측대상으로 하는 AE신호레벨의 설정에도 이용한다. 문턱값이 변하면 카운트하는 hit의 수나 계수, 여러 가지 AE 파라미터값이 달라지기 때문에 주의를 요한다.

ⓒ 불감시간의 설정

불감시간(*dead time*)은 반사파를 독립한 hit로 세지 않기 위한 시간으로, 정도 높은 AE수와 hit수를 대응시키기 위해서는 검사 전에 미리 반사경로를 조사해 놓고 유효한 불감시간을 설정할 필요가 있다. 그러나 일반적으로 불감시간은 구조물의 비파괴검사 등 비교적 단시간에 연속적으로 AE가 발생할 가능성이 없는 경우는 유효하지만, 재료시험과 같이 단시간에 연속하여 AE가 발생하는 경우에는 세는 것을 빠뜨리는 원인이 되기 때문에 주의를 요한다.

6) 데이터 수록속도

최근 컴퓨터를 이용한 계측장치에 데이터를 수록하는 것이 일반화되고 있다. 컴퓨터베이스의 계측장치의 데이터 수록속도는 계측채널수, 불감시간, 데이터 전송속도, 데이터 기록속도의 함수로 최대수록속도가 정해지고, 실시간(*real-time*)의 경우에는 여기에 연산속도가 더해진다. 따라서 계측설정 조건에서 최대 hit 또는 사상수록 속도가 변화하므로 계측에 앞서 데이터 수록속도의 확인이 필요하다. 데이터 수록속도의 확인방법은 AE 시뮬레이터를 이용하는 것이 정확하지만 간이적으로는 문턱값을 잔류잡음레벨까지 내려 데이터 수록을 함으로써 구할 수 있다.

7) 데이터 해석

재료평가법의 데이터 해석에는 ⓐ 파괴개시점, ⓑ 파괴진전상황, ⓒ 파괴기구의 식별, ⓓ 파괴위치 등이 중요하고, 구조건전평가기법에서는 ⓔ 파손위치와 ⓕ 손상상황이 중요하다.

5.5 AE의 적용 예

5.5.1 소성변형의 AE

AE활동도는 불균일변형의 척도가 되고 있다. 따라서 항복이나 세레이션에 수반하여 큰 AE가 관측되고, 가공경화 영역에서 그 활동도는 저하한다.

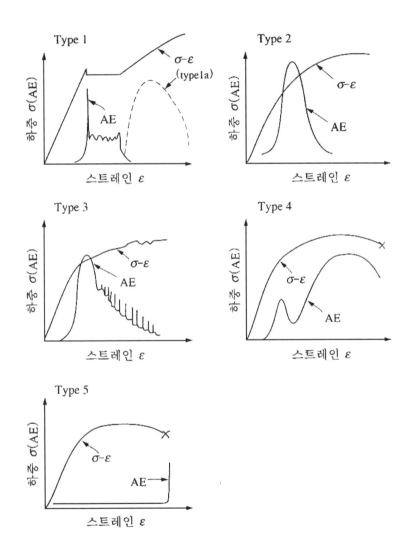

그림 5.10 소성변형에 의한 AE발생 패턴

그림 5.10과 같이 소성변형에 의한 AE의 발생은 5가지의 패턴으로 나눌 수 있다.

① Type1 : 강과 같은 Luders band를 수반하는 변형
② Type2 : 강, 알미늄과 같은 면심입방 순금속에서 볼 수 있는 항복점 근방에서 큰 AE Peak가 나타나는 것
③ Type3 : Al-Mg, α-Brass 합금 등에서 볼 수 있는 Separation에 수반하는 AE
④ Type4 : 시효경화합금, 고탄소강, 티타늄합금에서 관찰되는 항복점 이하에서 큰 AE 가 관찰되는 type
⑤ Type5 : 스테인레스강, 고합금강 등에서 보이는 항복점 근방에 약간 관찰되는 것 이외에는 거의 AE신호가 나타나지 않는 type을 나타낸다. 일반적으로 결정입자가 작을수록, 고용원자가 작을수록, 분산 ↔ 입자의 간격이 작을수록, 적층결함에너지가 큰 재료일수록 AE활동도가 높다.

카이저효과(*Kaiser effect*)란 그림 5.11와 같이 소성변형에 있어서 동일방향으로 변형을 계속하는 경우 응력을 제거하면 본래 응력의 크기에 이를 때까지 AE 는 관찰되지 않는 현상이다.

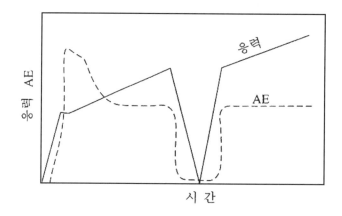

그림 5.11 Kaiser 효과

즉, 일단 한번 응력을 받은 재료에 대해 재차 하중을 부과할 때 이미 경험한 응력레벨 이하에서는 AE신호가 방출되지 않는다. 다시 말해서 AE 신호가 발생되기 위해서는 전보다 높은 하중이 부가되어야만 한다는 것이다. 소성변형을 수반하는 재료에서 재료의 응력 이력을 알 수 있는 중요한 현상이다. 또한 파괴시험 전에 잡음의 발생이 염려되는 핀연결

부나 고정지그 부분에 예상되는 최고 시험응력 이상의 응력을 사전에 부과해두면, 시험 시에 시편의 변형과는 관계없는 잡음을 제거할 수 있는데 이것 또한 카이저 효과를 이용한 예라고 할 수 있다. 최근에는 카이저 효과의 적용한계와 함께 AE를 이용한 구조물의 안전도 평가기준을 논한 페리서티효과(*felicity ratio; FR*)가 발표되었는데 AE 연구에 있어서 이 두 가지의 법칙은 매우 중요한 위치를 차지하고 있다.

페리서티 효과란 FRP제 용기에서 관찰되는 현상 중 하나로, 이미 경험한 응력보다 낮은 응력이 작용한 경우에도 AE가 발생되는 수가 있다. FRP는 점탄성 거동을 나타내는 재료이기 때문에, 변형기구에 관여하는 인자로 응력의 크기 이외에 응력의 작용 경과시간을 들 수 있다. 파괴기구 또한 매우 복잡하기 때문에 이미 경험한 응력의 크기와 작용시간의 대소에 따라 생성된 균열선단은 금속재료에 비하여 불안정한 상태라 할 수 있다. 이러한 불안정성 때문에 경험응력 보다 낮은 응력 하에서도 AE 신호가 발생할 수 있는 것이다. 한편, 금속재료에서도 응력의 작용방향이 변화하였다거나 환경요인에 의해서 균열선단의 상태가 열화되었을 경우에 이와 같은 현상이 일어날 수 있으며, 이것은 앞서 말한 카이저 효과에 반하는 것이다. 이와 같이 카이저 효과의 제한을 보완한 것이 페리서티 효과이며, 아래 식과 같이 정의된다.

$$FR = \frac{P_{AE}}{P_{1st}} \quad\quad\quad (5.4)$$

식 (5.4)에서 P_{1st}는 이전에 경험한 하중을, P_{AE}는 현재 검사시의 AE가 발생하는 하중을 나타낸다. 결국 FR비가 1보다 클 때에는 대상 시험체는 안전함을, 1보다 작을 때는 균열 선단이 열화되었다는 불안정한 상태를 의미한다. 따라서 $FR < 1$의 조건은 대상체의 열화도를 평가하는 하나의 기준으로 삼을 수 있다.

그림 5.12과 같이 부하응력의 반전에 의해 AE Peak가 나올 때 이를 전위의 AE (*Bauchinger effect - AE peak* 거동) peak거동이라 한다. 이것은 응력반전영역에서 역방향의 항복이 불균일하게 진행하고 있음을 나타내는 것으로 전이의 거동해석으로부터 명확히 되어 있다. 그리고 이 피크를 해석함으로써 변형저항에 해당하는 역응력(*back stress*)값을 평가할 수 있다.

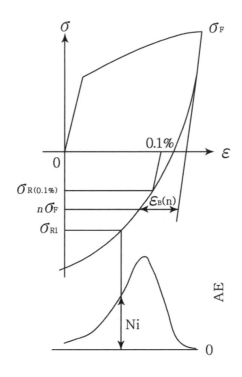

그림 5.12 Bauchinger effect에 따른 AE peak

5.5.2 파괴의 AE

가. 금속재료

균열진전과 함께 AE가 계측된다. 그림 5.13과 같이 파괴인성시험에서는 주균열진전에 수반하여 AE사상수가 급증하고 AE계측으로부터 파괴개시조건, 즉 K_{IC}, J_{IC} 등의 결정 가능성을 보이고 있다. 일반적으로 응력확대계수 K와 누적계수 N_C 사이에는 다음과 같은 관계가 성립하는데 A, n을 정수라 하면

$$N_C = A \cdot K^n \quad (n = 2 \sim 3) \quad\text{(5.4)}$$

으로 표시된다. AE발생이 균열선단소성역(크기 r_p)에서 일어나고 AE사상이 소성역의 체적 V_p에 비례하여 계측되었다고 하면, $V_p \propto \pi r_p^2 \propto K^4$의 관계로부터 $n = 4$가 유지된다. 실제로

는 n값이 $n = 4$에 가까운 경우가 많다. 그러나 연성재료에서는 주균열진전 이전에 많은 AE가 관측되고 주균열진전과 함께 그 활동도가 저하하는 경우가 있다.

그림 5.13에서 각종재료의 파괴인성시험에 의한 AE발생 패턴을 나타내고 있다. 이는 3가지 Type으로 분류되는데, type I 은 저강도 고인성재료의 경우로 개재물의 균열, 박리에 수반하여 주균열진전에 앞서 많은 AE가 관찰되고 있다. typeⅢ는 고강도재의 경우로 주균열진전에 따라 AE활동도가 급증하고 있다. typeⅡ는 type I 과 typeⅢ 중간의 거동을 보인다.

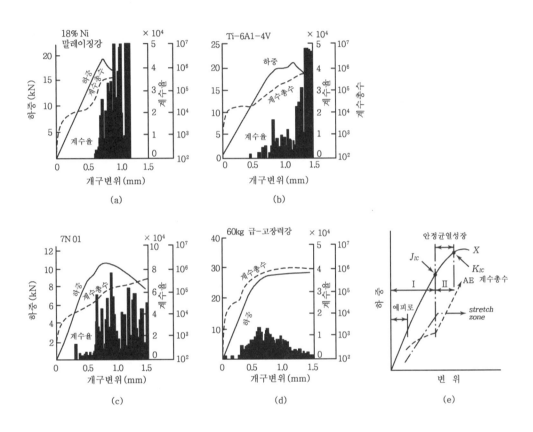

그림 5.13 여러 재료의 파괴인성시험에서 AE((a)~(d))와 AE발생의 모식도(e)

5.5.3 모니터링의 AE

모니터링(*monitoring*)의 AE는 압력용기나 배관의 손상·Leak검출, 용접결함의 실시간 (*real time*) 모니터링, 드릴(*drill*)이나 바이트(*bite*)의 파손감지 모니터링, 회전기기의 이상 진단 모니터링, IC나 반도체 패키지의 검사, 하드디스크 크랏슈 검출, 트랜스 등의 절연 열화에 의한 코로나 차지 검출 등에 이용된다.

익 힘 문 제

1. 음향방출검사(*AE*)와 초음파탐상검사(*UT*)의 차이점을 설명하시오.
2. AE의 주요 적용 분야와 적용 예에 대해 기술하시오.
3. AE 신호파형의 종류와 특징에 대해 기술하시오.
4. AE시험 시 활용되는 주요 파라미터에 대해 기술하시오.
5. 소성변형에서 AE의 발생패턴에 대해 기술하시오.
6. 카이저효과(*Kaiser effect*)에 대해 기술하시오.

제6장 침투탐상검사

6.1 침투탐상검사의 개요

6.1.1 기본 원리

침투탐상검사(*penetrant testing; PT*)은 표면에 존재하는 개구 결함인 불연속 내에 침투한 침투액이 만드는 지시모양을 관찰함으로써 결함을 검출하는 방법으로 표면 결함을 경제적으로 발견해 낼 수 있어 다양한 산업분야에서 이용되고 있다. 그림 6.1은 기본 원리를 설명한 것으로 표면에 개구되어 있는 균열이나 핀 홀 등의 결함에 대해 육안에 의한 관찰이 쉽도록 착색염료나 형광염료를 함유한 "침투액"을 적용한 후, 모세관현상을 이용해서 결함 내부에 이것을 침투시킨다(침투처리).

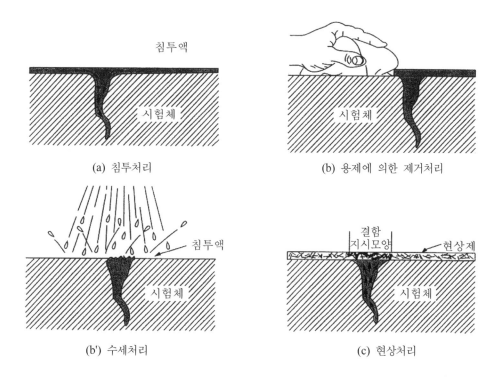

(a) 침투처리

(b) 용제에 의한 제거처리

(b') 수세처리

(c) 현상처리

그림 6.1 침투탐상검사의 원리와 결함지시모양의 형성

그 후 표면에 잔류하는 여분의 침투액(잉여침투액)을 제거하고(세척처리), 다음으로 미분말로 된, "현상제"를 표면에 도포하면, 미분말간에 형성된 극히 좁은 틈이 무수히 형성되고, 모세관 현상에 의해 결함 내부에 잔류한 침투액이 다시 빨려 나와 이것이 현상막으로 퍼져 결함지시모양이 형성되는데, 이 결함지시모양은 결함 개구 폭 보다 커서 관찰이 가능하게 된다. 이와 같은 공정으로 이루어지는 침투탐상검사는 시험체의 재질에 거의 관계없이 표면 개구결함은 검사가 가능하므로 다양한 재료의 검사에 이용되고 있으며, 각종 구조물 및 제품의 가공 공정 등에도 널리 활용되고 있는 비파괴검사 방법의 하나이다.

6.1.2 침투탐상검사의 특징

침투탐상검사는 모세관현상을 이용하여 표면으로 열린 결함에 침투액을 침투시킨 다음 잉여침투액을 제거하고 현상제를 적용하여 결함지시를 형성시키는 검사법으로써 특성을 요약하면 다음과 같다.

① 금속, 비금속에 관계없이 거의 모든 재료에 적용이 가능하지만 단지 다공질 재료에는 적용이 곤란하다.
② 표면으로 열린 결함만 검출이 가능하다.
③ 형광법, 염색법이 있으며, 결함 폭의 확대율이 높아 미세 결함의 검출능력이 우수하다.
④ 결함의 깊이, 내부의 모양 및 크기를 알 수 없다. 검출된 결함 지시로부터 알 수 있는 것은 결함 유무와 결함의 위치 및 표면에 나타난 결함의 개략적인 모양뿐이다.
⑤ 검사가 비교적 간단하여 교육 및 훈련을 받으면 비교적 숙련이 쉬우나, 수작업이 많아 검사원의 기량에 검사결과가 크게 좌우된다.
⑥ 주변 환경 특히 온도의 영향을 많이 받는다.
⑦ 밀집되어 있는 결함이나 매우 근접해 있는 결함을 분리한 결함 지시모양으로 나타내는 것은 일반적으로 곤란하다.

6.2 침투탐상검사의 기초

6.2.1 모세관 현상

침투탐상검사의 기본원리는 액체의 표면장력에 기인한 이른바 "모세관 현상(*capillarity*)"이다. 모세관현상은 그림 6.2와 같이 액체가 표면장력에 의해서 미세한 관으로 빨려 올라가는 것처럼 상승하여, 그 액면이 외부의 액면보다 높아지는 현상이다. 즉, 극히 좁은 틈이나 천 등의 가는 망사가 존재하면 액체는 틈으로 이동하여 침입하게 된다.

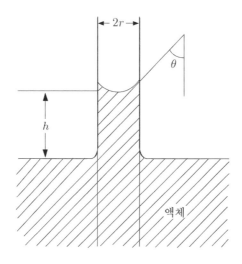

그림 6.2 표면장력과 모세관현상

그림 6.2에서 액체는 반지름 r 인 모세관을 높이 h 까지 상승한다. 관 안에서 액면은 일반적으로 가운데가 아래 오목한 곡면이 된다(관의 벽과 액면과의 각 θ 를 가진다). 이 곡면은 메니스커스(*meniscus*)라 한다. 액면의 메니스커스 둘레가 모세관 면과 접촉한 곳에서 액체의 표면에너지(표면장력)를 γ 이라 하면, 힘의 수직으로 상방향 성분은 이 접촉원의 단위 길이 당 $\gamma \cos\theta$ 가 된다. 그러므로 $2\pi r$ 의 접촉원 전체에서의 합력은 $2\pi r \gamma \cos\theta$ 가 되고, 이는 액체가 위로 올라간 부분의 질량과 평형을 이루므로

$$2\pi r \gamma \cos\theta = \pi \rho h r^2 g \quad\text{..}\quad (6.1)$$

이 성립된다. 단, ρ는 액체의 밀도이고 g 는 중력가속도이다. 따라서

$$h = 2\gamma\cos\theta/\rho g r \quad\text{..} (6.2)$$

가 얻어진다. 이 식에서

$$\frac{2\gamma}{\rho g} = \frac{rh}{\cos\theta} = a^2 \quad\text{..} (6.3)$$

이고, a^2는 비응집력이기 때문에 표면장력에 상응해서 이용된다. a^2는 물에서 15[㎟]정도, 메칠 알코올에서 5.8[㎟]정도이다. 식(6.3)에서 액체의 비응집력 a^2이 커지고 개구 반지름 r 이 작아지면 액체는 좁은 관으로 빨려 올라가기 쉬워진다. 한편, 표면장력 γ는 온도가 높아지면 감소한다.

식(6.2)에서 각도 θ를 접촉각이라 하는데, 액체-고체 표면간의 "적심성"을 나타내는 파라미터의 하나이다. 물이나 알코올이 모세관 현상에 의해 미세한 유리관 속으로 상승할 경우, θ는 대부분 0에 가깝다고 생각하는 것이 좋다. 모세관 속으로 상승하는 액체의 속도, 즉 침투속도는 액체의 표면장력 γ, 그 접촉각, 액체의 점도, 모세관의 직경 등의 영향을 받는다. 특히 개구 반경 r이 작고 액체의 점도가 낮을수록 침투속도는 빠르다.

6.2.2 지각현상

인간의 눈이 물체의 형태나 색깔이나 크기를 포착한다든지 감지하는 현상을 "지각현상"이라 한다. 인간의 지각은 형태가 크고 밝으며 선명한 색깔을 가지는 것일수록, 그리고 환경이 어두우면 어두울수록 작고, 약한 빛에 대해서도 민감하게 작용하는 것이다. 물체가 가지는 색깔의 종류나 밝기의 정도, 크기 등에 따라 누구나 즉시 있는 것을 알 수 있으며, 그 모습이나 형상으로부터 그것이 무엇인가도 바로 판단할 수 있다.

또 이것과는 별개로 어두운 곳으로 들어갔을 경우에 금방은 아무 것도 볼 수 없지만 시간이 좀 지나면 바늘구멍 정도의 작은 구멍에서라도 빛이 들어오면 쉽게 찾아볼 수 있게 되는 현상이 있다. 즉 인간의 눈에 관찰할 수 있는 환경조건을 갖추고 물체에도 쉽게 볼 수 있는 조건을 부여해 주면 일반적으로 완전히 볼 수 없는 것이라도 확실하게 볼 수 있게 된다.

이상 두 가지의 원리를 이용해서 재료표면으로 개구폭이 좁은 결함이나 직경이 작은 결함

속에 우리들이 눈으로 보기 쉬운 색깔을 띄고 있는 액체 혹은 형광을 발하는 물질을 함유한 액체를 침입시키고, 그 후에 미세한 구멍이 무수히 있는 미립자로 된 피막을 시험체 표면에 만들면 입자간 틈새에 의한 모세관현상에 의해 결함 속에 침투해 있는 액체가 표면으로 흡출되면서 피막 중으로 퍼져 실제의 결함보다도 확대된 크기, 그리고 보기 쉬운 색깔이나 밝기를 가진 지시모양으로 나타난다. 이렇게 해서 결함을 검출하는 것이 침투탐상검사이다.

6.2.3 침투액의 물리적 성질

침투액은 침투탐상검사에서 가장 중요한 역할을 하는 탐상제로, 표면 전체로 퍼져나가는 특성을 갖는 액체를 적용하여 열려있는 미세한 결함에 침투가 잘 되도록 하는 역할을 한다. 침투액의 침투에 영향을 미치는 중요한 원인으로는 표면장력과 적심성 그리고 탐상면의 청결과 결함의 표면이 열려 있는 모양 및 크기 등이다.

가. 표면장력

같은 체적을 가진 여러 형상의 액체나 고체에서 표면적이 가장 작은 것은 공(球)모양이다. 이것은 액체의 표면에 항상 표면적을 최소로 하려는 힘이 작용하기 때문으로, 이 힘을 표면장력(*surface tension*) 또는 계면장력이라 한다.

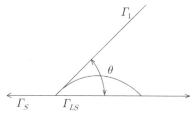

Γ_1 : 침투액의 표면장력
Γ_S : 시험체의 표면장력
Γ_{LS} : 고/액체 계면장력
θ : 접촉각

그림 6.3 접촉각과 표면장력

이 표면장력은 침투액의 침투 성능을 나타내는 중요한 특성으로, 가급적 표면장력이 큰 것이 좋은 침투액이 된다. 그러나 침투액의 표면장력이 크게 되면 시험체 표면과의 접촉각(*contact angle*)이 증가하여 접촉 면적이 작아지므로, 침투액이 시험체 표면에 잘 분산되지 않게 된다.

나. 적심성

침투탐상검사에서는 침투액이 결함내부로 침투하여야 하며, 이렇게 되기 위해서는 표면으로 열린 결함의 내부가 비어있어야 하고, 침투액의 침투성이 우수해야 한다. 침투액의 침투성을 나타내는 인자로 "적심성(*wettability*)"이 있다. 적심성은 액체를 고체표면에 떨어뜨렸을 때 액체가 기체를 밀면서 넓히는 성질을 말하며, 일반적으로 접촉각 θ가 작을수록 적심성이 좋다. 한편 침투액의 점성은 적심성과 관계가 있는 경향이 있다고 하지만, 적심성과는 관계가 없고, 침투속도에만 관계된다. 점성이 클수록 침투속도는 늦어진다. 일반적으로 액체의 점성은 온도가 낮아질수록 커지기 때문에 저온일 때 탐상은 침투시간을 길게 하는 등의 주의가 필요하다.

다. 점성

일반적으로 서로 접촉하는 액체끼리는 떨어지지 않으려는 성질을 가지고 있는데, 이 성질이 점성(*viscosity*)이다. 침투액의 점성은 침투력 자체에는 그다지 영향을 미치지 않으나, 침투액이 결함 속으로 침투하는 속도에는 중요한 변수가 된다. 점성이 높은 침투액은 점성의 반대되는 성질인 유동성이 좋은 것보다 천천히 이동하며, 침투액을 결함 속으로 빨아들이는 힘에 대한 저항력이 크다. 일반적으로 액체의 점성은 온도가 낮을수록 점성이 높아지므로, 온도가 낮은 환경에서 탐상할 때에는 침투속도가 떨어져서 결함 속으로 침투액이 침투하는 시간을 길게 늘려야 한다.

라. 밀도

밀도(*density*)는 액체의 침투성에 직접적인 영향을 미치지 않는다. 대부분의 침투액으로 사용되는 액체는 비중이 1보다 낮다. 이는 침투액의 주성분이 보통 비중이 낮은 유기화합물로 이루어져 있기 때문이다. 침투액이 1 이하의 비중을 갖는 것은 침투액에 물이 섞여도 통의 바닥에 가라앉게 되므로, 제 기능을 발휘할 수 있고, 운반할 때 가볍게 하기 위함이다.

마. 휘발성

침투액은 휘발성(*volatility*)이 있으면 안되며, 비휘발성이어야 한다. 그 이유는 침투액을 개방된 용기에 넣고 사용할 때, 증발되어 그 양이 줄어드는 것을 방지하고, 시험체에 침투액을 적용했을 때 침투시간 중에 침투액이 건조되기 때문이며, 현상처리를 할 때 결함 속에 침투되어 있던 침투액이 건조되어 지시모양을 형성할 수 없기 때문이다.

바. 인화점

침투액은 인화점(*flash point*)이 높아야 한다. 인화점이 낮으면 검사장소 주위의 열에 의해 온도의 상승으로 화재의 위험이 높으며, 시험체 자체의 온도가 높을 때도 화재를 일으키기 쉽기 때문이다.

6.3 침투탐상검사 장치 및 재료

6.3.1 침투탐상제

침투탐상검사는 침투액, 유화제, 세척액, 현상제를 검사목적에 맞도록 조합하여 사용하며, 이들의 탐상제가 검사 정밀도를 만족시키기 위해서 알맞은 성분, 성능을 가지고 있어야 한다.

가. 침투액

침투액은 가시성에 따라 형광, 염색 및 이원성 침투액으로 나누어지며, 또 이들의 제거성에 따라 수세성, 후유화성(기름베이스, 물베이스) 및 용제제거성의 3종류로 분류한다.

나. 유화제

유화제에는 기름베이스와 물베이스 2종류가 있다. 후유화성침투액에 유화성을 주어 수세를 가능하도록 하기 위해 사용되므로 계면활성제를 주체로 하며, 점성 및 침투액과의 친화성이 고려의 대상이다.

다. 세척액

주로 용제제거성 침투액에 사용하므로 침투액을 잘 용해하고, 휘발성이 세척에 알맞아야 하며, 저장 안정성을 가져야 한다. 또한 금속을 부식, 변색시키지 않아야 하고, 나쁜 냄새가 나지 말아야 하며, 독성이 없어야 한다.

라. 현상제

현상제는 적용방법에 따라 습식, 속건식, 건식의 3종류로 대별된다. 성분은 다르지만 주체는 결함의 내부에 스며든 침투액을 빨아내는 현상분말이다. 현상제를 구성하고 있는 성분은 현상분말, 계면활성제, 방청제, 용제 등을 목적에 따라 달리 배합하고 있다. 근래에 들어 유기용제에 관한 규제가 점점 강화되기 때문에 저독성의 탐상제가 시판되고 있다. 저독성 탐상제는 일반용에 비해 값이 비싸지만 인체에 대한 해가 적다. 또 배수처리 측면에서는 수질오염방지법이 적용됨으로 물을 사용하여 세척처리 하는 경우에는 미리 확인 할 필요가 있다.

6.3.2 침투탐상검사 장치

침투탐상검사 장치는, 단순한 휴대형 장치에서 고정형 대형장치까지 여러 종류가 있으며, 그 형식과 크기는

① 시험체의 형상,　　② 크기,
③ 처리수량,　　　　④ 탐상제의 종류,
⑤ 작업목적,　　　　⑥ 작업조건,
⑦ 경제적 제약

등에 의해 선택된다.

장치가 갖추고 있어야 할 중요한 기능은 침투탐상검사의 시방서가 목적하는 결함을 확실하게 검출할 수 있고 작업성이 우수한 것이어야 한다.

가. 정치식 장치

일반적으로 수세성 및 후유화성 침투탐상검사법에 사용된다. 장치의 기본적인 구성은, 전처리, 침투, 유화, 세척, 건조 및 현상장치, 검사실, 후처리 장치, 자외선조사장치 등으로 되어있다.

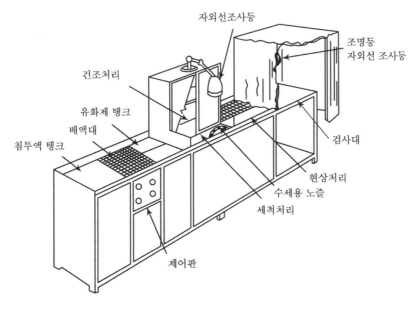

그림 6.4 정치식 침투탐상장치

(a) 설치형　　　　　　　　　　　　　　(b) 휴대용

그림 6.5 자외선 조사장치

형광침투탐상검사법에서 결함지시를 발광시켜 식별하기 위해 파장이 320 ㎚ ~ 400 ㎚ 의 근자외선을 조사하는 장치로서 블랙라이트(***black light***)라고도 한다.

나. 조도계

조도계(***Lux meter***)는 가시광선의 밝기를 측정하는 기기이다. 형광 침투 탐상 검사의 경우는 20 lx 이하, 염색 침투 탐상 검사의 경우에는 500 lx 이상의 밝기가 요구된다.

그림 6.6 자외선 강도계　　　　　　　　　　그림 6.7 조도계

6.3.3 대비시험편

대비시험편은 침투탐상검사의 탐상조작에 대한 적합 여부와 탐상제, 장치의 성능을 평가하기 위한 목적으로 사용되는 것으로, 검사의 신뢰성을 확보하는데 없어서는 안 되는 것이다. 그래서 KS B 0816-1993에서는 알루미늄 합금판의 표면에 담금질 균열을 발생시킨 A형 대비시험편과 평판 위의 도금 층에 도금 균열을 만든 B형 대비시험편의 2종류를 규정하고 있으며, 또 KS B ISO 3452-3-2006에서는 ISO 대비시험편인 1형 및 2형 대비시험편을 규정하고 있다.

대비시험편의 주된 사용 목적은 1)탐상제를 선정하여 구입할 때의 성능 비교, 2)사용 중인 탐상제의 성능 점검, 3)조작방법의 적합여부 조사 등이다. A형 대비시험편은 알루미늄 합금판의 표면에 발생시킨 담금질 균열을 이용한다.

가. A형 대비시험편

A형 대비시험편은 알루미늄 합금판의 표면에 담금질 균열을 발생시킨 것이다. 이 시험편은 우리나라와 ASTM(미국 재료시험협회), MIL(미국 국방규격), ASME(미국 기계학회) 등에서 채택하고 있다. A형 대비시험편은 그림 6.8과 같으며, 재료는 KS D 6701에 규정하는 A2024P(Al)가 사용된다. A형 대비시험편의 제작방법은 판의 한 면 중앙부를 가스버너로 520 ~ 530℃로 가열한 후, 이 온도에서 녹는 온도 표시용 크레용[템필스틱(*Tempilstik*) 등]이나 페인트를 사용하여 시험편의 중앙에 동전 크기 정도로 칠하고, 이것이 녹으면 가열된 면에 흐르는 물을 넣어서 담금질하면 급냉에 의한 미세한 균열이 원형으로 일정하게 발생된다. 그리고 같은 조작을 뒷면도 반복한다. 이렇게 균열을 발생시킨 시험편의 중앙부에 홈을 기계 가공한다. 사용방법은 원칙적으로 홈을 기준으로 마주보는 양쪽을 1조로 사용한다. 홈은 각각의 면에 적용한 탐상제가 혼합되지 않도록 하기 위한 것으로, 경우에 따라서는 각인을 한 후에 홈을 기준으로 절단하여 1조로 사용해도 된다.

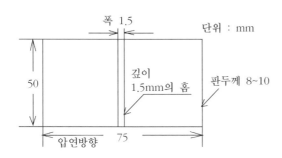

그림 6.8 A형 대비시험편의 크기와 모양

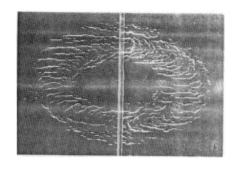

그림 6.9 A형 대비시험편의 지시모양

나. B형 대비시험편

B형 대비시험편은 도금 균열을 이용하는 것으로, 시험편에 사용하는 황동판(黃銅板)은 KS D 5201에서 규정하는 황동판을 사용한다. 그림 6.10과 같이 길이 100 ㎜, 폭 70 ㎜의 황동판에 두껍게 니켈 도금을 하고, 그 위에 보호막으로 얇은 크롬 도금을 하여, 도금 면을 바깥쪽으로 굽혀서 도금 층에 미세한 균열을 발생시킨 다음에 굽힌 면을 원래대로 평평하게 한 것이다.

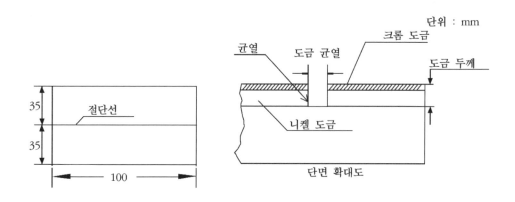

그림 6.10 B형 대비시험편

판두께에 대해서는 특별히 규정하고 있지 않다. 이렇게 균열을 발생시킨 시험편은 원칙 적으로 판의 중앙에서 균열에 직각인 방향으로 절단하여 2등분 또는 중앙에 테이프를 붙 여서 좌우로 구분한 2개의 면을 1조로 하여 사용한다. KS B 0816에는 표 6.1과 같이 4 종류의 B형 대비시험편을 규정하고 있다.

표 6.1 B 형 대비 시험편의 종류

단위 : ㎛

기호	도금 두께	도금 균열 폭(목표 값)
PT - B 50	50 ± 5	2.5
PT - B 30	30 ± 3	1.5
PT - B 20	20 ± 2	1.0
PT - B 10	10 ± 1	0.5

6.4 침투탐상검사 방법

6.4.1 침투탐상검사 방법의 종류

침투탐상검사에서는 침투액, 세정제 및 현상제(이하 탐상제라고 함)의 종류와 그 처리방법에 따라 여러 가지 검사방법이 존재한다. 먼저 침투액에는 염색침투액과 형광침투액의 2종류가 있다. 염색침투액은 소위 "color check"라고 하는 것으로, 자연광 또는 백색광으로 지시모양을 관찰할 수 있다. 형광침투액은 침투액에 형광물질을 추가한 것으로, 어두운 장소에서 시험면에 320 ㎚ ~ 400 ㎚ 의 파장을 가진 자외선을 조사하면 형광이 발광되어 결함 지시모양을 식별할 수 있다.

잉여 침투액을 제거하는 방법에는 물 스프레이로 이것을 씻어내는 방식, 침투액 피막상에 유화제를 적용하여 유화제가 침투액 피막중에 융합되는 시간동안 방치한 후 물 등으로 세척하고(후유화방식), 석유계 용제 또는 할로겐계 용제 등의 유기용제를 사용해서 걸레나 종이 타월 등으로 기계적으로 제거하는 용제제거방식의 3가지 방법이 있다. 2가지 침투액과 3가지 잉여 침투액의 제거방법을 조합해서 여러 탐상방법이 있을 수 있고, 이 중에서 용접부의 결함 탐상에는 용제제거성 염색침투탐상법이, 기계부품의 결함 검사에는 수세성 형광침투탐상법이 많이 사용되고 있다.

가. 관찰 방법에 따른 분류

사용하는 침투액의 종류에 따라 표 6.2와 같이 분류한다.

표 6.2 사용하는 침투액에 따른 분류

명칭	방법	기호
V 방법	염색 침투액을 사용하는 방법	V
F 방법	형광 침투액을 사용하는 방법	F
D 방법	이원성 염색 침투액을 사용하는 방법	DV
	이원성 형광 침투액을 사용하는 방법	DF

나. 세척 방법에 따른 분류

잉여 침투액의 제거방법에 따라 표 6.3과 같이 분류한다.

표 6.3 잉여 침투액의 제거 방법에 따른 분류

명칭	방법	기호
방법 A	수세에 의한 방법	A
방법 B	기름베이스 유화제 사용 후유화에 의한 방법	B
방법 C	용제 제거에 의한 방법	C
방법 D	물 베이스 유화제 사용 후유화에 의한 방법	D

다. 현상방법에 따른 분류

현상방법에 따라 표 6.4와 같이 분류한다.

표 6.4 현상 방법에 따른 분류

명 칭	방 법	기호
건식 현상법	건식 현상제를 사용하는 방법	D
습식 현상법	수용성 현상제를 사용하는 방법	A
	수현탁성 현상제를 사용하는 방법	W
속건식 현상법	속건식 현상제를 사용하는 방법	S
특수 현상법	특수한 현상제를 사용하는 방법	E
무현상법	현상제를 사용하지 않는 방법	N

라. 침투 탐상 검사의 표시 방법

한국산업규격에서 규정하는 표시방법은 그 분류된 기호의 조합으로 표시한다. 예를 들어 : 염색 침투액(Ⅴ)과 용제 제거성(C)-속건식 현상제(S) : ⅤC-S

6.4.2 침투탐상검사 절차

침투탐상검사을 침투제와 현상제를 무엇으로 사용하느냐에 따라 여러 가지 종류로 나누어지지만 여기서는 가장 일반적으로 사용되고 있는 속건식현상제를 사용한 용제제거성 염색침투검사을 예로 들어 침투탐상검사의 기본절차에 대해 설명한다.

침투탐상검사의 기본 작업은

① 전처리
② 침투처리
③ 잉여침투액 제거처리
④ 현상처리
⑤ 관찰 및 결함의 분류
⑥ 후처리
⑦ 기록

의 처리과정으로 이루어지고 있다. KS-B-0816에 규정된 대표적인 침투탐상검사법에 대하여, 사용하는 침투액과 현상법의 종류에 따른 검사순서를 표 6.5에 나타내었다.

1) 전처리

침투탐상검사에서는 시험체 표면에 열려있는 결함에 침투액을 침투시키는 처리가 제일 중요한 작업이다. 그러나 결함이 표면으로 열려있어도 결함 속에 먼지, 기름류 또는 다른 액체가 들어 있으면 침투액은 결함 속으로 충분히 침투할 수 없다. 그러므로 미리 결함의 내부 또는 표면에서 침투액의 침투를 방해할만한 물질을 제거하지 않으면 안된다. 이 목적으로 이루어지는 것이 전처리이다.

일반적으로 유지류를 시험면에서 제거하는 것이 주된 목적이므로 아세톤 같은 석유계 용제, 할로겐계 용제 등의 유기용제가 사용된다. 먼저 시험체의 전력을 살펴 오염의 형태를 미리 알고 이에 알맞은 전처리방법을 선택해야 한다.

특히 검사직전에 행해지는 전처리에서는 유지류를 시험면에서 제거하는 것이 주된 목적이기 때문에 전처리용의 세척제로는 아세톤이라든가, 석유계 용제, 할로겐계 용제 등의 유기용제가 쓰인다. 보통 유기용제를 에어로졸 캔에 봉입한 세척제를 쓰며, 가까운 거리에서 스프레이로 적용한다. 이때에는 충분한 양의 세척제를 사용하고 또 에어로졸 캔의 내압을 이용해서 표면의 凹부 속까지 충분히 세척제를 불어넣고 유지류를 용해 제거하도록 해야 한다.

이와 같이 유기용제를 적용한 후 표면 또는 결함내부에 부착되어 있던 유지류가 녹은 유기용제를 헝겊 또는 종이 타월로 잘 닦아내고, 필요하면 온풍 등을 불어서 표면 및 결함 내면을 건조시키는 것이 바람직하다

표 6.5 침투탐상검사의 절차

검사방법의 기호	시 험 순 서 ① →② →③ →④ →⑤ →⑥ →⑦ →⑧ →⑨ →⑩								
FA-D,DFA-D	① →②	→④	→⑥ →⑦	→⑨ →⑩					
FA-W,VA-W	① →②	→④	→⑦ →⑧ →⑨ →⑩						
FA-S,VA-S	① →②	→④	→⑥ →⑦	→⑨ →⑩					
FB-A,FB-W	① →② →③ →④	→⑦ →⑧ →⑨ →⑩							
FB-S,VB-S	① →② →③ →④	→⑥ →⑦	→⑨ →⑩						
FC-A,VC-W	① →②	→⑤	→⑦ →⑧ →⑨ →⑩						
FC-S,VC-S	① →②	→⑤	→⑦	→⑨ →⑩					
FD-A,VD-W	① →② →③ →④	→⑦ →⑧ →⑨ →⑩							
FD-S,VD-S	① →② →③ →④	→⑥ →⑦	→⑨ →⑩						

주: ① 전처리   ② 침투처리 ③ 유화처리 ④ 세척처리 ⑤ 제거처리
   ⑥ 건조처리 ⑦ 현상처리 ⑧ 건조처리 ⑨ 관찰   ⑩ 후처리

2) 침투처리

침투처리라는 것은 침투액을 결함 속으로 침투시키는 처리로서 결함 속에 침투액이 침투하지 않으면 침투탐상검사는 이루어지지 못한다. 따라서 침투액을 필요한 곳에 충분히 적용하고, 또 침투액이 결함 속으로 침투하는데 필요한 충분한 시간을 확보하지 않으면 안된다.

침투시간은 재질, 온도, 침투액의 종류 등에 따라 다르기 때문에 미리 실험적으로 결정해 놓는 것이 좋다. 표 6.6은 각종 재료와 결함의 종류에 따른 적정 침투시간과 현상시간의 예시이다.

표 6.6 침투시간과 현상시간

재 질	형 태	결함의 종류	모든 종류의 침투액	
			침투시간 (분)	현상시간 (분)
알루미늄, 마그네슘, 구리, 티타늄, 강	주조품, 용접부	쇳물경계, 균열, 융합불량, 기공	5	7
	압출, 단조, 압연	랩(*lap*), 균열	10	7
카바이드팁 붙이 공구		융합불량, 터짐, 빈틈	5	7
프라스틱, 세라믹스	모든 형태	터짐	5	7

침투액을 적용할 때 가장 많이 사용하는 것은

① 에어졸 통에 들어있는 침투액을 뿜칠법으로 도포하는 방법이 있으며,
② 또 솔칠법으로 적용하기도 하고
③ 작은 부품 등은 담금칠법의 적용도 가능하다.

어떤 방법을 사용하더라도 필요한 대상영역에 한정적으로 도포하는 것이 바람직하다. 용제제거성 침투액 이외의 침투액일 경우에는 탱크 등의 개방용기에 넣어 침적 또는 붓칠 등으로 적용하지만 대형부품의 경우에는 뿜칠법으로 적용하는 경우도 있다. 에어졸캔에 들어 있는 침투액을 이용해서 국부 탐상할 경우에는 침투액이 될 수 있는 한 주변으로 비산되지 않도록 대상영역에만 한정해서 한다.

침투처리의 경우에 대단히 중요한 것은 배액이다. 용제제거성 침투탐상검사에서는 표면에 부착되어 있는 잉여침투액은 단지 닦아서 제거하기 때문에 문제없지만, 그 외의 침투탐상검사에서는 침투처리 후 유화처리를 한다든지 물세척을 하기 때문에 잉여침투액의 피막층을 될 수 있는 대로 균일하게 해 주는 것이 표면을 균일하게 세척하는데 필요하다.

이 때문에 침투액조에서 들어낸 시험체는 형상을 고려하고, 거치법을 고려하여 잉여침투액이 흘러내려서 균일한 피막이 되도록 하는 것이 바람직하다. 이것을 배액처리라 하며, 이것은 물 세척을 균일하게 하기 위해서 뿐만 아니라 유화처리를 필요로 하는 검사일 경우에는 균일한 유화처리가 가능하도록 하기 위해서도 필요한 처리이다.

3) 유화처리

이 처리는 후유화성 침투탐상검사에만 필요한 처리이다. 기름을 기본 성분으로 하는 침투액을 물로 세척 가능하도록 하기 위해서는 유화제를 첨가하지 않으면 안된다. 침투처리에서 균일한 침투액의 피막을 만든 시험체를 유화제속에 침적하거나 또는 유화제를 흘려주는 방법으로 적용한다.

그 후 배액을 하는 것과 마찬가지로 유화제 피막을 균일하게 침투액 피막위에 만들어주고 유화제가 침투액 피막 속으로 균일하게 용입되도록 한다. 이렇게 함에 따라 건전부에 묻었던 잉여침투액 피막만이 세척되게 되며, 결함속의 침투액은 세척되지 않게 된다. 이 때 중요한 것은 시간 관리이다. 이것을 유화시간이라 하며 유화처리에서 중요한 항목이다.

4) 잉여침투액의 제거처리

제거처리는 침투처리가 끝난 시점에서 시험체 표면에 부착되어 있는 잉여침투액을 제거할 목적으로 이루어지는 처리로서 걸레로 닦아내는 것부터 시작한다. 표면에 부착되어 있는 대부분의 침투액을 그렇게 제거한 다음 세척제를 걸레에 묻혀 작은 홈같은데 끼어있는 침투액을 잘 닦아낸다. 이 때 세척제를 직접 시험체에 뿌려서는 안된다. 다량으로 세척제를 사용하여 침투액을 씻어 낼 경우 결함 내부에 침투되어 있는 침투액까지 씻겨 나갈 우려가 있어 바람직하지 못하다.

용제제거성 침투액은 용제 등을 묻힌 걸레, 종이타월 등으로 잉여액을 닦아낸다. 수세성이나 후유화법에서는 분무형 노즐을 이용, 적당한 거리(30 ~ 40 ㎝ 정도)에서 흐르는 물로 세척한다. 일반적으로 2 ~ 3 kg/cm^2 의 수압이 좋다.

수세성침투탐상검사이나 후유화성침투탐상검사의 경우 물스프레이를 이용하여 세척한다. 형광침투액을 사용할 경우에는 세척조 속에서 black light를 조사하면서 정온, 정압으로 관리되는 물 스프레이를 쓰며, 적절한 세척정도가 되도록 한다.

5) 현상처리

현상처리라는 것은 시험체 표면에 미세한 틈을 무수히 가지고 있는 현상제분말을 가지고 적층피막을 형성시키려고 하는 처리이다. 속건식현상제는 에어졸식으로 되어있는 것을 사용한다.

보통 뿜칠법으로 도포하며 도포되는 피막의 두께는 결함지시를 형성하는데 밀접한 관계가 있으므로 적절한 피막의 두께가 어느 정도인지 알아서 일정한 두께의 피막을 만들어야 한다.

현상제를 도포하고 나면 현상제중에 휘발성분은 바로 휘발하므로 따로 건조처리를 할 필요는 없다. 현상제가 건조하여 흰색의 현상제 도막이 형성되고 나면 결함 속에 침투되어 있던 침투액이 현상제 피막으로 흡출되어 지시가 형성되기 시작한다. 그리고 그 지시는 시간이 경과함에 따라 확대된다. 그러므로 평가를 일정하게 하기 위해서 현상시간을 미리 정해두는 것이 편리하며 현상시간이 경과하게 되면 바로 지시를 평가해야한다. 여기서 현상시간이란 현상을 개시해서 지시를 관찰하고 평가할 때까지 시간을 말한다.

습식현상제는 시험체를 현상제 속에 침적하거나, 혹은 붓는 등의 방법으로 적용한다. 적용 후 곧바로 건조로에 넣어서 수분을 증발시키면 흰색 미립분말에 의한 박막이 형성된다. 이것이 현상피막이다. 이 피막은 결함속의 침투액을 빨아올려 표면에 확산시킨다. 그러나 피막의 두께가 얇기 때문에 시험체의 표면바탕을 완전히 덮지 못하고, 피막 속으로 확산된 지시모양의 색깔을 바탕의 색깔과 섞인 색깔로 되어, 바탕과의 구별이 어렵게 된다. 그 때문에 주로 형광침투액을 이용한 경우에 사용한다. 이 경우도 건조온도에는 충분히 주의하고 열풍순환식 건조로를 사용하며, 열풍으로 표면에 부착되어 있는 수분만을 제거하도록 신중하게 해야 한다. 또 습식현상제를 잠깐 방치해 놓으면 섞여 있던 분말이 침전되어 현상제가 변해 버리므로, 사용할 경우에는 반드시 교반하고 나서 사용하도록 한다.

건식현상제는 건조된 가벼운 흰색 미립분말이며, 숨을 쉬는 것만으로도 주변으로 비산되기 때문에 취급에 특별한 주의를 기울여야 한다. 이 현상제 속에 시험체를 묻은 채 2 ~ 3분 두거나 혹은 이 분말을 조용히 위에서 뿌리는 방법으로 현상처리를 행한다. 현상제에서 꺼낸 시험체는 가볍게 두드려서 표면에 가볍게 부착되어 있는 현상제를 떨어뜨리고 나서 관찰을 시작한다.

이상은 각종 현상제를 사용할 경우의 현상법인데, 무현상법의 경우는 세척처리가 끝나면 곧바로 열풍건조로에 넣어 현상처리를 한다. 따라서 이 방법은 온도관리에 현상처리의 성공이 달려 있다. 가열방법에서 전열선 등이 노출된 것이나, 측벽이 높게 가열되어 복사

열로 시험체의 일부가 세게 가열될 만한 가열로는 피해야 하며, 열풍을 순환시켜 시험체 표면을 가능한 한 균일하게 건조할 수 있을 만한 가열방법을 선택해야 한다.

6) 관찰 및 결함의 분류

관찰은 현상제 피막 위를 눈으로 살펴보는 것으로, 결함지시가 있는지 없는지 또는 무관지시가 아닌지 여부를 판단하고 평가할 목적으로 이루어진다. 그러므로 가장 중요한 것은 관찰 대상이 되는 시험면이 관찰할 수 있는 조건을 만족시켜야 하며 먼저 이것을 점검해야한다. 즉

① 시험면의 밝기,
② 현상시간,
③ 현상피막의 농도,
④ 현상피막의 균일성

등이 만족되어야 한다. 이러한 조건이 만족될 때, 지시의 유무를 살펴보고 그 지시가 결함지시인지 판별해야 의미가 있다. 침투탐상검사를 할 때 보통 이러한 조건의 중요성을 잊어버리는 경우가 많으므로 주의해야 한다.

결함지시모양의 관찰은 염색침투액을 이용하는 경우 자연광이나 조명광 아래에서 육안으로 이루어지지만, 형광침투액은 일정 강도이상의 자외선을 조사하고(보통 시험면에서 800 ~ 1000 $\mu W/cm^2$ 이상), 파장 500 ~ 550 ㎚정도의 황록색의 형광을 발광시켜서 관찰한다.

만약 지시모양이 인지되었다면 우선 위치와 형상, 분포상태로부터 대략 그 결함의 종류를 사정하는 것은 좋지만, 전술한 바와 같이 침투탐상검사는 결함을 확대해서 인간의 눈으로 보기 쉬운 상태로 만들어 관찰하는 검사법이고, 또 표면 개구결함에 한정되고 있다는 것을 고려한다면 반드시 현상피막을 제거하고 시험체 표면을 확대경 등을 이용해서 조사하여 결함의 존재를 확인한 후 결함의 종류, 형상, 크기를 결정하도록 해야 한다.

결함의 분류는 침투 지시 모양을 분류한 후에 실시한다. 현상제 피막을 제거하고 시험체 표면을 확대경 등을 이용해서 조사하여 결함의 존재를 확인한 후 결함의 종류, 모양, 크기를 결정하도록 해야 한다. 결함은 모양 및 집중성에 따라 다음과 같이 분류한다.

① 독립 결함
- 균열(갈라짐) : 균열이라고 인정되는 것
- 선상 결함 : 균열 이외의 결함으로 그 길이가 나비의 3배 이상인 것.
- 원형상 결함 : 균열 이외의 결함으로 선상 결함이 아닌 것.

② 연속 결함 : 균열, 선상 결함, 원형상 결함이 거의 동일 직선상에 존재하고 그 상호 거리와 개개의 길이의 관계에서 1개의 연속한 결함이라고 인정되는 것. 결함길이는 특별한 지정이 없을 때는 결함의 개개의 길이 및 상호거리를 합친 값으로 한다.

③ 분산 결함 : 정해진 면적 내에 존재하는 1개 이상의 결함. 분산결함은 결함의 종류, 개수, 또는 개개의 길이의 합계값에 따라 평가한다.

7) 후처리

관찰이 끝난 다음 시험체 표면의 부식을 방지하고 잉여 침투액을 제거할 목적으로 이루어지는 처리를 후처리라 한다. 우선 시험체 표면에 부착되어 있는 현상제를 억센 솔 같은 것으로 털어내고 마른 걸레로 잘 닦아낸 다음에 용제나 물 등으로 씻어내며 필요에 따라 방청처리도 한다.

8) 기록

결함 지시 모양의 기록 방법에는 스케치, 사진 촬영, 전사에 의한 방법이 있다. 전사의 방법은 비교적 전사가 잘되는 염색 침투액과 속건식 현상제를 사용한 경우에 이용하다. 점착성테이프를 사용하여 현상제 피막에 나타난 침투지시모양을 전사하는 방법이다.

검사조건 및 검사결과의 기록을 작성할 때는 실제로 검사에 참여하지 않은 사람도 검사결과를 보고 충분히 이해할 수 있도록 정확히 작성하여야 한다. 즉, 언제, 누가, 어디서, 어떤 방법으로, 어떤 시험체의 어느 부분을, 어떤 목적으로 어떤 검사조건으로 검사를 해서 어떤 결과를 얻었는지가 포함되어야 한다.

6.5 침투탐상검사의 적용 예

침투탐상검사는 다른 비파괴검사에 비하여 사용할 설비 또는 재료는 검사방법의 선택에 따라 간편화를 꾀할 수 있는 이점을 가지고 있다. 그러나 신뢰성이 높은 검사를 하려면 우수한 성능을 가진 탐상제를 사용하여야 하며, 아울러 안정된 탐상조작을 적절한 환경조건 하에서 실시해야 한다.

그리고 각종 침투탐상검사법 중에서 어떤 방법을 선정하여 사용할 것인가는

① 시험체의 재질
② 크기와 수량 및 표면거칠기
③ 그리고 예측되는 결함의 종류와 크기
④ 전원 및 수도 사정
⑤ 탐상제의 성능
⑥ 작업성과 경제성

을 고려하여야 한다.

침투탐상검사는 인체에 해를 줄 수 있는 여러 가지 재료를 사용한다. 따라서 사용 중 안전에 유의해야 한다. 사용되는 액체는 대부분 인화성을 가지며 피부에 접촉되었을 때 자극을 일으킬 수 있다. 현상제 분말은 비독성이지만 제한된 공간에서 공기오염으로 인한 건강장해를 가져올 수 있다. 또한 자외선 조사등에서 나오는 자외선은 피부를 그을게 하며 눈에 해가 있다.

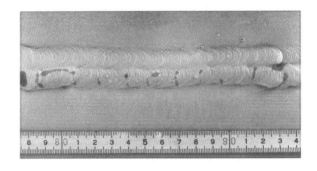

그림 6.11 용제제거성 염색침투탐상 결과 예

침투탐상검사 결과의 예로 그림 6.11에서 용제제거성 염색침투탐상법(속건식현상법)으로 검사한 게이트 밸브 기계가공면의 결함지시모양과 그림 6.12에 용제제거성 염색침투탐상법으로 검사한 밸브 기계부품의 결함지시모양(열응력피로균열)을 나타낸다.

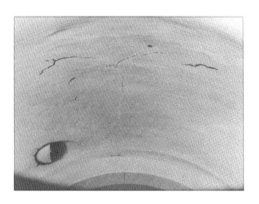

그림 6.12 용제제거성 염색침투탐상법(열응력피로균열)

6.6 안전위생

6.6.1 화재예방

침투탐상검사에 사용하는 탐상제는 현상제 및 유화제의 일부를 제외하고는 거의 대부분이 유성(油性)의 가연성물질로 구성되어 있다. 또 에어로졸 제품과 같이 충전가스로 액화석유가스를 사용한 강연성의 것도 있다. 이와 같은 탐상제를 사용할 때는 보통의 유류 또는 용제류의 취급과 마찬가지로 화재예방에 대한 관리가 필요하다. 물론 소방법에 의한 위험물의 지정에 해당되므로 저장 및 사용상의 수량 및 사용시설 등 법으로 규제되어 있는 사항을 준수해야 한다. 대량의 탐상제를 저장할 때는 저장고가 필요하다.

6.6.2 안전위생

① 침투탐상검사에 사용하는 탐상제는 본질적으로는 무해하다고 하지만 침투액, 세정제, 속건식현상제 등을 직접 신체내로 흡인하거나 분무상태의 것을 다량으로 흡입하게 되면 기분이 나빠질 수가 있다. 특히 밀폐된 용기내 또는 실내에서 탐상할 경우 휘발성 가스나 독성가스가 체류되기 쉬우므로 충분하게 환기를 하고 필요에 따라서는 가스검지기로 안전성을 확인해야 한다. 또 탐상제가 피부에 닿았을 때 피부가 다소 가려울 수도 있으므로 이것을 예방하기 위해 고무장갑을 사용하면 좋다. 또한 유기용제를 사용할 경우는 유기용제 중독예방을 위해 작업환경의 유기용제의 농도 관리를 소홀히 하지 않도록 해야 한다.

② 규정 파장역의 자외선 조사등에 의한 자외선은 눈이나 피부에 대해 무해하지만, 직접 눈이나 피부에 장시간 조사하게 되면 눈이 피로하다든지 피부가 탈 수 있으므로 주의 할 필요가 있다.

③ 현상제로는 금속산화물의 미세분말이 많이 사용되고 있으며, 검사할 때 공기 속으로 미세분말이 비산되기 때문에 환기에 주의함과 동시에 흡입이 되지 않도록 해야 한다.

6.6.3 기타

최근에는 공해방지법에 의한 배수처리의 규제가 엄격하게 되려 있어 침투탐상검사에 있어서 세정처리 등에 의한 배액을 유출시킬 때는 기름이나 그 외의 성분에 의해 환경이 오염되지 않도록 충분한 배수처리를 행할 필요가 있다. 또, 에어졸병(캔)은 0.5MPa(5 kgf/㎠)의 내압에 견딜 수 있도록 설계되어 있는 일종의 소형압력용기이다. 따라서 온도를 높게 하면 병(캔)내의 가스가 팽창하여 폭발할 우려가 있기 때문에 보존 시에는 50℃ 이상이 되지 않도록, 또 폐기시에는 반드시 캔에 구멍을 내어 폐기시켜야 한다.

익힘문제

1. 침투탐상의 원리와 결함지시모양의 형성 과정에 대해 설명하시오.
2. 침투탐상검사의 기본 원리에 해당하는 모세관현상과 적심성에 대해 설명하시오.
3. 침투탐상검사의 적용한계에 대해 설명하시오.
4. 침투탐상검사에 사용되는 대비시험편의 사용목적과 종류에 대해 설명하시오.
5. 침투탐상검사에서 시험재의 표면상태가 시험결과에 미치는 영향에 대하여 설명하라.

제 7 장 자분탐상검사

7.1 자분탐상검사의 개요

7.1.1 기본 원리

자기현상을 이용한 탐상법은 철강 등의 강자성 재료의 표면 개구 결함이나 표면 근처 (*subsurface*)에 있는 결함의 검출에 유효하다. 이 탐상법은 크게 자분탐상검사(*magnetic particle testing; MT*)와 누설자속탐상검사(*magnetic flux leakage testing; MFLT*)로 나눌 수 있다. 그림 7.1과 같이 표면이 매끄러운 강자성 시험체를 자화시키면 내부에 자기(자속 의 흐름)가 생긴다. 이 때 균열 등의 표면 또는 표면 근처에 결함이 존재하면 자기 저항 차에 의해서 자속선이 흐트러지게 되고, 시험체 내부의 자속밀도가 높으면 자속의 일부가 외부공간으로 누설된다. 이것을 누설자속(*leakage flux*)이라고 한다.

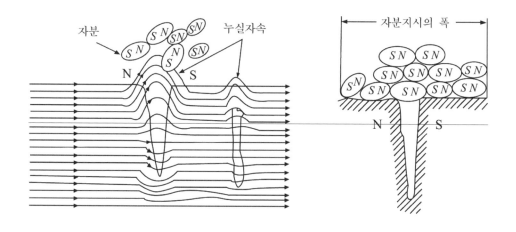

그림 7.1 표면 개구결함 및 표면직하 결함에서의 자속의 누설과 자분모양

이 시험체의 표면에 강자성체의 분말 입자를 도포시키면 이 누설자속부에 그 입자들이 가 부착되는데, 부착되어 모인 강자성 입자들에 의해 형성된 지시모양(자분모양이라고도 함)을 관찰함으로서 결함의 존재여부·길이·형상 등을 알아낼 수 있는 비파괴검사 방법 중

의 하나가 자분탐상검사이다.

자분모양의 폭은 결함의 폭보다 커지기 때문에 미세한 균열도 검출이 가능하지만 균열 깊이에 대한 정보는 얻을 수 없다. 한편 자분을 사용하는 대신에 적당한 자계감응센서를 이용해서 균열의 누설자속밀도의 분포와 강도를 계측하고, 이것을 직접 전기신호로 변환시켜 결함을 평가하는 것이 누설자속탐상검사(*MFLT*)이다. 검출소자로서 Hall소자, 자기저항소자, SMD소자 등이 있고, 누설자속을 자속테이프의 자성막에 전사하고, 그것을 자기헤드에서 전기신호로 재생하는 방법(*magnetography*)도 있다. 균열 등의 결함 깊이, 결함폭과 누설 자속밀도의 크기는 밀접한 관련이 있기 때문에 검출소자에서 누설자속밀도의 크기와 그 분포(또는 누설 자계의 강도와 분포)를 정량적으로 계측하면 결함 깊이도 평가할 수 있게 된다. 단, 이 기술로는 결함누설자속밀도의 크기가 시험체 표면에서 검출소자까지의 거리(이를 리프트 오프(*lift off*)라고 함)가 길어짐에 따라 현저하게 감소하기 때문에 리프트 오프를 작게 고정하여 측정해야 한다.

7.1.2 자분탐상검사의 특징

다른 비파괴검사에 비해 자분탐상검사의 일반적인 특징은 다음과 같다.

① 시험체는 강자성체가 아니면 적용할 수 없다.
② 표면 또는 표면 근방에 있는 미세하고 얕은 표면의 균열검사에 가장 적합하다.
③ 결함모양이 표면에 직접 나타나므로 육안으로 관찰할 수 있다.
④ 최대누설자속이 발생할 때 결함검출능이 가장 우수하므로 자속은 가능한 한 예상되는 결함 면에 직각이 되도록 한다.
⑤ 대형 구조물과 단조물 등 시험체가 큰 경우에는 아주 높은 자화전류치가 요구되기도 한다.
⑥ 전기가 접촉되는 부분에서 국부적인 가열 또는 아크로 인하여 시험체 표면이 손상될 우려가 있다.
⑦ 시험체 표면에서의 결함의 위치, 모양과 크기에 관한 정보는 대체로 알 수 있으나, 결함의 깊이 및 모양에 관한 정보는 얻을 수 없다.
⑧ 검사 및 탈자를 한 후 표면에 달라붙어 있는 자분에 대하여 후처리가 요구되기도 한다.

7.2 자분탐상검사의 기초

7.2.1 철강 재료의 자기적 성질

가. 자화와 자속밀도

강자성체는 각각 작은 자기량을 가지고 있는 무수히 많은 작은 자석[이것을 자구(磁區)라 한다]의 집합체라고 간주할 수 있다. 강자성체에 자석의 S극을 가까이 하면, 가까이한 강자성체 쪽에는 자기 유도에 의해 N극이 형성되기 때문에 서로 끌어당기게 된다. 걸어준 자석의 세기(자계의 세기)가 강한지에 따라 자계의 방향으로 자석이 나란하게 된다. 이 상태를 강자성체가 자화된 것이라 한다.

개개의 작은 자석은 각기 자기량을 갖고 있으므로 자계의 방향으로 방향을 바꾼 자석 수만큼 평형이 깨어져 결과적으로 자계의 방향으로 자기량이 발생하여, 그 방향으로 자기량의 흐름이 생겨났다고 간주할 수 있다. 이렇게 새로 발생한 자기량과 처음에 걸어준 자계가 지니고 있는 자기량과의 합을 자속이라 하며, 단위 단면적 당의 자속(자속을 그 통로의 단면적으로 나눈 것)을 자속밀도(*flux density*)라 한다. 자속밀도는 자화의 강도를 근사적으로 나타내는데 사용한다. 그리고 자속밀도 B와 자계의 세기 H사이에는 식 (7.1)과 같은 관계가 있다.

$$B = \mu \cdot H = \mu_o \mu_s \cdot H \cdots\cdots\cdots\cdots\cdots\cdots\cdots\cdots\cdots\cdots\cdots (7.1)$$

여기서 μ는 투자율(*permeability*)이라 하며, 단위는 H/m(*Henry/meter*)이다.

투자율 μ가 높은 재료일수록 강한 자석이 된다. 진공 투자율은 μ_o로 나타내며, $\mu_o = 4\pi \times 10^{-7}$ H/m이다. 또 투자율 μ와 진공의 투자율 μ_o와의 비를 μ_s로 표시하며 비투자율(*relative permeability*)이라 한다. 강자성체의 μ_s는 수십에서 20,000정도로 크며, 비자성체인 재료는 거의 1과 같다고 생각해도 된다. 그러므로 비자성체의 경우에는 $B = \mu_o H$로 나타낼 수 있다.

나. 자화 곡선

강자성체를 자화시키려면 그것에 직접 전류를 흘려 보내거나 그 주위의 도체에 전류를 흘려 형성되는 자계를 이용한다. 강자성체의 자기적 성질은 일반적으로 자계의 세기(기호 H로 나타내며, 단위는 A/m)와 자속밀도 (단위면적당의 자속량이며, 기호 B로 나타내고, 단위는 T)와의 관계를 나타내는 자화곡선(B-H곡선)으로 표시된다.

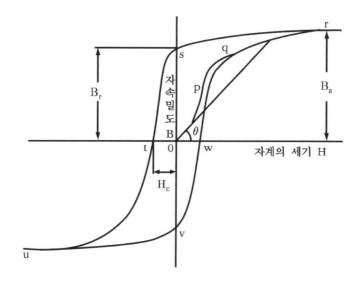

그림 7.2 자화곡선의 예

자화곡선은 직류를 사용해서 구하고 있다. 그림 7.2는 자화 곡선의 예를 나타낸 것이다. 가로축에 자계의 세기(강도)를, 그리고 세로축에 자속밀도를 취하고 있다. 자계의 세기를 0에서 증가시켜 가면 곡선은 opqr로 변화한다. 곡선 opqr 상의 임의점(예를 들어 그림 속의 ·점 표시)과 원점 0을 잇는 직선의 기울기를 "투자율"(기호 μ로 표시, 단위는 H/m)이라 한다. 이 직선과 가로축이 이루는 각을 θ라 하면, $\mu = \tan\theta$로 주어진다. 이것은 재료의 자화정도를 나타낸다.

철강 재료의 투자율은 비자성체에 비해서 상당히 크며, 재질, 열처리 및 자계의 세기에 따라 다르다. 점 r은 충분히 강한 자계를 부여한 상태이며, 이 이상에서는 자화곡선은 거의 수평에 가까운 직선이 된다. 이 점의 자속밀도를 "포화자속밀도"(기호 B_s로 표시함)라 하고 재료는 포화 자화되었다고 한다. 점 r의 상태에서 자계의 세기를 감소시켜 마이너스 쪽으로 변화시키면 곡선은 rstu로 변화한다. 강자성체에 부여된 자계의 세기를 0으로 되돌렸을 때 잔류하고 있는 자속밀도 O_s를 "잔류자속밀도"(기호 B_r로 표시)라 한다. 점 u의 상태에서 이번에는 자계의 세기를 증대시키면 곡선은 uvw로 변화한다.

철강재료의 자기적 성질은 주로 재료의 화학성분(특히 탄소량), 냉간가공 및 열처리에 의해 변화한다. 일반적으로 경도가 높은 재료일수록 포화자화에 필요한 자계의 세기나 보자력이 크고, 이와 같은 재료를 자기적으로 경한 재료라 한다. 이것에 반해 포화 자화되기 쉽고 보자력이 작은 재료를 자기적으로 연한 재료라 한다.

다. 교류 자화에서의 표피효과

강자성체에 직류로 자화하면 강자성체 속의 자속밀도는 거의 균일하다. 그러나 교류 자화에서는 균일한 세기의 자계를 걸어 주어도 강자성체 속의 자속밀도는 균일하지 않고, 표면에서는 최대가 되고, 표면에서 내부로 들어갈수록 지수 함수적으로 감소한다. 이것을 교류 자속의 표피효과(**skin effect**)라 한다. 자속밀도가 표면 값의 $1/e = 1/2.718 = 0.368$ (약 37%)가 되는 깊이를 표피의 두께(또는 침투깊이라고도 함) δ 라 한다.

침투 깊이는 교류의 주파수, 전도율 및 투자율이 높을수록 작아진다. $50 \sim 60\ Hz$의 교류에서 탄소강을 자화시킨 경우의 표피의 두께는 약 $2 \sim 3$ ㎜ 이다. 표피효과는 자속뿐만 아니라 전류의 경우에도 일어난다. 침투 깊이(δ) 식은 다음과 같다.

$$\delta = \frac{1}{\sqrt{\pi f \mu \sigma}} \quad\text{...} \quad (7.2)$$

여기서, f : 주파수(Hz), μ : 투자율(H/m), σ : 전도율(**conductivity**)이다.

일반적으로 교류를 사용하여 자분탐상검사를 할 때의 δ의 값은 2 ㎜ 전후이다. 그러나 μ의 값이 작아지면 다시 δ의 값은 커진다. 표피효과 때문에 교류 자화에 있어서 자속밀도는 표피의 평균값으로 밖에 측정할 수 없다. 따라서 교류에 의한 자화곡선은 직류의 경우와는 다르다.

라. 시험체의 최적자화

자계의 강도와 누설자속밀도와의 관계는 포화 자속밀도의 80%정도의 자속밀도를 만드는 자계의 강도에서 누설자속밀도는 급격히 증가한다. 따라서 연속법에서는 80% B_s를 권고치로 하고 있다. 그러나 잔류법에서는 일반적으로 100% B_s가 되는 자장의 강도를 가하도록 하고 있다. 최적자화의 조건은 시험면의 거칠기, 형상, 자분농도 등을 고려하여 최종적으로는 실험에 의해 결정하는 것이 바람직하다. 일반적으로 탐상면이 거친 경우에는 소정의 전류값 보다 약간 낮게 한다. 이와 같이 시험체의 상태를 고려하여 콘트라스트가 가장 큰 자분모양이 얻어지는 조건으로 자화하는 것을 최적자화라 한다.

7.2.2 자분

가. 자분의 종류

가시성에 의해 형광자분과 비형광자분으로 분류한다.

① 형광자분 : 자분의 표면에 유기형광물질이 바인더로 접착되어 있을 것
　　㉠ 어두운 곳에서 자외선의 조사로 자분지시를 관찰한다.
　　㉡ contrast가 좋아 자분지시의 발견이 쉽다.
　　㉢ 결함검출성능이 좋아 작업자의 정신적 피로가 적다.
　　㉣ 형광제의 열화에 주의해야 한다.

② 비형광(염색)자분 : 안료로 자분의 표면이 착색(백색, 흑색, 갈색)되어 있을 것
　　㉠ 밝은 곳, 즉 가시광선하에서 자분지시를 관찰한다.
　　㉡ 백색, 흑색, 갈색 등의 색갈이 있다.
　　㉢ 형광자분의 사용이 곤란할 경우 사용한다.

③ 자분의 재질과 바탕색
　　㉠ 금속계 자성체
　　　　환원철분, 전해철분 : 회색
　　㉡ 산화물계 자성체
　　　　사삼산화철(Fe_3O_4) : 흑색
　　　　γ-산화제2철(Fe_2O_3) : 갈색

④ 분산매체
　　㉠ 습식 : 물, 등유 등에 현탁하여 적용하고 농도 유지에 주의해야 하며 미립자의 산화
　　　　물계 자성체를 사용한다.
　　㉡ 건식 : 공기흐름을 이용하여 적용하고 자분입자가 크고 불균일하다.

나. 자분의 성질

① 자기특성 : 높은 투자율, 낮은 잔류자기, 낮은 보자력을 가져야 한다.
　　㉠ 투자율 : 자화의 난이도를 나타낸다. 자분의 흡착성을 알려준다.
　　㉡ 보자력 : 자분의 잔류자기의 크기에 변화를 준다. 자분의 분산성에 영향을 미친다.

② 자분의 형상과 입도
　　㉠ 형상 : 침상, 박편상, 봉상이 있다.
　　㉡ 입도 : 결함의 크기에 관계가 있다. 큰 결함에는 큰 입도의 자분을, 미세한 결함에는
　　　　작은 입도의 자분을 사용한다.

7.3 자분탐상검사 장치

7.3.1 자분탐상검사 장치

자분탐상검사 장치에는 그림 7.3과 같은 정치형(*stationary*) 자분탐상기 등 여러 가지가 있지만 시험체에 적정한 자계를 걸어줄 자화 기능이 있고, 자분을 적용할 수 있는 살포 기능이 있으며, 자외선 조사장치 및 탈자기능이 있다.

그림 7.3 정치형 자분탐상 장치

일반적으로 가장 많이 쓰는 것은 그림 7.4와 같은 휴대형 극간식(*yoke*) 탐상기이다. 이 탐상기는 철심의 포화자속밀도와 단면적에 따라 투입 자속량이 결정되므로 그 성능은 변화시킬 수 없는 구조로 되어 있다. 따라서 자화력을 들어 올리는 힘 즉, 인상력(*lifting power*)으로 규정하고 있다. 이런 종류의 탐상기에는 그림 7.4(b)와 같이 1회의 탐상으로 모든 방향의 결함을 검출할 수 있는 4극식 탐상기도 있다.

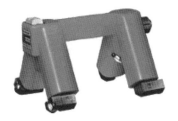

(a) 2극식   (b) 4극식

그림 7.4 휴대형 극간식 자분탐상기

그림 7.5는 프로드형 자분탐상기로 프로드 자화장치에 사용하는 프로드 전극은 구리 또는 강봉에 손잡이가 달린 한 쌍의 전극으로 되어 있으며, 자화 케이블로 자화전원부와 접속하여 케이블 길이가 허용하는 범위에서 자유로이 이동하며 사용할 수 있도록 되어 있다. 이 전극은 시험체를 손상할 우려가 있으므로 접촉 불량에 의한 전기 스파크를 방지하기 위하여 프로드 전극의 접촉부분에 대한 손질이 요구되며, 필요에 따라 전류가 잘 흐르도록 프로드 전극의 접촉부분에 구리선으로 짠 망을 끼우거나 납판 등을 설치하여 사용한다.

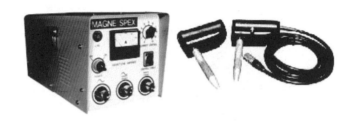

그림 7.5 프로드형 자분탐상기

표 7.1 자화장치

전류	자화방법	특징	
교류식	연속법; 통전법, 관통법 프로드법, 코일법	표면결함의 검출감도가 높다. 탈자가 필요 없다. 위상변별회로를 부착하면 잔류법이 가능하다.	
축전식	잔류법; 통전법, 관통법	통전시간이 짧다. 전류변동이 있다.	
세렌 정류식	연속법; 잔류법, 통전법 프로드법, 관통법	많이 사용하는 방식이다. 교류, 직류, 양용으로 탈자가 가능하다.	
극간식	연속법; 극간식	휴대형	표면결함의 검출감도가 높다
		거치형	정밀검사에 이용된다. 표면 하 결함의 검출이 잘 된다.

자화장치는 자화전류와 자화방법에 따라 표 7.1과 같이 분류할 수 있으며 각기 다른 특성을 가진다.

7.3.2 자분탐상검사용 보조기기

가. 자분살포기(자분산포기)

자분살포기에는 습식용과 건식용이 있으며, 수동으로 자분을 살포하는 자분살포기와 동력을 사용하여 자분을 교반 및 분산시키는 자동순환식 검사액 살포기와 자동송풍식 건식 자분살포기가 있다.

나. 침전관

침전관(*centrifuge tube*)은 검사액 농도를 조사할 때 사용되며, 밑부분은 가늘게 되어 있으며 눈금이 표시되어 있다. 검사액 농도를 알기 위한 침전시험(*settling test*)에서는 잘 흔들어 분산된 검사액 샘플(*sample*) 100 *ml* 를 침전관에 넣고, 30분간 받침대에 세워 놓은 후 침전관 바닥에 가라앉은 자분 양의 용적으로 검사액 중의 자분의 함량을 구한다.

다. 탈자기

자분 탐상 검사를 한 시험체는 자화방법 및 재질에 따라 상당히 강한 잔류 자속밀도가 남을 수 있으므로 필요시 탈자를 하여야 한다. 탈자기에는 교류식과 직류식이 있으나, 모두 자계의 방향을 반전시킴으로서 자계의 세기를 감쇠시켜 탈자가 되도록 되어 있다. 교류식은 표피효과로 인하여 탈자효과가 시험체의 표층부만으로 한정되며, 직류식은 표피효과가 매우 적기 때문에 시험체의 깊은 곳까지 탈자가 가능하다.

라. 기타

그 밖의 자분탐상용 보조기기로는 가시광선에 가장 가까운 영역의 근자외선을 방사하는 자외선조사장치가 있으며, 파장범위는 320 *nm* ~ 400 *nm* 이다. 자외선 발생용 광원은 고압수은등을 많이 사용한다. 그리고 자외선량을 계측하는 장치로 자외선강도계가 있으며, 선량의 단위는 $\mu W/m^2$ 이다.

7.3.3 표준시험편

표준시험편은 탐상장치, 자분, 검사액의 성능과 연속법에서 시험면의 유효자계의 세기 및 방향, 탐상유효범위, 검사조작의 적합여부를 조사하기 위하여 사용된다. 자분탐상검사에서 결함의 검출성능을 높이기 위해서는 시험체에 적정한 자속밀도(또는 자계의 강도)를 주어야 한다. 시험체에 흐르고 있는 자속밀도를 측정하는 것은 실제 자분탐상검사에서는 간단하지 않지만, 시험체에 작용하고 있는 자계의 강도(세기)는 비교적 간단히 추정할 수 있다. 이를 위해 사용하고 있는 것이 표준시험편이다. 표준시험편은 시험체에 작용하고 있는 자계의 방향 또는 자계 강도의 적정한 범위를 구하는 데 이용되고 있다.

가. A형 표준시험편

KS D 0213에 규정된 표준시험편에는 A형 표준시험편, B형 대비시험편 및 C형 표준시험편이 있다. A형 표준시험편은 그림 7.6과 같이 얇은 전자 연철판의 한쪽 면에 직선형 또는 원형의 홈을 만든 것으로, 홈의 모양, 홈의 깊이, 판의 열처리 상태 및 판의 두께에 따라 여러 종류로 분류하고 있다. 시험편의 명칭은 재질의 차이에 따라 A1과 A2로 구분하며, 분수의 분자는 홈의 깊이를, 분모는 판의 두께를 μm 의 단위로 나타낸다.

단위 : mm

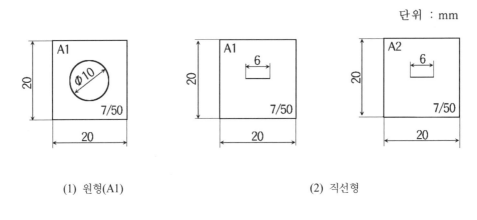

(1) 원형(A1)   (2) 직선형

그림 7.6 A형 표준시험편

A형 표준시험편의 특징은 다음과 같다.

① A형 표준시험편은 연속법으로 사용했을 때 소정의 성능을 발휘한다.
② 홈의 깊이와 판 두께와의 비가 등가인 A형 표준시험편은 자분모양이 나타나는 한계자장의 강도가 거의 등가이다.
③ A2는 A1의 약 2배 이상의 자장의 강도에서 자분모양이 나타난다.
④ 분수값이 작은 것일수록 자분모양이 나타나기 위해 강한 자장을 필요로 한다.

나. C형 표준시험편

C형 표준시험편의 사용목적 및 사용방법은 A형 표준시험편과 거의 동일하지만 형상 및 크기가 다르다.

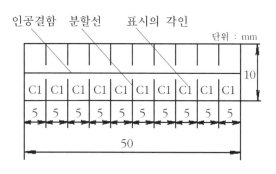

그림 7.7 C형 표준시험편

C형 표준시험편은 Al-7/50(직선형)과 거의 동등한 특성을 갖는다. 용접부의 홈면 등과 같은 좁은 부분에서 치수적으로 A형 표준시험편을 사용하기 어려울 경우에는 C형 표준시험편 (치수는 세로 5 ㎜, 가로 10 ㎜ 이며, A형 표준시험편에 비해서 아주 작다)을 사용한다.

다. B형 대비시험편

B형 시험편은 장치, 자분 및 검사액의 성능을 점검하는데 사용된다. 강용접부의 자분탐상검사에는 이 시험편이 사용되지 않는다.

라. 탐상 유효 범위를 정하는 방법

탐상유효범위를 설정하는 경우, 일반적으로 명료하게 식별할 수 있는 자분모양의 판단에는 개인차가 있기 때문에, 미리 관계자간에 실험 등에 합의하여 놓는 것이 바람직하다. A형 표준시험편은 얇은 전자연철판(電磁軟鐵板)의 한쪽 면에 직선형 또는 원형의 홈을 파 놓은 것으로 홈의 깊이, 판의 두께 및 열처리 상태가 다른 여러 종류의 규격에 규정되어져 있다.

A형 표준시험편의 홈이 있는 쪽의 면을 밑으로 하고 적당한 접착테이프로 이것을 시험면에 부착, 연속법으로 자분탐상검사를 하면 시험면에 효과적으로 작용하는 자계의 세기가 어떤 값 이상이 되면 홈에 해당된 부분에 명료한 자분모양이 형성된다. A형 표준시험편의 종류가 다르면 홈의 자분모양이 명료하게 나타나기 시작하는 자계의 세기가 다르다. 따라서 실제 자분의 적용 조작을 해서 각종 A형 표준시험편에 대해 명료한 자분모양이 나

타나기 시작하는 자계의 세기를 구해 놓으면, A형 표준시험편을 이용할 때 자화전류를 설정한다든지, 필요한 자계의 세기가 작용하는 범위를 구할 수 있다.

어떤 종류의 A형 표준시험편을 사용할 때, 예로 그 홈의 자분모양이 나타나기 위해 필요한 자계의 세기가 작용하고 있어도 자분의 적용상태가 부적절할 경우에는 명료한 자분모양은 형성되지 않는다. 따라서 A형 표준시험편을 이용함으로써 시험면에 작용하고 있는 자계의 세기뿐만 아니라 자분의 적용상태 및 자분모양의 관찰 상태를 포함해서 종합적인 시험성능을 관리할 수가 있다.

7.4 자분탐상검사 절차

자분탐상검사는 그림 7.8과 같이 전처리, 자화, 자분의 적용, 관찰 및 후처리로 되어 있다. 이 순서 중, 자화와 자분의 적용 순서에서는 그림과 같이 탐상조건을 설정 또는 선정해야 한다.

7.4.1 전처리

전처리는 시험체에 적정한 방향 및 크기를 가진 자속이 흐르도록, 자분이 결함에 충분히 공급되어 흡착되도록, 아울러 결함부가 아니 곳엔 자분모양이 될 수 있는 한 형성되지 않도록, 그리고 형성된 자분모양의 식별성이 좋아지도록 자화, 자분의 적용 및 관찰이 적정하게 이루어 질 수 있도록 하는 작업이다.

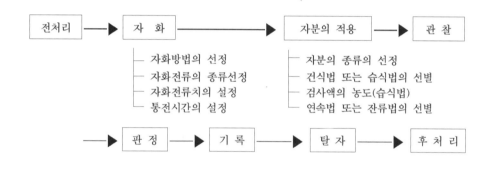

그림 7.8 자분탐상검사 절차

전처리에는 시험체의 분해·탈자·시험면의 청소 또는 건조 등이 포함된다. 조립품은 허용되는 범위에서 가능한 한 단일부품으로 분해해서 자분탐상검사를 하는 것이 좋다. 이것은 분해하지 않으면 부품의 모든 시험면의 탐상이 될 수 없고, 또 탐상이 가능한 시험면에서도 적정한 자화상태를 얻기가 어렵기 때문이다.

시험체에 높은 잔류자속밀도가 존재할 경우에는 탈자를 해야 한다. 이것은 높은 잔류자속밀도가 존재할 경우에 강자성을 가지는 여러 가지 부착물의 제거가 곤란하고, 의사모양의 원인도 되기 때문이다. 시험면의 청소는 시험면에 부착되어 있는 유지, 도료, 녹 및 기타의 부착물을 제거하기 위해 행한다. 이것으로 자분모양의 형성이 쉬워지고 의사모양의 형성을 억제하며, 자분모양의 식별성을 높일 수가 있다. 또 시험체에 직접 통전할 경우 전극 접촉부의 스파크 및 발열에 이한 소손(燒損)을 방지할 수 있다.

시험면의 청소를 할 때 세척제를 사용할 경우가 있다. 자분을 습식법으로 적용할 때 검사액의 매체와 용해되지 않는 세척제가 시험면에 남아 있을 때는 시험면을 건조하여 세척제를 증발시켜야 한다. 습식법에서는 검사액으로 시험면이 잘 적셔지지 않으면 안 된다.

한편 건식법(공기중에 자분을 분산시켜, 공기를 매체로서 자분을 결함부에 공급하는 방법)에서 시험면이 젖어 있으면, 시험면 전체에 자분이 부착되므로 자분모양을 식별할 수 없기 때문에 시험면을 잘 건조시켜 주어야 한다.

7.4.2 자화

자화는 시험체에 적정한 자계 또는 자속을 걸어주는 조작을 말한다. 자화는 시험체 및 예측되는 결함에 적합한 자화방법, 자화전류의 종류, 자화전류치 및 1회 탐상 거리를 선정하고, 필요한 자화 기기를 갖추어 검사를 한다. 이 때 특히 시험면의 자화상태가 적정하게 되도록 유의해야 한다.

가. 자화방법의 선정

자기 탐상검사에서는 시험체를 자화시키고 검출에 충분한 강도를 가진 결함 누설자속을 만들어야한다. 시험체를 자화하는 방법은 기본적으로 전류를 흐르게 하면 자계가 만들어지고, KS D 0213(1992, 철강재료의 자분 탐상검사 방법 및 자분모양의 분류)에 의해서 표 7.2와 같이 각종 방법이 규정되어 있다.

표 7.2 자화방법의 종류

자화방법	비　　　　　　　고
축통전법	시험체의 축방향으로 직접 전류를 흘린다.
직각통전법	시험체의 축에 대해 직각인 방향으로 직접 전류를 흘린다.
프로드 (*prod*)법	시험체의 국부에 2개의 전극을 접촉하여 전류를 흘린다.
전류관통법	시험체의 구멍으로 통한 도체에 전류를 흘린다.
코일(*coil*)법	시험체를 코일의 가운데 넣고, 코일에 전류를 흘린다.
극간(*Yoke*)법	시험체 또는 검사할 부위를 전자석 또는 영구자석의 자극사이에 놓는다.
자속관통법	시험체의 구멍으로 통한 강자성체에 교류자속을 보내어 시험체에 유도전류를 흘린다.

각종 자화방법에서 자화전류로는 직류와 교류의 2종류가 이용된다. 일반적으로 직류자화에는 시험체의 표면에서 깊이 방향으로 동일한 밀도의 자속이 흐르지만, 교류는 자속이 표층부에 집중되어서 흐르는 "표피효과"를 가진다. 자분을 결함 검출매체로 이용하는 자분탐상검사에는 자화를 하면서 자분을 적용하는 "연속법"과 자화 후 자화전류를 끊고 시험체의 잔류자기를 이용해서 자분모양을 만드는 "잔류법" 2가지가 있는데, 잔류법은 원칙적으로 직류자화를 한다.

자분탐상검사에 사용되고 있는 자화방법을 크게 분류하면 원형자화법과 선형자화법이 있다. 원형자화법은 시험체에 전극을 접촉시켜 통전(직접자화)하거나 시험체의 관통구멍에 도체나 전선을 통과시키고 전류를 흐르게 하여 원형자계로 시험체를 자화(간접자화)하는 방법이며, 선형자화법은 코일이나 솔레노이드내에 시험체를 넣거나 또는 자극사이에 시험체를 놓고 자화하여 시험체의 축 방향으로 형성되는 선형자계를 이용하여 검사하는 방법이다. 자화 방법을 발생하는 자계의 방향성에 따라 분류하면 다음과 같이 구분한다.

1) 원형자계를 발생시키는 방법(원형자화법) :

축통전법, 직각 통전법, 전류 관통법, 프로드법, 자속 관통법,

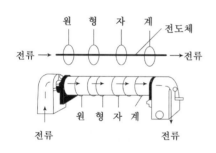

그림 7.9 원형자계의 발생

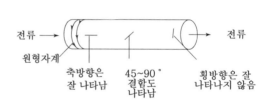

그림 7.10 원형자계와 결함 방향과의 관계

2) 선형자계를 발생시키는 방법(선형자화법) : 코일법, 극간법

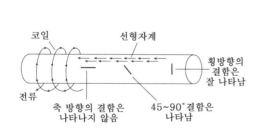

그림 7.11 선형자계의 발생

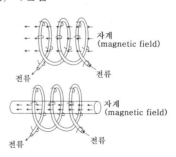

그림 7.12 선형자계와 결함 방향과의 관계

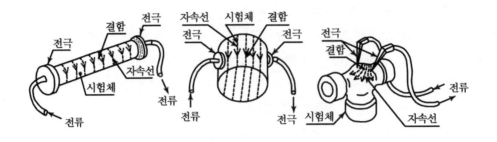

ⓐ 축통전법   ⓑ 직각통전법   ⓒ 프로드법

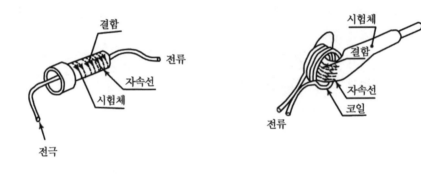

ⓓ 전류관통법   ⓔ 코일법

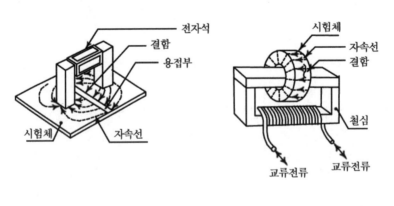

ⓕ 극간법   ⓖ 자속관통법

그림 7.13 자화방법의 종류

3) 자화방법의 선택 시 고려해야 할 사항

자화방법의 선택 시 고려해야 할 사항으로는 1) 자장의 방향과 예측되는 결함의 방향과 직각이 될 때 최대누설자속이 발생하고 결함이 가장 잘 검출된다. 그러므로 각 검사방법에 대한 자장의 방향을 이해하여 두는 것이 필요하다.

2) 시험체의 크기와 형상으로는 시험체가 큰 경우에는 한 번의 자화로 탐상하는 것이 불가능하다. 이때에는 분할하여 자화하는 방법을 적용한다. 또 환봉이나 관에서와 같이 형상의 차에 따라 자화방법을 변경하지 않으면 안되는 경우도 있기 때문에, 시험면상에서 필요한 자장의 방향과 강도를 고려하여 가장 유효한 방법을 적용한다. 3) 검사환경으로는 검사장소가 높은 곳 등에서는 부득이 가장 바람직한 방법 이외의 방법을 취하는 경우가 있다. 이런 경우 작업성은 떨어지더라도 결함의 검출성능은 저하되지 않도록 주의해야 한다.

나. 자화전류의 결정

자화전류에는 파형의 차이에 따라 그림 7.14와 같이 교류, 직류, 맥류, 충격전류가 있다.

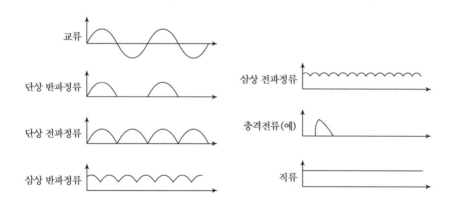

그림 7.14 자분 탐상 검사에 이용되는 자화전류의 종류와 파형

교류는 표피효과로 인하여 시험체의 표면밖에 자화되지 않으므로 표면 결함만을 검출대상으로 하는 경우 연속법에 한해 사용하며, 직류 및 맥류는 연속법과 잔류법 양쪽 다 사용할 수 있으며, 표면 및 표면 근방의 내부결함을 검출할 수 있다. 맥류는 직류에 교류성분이 포함된 것으로, 교류 성분이 많을수록 표피효과가 두드러져 내부의 결함 검출능력은 떨어진다. 충격전류는 일반적으로 통전시간이 짧고, 통전시간 내에 자분적용을 끝내는 것이 곤란하므로 잔류법에 한한다.

다. 자화전류치의 설정

자화전류치는 시험체에 걸어줄 자계의 세기를 좌우하기 때문에 시험체를 적정하게 자화시키기 위해서는 시험체의 자기특성, 시험면의 상태, 예측되는 결함의 종류와 위치, 크기 및 연속법 또는 잔류법 등 모든 사항을 고려하여 시험체에 작용시킬 자계의 세기를 결정하고, 그값과 자화방법 및 시험체의 크기 등에 따라 적정한 자화전류치를 설정하여야 한다.

라. 자화전류의 통전시간

연속법에서는 통전 중에 자분의 적용을 완료할 수 있는 통전시간은 최저 형광자분은 약 3초, 비형광 자분은 5초를 필요로 한다. 잔류법의 경우는 자화 조작을 끝마친 후에 자분을 적용하므로 통전시간은 원칙적으로 1/4 ~ 1초를 표준으로 하고 있다. 다만 충격전류인 경우에는 1/120초 이상으로 하고 3회 이상 통전을 반복하는 것이 좋다.

7.4.3 자분의 적용

자분의 적용은 습식법·건식법 또는 연속법·잔류법 별로, 자분의 적용시간, 자분의 종류, 검사액 농도 및 분산매 등을 선정하고 나서 행한다. 이 때 시험면 전체에 일률적으로 속도가 느린 자분의 흐름이 일어나도록 하지 않으면 안 된다.

연속법일 경우에는 시험면 위에 검사액의 고임이나 흐름이 없을 때까지 자화를 계속해 줄필요가 있다. 한편 잔류법일 경우에는 반드시 자화를 끝내고 나서 검사액을 적용해야 한다. 또 시험체를 자화할 때부터 자분적용을 끝낼 때까지 강자성체를 시험면에 접촉시키지 않도록 해야 한다. 이것은 강자성체를 접촉시키면 접촉부에 자극이 발생하고, 그 부분에 자분이 흡착되므로 의사모양(이것을 "자기펜"이라고 함)이 나타나기 때문이다.

7.4.4 관찰

자분탐상시험에서 관찰은 사용한 자분이 비형광자분인지 아니면 형광자분인지에 따라 다르다. 비형광자분을 사용한 경우에는 시험면의 색깔과 콘트라스트를 만드는 색을 가지는 자분을 사용하기 때문에, 색의 식별이 쉽게 될 수 있는 밝은 환경(약 500 ~ 1000 lux정도가 적당함)에서 관찰해야 한다.

한편 형광자분을 사용한 경우에는 자외선을 조사하여 자분에서 형광을 발생시키고, 시험면의 색과는 관계없이 주위의 어둡기와 형광의 밝기의 콘트라스트를 이용하여 자분모양을 검출하고 있다. 이런 경우에는 시험면의 색을 알 수 없을 정도로 주위의 밝기를 어둡게 할 (20 lux 이하) 필요가 있다.

자분모양은 결함에 기인된 자분모양과 의사모양으로 구분된다. 자분탐상시험의 목적은 결함을 검출하기 위한 것이기 때문에, 자분모양이 관찰된 경우에는 재검사를 해서 자분모양의 재현성을 조사하든지, 밝은 조명아래에서 시험면을 관찰하여 그것이 의사모양이 아니라 결함에 기인된 자분모양인지 확인할 필요가 있다. 자로(磁路)의 중간에 다른 재질이 존재하고 있을 경우나 단면의 급변부에는 의사모양이 생기기 쉽다(전자는 재질경계지시, 후자는 단면급변지시라 함).

자분모양의 기록은 일반적으로 도면상에 스케치하고 결함이 존재하는 위치(기준선으로부터의 거리를 기재함) 및 크기를 명기한다. 결함자분모양을 사진촬영 한다든지 또는 접착테이프로 전사를 해 놓으면 형태가 확실해서 좋다. 그리고 주요 검사조건도 기록해 둘 필요가 있다.

7.4.5 결함의 분류

표면 결함은 날카롭고 윤곽이 뚜렷한 지시모양으로 나타나며, 표층부의 결함은 표면결함보다 뚜렷하지 않고 흐릿한 지시모양으로 나타난다. 이런 지시들은 의사모양과의 구별에 어려움이 있으나 의사모양들의 발생 원인들을 알고 검사를 한다면 쉽게 분류할 수 있다.

가. 의사모양 확인

의사모양의 종류에는 자기펜 자국, 단면급변지시, 전류지시, 전극지시, 자극지시, 표면거칠기지시, 재질경계지시 등이 있다.

나. 확인된 결함 자분모양

우선 결함의 위치, 모양 및 분포상태로부터 결함의 종류를 가정한 다음, 아래와 같이 분류한다.

① 균열에 의한 자분모양 : 균열로 식별된 자분모양
② 독립한 자분모양 :
　㉮ 선상의 자분모양 : 그 길이가 나비의 3배 이상인 것.
　㉯ 원형상의 자분모양 : 선상 자분모양 이외의 것.

③ 연속한 자분모양 : 여러 개의 자분모양이 거의 동일 직선상에 연속하여 존재하고 서로의 거리가 2 ㎜이하인 자분모양. 자분모양의 길이는 특별히 지정이 없는 경우는 자분모양의 각각의 길이 및 서로의 거리를 합친 값으로 한다.

④ 분산한 자분모양 : 일정한 면적 내에 여러 개의 자분모양이 분산하여 존재하는 자분모양.

구별이 어려운 경우는 자분모양을 제거하고, 그 결함을 확대경을 이용하여 분류한다. 균열은 치수에 관계없이 허용되지 않는다. 결함으로 확인된 자분모양은 그 위치 및 모양, 치수를 측정하여 기록한다.

7.4.6 자분모양의 기록

자분모양의 기록은 일반적으로 도면상에 스케치하고, 결함이 있는 위치(기준선으로부터의 거리를 기록함) 및 크기를 기록한다. 결함 자분모양을 사진 촬영하거나 또는 점착성 테이프 등으로 전사하는 것도 결함의 모양을 알 수 있는 좋은 방법이다. 그러나 점착성 테이프에 전사한 것은 장기간 보존할 수 없으므로 복사하여 보관해야 한다. 또한 중요한 검사조건에 대해서도 기록해 둘 필요가 있다.

보고서 작성에서 검사조건 및 검사결과의 기록을 작성할 때는 실제로 검사에 참여하지 않은 사람도 검사결과를 보고 충분히 이해할 수 있도록 정확히 작성하여야 한다.

보고서에는 언제(검사년월일), 어디서(검사장소), 누가(검사원과 자격), 무엇(시험체의 명칭과 재질, 크기, 표면상태, 개수)을 어떤 검사장치(명칭, 형식, 제조자명)를 사용하여 검사하였는지를 검사조건과 검사결과와 더불어 상세히 기록해야 한다. 또한 검사의 특성에 따라 별도로 요구되는 추가사항에 대해서도 기록해야 한다.

7.4.7 후처리

검사가 끝난 후 필요에 따라 탈자(*demagnetization*), 자분의 제거, 녹방지처리 등을 하는 것이 후처리이다. 탈자는 시험체의 잔류자기가 철분을 붙여 기계가공에 악영향을 미칠 우려가 있고, 마모를 증가시킬 우려가 있을 경우 등, 사용상 지장을 줄 수 있는 경우에 실시한다.

탈자방법은 검사했을 때와 같은 자화방법으로 자계의 방향을 교대로 바꾸면서 자계의 세기를 서서히 감소시켜 0에 가깝게 낮추거나, 자계의 세기를 일정하게 유지하고 시험체를 자계내로부터 서서히 멀리하여 각각 잔류자기를 없애는 방법으로 탈자를 한다. 직류탈자와 교류탈자가 있다.

7.5 자분탐상검사의 적용 예

7.5.1 자분탐상검사의 적용 범위

자분탐상검사는 강자성체의 표층부에 존재하는 결함(특히 균열 및 그것과 유사한 것)을 검출하는데 뛰어난 비파괴검사 방법이기 때문에 구조물의 용접부, 기계장치 부품의 제조공정에서 검사 또는 구조물이나 기계장치 등의 정기검사에 널리 적용되고 있다. 또 고압용기나 석유탱크 등의 정기적인 보수검사에서 용접부의 표면결함 검사에는 빼놓을 수가 없다.

균열은 응력집중계수가 크고 구조물 등에 따라서는 유해도가 가장 큰 결함이며 자분탐상검사는 이런 종류의 결함의 검출 정밀도가 좋다. 시험체의 형상·치수에 따라 적용할 자화방법을 선택할 필요가 있다. 구조물의 용접부나 대형 시험체에는 극간법이나 프로드법의 적용이 좋다. 배관 용접부의 검사에는 코일법이 적용되기도 한다.

기계부품을 검사할 경우에는 주로 형상에 따라 자화방법을 선택하고 있지만, 결함의 방향을 고려해서 직교하는 두 방향에서 자화될 수 있도록 자화방법의 조합이 선택되어야 한다. 예를 들어 크랭크축(*crank shaft*)의 경우에는 축통전법과 코일법의 조합, 원통형의 것은 전류관통법과 코일법(또는 자속관통법)의 조합으로 자화한다. 고리모양의 제품은 전류관통법(또는 코일법)과 자속관통법(또는 직각통전법)의 조합이 많이 적용되고 있다.

자분의 적용은 연속법에 의한 습식법이 가장 많이 적용되고 있다. 고온에서 탐상할 경우에는 건식법이 적용되고 있다. 또 1회 탐상거리가 작은 나사나 치차의 탐상에는 잔류법이 적용되고 있다.

7.5.2 결함검출에 영향을 미치는 인자

자분탐상검사에서 결함의 검출에 영향을 미치는 인자로는 결함, 시험편, 자화, 자분의 적용 및 관찰이 있다. 이들 중에서 결함 이외의 것은 시험방법에 따라 변하기 때문에 모두 알맞은 조건으로 시험하지 않으면 목적하는 결함을 검출할 수 없게 된다.

가. 결함

자분탐상검사에서 검출 대상이 되는 결함은 강자성체의 표층부에 존재하는 결함이다. 시험면에 개구되어 있는 결함이 가장 검출되기 쉽고, 표면에서 밑으로 더 깊이 내재되어 있는 결함일수록 검출하기 어려워진다. 또 자속의 방향과 직각방향으로 놓인 결함이라도 결함의 치수(특히 높이 및 길이)가 작아지면 검출하기 어려워진다.

나. 시험면

시험면의 거칠기는 자분탐상검사로 검출 가능한 결함의 한계치수에 크게 영향을 미친다. 이 때문에 작은 결함까지 검출할 필요가 있을 때에는 시험면을 평활하게 다듬질 해 놓을 필요가 있다. 또 시험면에 유지나 도료 등의 부착물이 있으면, 자분이 결함부에 잘 공급 또는 흡착되지 않는다든지 의사지시(결함 이외의 원인에 의해 나타나는 자분모양을 말함)의 원인이 된다. 따라서 신뢰성이 높은 검사를 하기 위해서는 검사에 앞서서 시험면에 부착물을 잘 제거해야 한다.

다. 자화

자화에서는 시험체 내를 흐르는 자속의 방향과 자속밀도가 결함의 검출성능에 영향을 미친다. 결함이 아닌 곳에서는 될 수 있는 대로 자속을 누설시키지 않고 결함부에서 많은 누설자속을 발생시킴으로 결함의 검출 능력을 향상시킬 수가 있다. 이를 위해서는 자속이 결함에 의해 많이 차단될 수 있는 방향이 되도록, 또한 시험면에 자속이 평행하게 되도록 자화방법을 선택해야 한다. 그리고 시험체 표면의 자속밀도는 시험체의 포화자속밀도의 약 80 ~ 90% 정도가 되도록 자화하는 것이 원칙이다.

라. 자분의 적용

자분은 결함부 이외에는 될 수 있는 대로 부착되지 않고 결함부에 많이 부착되어, 콘트라스트가 높은 자분모양이 형성되도록 자분을 적용해야 한다. 그렇게 하기 위해서 자분을 물이나 등유와 같은 액체에 분산시켜, 액체의 흐름을 매체로 자분을 시험면에 적용하는 방법이 많이 이용되고 있다(이와 같은 자분의 적용방법을 습식법이라 하며, 자분입자를 분산시킨 액체를 검사액이라 함).

시험면 위를 흐르는 자분은 결함 위에 왔을 때 결함의 자극에 흡착되는데, 결함이 존재하지 않으면 흡착되지 않고 액체와 함께 흘러 버린다. 이때 시험면을 흐르는 검사액의 유속 및 검사액 내의 자분의 분산농도(검사액농도라 함)가 자분모양의 형성에 크게 영향을 미친다. 유속이 빠르면 자분이 흐름에 밀려 흘러가게 되어 자기흡인력이 약한 결함(예를 들어 작은 결함 등)일 경우에는 자분모양이 형성되지 않는다.

그리고 검사액 농도가 너무 진하면 시험면에 부착되는 자분이 많아지므로 자분모양과 배경과의 콘트라스트가 낮아져 자분모양을 놓칠 경우가 생긴다. 특히 표면이 거칠 때에는 건전부에 자분의 집적현상은 현저하다. 만약 시험체가 백색이고 자분이 흑색을 띄는 경우 결함부에만 자분모양이 형성되어 있다면 아주 작은 결함모양도 검출이 가능하지만, 건전부에 자분이 부착되어 있으면 자분모양의 식별은 곤란해진다. 이 자분 지시모양의 밝기와 건전부에 부착된 자분의 밝기(배경의 밝기)의 차와 배경의 밝기와의 비를 콘트라스트라 부르며, 다음 식으로 표현된다.

$$C = \frac{\mid B_s - B_o \mid}{B_o} \quad \dots\dots\dots\dots\dots\dots\dots\dots\dots\dots\dots\dots\dots\dots\dots\dots\dots \quad (7.3)$$

여기에서 B_o : 배경의 밝기

B_s : 자분모양의 밝기

C : 콘트라스트

일반적으로 콘트라스트가 커지면 미세한 자분모양까지 식별이 가능하게 된다. 그러므로 미세한 결함 자분모양을 검출하기 위해서는 결함부에 가능한 한 충분한 양의 자분을 집적시키고, 한편 건전부에는 될 수 있으면 자분이 부착, 잔류하지 않도록 해야 한다. 아울러 적절한 조명을 하여 충분한 밝기가 되게 한다.

자분은 형광자분(자분의 표면에 형광도료를 도포한 것) 및 비형광자분(자분의 표면에 형광도료가 아닌 시험체 표면과의 색깔 식별을 하기 쉬운 색깔의 안료를 도포한 것)으로 대별된다.

형광자분은 자외선을 조사했을 때 황록색의 가시광선을 발하기 때문에 결함부 이외의 건전부에 자분이 부착되어 있으면, 자분모양과 배경과의 콘트라스트의 저하가 비형광자분의 경우에 비해 크다. 따라서 형광자분의 경우 적정한 검사액의 농도는 비형광자분의 경우에 비해 아주 작아야 한다. (일반적으로 약1/5 정도로 하고 있다)

자화전류를 흘려 보내어 시험체에 자계를 주고 있는 상태에서 자분을 적용하는 방법을 연속법, 그리고 직류의 잔화전류를 흘려보내고 전류를 끊고 나서 자분을 적용하는 방법을 잔류법이라 한다. 시험체내의 자속밀도는 잔류법에 비해서 연속법 쪽이 크기 때문에 자분모양의 형성능력은 연속법이 일반적으로 우수하다. 그러나 잔류법은 의사모양의 발생을 억제하는 효과가 있기 때문에 예를 들어 나사부의 피로균열 등을 검출하고자 할 경우에는 연속법보다 결함의 검출능력이 뛰어난다.

마. 관찰

자분을 적용한 후 관찰해서 자분모양을 검출한다. 자분탐상검사에서는 결함에만 기인해서 자분모양이 형성된다고 할 수 없으며, 의사모양이 형성될 경우도 자주 있기 때문에 의사모양을 제외하고 결함에 기인된 자분모양만을 검출해야 한다. 이것에 영향을 주는 인자로는 시험면의 밝기(비형광자분일 경우), 또는 시험면의 어둡기와 자외선의 강도(형광자분일 경우), 관찰할 기술자의 눈의 위치·시력·검사 및 주의력 등이 있다. 또 기술자의 피로도 영향을 미치기 때문에 주의할 필요가 있다.

7.5.3 강 용접부에 적용

석유탱크나 구형탱크 등 대형 용접구조물의 용접부 검사에는 교류 극간식 자화장치를 사용하는 자분탐상검사법이 많이 이용된다. 극간법은 휴대용 자화장치로 시험부만을 전자석의 2극간에 배치하고 이것을 자화해서 결함 자분모양을 얻는 것이다. 여자전류로는 보통 상용 교류가 이용되는데, 그것의 표피효과 때문에 시험체의 표면에 자속이 집중된다. 자속밀도의 판 두께방향의 분포는 표면의 자속밀도를 B_0라 하면, $B = B_0 \exp(-x/\delta)$로 나타낼 수 있다. 단, x는 표면으로부터 깊이이며, δ는 시험판의 전도도 σ, 투자율 μ, 전류 주파수 f에 의존하는 상수로서 다음 식 $\delta = \dfrac{1}{\sqrt{\pi f \sigma \mu}}$로 표현된다. 이것을 침투깊이라 한다. 또한 $50 \sim 40\ Hz$의 상용교류를 사용해서 일반적인 탄소강을 그 포화자속밀도(B_S)근방까지 자화한 경우, δ는 대략 $2 \sim 3\ \mathrm{mm}$ 이다.

이 탐상법에서 결함의 검출성능은 결함 근방의 자분 부착량에 의해 결정된다. 자분의 부착을 좌우하는 인자는 입자의 유동에 대한 유체역학적 힘, 자분입자에 작용하는 중력, 마찰력 등이 있지만, 가장 큰 영향을 미치는 것은 누설자속에 의한 자분의 자기적 흡인력이다. 따라서, 검출 가능한 모양을 얻기 위해서는 검출 매체에 있는 자분의 필요량이 흡착되도록 충분한 강도의 누설자속 밀도를 발생시켜야한다. 자분에 작용하는 자기적 흡인력 F는 결함에서의 자계강도 H와 그 기울기와의 곱($H \cdot grad\,H$)으로 자분의 체적 v와 그 투자율 μ'에도 비례한다(즉, $F \propto \mu' v H \cdot grad\,H$). 정확하게는 괄호 안의 식으로 자분 형상을 자기 감쇠율로 고려해야 하지만, 정자계중에서의 자기적 흡입력은 (자계의 강도)×(자계의 기울기)×(자분의 체적)×(자분의 투자율)에 비례한다. 만일, 자분의 성질이 일정하다면 모양의 형성은 결함근방의 자계강도와 그 기울기의 곱에 강한 지배를 받는다. 누설자계 H는 시험체 표면에서 떨어짐에 따라 그 강도가 급격히 감소한다. 더불어 누설자계의 기울기($grad\,H$)도 동시에 작아진다. 그러므로 약간의 리프트 오프로도 자기적 흡인력 F는 급격히 낮아지게 된다. 시험체면에 코팅 등의 시공이 되어있으면 자분 모양이 형성되기가 매우 어렵기 때문에 이 시험법을 적용될 수 없다. 누설 자속밀도의 크기는 결함형상과 크기가 일정하면 재료의 투자율과 결함근처를 통과하는 시험체의 자속밀도의 크기에 직접 의존한다. 극간식 자화장치로 강판을 여자할 때 시험체의 표면근방에서의 자속밀도 분포를 벡터로 나타내면 자계의 강도는 극 부분이 좀 더 강하고, 두 극을 잇는 중심선에서 멀어질수록 약해진다. 또한, 균열형 결함에서 누설자계는 시험체를 통과하는 자속 방향과 균열의 긴 방향이 직교할 때 최대가 되어 그 모양이 가장 잘 나타나지만, 자속 방향과 길이 방향이 이루는 각이 작아지게 되면 결함을 검출하기 어렵게 된다.

검출매체인 자분으로는 철분 또는 산화철의 미립자가 사용되는데, 건조한 자분을 그대로 사용하는 건식법과 검사액을 사용하는 습식법이 있다. 습식법에서 '검사액'은 자분을 일정량 현탁시킨 액체로, 현탁액으로는 물이나 백등유가 많이 사용된다. 또, 콘트라스트를 주기 위해서 형광염료로 처리된 형광자분이 많이 사용되고 있으며, 이 때 자외선 조사장치(***black light***)가 사용된다.

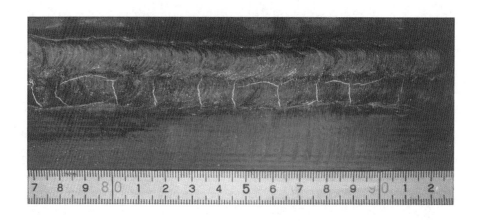

그림 7.15 자분탐상검사 결과 예 (강 용접부)

자분에 작용하는 자기적 흡입력은 앞에서 설명한 결함에서의 자계강도 H 와 그 기울기의 곱($H \cdot grad\,H$)에 비례하지만, 자계 H 가 일정하고 자분을 회전 타원체로 본다면 그 장축과 단축의 길이 비에 의해서 크게 변한다. 일반적으로 가늘고 길면 자분에 가해지는 힘은 커지지만 자분모양의 형성에는 그 이외의 요인도 영향을 주기 때문에 주의할 필요가 있다.

특히 석유탱크나 구형탱크와 같은 대형구조물의 용접부 검사에 이 탐상법을 이용할 경우, 여러 가지 탐상조건에 좌우되는 자분모양의 콘트라스트, 넓이, 길이 및 '결함 자분모양의 인식 용이성', 이 밖에 검사원의 '자분모양 식별 능력'에 의해서도 결함 지시모양의 검출성이 변하기 때문에 이 점을 고려해서 구체적 검사순서를 결정해야 한다.

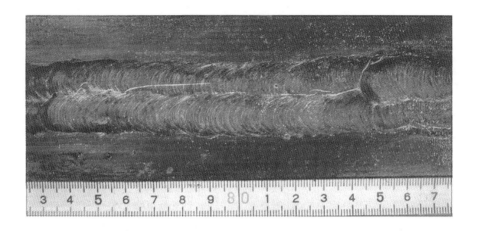

그림 7.16 자분탐상검사 결과 예 (강 용접부)

익 힘 문 제

1. 자분탐상검사(*MT*)과 누설자속탐상검사(*MFLT*)의 원리와 차이점을 설명하시오.
2. 누설자속(*leakage flux*)란 무엇인가?
3. 침투탐상검사(*PT*)와 비교했을 때 자분탐상검사(*MT*)의 장단점 및 적용한계에 대하여 설명하라.
4. 자기이력곡선(*B-H*곡선)의 궤적을 그려 설명하고 그 영향인자를 설명하시오.
5. 자화방법의 종류를 들고 특성을 설명하라.
6. 자장강도의 측정방법에 대하여 설명하라.
7. 자분탐상검사 시 결함검출도에 영향을 미치는 인자에 대해 설명하라.
8. KS-D-0213에 규정하고 있는 A형 표준시험편의 사용목적에 대해 설명하시오.

제 8 장   와전류탐상검사

8.1 와전류탐상검사의 개요

8.1.1 기본 원리

고주파 교류전류가 통하는 코일을 전도성 시험체 표면에 접근시키거나(표면코일, 그림 8.1(a)) 코일내부에 시험체를 넣으면(관통코일, 그림 8.1(b)) 전자유도현상에 의해서 전도성 시험체 내부에 유도전류(와전류)가 발생한다.

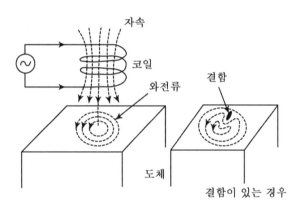

(a) 표면코일의 경우

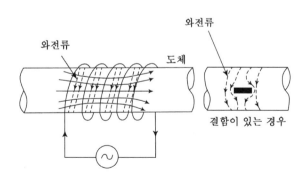

(b) 관통코일의 경우

그림 8.1 와류탐상검사의 원리

만일 시험체에 균열이나 재질의 불균질 부분이 있으면 발생된 와전류 분포가 변하게 된다. 이 같은 와전류 분포의 변화를 시험코일의 임피던스 변화로 결함을 찾아내는 것이 와전류탐상검사이다. 단, 와전류의 분포 변화는 시험체의 전도도, 투자율, 시험체의 형상·크기, 코일과 시험체 표면간의 거리(리프트 오프) 등의 변화에 의해서도 나타나기 때문에 코일임피던스의 변화는 이러한 인자들의 복합정보로 나타난다.

이러한 많은 인자에서의 복합신호를 처리해서 결함검출이나 그 크기평가 등을 하는 것을 와류탐상검사(*eddy current testing; E(C)T*)이라 하고, 여기에 재질평가나 두께측정까지 포함한 검사가 전자유도검사(*electro-magnetic testing*)이라 한다. 반대로 그림 8.1(a)와 같이 표면코일과 시험체 표면과의 거리, 즉 리프트 오프 변화에 대해서 코일의 임피던스 변화가 생기기 때문에 (이것을 리프트 오프 효과라고 한다) 이것을 적극적으로 이용하면 코팅두께 등의 막 두께 측정도 가능하다.

일반적으로 널리 이용되고 있는 와류탐상검사에서는 주파수가 MHz이하인 교류를 코일에 흘려 자속을 발생시키고 그 코일을 시험체(도체)에 근접시켜 코일 임피던스의 변화 또는 코일에 유기하는 전압변화를 검출한다. 와류탐상검사는 강자성체 및 비자성체의 어느 도체에도 적용이 가능하다.

전자유도현상을 재료시험에 사용한 검사는 1879년에 D. E. Hughes에 의해 처음 보고되었다. Hughes는 자기가 발명한 탄소 마이크로폰(*microphone* : 음파를 음성전류로 바꾸어 보내는 장치)을 이용하여 검사하였고 사용한 장치의 기본적인 방법은 금일의 장치의 원형이라 할 수 있다.

실용적인 전자유도 검사장치의 개발은 1940년대 초 Vigness에 의해 비자성관의 검사에 적용되었고, 그 후 Farrow, Zuschlag에 의해 강관의 탐상에 적용되었다. Farrow는 요즘 널리 쓰이고 있는 동기 정류법, 강관에 대한 자기적 잡음 제어를 위한 직류 자기 포화법을 개발했다. 또 Förster는 1950년초부터 독자적인 연구개발을 진행해서 임피던스 해석 방법을 제창, 기기개발에 따라 전자유도검사 실용화의 돌파구를 열었고, 그 후의 검사 기술 발전에 큰 영향을 주었다.

8.1.2 와류탐상검사의 특징

와류탐상검사의 주된 특징으로는 다음의 2가지를 들 수 있다.

① 도체에 적용된다.
② 시험체의 표층부에 있는 결함검출을 대상으로 한다.

교류의 전자계는 표피효과 때문에 시험체 표면에만 집중하고 표면으로부터 깊어짐에 따라 시험체의 내부에서는 감쇄해 버려 와전류가 시험체의 내부에 유도되지 않는다. 따라서, 와류탐상검사에서는 시험체의 표면과 그 근방의 정보만을 얻을 수 있다.

다른 비파괴검사방법과 비교할 때 전자유도검사의 특징은 다음과 같다.

장점으로는

① 관, 선, 환봉 등에 대해 비접촉으로 탐상이 가능하기 때문에, 고속으로 자동화된 전수검사을 실시할 수 있다.
② 고온 하에서의 검사, 가는 선, 구멍 내부 등 다른 검사방법으로 적용 할 수 없는 대상에 적용하는 것이 가능하다.
③ 지시를 전기적 신호로 얻으므로 그 결과를 결함크기의 추정, 품질관리에 쉽게 이용할 수 있다.
④ 탐상 및 재질검사 등 복수 데이터를 동시에 얻을 수 있다.
⑤ 데이터를 보존할 수 있어 보수검사에 유용하게 이용할 수 있다.

단점으로는

① 표층부 결함 검출에 우수하지만 표면으로부터 깊은 곳에 있는 내부결함의 검출은 곤란하다.
② 지시가 이송진동, 재질, 치수변화 등 많은 잡음인자의 영향을 받기 쉽기 때문에 검사과정에서 해석상의 장애를 일으킬 수 있다.
③ 결함의 종류, 형상, 치수를 정확하게 판별하는 것이 어렵다.
④ 복잡한 형상을 갖는 시험체의 전면(全面)탐상에는 능률이 떨어진다.

시험체중에 생기는 와전류는 균열 등의 결함의 존재 이외에도 시험체의 전도도, 투자율, 형상치수 및 코일과 시험체 면 사이의 거리 등에 영향을 받고, 이들의 변화는 검사의 지시로 나타난다. 따라서 전자유도검사는 검출대상으로 하는 인자에 따라 탐상검사, 재질검사(재질판별), 막두께 측정, 치수시험 등 많은 분야에 적용될 수 있다. 표 8.1은 이들 검사방법에 대해 와전류에 영향을 주는 인자, 시험코일 및 적용대상을 나타내고 있다.

표 8.1 각종 전자유도검사

검사의 종류	와전류에 영향을 미치는 인자	시험코일	적용대상
탐상검사	결함(형상, 크기, 위치)	관통,표면, 내삽코일	철·비철금속재료의 관, 선, 환봉, 빌렛, 판 등
재질검사	도전율의 변화	표면코일 관통코일	비철재료 판, 환봉
	투자율의 변화	관통코일	철강재료, 판
막두께측정	도체-코일간의 거리 (*lift-off*) 변화	표면코일	금속상의 비도전막의 두께,
	금속 막 두께의 변화	표면코일	박막·금속의 막 두께
거리·형상검사	거리, 크기, 형상의 변화	표면코일	철·비철금속 재료

8.1.3 와류탐상검사의 적용

시험체에 존재하는 균열 등의 결함은 와전류의 분포 및 강도에 영향을 주어 검사의 결함지시로 나타난다. 와류탐상검사는 적용목적이나 시기에 따라 다음과 같이 분류할 수 있다.

① 제조공정에 있어서의 검사
② 제품검사
③ 보수검사

실제 검사에 있어서는 시험체의 형상 및 검출해야 할 결함의 크기 등에 적합한 시험코일이나 시험주파수, 시험장치를 선택하여 사용해야 한다.

1) 제조공정에 있어서의 검사

와류탐상검사는 비접촉, 고속탐상이 가능하기 때문에 제조라인 중에 조립되어 많이 이용되고 있다. 이와 같이 와류탐상검사는 시험체의 전수(全數)의 탐상검사를 실시하고, 불량품의 조기검출 및 제조기기의 정상운전 감시에 이용되고 있다. 와류탐상검사에서는 검사결과가 전기신호로 얻어지고 검사결과를 신속히 제조라인에 통보·제어할 수 있기 때문에 제조 중의 품질관리에 유용하다.

2) 제품검사

와류탐상검사는 완성된 제품의 검사에도 적용된다. 일반적으로 철강 및 비철의 관이나 봉 등과 같이 형상이 단순하여 시험코일을 적용하기 쉬운 제품의 전수검사에 적용되고, 표면 및 표면근방(두께가 얇은 관에서는 표면 및 내부)의 결함을 검출하기 때문에 제품의 품질보증을 목적으로 하고 있다. 관이나 봉에 대해서는 시험체가 코일 속을 관통하여 이송하는 관통코일이 널리 이용되고 있다.

3) 보수검사

와류탐상검사는 발전소나 석유 플랜트에서 열교환기의 전열관 또는 항공기 부품의 정기적 검사 등 보수·보전에도 활용되고 있다. 전열관 등의 검사에는 관의 내부에 시험코일을 삽입하는 타입의 내삽코일이 또 항공기 엔진 등 기계부품의 검사에는 시험체 표면을 주사하는 타입의 프로브코일이 이용되고 있다.

8.2 와류탐상검사의 기초

8.2.1 와전류와 표피효과

교류 전류가 흐르는 코일에 도체를 가까이 하면 전자유도현상에 의해 도체 내에 와전류가 유도된다. 교류자속에 의해 도체 내에 유도된 와전류는 도체의 표면 근방만에 집중하여 유도되고, 도체의 내부로 들어갈수록 급속히 감쇠한다. 즉, 도체 내에 발생하는 와전류는 도체에 자속을 발생하는 여자코일(교류가 흐르는 코일)에 가까운 표면에 집중하여 흐른다. 이것을 표피효과(*skin effect*)라 한다. 예를 들어 원통형의 솔레노이드 코일 속에 봉형의 도체를 삽입하면 와전류는 도체의 외주표면에 집중하고 중심에 가까울수록 감소한다.

표피효과가 일어나는 원인은 도체 내부 임의의 위치에 발생하는 와전류가 1차 자속을 방해하는 방향의 자속을 발생시키므로 이 와전류 보다 깊은 위치의 자속은 감소하기 때문에, 발생하는 와전류는 도체의 내부로 들어갈수록 감소하는 것이다. 와류탐상검사에서는 주어진 검사조건에서 시험체의 어느 정도의 깊이까지 와전류가 유도되는가 등, 와전류의 성질을 충분히 알고 있어야 한다.

가. 평판에서의 표피효과

교류의 전자계는 도체의 내부에 침입하면 급속히 감소하는 성질이 있다. 따라서 자계에 비례하는 자속도 도체 내에서는 감쇠한다. 그 결과 와전류는 자속의 시간적 변환의 비율에 비례하여 도체의 표면에 집중하여 유도되고, 도체의 내부에 들어감에 따라 급속히 감쇠한다. 와전류에 의한 반작용의 변화를 이용하여 결함을 검출하는 와전류탐상에서는 와전류가 거의 유도되지 않는 도체 부분에서 결함을 검출하는 것이 불가능하다. 따라서, 시험체의 내부에 유도되는 와전류의 분포를 고려하여 시험주파수 등의 검사조건을 설정할 필요가 있다.

실제의 와류탐상검사에서 시험체에 유도된 와전류는 아래에 설명하는 것과 같이 시험체의 전자기특성이나 시험주파수만이 아니라 시험체나 시험코일의 형상 등 여러 요인에 의해 영향을 받기 때문에 자세하게 이해하는 것도 쉽지 않다. 따라서, 도체 내부에 유도되는 와전류의 기본적인 성질을 이해하기 위해 먼저 가장 간단한 모델의 경우를 와전류에 대해 고려해 본다.

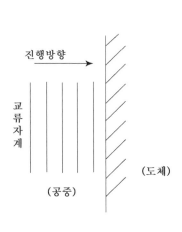

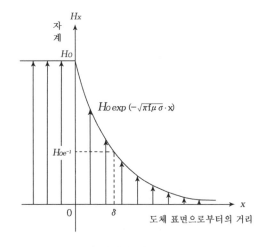

(a) 일정한 교루자계가 도체에 입사   (b) 도체 내에서 자계의 감소

그림 8.2 도체 내에서 자계의 감쇠

　　그림 8.2(a)와 같이 균일한 교류자계가 반 무한 공간 갖는 평판도체에 작용하는 경우,
도체 내에 유도되는 와전류의 기본적 특성인 진폭과 위상의 변화에 대해 설명한다. 그림
8.2에서와 같이 균일한 반무한 공간을 갖는 평판도체에 교류자계가 진폭 H_0로 도체에 침
입하는 경우, 도체의 내부에는 자계에 의해 발생하는 자속의 시간적 변화에 의해 전자유도
작용이 발생한다. 이 전자유도에 의해 발생하는 기전력 때문에 도체 내에는 와전류가 유도
된다. 이 와전류는 침입해 온 자속을 상쇄하는 것 같은 자속이 발생시킨다. 그 결과 그림
8.2(b)와 같이 도체 내에서 자계의 진폭 H_x는 내부로 들어감에 따라 감쇠하게 된다. 이와
같이 자계는 도체 내부에 침입함에 따라 감쇠하기 때문에 도체의 표면과 표면근방에만 존
재하고 내부에는 거의 존재하지 않는다.

　　그림 8.2(b)에서 도체의 외부에서 자계의 진폭을 $H_0[\mathrm{A/m}]$으로 하고, 도체의 표면으로
부터 거리 $x[\mathrm{m}]$ 만큼 내부로 들어간 위치에서 자계의 진폭을 $H_x[\mathrm{A/m}]$라 하면 H_x는
다음식과 같이 거리 x에 대해 지수함수적으로 감쇠한다.

$$H_x = H_0 \cdot \exp[-\sqrt{\pi f \mu \sigma} \cdot x] \quad \cdots\cdots\cdots\cdots\cdots\cdots\cdots\cdots\cdots\cdots \quad (8.1)$$

여기서, f : 교류자계의 주파수   (Hz)

        x : 도체표면으로부터의 거리   (m)

        σ : 도체의 전도도   (S/m)

        μ : 도체의 투자율   (H/m)

또,

$$\mu = \mu_r \cdot \mu_0 \quad (\text{H/m}) \quad\cdots\cdots\cdots\cdots\cdots\cdots\cdots\cdots\cdots\cdots\cdots\cdots\cdots \quad (8.2)$$

μ_r = 비투자율

$\mu_0 = 4\pi \times 10^{-7}$; 진공중의 투자율 (H/m)

이와 같이 교류의 주파수 f와 도체의 투자율 μ 및 도체의 전도도 σ의 곱이 클수록 자계의 감쇠는 커진다.

표피효과에 의해 도체 내부의 자계가 감쇠하면 와전류는 자계의 강도에 비례한 크기로 유도되기 때문에 도체 내부의 와전류도 감쇠하여 작아진다. 따라서, 도체의 표면에서의 와전류 밀도를 J_0 [A/m²]라 하고 표면으로부터 거리가 x인 곳의 와전류밀도 J_x [A/m²]는 다음 식으로 표시된다.

$$J_x = J_0 \exp(-x\sqrt{\pi f \mu \sigma}) \quad\cdots\cdots\cdots\cdots\cdots\cdots\cdots\cdots\cdots\cdots\cdots\cdots\cdots \quad (8.3)$$

여기서, J_0 : 도체표면의 와전류밀도 (A/m²)

이와 같이 표피효과 때문에 도체 내부에 유도된 와전류도 그림 8.3과 같이 감쇠한다. 앞 절에서 기술한 바와 같이 와류탐상검사는 도체에 결함과 같은 불연속부가 있으면 와전류의 흐름이 변하는 것을 이용하여 탐상하는 방법이다. 이 방법에서는 와전류가 거의 유도되지 않는 시험체의 깊은 부분에서 영향을 검출하는 것이 불가능하다. 따라서 표피효과의 정도를 아는 것은 와류탐상검사에서는 특히 시험주파수의 선정에 있어 중요하다.

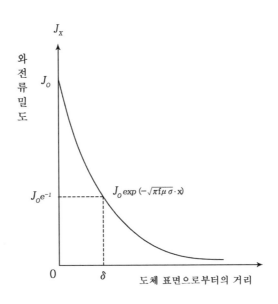

$$J_0 \exp\left(-\sqrt{\pi f \mu \sigma} \cdot x\right)$$

그림 8.3 와전류의 표피효과에 의한 감쇠

그림 8.3의 종축에 상대전류밀도 $\dfrac{J_x}{J_0}$와 깊이 x와의 관계를 나타내고 있다. 침투깊이는 주파수, 도체의 투자율 및 전도도의 평방근에 반비례한다. 즉, 주파수가 높을수록 또는 전도도가 클수록 침투깊이는 작아진다. 또, μ_r이 1보다 큰 철 등의 강자성 재료에는 알루미늄 등의 비자성 재료와 비교하면 그 침투깊이가 상당히 작다. 와류검사에는 와전류가 결함 등에 의해 변화하는 것을 이용하여 시험체의 상태를 아는 것이기 때문에 도체 심부의 상태를 알고 싶으면 침투깊이를 크게, 표면근방을 대상으로 할 때는 침투깊이는 작게 할 필요가 있다. 그러기 위해서는 침투깊이를 기준으로 하여 시험주파수를 선정하는 것이 좋다.

나. 침투 깊이

와류탐상검사에서는 시험체 내부에서 어느 정도의 깊이까지 와전류가 침투하는지를 아는 것은 매우 중요하다. 와전류가 거의 유도되지 않은 시험체의 깊은 곳에 결함이 있는 경우에 와전류는 더욱 작아지기 때문에 결함에 의한 미소한 와전류의 변화에 의해 생기는 반작용의 미소한 변화를 검출하는 것은 곤란하다. 따라서, 설정한 검사조건에서 와전류는 시험체에서 어느 정도의 깊이까지 침투하는지, 어느 정도의 깊이까지 탐상할 수 있는지를 알 필요가 있다. 설정한 검사조건 하에서 침투깊이는 와전류가 시험체의 어느 정도 깊이까지 유도되었는가를 아는 기준으로 이용된다.

침투깊이는 식 (8.3)에서

$$\delta = \frac{1}{\sqrt{\pi f \mu \sigma}} \quad\text{..}\quad (8.4)$$

이라 하면, $x = \delta$ 인 곳에서 $J_x = J_0 \cdot \exp[-1] = J_0 \cdot 1/e = 0.367 J_0$이 된다. 이 δ를 표준 침투깊이(**standard depth of penetration**)라 하는데, 와전류가 도체표면의 약 37% 감소하는 깊이를 말한다. 침투깊이는 와류탐상검사에 의해 탐상할 수 있는 시험체 내의 깊이를 나타내는 기준으로 널리 이용되고 있다.

식 (8.4)에서 알 수 있듯이 침투깊이는 시험주파수의 1/2승에 반비례한다. 예를 들어 주파수를 4배 높이면 침투깊이는 1/2로 감소한다. 그림 8.4는 각종 재료에 있어서 와전류의 주파수와 침투깊이와의 관계를 나타낸 것이다. 횡축과 종축은 대수 눈금이고 식 (8.4)의 양변을 대수를 취하면

$$\log_{10}\delta = -\frac{1}{2}\log_{10}(\pi\mu\sigma) - \frac{1}{2}\log_{10}(f) \quad\text{...}\quad (8.5)$$

이 된다. 여기서, $\log_{10}\delta = y$, $-\frac{1}{2}\log_{10}(\pi\mu\sigma) = b$, $\log_{10}(f) = x$라 하면 식 (8.5)는

$$y = -\frac{1}{2}\cdot x + b \quad\text{...}\quad (8.6)$$

의 직선의 방정식이 됨을 알 수 있다. 임의의 재료에 대해 식 (8.5)의 우변 제 1항은 상수이다. 그래서 주파수가 변하는 경우를 고려할 때는 우변 제 2항은 변수가 된다. 따라서 식 (8.6)로부터 각종 재료에 있어서 와전류의 주파수에 대한 침투깊이 그래프는 그림 8.4와 같이 기울기가 같은 직선이 된다. 그림 8.4에서 주파수가 높을수록, 전도도나 투자율이 높은 재료일수록 침투깊이가 얕은 것을 알 수 있다.

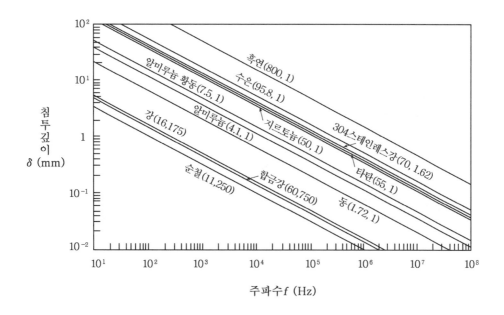

그림 8.4 각종 재료의 침투깊이

다. 와전류의 위상

도체에 유도되는 와전류는 도체 내부에 침투함에 따라서 크게 감소할 뿐만 아니라 위상이 지연된다. 여기서 위상이란 2개의 사인(**sine**)파의 시간적인 차를 나타낸다. 평면파의 경우 도체 표면에서 와전류에 대한 도체 내의 와전류의 위상 θ는 다음 식과 같이 깊이 x에 비례한다.

$$\theta \ = \ \frac{x}{\sqrt{\pi f \mu \sigma}} = \frac{x}{\sigma} \ (rad) \ \cdots\cdots\cdots\cdots\cdots\cdots\cdots\cdots\cdots\cdots\cdots\cdots\cdots\cdots\cdots\cdots (8.7)$$

그림 8.5에 도체 내부의 깊이에 대한 와전류의 위상지연을 나타낸다. 그림에서 도체 내부의 깊이에 따라 위상이 비례적으로 지연되는 것을 알 수 있다. 즉, 침투깊이 δ에 있어서 위상은 평면파의 경우는 1(rad)이 된다.

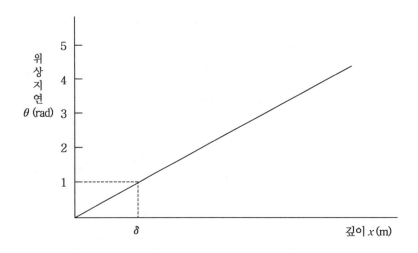

그림 8.5 깊이에 의한 와전류의 위상변화

8.2.2 코일 임피던스

코일임피던스(*coil impedance*) Z는 직류저항 R, 인덕턴스(*inductance*) L, 및 교류의 각
주파수 ω에 의한 복소수로서

$$Z = R + j\omega L \quad \cdots\cdots\cdots\cdots\cdots\cdots\cdots\cdots\cdots\cdots\cdots\cdots\cdots\cdots\cdots\cdots\cdots \quad (8.8)$$

로 표현된다. 단, j는 허수단위($j = \sqrt{-1}$)이다. 코일이 공심일 때 순저항 R_0와 인덕턴스
L_0인 코일을 도체에 접근시키면 도체의 투자율 μ, 전도도 σ의 영향을 받고 임피던스가
변한다. 이 겉보기 임피던스 Z를 공심 코일의 리액턴스(*reactance*) ωL_0로 나누면 다음과
같다.

$$Z/\omega L_0 = (R - R_0)/\omega L_0 + j\omega L/\omega L_0 \quad \cdots\cdots\cdots\cdots\cdots\cdots\cdots\cdots\cdots \quad (8.9)$$

이것을 정규화 임피던스(*normalized impedance*)라 하고, 이 실수성분 $(R - R_0)/\omega L_0$를
횡축으로, 허수부의 $\omega L/\omega L_0$를 종축으로 하여 그린 그래프를 코일의 임피던스 평면
(*impedance plane*)이라고 한다. 코일의 임피던스변화의 특성을 나타내는 임피던스곡선을

이론이나 실험을 통해 투자율 μ, 전도도 σ, 코일·도체면간 거리, 시험주파수 f $(f = 2\pi\omega)$ 등을 파라미터로 하여 임피던스 평면에 종합적으로 나타내면, 검출신호에 영향을 미치는 각종 인자와 그 영향도를 위상해석 등의 신호처리로 분리·평가할 수 있다.

8.2.3 코일임피던스에 영향을 미치는 인자

코일 임피던스에 영향을 주는 주된 요인은 다음과 같다.

1) 시험주파수

와류탐상검사를 할 때 이용하는 교류전류의 주파수를 시험주파수라 부른다. 전자유도법칙에 따라 일반적으로 주파수가 높아지면 와전류의 발생이 활발하게 된다. 따라서, 와전류에 의한 반발자계가 커지므로 코일 임피던스는 감소한다. 시험주파수 f가 높아지면 f/f_c는 비례하여 커지게 된다.

2) 시험체의 전도도

시험체의 전도도가 높을수록 와전류는 잘 흐른다. 식 (8.7)에서 전도도 σ는 주파수 f와 곱으로 되어 있다. 따라서 전도도가 높아지면 임피던스는 시계방향으로 변화하고 최종적으로는 $f/f_c = \infty$ 에 대응하여 실수부가 0이 되고 허축에 도달한다. 이것은 전도도가 무한대인 완전 도체에 대응한 상태이고, 코일자속이 와전류를 만드는 자속에 의해서 모두 없어지고 리액턴스가 0이 되는 것을 나타내고 있다. 한편, $\sigma = 0$에 대응하는 것은 (0,1)의 점으로, 시험체가 존재하지 않는 코일만의 상태를 나타내고 있다. 주파수 f와 전도도 σ는 정규화 임피던스에 완전히 동일한 영향을 미친다.

3) 시험체의 투자율

코일 인덕턴스는

$$L = \frac{N\Phi}{i} \quad\text{..} \quad (8.10)$$

로 나타내어지며, 여기서 자속 $\Phi = BS$ 의 관계를 갖는다. 단, S는 자속이 통과하는 단면적이며, 자속밀도 B는 자계를 H라 하면

$$B = \mu H$$
$$= \mu_r \cdot \mu_0 H \quad \text{..} \quad (8.11)$$

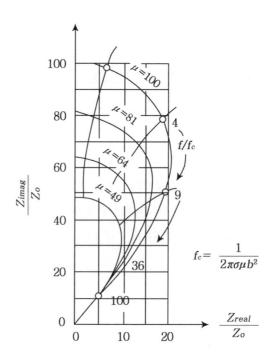

그림 8.6 강자성체를 포함하는 무한장 솔레노이드 코일의 임피던스

의 관계를 갖는다. 따라서 식 (8.10)으로부터 코일 인덕턴스는

$$L = \frac{N\mu_r\mu_0 HS}{i} \quad \text{..} \quad (8.12)$$

이 된다. 지금 시험체의 비투자율 μ_r을 100으로 하고, 전도도 $\sigma = 0$(즉 $f/f_c = 0$)으로 하면 임피던스는 그림 8.6의 횡축 0, 종축 100의 점이 된다.

또한, σ를 증가하면 이 점으로부터 궤적은 시계방향으로 이동하고 $\sigma = \infty$에서 원점에 도달하게 된다. 이와 같이 강자성체의 정규화 임피던스는 1보다 큰 루프가 된다. f/f_c가 작은 경우는 μ변화의 방향이 σ(또는 f) 변화의 방향과 약 90°의 위상차를 갖지만 f/f_c가 큰 값일 때에는 그들 변화의 방향이 가까워진다. 투자율이 작아지게 되면 f/f_c변화 궤적의 루프는 작아진다.

4) 시험체의 형상과 치수

원주형의 도체를 내부에 갖는 솔레노이드 코일(관통코일이라 한다)의 경우, 도체의 외형이 변화했을 때에도 시험코일(와류탐상검사의 센서로서의 코일을 시험코일이라 한다)과 도체의 자기적 결합도가 변화하기 때문에 시험코일의 임피던스는 변화한다. 관통코일의 경우 이 도체의 외형과 시험코일의 크기의 관계를 나타내는데 충전율(*fill factor*, η)를 이용하고 있다. 이것은 다음 식으로 나타난다.

$$\eta = (\frac{b}{a})^2 \times 100(\%) \quad\text{..} \quad (8.13)$$

위의 식에서 η는 코일과 도체의 단면적 비가 되고 있다. η가 작아지면 궤적의 루프는 작아진다. 즉, 전도도의 변화 등에 의해 시험코일의 임피던스 변화가 작아지는 것이다. 바꿔 말하면 감도가 낮아진다. 따라서 시험코일의 감도를 높이기 위해서는 충진율을 높게 한다. 다시 말해, 가능한 한 코일 내경을 시험체 외경에 가깝게 하는 것이 중요하다. 실제로는 시험체가 시험코일의 내측에 간섭하지 않을 정도로 한다. 또, 이것을 이용하여 시험체의 부식에 의한 두께 감소 등의 외형변화를 측정하는 것도 가능하다.

또, 내삽코일의 경우에는 $b > a$ 이므로

$$\eta = (\frac{a}{b})^2 \times 100(\%)$$

을 충전율로 한다.

5) 코일과 시험체의 상대위치

일반적으로 원주형의 시험체를 관통시험코일로 검사할 때, 코일과 시험체가 편심이 되지 않게 이송하는 것은 어렵다. 도체는 코일 중에서 편심이 되고 코일에 대해 가까워지기도, 멀어지기도 한다. 이와 같은 코일과 시험체 위치의 변화에 의해서도 임피던스의 변화가 발생하는데, 여기서 큰 잡음을 발생한다. 이것을 워블(*wobble*)잡음이라 한다.

평면 시험체에 이용하는 표면 코일(*probe coil, surface coil*)의 경우에는 코일과 시험체가 떨어지기도 하고 기울어지기도 하여 리프트 오프(*lift off*)가 발생한다. 이 경우에도 큰 임피던스의 변화를 일으키기 때문에 잡음이 생긴다. 이를 리프트 오프 효과라 한다. 이상과 같이 편심이나 워블, 리프트 오프에 의한 잡음은 통상 상당히 크기 때문에 어떠한 신호처리를 통해 억제할 필요가 있다. 물론, 이와 같은 임피던스 변화를 적극적으로 이용하여 거리측정이나 막두께 측정을 하는 경우도 있다.

6) 탐상속도

자동탐상에서 시험체를 고속으로 이송하는 경우에는 와류탐상에 영향을 주기 때문에 주의를 요한다.

첫째, 시험코일이 만드는 자계중을 시험체가 이동하면 시험체 내에서 속도에 비례한 기전력이 발생한다. 이것이 와전류 흐름의 방향을 바꾸기 때문에 속도가 빨라지면 결함에 의한 임피던스 변화가 시험체가 정지해 있을 때와 다르다. 이것을 속도효과(*drag effect, speed effect*)라 부른다.

둘째, 와류탐상기에 필터가 들어 있는 경우이다. 결함에 의해 발생하는 신호는 탐상속도가 높아지면 그 주파수 성분도 높아진다. 따라서 필터의 주파수 특성의 설정이 탐상속도에 부적당한 경우는 결함신호가 출력되지 않을 수도 있다. 그러므로 필터를 이용하여 잡음을 제거하고자 할 때에는 결함크기와 시험체의 이송속도를 고려하여 필터의 차단주파수를 결정해야 한다.

셋째, 탐상신호를 기록하는 펜 레코더 등의 기록계의 응답속도이다. 탐상속도가 빠르면 결함신호의 주파수가 높아지기 때문에 기록계가 응답할 수 없어 결함신호가 기록되지 않는 경우가 있다.

8.3 와류탐상장치

와류탐상검사는 교류가 흐르는 시험코일의 자계 내에 시험체를 배치하면 시험체의 결함 상
태에 대응하여 시험코일의 임피던스가 변화하는 현상을 이용하는 것이다.

와류탐상검사에 필요한 기본 장치는 크게 와전류탐상기와 그 주변 부속장치로 구성되어 있
다. 와류탐상기는 시험코일의 여자, 신호의 검출, 증폭, 신호처리 등의 와류탐상검사의 기본적
인 기능을 수행한다. 시험체를 이송하는 장치나 또는 코일을 이동시키는 장치, 탐상기의 출력
신호를 기록하는 장치 등이 와류탐상기와 함께 이용된다.

8.3.1 와류탐상기의 구성

그림 8.7 와류탐상장치의 예

와류탐상기의 기본적인 구성은 그림 8.7과 같다. 탐상기의 중요한 부분과 기능은 다음
과 같다. 발진회로는 교류를 발생시키고 시험코일에 교류전류를 공급한다. 시험코일은 시
험체에 와전류를 유도하고 그 변화를 검출한다. 평형회로는 시험코일 임피던스의 미소 변
화량에 의한 전압 성분을 취하는데에 사용된다. 평형회로의 미소한 출력신호는 증폭된 후

에 검파 회로에 더해진다. 검파회로에서는 결함신호와 잡음의 위상 차이를 이용하여 SN비의 향상을 기하고 있으며, 발진회로에서 이상회로(移相回路)를 경유해서 가해지는 제어신호와 같은 위상 성분만을 검출한다. 즉, 동기검파에 의해 잡음을 억제하고 결함신호를 검출한다. 필터에서는 결함신호와 잡음의 주파수 차이를 이용해서 잡음을 억제하고 S/N비를 향상시킨다.

- · 발　진　기 : 발진회로는 교류를 발생시키고 시험코일에 교류전류를 발생한다.
- · 브　릿　지 : 시험 코일의 임피던스에 대응한 신호는 코일이 건전부에 놓인 상태에서 일정의 전압이 발생한다. 이 전압은 시험체의 결함과는 관계없는 전압이다. 시험체의 결함 부분이 시험 코일에 들어가면 브릿지의 균형이 깨져 결함에 의한 코일의 임피던스 변화에 따라 압
이 발생한다.
- · 증　폭　기 : 브릿지로부터 나오는 매우 미약한 결함 신호를 크게 해주는 회로이다.
- · 동기검파기 : 동기검파기는 교류 신호 중 임의의 제어신호와의 위상차에 관련된 전압을 출력하는 것이다. 결함신호와 잡음의 위상 차이를 이용하여 SN비의 향상을 기한다.
- · 이　상　기 : 이상기는 발진기의 신호를 기준으로 동기검파기에 가해진 제어신호의 위상을 임의로 조정하기 위한 회로이다. 다시 말해, 반송잡음(*wobble*) 등의 불필요한 잡음을 제거하기 위한 최적한 위상을 결정하기 위해 사용되는 것이다.
- · 필　　　터 : 필터에서는 결함신호와 잡음의 주파수 차이를 이용해서 잡음을 억제하고 S/N비를 향상시킨다.
- · 디스플레이 : 와류탐상기는 정보를 표시하기 위한 브라운관(*CRT*)을 갖추고 있으며, 브라운관에는 수직편향 입력과 수평편향 입력이 있는데, 수평입력에 동기검파 X의 출력을 접속하고, 수직입력에 동기검파 Y의 출력을 접속하고 있다. 이렇게 하면 결함신호가 8자 패턴으로 CRT 화면상에 점으로서 벡터(*vector*)적으로 그려진다. 이것을 벡터표시 방식이라 불리고 널리 이용되고 있다. 이 방식에서는 결함신호의 크기뿐만 아니라 결함신호와 잡음의 위상 차이를 쉽게 관측할 수 있으므로 신호의 이해에 유용하다.

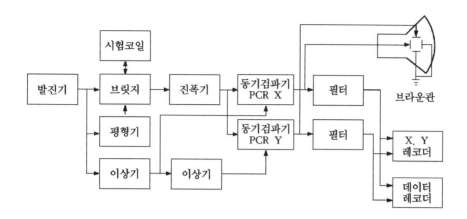

그림 8.8 와류탐상기의 구성(증폭기 수정)

와류탐상기는 정보를 표시하기 위한 브라운관(**CRT**)을 갖추고 있으며, 브라운관에는 수직편향 입력과 수평편향 입력이 있는데, 와류탐상기에는 수평입력에 동기검파 X의 출력(V_x)을 접속하고, 수직입력에 동기검파 Y의 출력(V_y)를 접속하고 있다. 이렇게 하면 결함신호가 8자 패턴으로 CRT 화면상에 점으로서 벡터(**vector**)적으로 그려진다. 이것을 벡터표시 방식이라 불리고 널리 이용되고 있다. 이 방식에서는 결함신호의 크기뿐만 아니라 결함신호와 잡음의 위상 차이를 쉽게 관측할 수 있으므로 신호의 이해에 유용하다.

와류탐상기의 전면 패널에는 와류탐상기의 중요한 기능을 설정하는 조정 노브(**knob**)가 설치되어 있다. 와류탐상기의 설정에 기본적인 것은 ① 시험주파수, ② 브릿지 밸런스, ③ 위상, ④ 감도이다.

시험주파수는 주파수 절환스위치(**FREQ**)로 조정 가능하다. 대개 여러 종류의 주파수를 선택할 수 있다

브릿지 밸런스는 R 과 X(또는 X 와 Y)의 두개 스위치가 있다. 이 두 개의 스위치를 적절히 사용하여 CRT상의 SPOT가 원점에 오도록 조정한다. 자동평형장치를 가지고 있는 것은 AUTO 조정노브의 작동으로 조정 가능하다.

위상은 원형의 조정노브(**PHASE**)로 설정이 가능하다. 보통 0 ~ 360°의 범위에 연속적으로 변화할 수 있다.

8.3.2 시험코일

가. 시험코일이란

와류탐상검사에 이용되는 시험코일(*test coil*)이란 시험체 내에 와전류를 유도하기 위해 자속을 발생하는 코일이나 시험체 내의 와전류에 의해 발생된 자속을 검출하기 위해 이용되는 코일을 총칭한다. 표 8.2는 코일의 종류와 분류를 나타내고 있다.

나. 여자와 검출방법에 의한 시험코일의 분류

시험코일은 시험체 내의 와전류를 유도하고 와전류에 의한 반작용을 검출하는 방법에 의해 다음의 2가지로 분류된다.

① 자기유도형 시험코일
② 상호유도형 시험코일

표 8.2 시험 코일의 예

	자기유도형			상호유도형		
	단일방식	표준비교방식	자기비교방식	단일방식	표준비교방식	자기비교방식
관통코일						
내삽코일						
표면코일						

①: 1차 코일　　②, ③: 2차 코일

자기유도형 시험코일은 시험체에 존재하는 결함에 의해 발생한 와전류의 변화를 임피던스의 변화로 검출하는 것으로, 브릿지에 조립되어 이용된다. 자기유도형 시험코일은 1종류의 코일만으로 이루어지기 때문에 제작이 용이하여 널리 이용되고 있다.

상호유도형 시험코일은 와전류를 발생시키기 위해 여자를 하는 1차 코일과 와전류에 의한 반작용의 검출을 하는 2차 코일로 구성되는 코일계를 말한다. 일반적으로 1차 코일은 일정 교류전원을 흐르게 하고 2차 코일에 유기되는 전압의 변화를 검출하여 시험을 한다. 1차 코일은 여자코일, 2차 코일은 검출코일 또는 pick-up코일이라고도 한다. 상호유도형 시험코일은 2개 이상의 코일을 조합해야 하기 때문에 코일 제작에 있어 자기유도형보다 복잡하다. 그러나 1차 코일을 크게 하여 큰 영역에 걸쳐 와전류를 유도하거나 작은 2차 코일에서 작은 결함을 검출하는 등 코일의 설계에 있어 자유도가 크다. 2차 코일이 1차 코일 내부에 있는 경우에는 2차 코일이 정전유도 잡음이 작아지고 주위 온도변화에 대해 안정한 이점도 있다.

다. 적용방법에 의한 시험코일의 분류

와류시험은 단순한 형상의 시험체 검사에 적합하기 때문에 원통형 및 평판의 금속검사에 적용되는 것이 압도적으로 많다. 이와 같은 시험에 이용되는 시험코일은 시험체에 대한 적용방법에 따라 분류할 수 있다. 직경이 작은 관 등에 적용되는 시험코일은 다음의 3종류로 분류된다.

① 관통코일 (*encircling coil, feed through coil, OD coil*)
② 내삽코일 (*inner coil, inside coil, bobbin coil, ID coil*)
③ 표면코일 (*surface coil, probe coil*)

관통코일은 시험체를 시험코일 내부에 넣고 시험을 하는 코일이다. 관통코일은 시험체가 그 내부를 통과하는 사이에 시험체의 전표면을 검사할 수 있기 때문에 고속 전수검사에 적합하다. 따라서, 관통코일은 선 및 직경이 작은 봉이나 관의 자동검사에 널리 이용되고 있다.

내삽코일은 시험체의 구멍 내부에 삽입하여 구멍의 축과 코일 축이 서로 일치하는 상태에 이용되는 시험코일이다. 내삽코일은 관이나 볼트구멍 등 내부를 통과하는 사이에 그 전내표면을 고속으로 검사할 수 있는 특징이 있다. 특히 현재에는 열교환기 전열관 등의 보수검사에 널리 이용되고 있다.

한편, 평판 시험체에 이용되는 시험코일은 표면코일(*surface coil*), 또는 프로브코일 (*probe coil*)이라 한다. 프로브코일은 코일축이 시험체 면에 수직인 경우에 적용되는 시험 코일이다. 이 코일에 의해 유도되는 와전류는 코일과 같이 원형의 경로로 흐르기 때문에 균열 등의 결함의 방향에 상관없이 검출할 수 있는 장점이 있다. 자속이 시험체의 면에 평행하게 적용되는 시험코일도 있다. 코일 직하에서 유도되는 와전류는 이 코일에 의해 시험체와 접하는 코일 주변과 동일 방향으로 직선형이 되기 때문에 와전류와 동일 방향의 결함은 검출할 수 없지만 직각방향의 결함은 높은 감도로 검출할 수 있다.

라. 사용방법에 의한 코일의 분류

시험코일은 실제 시험을 할 때의 사용방식에 따라 다음과 같이 분류된다.

① 단일방식 (*absolute coil*)
② 자기비교방식 (*differential coil*)
③ 표준비교방식 (*external reference, standard comparison coil*)

단일코일이라는 것은 1개의 코일 만에 의해서만 시험을 하는 코일로, 앱솔루트 코일이라고도 불린다. 시험체의 총체적인 변화를 검출하기 때문에 탐상검사를 할 때에는 결함의 형상에 어느 정도 대응한 신호를 얻을 수 있어 결함추정의 실마리를 줄 가능성이 있다. 그러나 실제로는 시험체와 코일의 상대위치, 시험체의 재질이나 형상·치수의 변화 등의 의한 영향을 받기 때문에 사실상 탐상검사가 불가능한 것이 많고 주의를 요한다. 또한, 주위의 온도변화에 따라 코일 자신의 직류저항이 변하기 때문에 안정성이 좋지 않은 결점이 있다.

자기비교방식의 시험코일은 코일을 병치하고 시험체에 인접한 2개 부분의 차이를 검출하는 시험 코일계를 말한다. 자기비교방식의 시험코일을 이용한 경우에는 시험체의 재질이나 형상·치수의 완만한 변화에 대해 2개의 코일이 같이 응답하여 상쇄되기 때문에 신호가 발생하지 않는다. 한편, 드릴 구멍과 같은 국부적 변화의 경우는 양 코일이 동시에 응답하는 것이 아니기 때문에 신호가 발생한다. 이와 같이 자기비교방식의 시험코일은 미소한 결함에 의한 급격한 변화만을 검출하고 완만한 재질 등의 변화에 의한 영향을 억제하는 기능을 갖는다. 또, 시험체의 이송진동 등에 의한 시험코일과 시험체의 상대위치의 변화에 의한 잡음을 억제하고 주위온도 변화의 영향을 상쇄한다. 따라서 자기비교방식의 시험코일은 미소한 결함을 안정하게 검출할 수 있기 때문에 탐상용 시험코일로 널리 이용되고 있다.

표준비교방식의 시험코일은1대의 코일 내에서 한쪽은 시험체에 다른 쪽은 표준이 되는 것에 작용시킨 후 그들 코일의 응답차를 검출하여 시험하는 코일계를 말한다. 표준비교방식의 시험코일은 상호비교방식의 시험코일이라고도 불리는데, 단일방식의 경우와 같이 시험체와 코일의 상대위치의 변화 및 시험체의 재질이나 형상·치수의 변화 등에 영향을 받지만 시험체에서의 총체적인 변화를 검출할 수 있기 때문에 재질판별 등에 이용되고 있다.

단일코일이나 표준비교방식의 시험코일에 의해 얻어진 지시를 앱솔루트 지시라 한다. 이 지시는 결함의 상태에 어느 정도 대응하는 것이 많기 때문에 결함의 상태를 추정하는데 유리하다. 그러나 실제로는 잡음의 영향을 받기 쉽기 때문에 그 대책이 필요하다.

앞에 기술한 자기비교방식의 시험코일과 같이 2개의 응답 차를 검출하는 시험코일을 차동코일(**differential coil**)이라 하고, 차동코일을 이용하여 얻어진 지시를 디퍼런셜 지시라 한다.

마. 시험코일의 치수 표시

관의 보수검사에 이용되는 자기비교방식의 내삽코일을 나타내는 코일 치수는 코일내경 a, 코일외경 b, 코일길이 l, 평균직경 D, 코일간극 w가 있다.

여기서 코일의 평균직경 D는

$$D = \frac{(a+b)}{2}$$

이다. 시험코일에 의한 관의 보수검사에서 관의 내경 d, 코일의 평균직경을 D라 할 때 내삽코일의 충전율은 다음 식으로 정의된다.

$$\eta = (\frac{D}{d})^2 \times 100 \ (\%)$$

충전율이 높을수록 시험코일의 코일이 시험체에 가깝기 때문에 결함의 검출감도가 높게 된다. 그러나 충전율이 너무 높으면 코일과 시험체 사이의 간극이 작아지기 때문에 관의 내면 상황에 따라서는 관 속에 인출이나 삽입이 곤란해지거나 마모에 의한 내삽코일의 수명이 짧아지는 등의 문제가 발생하게 된다.

8.3.3 그 밖의 와전류탐상 용 보조기기

가. 기록장치

기록 장치는 탐상기의 출력으로 발생한 탐상신호를 관측 및 보존하기 위해 펜 레코더나 데이터 레코더 등의 기록계를 이용하여 시험의 결과를 기록하기 위해 사용된다. 이들 기록계는 결함신호의 주파수를 충분히 감지할 수 있는 것이 되어야 한다.

나. 이송 장치

봉, 관 등의 긴 시험체를 시험할 때는 일정 속도로 자동적으로 시험 코일 또는 시험체를 반송하는 장치가 필요하다. 자동 탐상 시험에서 시험편을 반송하는 장치를 이송 장치라 한다. 이송 장치는 시험편에 진동을 주지 않고 또 시험편이 항상 코일의 중심을 통과하도록 하고 또한 일정한 속도로 이송될 수 있도록 하여야 한다.

다. 마킹 장치

마킹 장치는 결함 검출의 위치를 정확히 파악하기 위해서 뿐 아니라 합격, 불합격품의 구별을 쉽게 하기 위해 사용된다. 마킹 장치는 액체의 도료를 분무하기도 하고 고형의 분필형의 것을 사용하기도 한다. 자동 탐상에서는 액체를 사용한 마킹 장치가 많이 사용된다. 마킹을 결함 위치에 정확히 하기 위해서는 결함 검출 후 타이머 등으로 자동 마킹하는 위치까지 신호를 지연시키는 장치가 필요하다.

라. 자기 포화 장치

강 등의 자성체를 그대로 탐상 할 경우에는 시험체의 자기특성이 불균일하기 때문에 커다란 잡음이 발생되어 사실상 탐상 할 수 없는 경우가 많다. 이 경우에는 시험체를 강하게 자화시켜서 자기특성의 불균일한 영향을 없애기 위해 자기포화장치가 이용된다. 자기 포화 장치는 자화 코일과 여자용 직류 전원으로 구성되고, 시험편이 강 등의 자성체의 경우에 자성의 균일을 도모하여 μ-노이즈에 의한 영향을 작게 하기 위해 사용된다.

마. 탈자 장치

자기포화를 한 후에 시험체에 잔류하고 있는 자기를 제거하기 위해 탈자장치가 사용된다. 탈자 장치는 자성체의 탐상 시험 중에 자화된 시험편의 잔류 자장을 제거하기 위해 사용된다.

8.4 와전류탐상검사 절차

와류탐상검사의 절차를 그림 8.9에 나타낸다.

1) 검사 준비

시험대상물에는 여러 종류의 재질이나 형상이 있고, 대상으로 하는 결함도 여러 종류가 있기 때문에 이들을 충분히 검토하여 시험코일, 탐상장치, 검사방법 등을 선정해야 한다. 우선, 시험대상물의 재질, 형상 및 대상결함에 근거한 검사방법을 선정하고, 그 목적에 맞는 탐상기와 시험코일을 선정한다. 다음에 대비시험편을 준비하고 예비검사를 하고 시험주파수 등의 탐상조건을 결정한다.

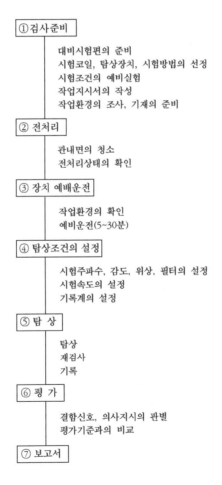

그림 8.9 와류탐상검사의 흐름도

이 예비검사의 결과에 근거하여 작업지시서를 작성하고 검사목적, 탐상장치, 탐상조건, 탐상순서, 평가기준 등을 명확히 해 놓는다.

2) 전처리

시험체에 부착된 금속분, 산화 스케일, 유지의 부착 등을 제거하는 것을 말한다. 금속분, 산화 스케일은 의사 지시의 원인이 되는 경우가 있다. 또 시험체에 부착된 금속분 등은 코일부에 집적되어 탐상 결과에 영향을 주고 고장의 원인이 되기도 한다.

3) 탐상조건의 설정 및 확인

탐상조건의 설정은 장치를 결선하고 통전 후 일정시간(5 ~ 30분) 결과하고 장치의 출력이 안정된 후 대비시험편을 사용한다. 탐상조건의 설정항목으로는 시험주파수, 탐상감도, 위상, 필터, 시험속도, 기록계 등이 있다. 탐상조건의 설정은 탐상작업 개시 전에 하고 탐상시험을 개시하고 나서 일정시간 경과 후(보통 4시간) 및 완료시에 확인을 한다.

4) 탐상시험

탐상조건의 설정이 완료된 후 탐상시험이 개시된다. 일반적으로 압축공기를 이용한 삽입장치로부터 시험코일을 삽입하고 시험코일이 탐상에 필요한 위치까지 확실하게 삽입되었는지를 신호파형이나 케이블에 붙어있는 눈금으로 확인하여 놓을 필요가 있다. 탐상작업을 실시하기 전에 시험대상물 전체의 탐상개소 수, 배관의 배열상태, 전회의 탐상결과 등을 확인해 놓는 것도 중요하다.

탐상의 지시신호가 얻어진 경우 이것이 의사지시인지 결함신호인지를 판별해야 한다. 판별이 곤란한 경우는 필요에 따라 재 탐상을 실시한다. 이 재 탐상에서는 동일 탐상조건으로 탐상하는 것 뿐 만아니라 탐상조건을 바꾸어도 실시한다.

5) 기록

탐상시험 결과의 기록은 검사보고서의 작성에 매우 중요하기 때문에 정확히 기록해야 한다. 검사 결과의 기록 사항은 현장 사정에 따라 기록이 필요하다고 판단되는 요건은 추가할 수 있으며 적어도 다음 항목은 포함되어야 한다.

(1) 시험년월일, (2) 시험대상물(설비명, 수량, 재질), (3) 탐상장치, (4) 시험코일, (5) 검사조건(시험주파수, 탐상감도, 위상, 필터, 리젝션, 시험속도), (6)대비시험편, (7) 시험기술자

6) 결함의 평가

탐상에 의해 결함이 검출된 경우 그 결함에 대해 평가하고 그것에 대한 대책 및 처치 방법을 검토할 필요가 있다. 검출된 결함을 평가하는 방법으로는 일반적으로 진폭에 의한 평가법과 위상에 의한 평가법이 잘 사용되고 있다. 1)진폭에 의한 평가법은 대비시험편에 가공된 기준이 되는 인공결함으로부터 얻어진 신호의 진폭과 탐상시험으로부터 얻어진 결함신호의 진폭과를 비교하여 평가한다. 2)위상에 의한 평가법은 대비시험편에 가공한 관통드릴구멍에 의한 신호의 위상각을 135°로 설정하고 검출한 결함신호의 위상각으로부터 깊이를 추정하는 방법이다.

7) 8자 패턴에 의한 결함평가

내삽형 코일을 이용한 관의 검사에서 결함 신호는 진폭 뿐 만 아니라 위상도 변화하므로 결함 신호를 2차원적인 관측이 필요하다. 이를 위해 배관의 보수 검사에는 동기 검파기를 2개 사용해서 X와 Y가 되는 2차원적인 출력을 발생하는 와류 탐상기가 사용된다.

배관의 보수 검사 시 결함을 검출할 때에는 시험 코일과 관과의 상대 위치의 변화에 따른 잡음 및 관의 재질 또는 형상의 변화에 따른 잡음의 영향을 받지 않도록 자기 비교 방식의 시험 코일을 통상 사용한다. 이 경우에는 2개의 코일의 응답의 차를 검출하기 때문에 결함 신호를 전압 평면상에 나타나고 그림 8.10에서와 같은 8자형 신호를 나타낸다.

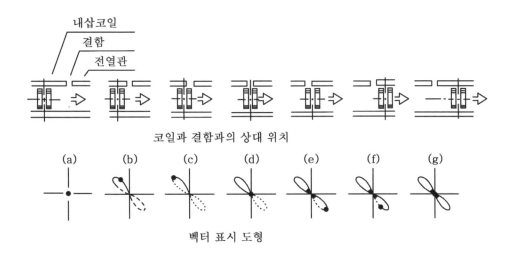

그림 8.10 코일의 이동과 결함 파형

그림 8.10에서 결함으로부터 코일이 충분히 떨어져 있는 경우에는 브릿지 평형이 이루어져 (a)에서와 같이 신호가 발생하지 않는다. 코일이 이동하여 결함 근처에 접근하면 한쪽 코일이 결함에 영향을 받아 그 임피던스가 변함으로 (b)와(c)와 같은 신호가 발생한다. 코일이 계속 이동하여 결함이 2개의 코일의 중앙에 위치하면 2개의 코일의 임피던스는 같아져서 (d)와 같은 신호가 된다. 코일이 결함을 통과하기 시작하면 다른 쪽의 코일이 결함의 영향을 받아 (e)나(f)와 같이 나타나며 (b)와(c)와는 방향이 반대인 신호가 발생한다. 이와 같이 결함에 의해 발생하는 신호를 8자형 신호(**8-pattern signal**)이라 한다. 이와 같이 얻은 8자형 신호는 그 크기와 X 축에 대한 기울기에 의해 특성이 부여된다.

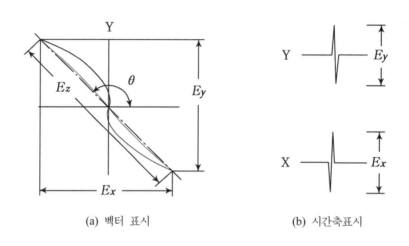

(a) 벡터 표시   (b) 시간축표시

그림 8.11 벡터 표시와 시간축 표시의 관계

그림 8.11는 8자형의 X 축 방향의 변화의 크기를 E_x, Y 축 방향의 변화의 크기를 E_y 라고 할 때 신호의 크기(E_z)는 $E_z = \sqrt{E_x^2 + E_y^2}$으로 구할 수 있다. 또 X 축에 대한 기울기 각도를 위상각이라 하고 위상각으로 주어진다. 여기서 시험주파수와 탐상기의 위상을 적당히 선택하는 것으로부터 반송 잡음(**wobulation**)은 X 축 방향에만 나타나고 관통 드릴 구멍에 대한 신호는 약 135° 의 위상이 된다.

이와 같이 관의 외면에서의 결함에 의해 발생하는 신호의 위상은 0 ~ 135° 의 범위가 되고, 관의 내면에서의 결함에 의해 발생하는 신호의 위상은 135 ~ 180° 의 범위가 된다. 8자형 신호를 여러 종류의 결함에 대해 상세히 조사하면 8자형의 크기는 결함의 체적에 대응하고 8자형의 기울기는 결함의 깊이에 대응한다는 것을 경험적으로 알 수 있다.

8) 의사 지시

결함 이외의 원인에 의해 나타나는 지시신호를 의사 지시라고 한다. 의사 지시의 원인
은 다음과 같은 것이 있다.

① 이송 장치의 조정 불량에 의한 진동
② 잔류 응력, 재질적 불균일
③ 강자성체나 도전성이 다른 물질의 부착
④ 지지판, 확관부, 관 끝단부
⑤ 자기 포화의 부족(자성체)
⑥ 외부 또는 탐상기 내부에서 발생한 잡음

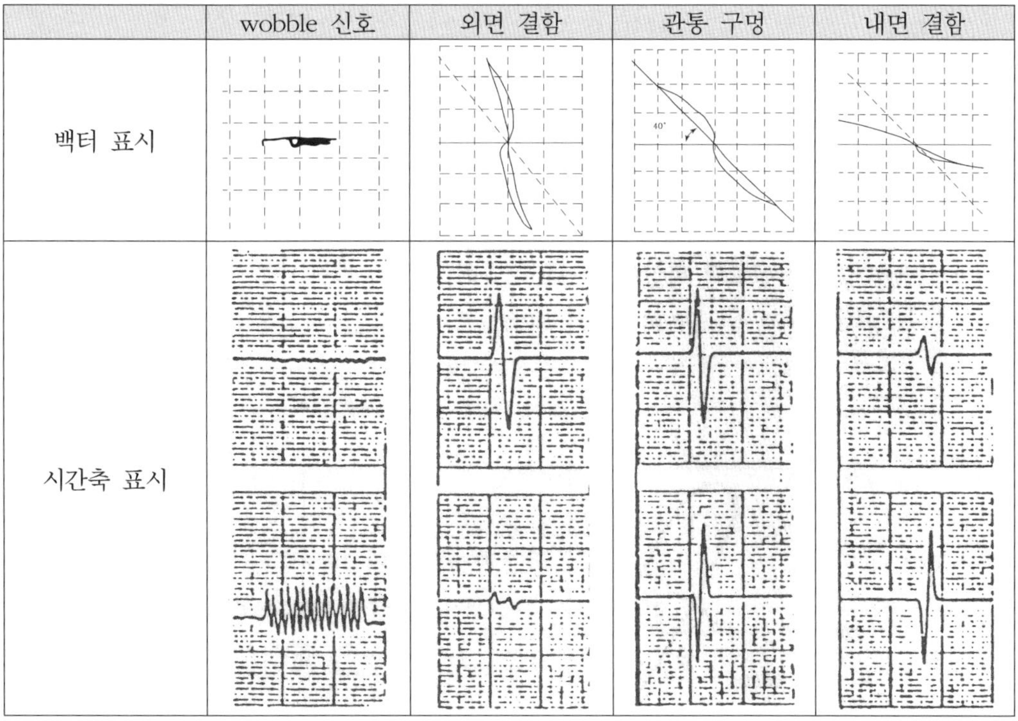

	wobble 신호	외면 결함	관통 구멍	내면 결함
벡터 표시				
시간축 표시				

그림 8.12 대표적인 결함의 지시 형상

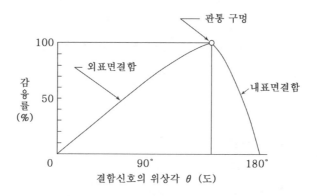

그림 8.13 결함 신호의 위상각과 깊이와의 관계

9) 재검사

다음의 경우에는 재검사를 한다.

① 지시가 결함인지 아닌지 의심이 날 때(의사 지시)
② 정기적으로 검사 조건을 확인 시 이상이 발견되었을 때, 장치의 안정에 염려가 있을 경우에는 자주 대비시험편을 검사해서 감도의 확인과 재조정을 행한다.

10) 점검, 보수 관리

정확한 탐상 결과를 얻기 위해서는 적절한 탐상 조건과 탐상 장치를 사용하는 것은 매우 중요하다. 탐상조건 및 탐상장치의 선택에 대해서는 앞에서 기술한 바와 같이 선택한 탐상장치가 정상적으로 작동하도록 점검, 보수 관리하는 것은 정확한 탐상 결과를 얻기 위해 중요하다.

탐상장치의 점검에는 일상점검과 정기점검이 있다. 일상점검은 비교적 용이한 항목에 대해 주로 탐상장치가 제대로 작동하는가 어떤가에 대해 점검하는 것이다. 정기점검은 탐상장치의 기본 성능에 관한 항목 중 일상점검에서는 충분히 점검할 수 없는 항목에 대해 점검하는 것이다.

8.5 와전류탐상검사의 적용 예

그림 8.14 는 열교환기의 보수검사에서 실제로 검출된 두께 감육으로 결함신호가 검출된 관을 촬영한 사진이다. 이들 사진에 대응하는 우측의 벡터 신호는 탐상기의 CRT 화면상에 표시된 결함신호이다.

결함사진	검출신호	탐상기록
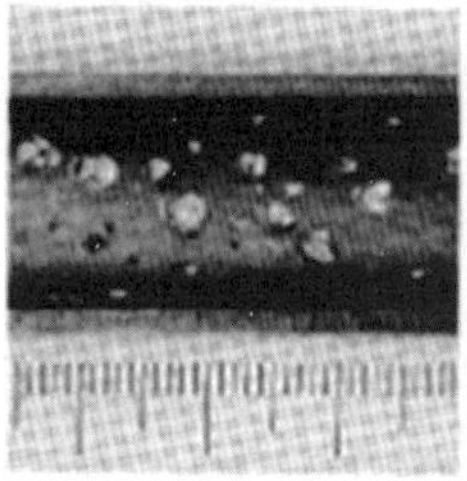		기 기 명 : 오일냉각기 유 체 명 : 공업용수(관내면) 전열관재질 : C-6872T 관 사 양 : φ19X2.1t 탐상주파수 : 18kHz 결 함 종 류 : 내면침식 추 정 깊 이 : 55%t 실 측 깊 이 : 50%t
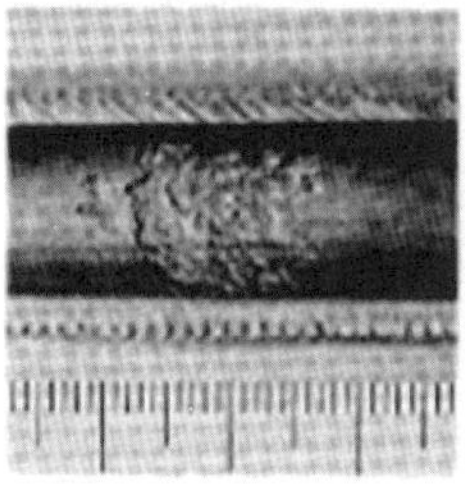	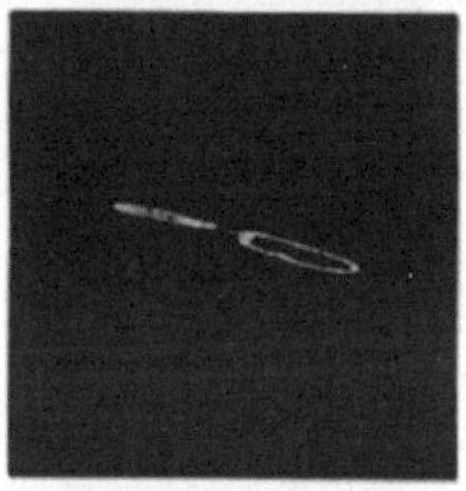	기 기 명 : 가스냉각기 유 체 명 : 공업용수(관내면) 전열관재질 : C-6872T 관 사 양 : φ19X1.6t 탐상주파수 : 25kHz 결 함 종 류 : 내면국부부식 추 정 깊 이 : 30%t 실 측 깊 이 : 35%t
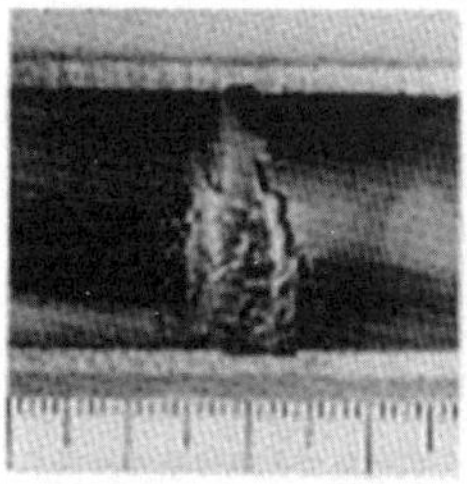		기 기 명 : 콘덴서 유 체 명 : 해수(관내면) 전열관재질 : C-6870T 관 사 양 : φ25X2.1t 탐상주파수 : 16kHz 결 함 종 류 : 내면국부부식 추 정 깊 이 : 35%t 실 측 깊 이 : 39%t
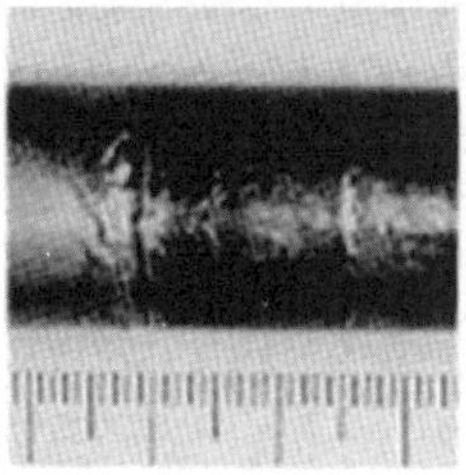	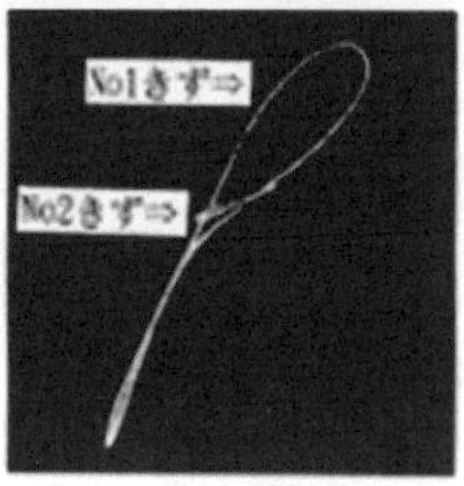	기 기 명 : 복수기 유 체 명 : 증기(관의면) 전열관재질 : C-6872T 관 사 양 : φ19X2.1t 탐상주파수 : 35kHz 결 함 종 류 : 암모니아로 인한 부식 추 정 깊 이 : 55%t 실 측 깊 이 : 58%t

그림 8.14 와전류탐상 검출신호와 결함의 예

익 힘 문 제

1. 와류탐상검사의 원리와 적용한계에 대해 설명하시오.
2. 자분탐상검사(*MT*)와 비교하여 와류탐상검사(*ET*)의 특징을 설명하시오.
3. 표피효과(*skin effect*)란 무엇이며, 와전류의 침투깊이가 탐상재질의 전기 전도도, 투자율 및 시험주파수에 따라 어떻게 변하는지 설명하시오.
4. 코일임피던스에 영향을 미치는 인자에 대하여 설명하라.
5. 와류탐상검사에 이용되는 시험코일에서 단일방식과 자기비교방식의 차이점을 말하라.
6. 와블(*wobble*) 잡음이란 무엇인가 ?
7. 충진률(*fill factor*)이란 무엇인가 ?

제9장 기타 비파괴검사

9.1 육안검사

9.1.1 개요

육안에 의한 검사(*visual testing; VT*)는 비파괴검사·진단의 가장 기본적인 검사방법이다. 우리들의 일상생활에서 물품을 선택할 때, 또는 공업 제품의 각종 공정 단계에서 육안검사가 이용되고 있다. 그리고 다른 비파괴검사를 할 때, 검사하기 전에 먼저 육안 검사를 하는 경우가 많다. 이 검사는 시험체의 표면 상태 즉 모양, 색, 거칠기 및 결함의 유무를 직접 또는 보조 기구를 사용하여 사람의 눈으로 관찰하고 판정하는 검사방법으로 다음과 같은 목적을 갖고 있다.

① 제품 생산에 사용될 재료, 생산 제품, 구조물 등이 설계, 제작, 가공 사양에 맞게 생산 또는 제작 가공되었는지 검사할 때
② 구조물의 기기 및 부품들을 사용 전이나 사용 중에 검사하여 제품의 신뢰도를 높이기 위해 결함의 유무를 찾아 낼 때
③ 제품 및 구조물이 파괴 시 그 원인 분석이나 재발 방지, 예방 대책을 세울 때

9.1.2 육안 검사의 종류와 특징

육안 검사는 시험체 표면에 나타난 결함이나 손상, 또는 시험체 자체의 이상(시험체 형상 변화, 광택의 이상이나 변질)을 사람의 눈으로 관찰하고 판정하는 것이다. 이것은 가장 우수한 센서인 사람의 두 눈과 두뇌라고 하는 정교하고 거대한 컴퓨터가, 시험체의 모양, 색깔, 거칠기 및 결함의 유무 등 여러 가지 현상을 짧은 순간에 인식하여 판정하는 과정이다.

사람의 눈으로 관찰하는 육안 검사는 여러 가지 정해진 조건을 만족하더라도 사람의 능력에 한계가 있기 때문에 검사의 신뢰성을 확보하기 어려운 경우가 많다. 이 때 정확한 검

사를 위해서는 육안검사기술자의 구비조건과 시험체에 대한 지식이 필요하다. 구체적인 요구사항은 각종 규격에 규정되어 있다. 육안검사자의 시력, 색각, 청력이 정상이고, 시험면의 밝기가 일정한 값 이상(500 lux이상)이어야한다는 것이 중요한 사항이다. 규격에 정해진 일정조건을 만족하더라도 인간의 본질적인 능력에는 한계가 있기 때문에 육안에 의한 검사로는 "검사의 신뢰성"을 확보하기 어렵다. 따라서 보조구와 각종 광학기구가 사용된다. 원거리물체에는 쌍안경, 망원경 등을, 관이나 공동 등의 내면을 검사할 때에는 borescope, fiberscope 소형텔레비전 촬영 등을 이용한다. 최근에는 직경이 작은 광섬유를 이용한 고정도의 내시경, 이 내시경과 텔레비전을 조합한 촬영시스템이 개발되어 육안 검사의 자동화가 실현되고 있다.

9.1.2.1 육안 검사의 종류

ASME에서는 육안 검사 방법을 표 9.1과 같이 4가지로 분류하여 규정하고 있다.

표 9.1 육안 검사법의 분류

분류 기호	검사 내용	검사 방법	비 고
VT-1	표면 균열, 마모, 부식, 침식 등 불연속부 및 결함 검출	직접 육안 검사는 검사 표면으로부터 30° 이상의 각도와 24″이내의 거리 유지	조명 500 lux 이상 원격 육안 검사 시 직접 육안 검사 이상의 분해능 확보
VT-2	압력 용기의 누설 검출	계통 압력 검사 중 누설 수집 계통 사용 여부에 관계없이 누설 징후 검출	IWA-5420에 별도 규정
VT-3	구조물의 기계적, 구조적 상태 검사	구조물 및 부품의 물리적 허용치를 감안하여 외형적 결함과 기계적 작동여부 및 기능의 적절성을 검사	볼트 연결부, 용접 연결선, 결합부, 파편, 부식, 마모 등과 구조적 건전성 확인 원격 육안 검사 가능
레플리케이션	표면 결함 검출	결함을 복제하여 복제된 필름을 검사	직접 육안 검사 이상의 분해능 확보

9.1.2.2 육안 검사의 특징

육안 검사는 ① 표면 세정 ② 조명 ③ 관찰의 비교적 간단한 절차의 공정으로 검사 단계를 나눌 수 있으며 검사의 장단점을 표 9.2에 나타내었다.

표 9.2 육안 검사법의 특징

육안 검사의 장점	육안 검사의 단점
· 검사가 간단하다.	· 표면 결함만 검출이 가능하다.
· 검사 속도가 빠르다.	· 분해능이 약하며 가변적이다.
· 비용이 비교적 저렴하다.	· 일부 장비는 고가이다.
· 간단한 훈련으로도 검사가 가능하다.	· 개인에 따라 검사치가 가변적이다.
· 장비가 비교적 간단하다.	· 검사 때 산만하기 쉽다.
· 검사체가 운전 중이라도 검사가 가능하다.	· 눈이 피로하기 쉽다.

또한 육안 검사를 수행하는데 ① 검사자 ② 피검사체 ③ 검사 장비 ④ 조명 ⑤ 기록 방법 등 5가지로 대별할 수 있으며 각각의 내용은 다음과 같다.

1) 검사자에게 요구되는 조건

(1) 신체조건

육안 검사는 시험체를 눈으로 관찰하기 때문에 검사 기술자의 시력이 좋아야 한다. 보통 원거리 시력 0.7이상, 근거리 시력 0.7이상을 요구한다. 그리고 색깔로 판정하는 육안 검사를 할 때는 색채 감각이 정상이어야 한다.

(2) 시험체에 관한 지식

육안 검사는 사람의 눈으로 보는 것이므로 누구나 쉽게 할 수 있다고 생각하기 쉬우나 이것은 큰 잘못이다. 검사 기술자가 육안 검사를 할 시험체의 재료, 가공 방법, 제조 방법, 발생하는 결함의 종류, 위치, 빈도 등에 관한 지식을 가지고 있지 않으면 육안 검사를 올바르게 할 수 없다.

2) 육안 검사의 대상이 되는 지시와 허용 값

육안 검사를 할 때 먼저 무엇을 볼 것인지 구체적으로 정해두어야 한다. 예를 들어 결함, 부식, 도막의 이상, 변형, 변색, 도면과 어긋남, 누설 등 관찰할 것을 밝혀두어야 한다. 그리고 더 중요한 것은 육안 검사로 합격과 불합격을 결정할 경우에는 대상이 되는 것에 그것의 허용 값을 명확히 나타내두어야 한다.

3) 검사면의 밝기와 조명 방법

ⓐ 검사면의 밝기

육안 검사를 할 때 중요한 것은 검사면의 밝기가 검사에 지장이 없어야 한다. 검사면의 밝기는 500 lux 이상이 바람직하다. 아울러 검사면 주변의 밝기는 검사면의 밝기의 70%정도, 최저 150 lux 이상이 바람직하다.

ⓑ 조명방법

시험체의 조명은 육안 관찰을 방해하지 않는 방향으로 하여야 한다. 필요한 경우 조명 방법, 채광 방법, 검사면과 눈과의 거리를 정해두는 것이 좋다.

ⓒ 이상을 발견했을 때 할 일

허용치를 초과하는 이상을 발견했을 때는 대상에 따라 그 처치 방법을 정한다.

4) 기록 방법

육안 검사의 기록 방법은 주관적인 방법(*subjective method*)과 하드 카피법(*hard copy method*)으로 나눌 수 있다.

ⓐ 주관적인 방법

검사자가 실제 관찰한 것에 근거하여 일정 양식에 따라 필요한 정보를 기록하고 결함에 대하여 일정한 기호로 분류 기록하든지 스케치하는 방법이다. 비용이 적게 들고 간편하나 검사자의 개인적인 능력에 따라 결과가 크게 좌우되는 단점이 있다.

ⓑ 하드 카피법

사진, 비디오 녹화, 컴퓨터 기기, 레플리카법(*replication*) 등을 이용하여 육안 검사 기록을 영구적으로 남기는 것으로 검사 결과가 개관적이고 검사의 시점에 따라 비교 판정이 가능하다.

9.1.3 육안 검사용 장비

육안 검사를 할 때 사용되는 장비는 표 9.3에 정리하였다. 그림 9.1에는 여러 가지 검사용 장비를 나타내었다.

(a) 보아 스코프

(b) 파이버 스코프

(c) 각종 스코프 장비

(d) 비디오 시스템

그림 9.1 육안 검사용 장비

표 9.3 각종 육안 검사 장비

구분	장비 종류	비 고
조명기구	고밀도 형광등, 손전등, 백열등, 특수 조명장치	육안 검사를 위한 시험체 주변의 밝기는 500 lux 이상의 조도를 확보
조명측정기구	광전지, 광전도계, 광전관, 포토다이오드 등	정확한 조도측정을 위한 다양한 빛 검출기
시력보조기구	확대경, 포켓용 현미경, 보아스코프, 파이버스코프,	시력, 접근, 감도 등 육안 사용에 따른 제약사항을 극복하기 위하여 사용되는 장비
원격 육안검사기구	비디오시스템, CCD카메라, 저장 장치	직접 육안검사가 어려울 경우 사용되는 기계 및 기구
측정 기구	각종 측정자, 각종 게이지류, 온도계	시험체의 치수 및 구조물의 상태와 결함의 크기, 위치 등을 측정하기 위한 측정계

9.2 누설검사

9.2.1 개요

기체나 액체를 담고 있는 밀봉용기나 저장시스템 또는 배관 등에서 내용물의 유체가 새거나 외부에서 기밀장치로 다른 유체가 유입되는 것을 "누설(*leak*)"이라고 한다. 이러한 유체의 누출·유입이 없는지를 검사하거나, 유입·유출량을 검출하는 방법을 누설검사(*leak test; LT*)이라고 한다. 누설검사는 누설의 유무 및 누설위치, 누설량을 검출하는 것, 누설되고 있는 가스나 유체의 종류의 동정과 농도계측을 하는 것으로 나눌 수 있다. 전자를 "누설검사방법"이라 하고, 후자를 "누설검지방법"이라 한다.

누설 검사는 비파괴검사의 한 다른 형태로서, 제품의 성능과 안전을 보장해 주는데 크게 도움을 준다. 누설검사를 하는 가장 중요한 목적은 장치를 사용하는데 방해가 되는 재료의 누설손실을 막아주고, 돌발적인 누설로 발생할 수 있는 환경의 유해성을 예방하며, 설계시방에 벗어나는 누설율을 부적절한 제품을 가려내는데 있다. 다시 말하면 제품의 실용성과 신뢰성을 높여주고, 압력을 가하거나 진공을 유지하면서 유체를 담고 있는 장치의 조기 파괴를 방지하기 위한 것이다. 최근에는 기밀성을 필요로 하는 분야가 매우 많아 졌고, 각종 산업분야에서 품질보증을 위해 많이 활용하고 있다.

각종 원자력 구조물, 압력용기 및 탱크, 화학 플랜트 및 배관, 공조기기, 진공장치, 전자부품, 자동차부품, 정밀 기계 등 여러 분야에서 이 검사를 이용하고 있다.

9.2.2 누설 검사의 종류와 특징

누설 검사의 종류는 기본적으로 시험체의 내부와 외부사이의 압력의 차이를 만드는 방법에 의해 가압법과 진공법으로 나눈다. 그러나 주된 분류는 검출기와 추적자의 조합을 중심으로 이루어진다. 압력시스템, 검출시스템에 의해 누설검사 방법은 여러 가지 종류로 분류되며, 결함검출 특성도 서로 다르다. 흔히 사용하는 검사방법인 기포 누설 검사는 검사용액으로 누설이 있는 곳에 생긴 가시성 기포를 관찰하는 방법으로, 지시의 관찰이 쉽고 누설 위치의 판별이 빠르며 검사비가 적게 드는 안전한 방법이다. 큰 누설의 존재나 위치를 직접 볼 수 있고, 감도는 $10^{-3} \sim 10^{-5}$ Pa·m³/s 정도로 그리 높지 않다.

할로겐 누설 검사는 추적가스로 할로겐 화합물을 쓰며, 검출 또는 추적프로브를 통해 들어온 추적가스를 가열 양극 할로겐 검출기로 측정한다. 대기압력 하에서 검사할 수 있고, 사용이 쉬우며, 장치가 간편하여 휴대가 가능하다. 그러나 할로겐 가스의 독성에 주의해야 한다. 검출 감도는 비교적 높으며, 표준 공기펌프를 사용할 때 10^{-10} Pa·m³/s 정도이나 사용하는 가스의 종류에 따라 변한다. 열교환기, 냉동기기 검사에 많이 이용한다.

헬륨 질량 분석기 누설 검사는 헬륨을 추적가스로 사용한다. 헬륨은 불활성 가스이고, 공기 중에 미량이 존재함으로 추적가스로 사용하기 좋다. 검출감도는 5×10^{-12} Pa·m³/s 정도로 매우 높다.

암모니아 누설 검사는 암모니아 가스의 화학반응에 의한 변색을 이용하며, 암모니아 저장용기, 압력 및 진공 용기 등에 적용한다. 암모니아 가스는 독성이 있고, 구리 합금을 부식시킬 수 있으므로 검사 후에 후처리를 잘 해야 한다. 감도는 1 Pa·m³/s 정도로 높지 않다.

압력변화 누설 검사는 추적가스를 따로 사용하지 않고, 압력계를 검출기로 써서 시간에 따른 압력변화를 측정하여 전체 누설을 알아내는 방법이다. 가압법과 감압법이 있으며, 작업시간이 긴 단점이 있다.

그 밖에 음향법, 기체 방사성 동위원소법, 열전도도법, 가스 크로마토 그래피법 등이 있으며, 또한 검사의 목적에 의해서 전체의 누설만 측정하는지 누설위치 및 누설율을 함께 측정하는지에 따라 나누기도 한다.

가. 발포 누설검사법

압력용기나 석유탱크 용접부의 누설을 검사하는데 이용된다. 시험면을 사이에 두고 한쪽의 공간을 가압하거나 진공이 되게 해서 양쪽 공간에 압력차를 만든다. 시험면에 규격에 정해진 발포액을 도포하고, 압력차이로 인해 생긴 기포의 존재를 관찰함으로써 누설을 검지한다. 이 검사방법은 간단하고 검출감도가 비교적 양호하지만, 발포에 영향을 주는 표면의 유분이나 오염의 제거 등 전처리가 중요하다.

나. 방치법에 의한 누설검사법

시험체를 가압하거나 감압하여 일정한 시간이 경과한 후 압력변화를 계측해서 누설을 검지하는 방법이다. 이 방법에는 가압법과 감압법이 있다. 가압법에서 검사압력은 시험체의 최대허용압력의 25%를 초과하지 않는 범위로 한다. 감압법에서는 대기압력보다 수주 높이 200 ~ 1000 ㎜ 의 압력차가 있도록 검사압력을 설정한다. 방치시간은 일반적으로 10분 이상 할 필요가 있다. 이 검사법에서는 방치시간 내에 온도변화는 가능한 한 작도록 특별히 주의해야 한다..

다. 암모니아 누설검사법

시험체 용기에 암모니아를 포함하고 있는 가스를 넣어 시험체 표면에 도포한 암모니아 검지제(*brome phenol blue*)가 누설되는 암모니아와 반응해서 황색에서 청자색으로 변화할 때, 그 변색된 부분의 직경을 관찰하여 누설위치와 누설량을 검지하는 방법이다. 이 방법은 감도가 높아 대형용기의 누설을 단시간에 검지할 수 있고 암모니아 가스의 봉입압력이 낮아도 검사가 가능하다는 장점이 있지만, 검지제가 알칼리성 물질과 반응하기 쉽고, 동 및 동합금 재료에 대한 부식성을 갖는 등의 결점이 있다. 또한, 암모니아의 폭발한계가 공기 중에서 16 ~ 27% 이므로 방폭 등의 안전에 대한 주의가 필요하다.

라. 할로겐누설검사법

할로겐화합물가스를 검지 가스로 이용하는 방법으로, 환경문제로 앞으로 사용이 곤란하게 될 것으로 예상된다.

마. 헬륨 누설검사법

시험체 내에 헬륨가스를 넣은 후 누설되는 헬륨가스를 질량분석형 검지기를 이용하여 누설위치와 누설량을 검지하는 방법이다. 헬륨가스를 사용하는 이유에는 공기 거의 존재하지 않기 때문에 다른 가스와 구별이 쉽고, 가벼운 기체로 분석관이 작으며 분자직경이 작아 작은 구멍에서의 누설이 생기기 쉽고, 화학적으로 불활성이라는 것 등이 있다.

이 방법은 10^{-12} Pa·m³/s 정도의 극히 미세한 누설까지도 검사가 가능하고 검사시간도 짧으며, 이용범위도 넓다. 이 검사에는 ① 스프레이법, ② 후드법, ③ 진공적분법, ④ 스너퍼법, ⑤ 가압적분법, ⑥ 석션 컵법, ⑦ 벨자법, ⑧ 펌핑법 등의 종류가 있다.

9.3 적외선 서모그래피 검사

9.3.1 원리 및 개요

적외선 서모그래피로 얻어진 화상을 열화상이라고 말하며 이는 화상의 변형이나 왜곡이 있을 수 있으므로 화상 처리, 패치워크 처리 등을 하여 보다 알기 쉬운 화상으로 처리하여 결함을 판정한다. 예를 들어 물체 표면에 방사되는 적외선 에너지의 강도를 적외선 센서를 이용하여 계측하면 물체의 표면 온도를 측정할 수 있다. 이와 같이 적외선 방사에너지의 계측값을 화상 처리 프로세서에 의해 물체 표면온도의 2차원 분포로 계산하여 영상화하는 기술을 적외선 서모그래피 검사(*infrared thermographic testing; TT 또는 IRT*)라고 한다.

적외선 서머그래피 검사는 결함을 가진 시험체에 어떤 방법으로 열에너지를 가하면, 결함으로 인해 시험체 표면의 온도 분포가 불균일해지면서 흐트러진 온도장을 적외선 서모그래피 기술을 통해 화상으로 표시하여 결함을 검출하는 비파괴검사 방법 중의 하나이다. 그러므로 온도장을 만들어주는 방법에 의해 크게 2종류로 나눌 수 있다. 하나는 결함이 발열 또는 흡열하는 방법에 의한 온도장(자기발열·흡열온도장)의 변화를 구하는 것이고, 다른 하나는 외부에서 열에너지를 가할 때 결함부위의 단열 온도장을 계측하는 것이다.

9.3.2 자기발열·흡열온도장의 계측에 기초를 둔 방법

도체에 직류전류를 흐르도록 하면 줄(*Joule*)열에 의해서 도체는 발열한다. 이러한 도체에 그림 9.2과 같은 균열상의 결함이 존재하고, 줄열 발열온도 분포는 결함에 의해 변화한다. 예를 들어 그림 9.2과 같은 경우, 균열 끝에는 전류밀도가 높은 특이점이 형성된다. 그러한 특이 전류장은 발열집중부가 되기 때문에 이것을 계측함으로써 균열의 검출이 가능하다. 균열이 표면으로 열려 있지 않은 경우라도 균열이 표층부 근방에 있으면 이 방법의 적용이 가능하다.

시험체에 어떠한 작용을 가하더라도 결함이 발열이나 흡열원인 경우, 예를 들어서 결함부에 물이나 얼음이 내재함으로써 온도분포가 생길 경우 등이 이러한 방법 분류에 들어간다.

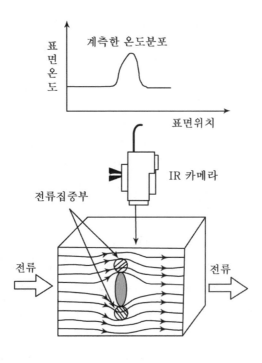

그림 9.2 특이온도장법에 의한 균열의 검지

9.3.3 단열 온도장 계측에 의한 방법

시험체의 외부에서 어떤 열에너지를 가하거나(가열), 열을 흡수하는(냉각)등의 조작을 하면, 그림 9.3과 같이 내부결함의 존재로 인해 시험체 내에서 열확산이 방해를 받게 되고, 결함의 단열효과로 시험체 표면에 국소적인 온도차가 생긴다. 이 국소적 온도변화영역의 온도분포나 형상·위치는 내부에 존재하는 결함의 형상·크기를 반영한 것이므로 이것을 적외선 서모그래피로 정량적으로 계측하면 결함의 위치나 형상을 알아낼 수 있다. 그림 9.4에서 이러한 단열온도장법으로 검출한 GFRP복합재료 내에 존재하는 내부 결함 열화상도의 일례를 보여 주고 있다.

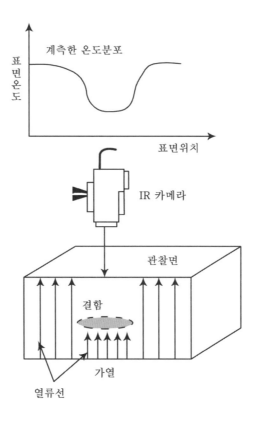

그림 9.3 단열온도장법에 의한 결함 검출

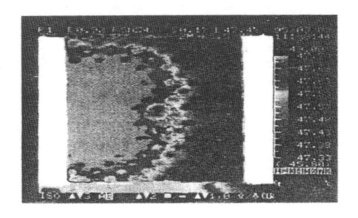

그림 9.4 결함(직경 3 ㎜, 깊이 1 ㎜)을 내재하고 있는
GFRP 복합재료판의 열화상 계측 예

9.4 전위차검사법

9.4.1 원리 및 개요

전위차검사법(*electrical potential drop method; EPDM*)은 시험체에 있는 도체에 전류가 흐르도록 한 후, 형성된 시험체중의 전위분포를 계측해서 표층부의 결함이나 부식으로 인해 얇아진 판 두께 등의 변화를 검지하는 방법으로 전기저항법이라고도 한다.

입력전류의 종류에 따라서 직류법과 교류법으로 나눈다. 결함 등의 정량적 평가를 위해서는 결함크기와 전위차 변화의 관계를 미리 교정곡선으로 구해 둘 필요가 있으나, 간단한 조작으로도 정밀도가 높은 계측이 가능하다는 특징이 있다. 또한, 재료의 조직변화, 예를 들면 탄화물이나 금속간 화합물의 검출, 그 응집과 조대화, 마이크로 보이드 등과 전기 저항값 사이에는 상관성이 있다는 것은 오래 전부터 알려져 있는데, 이를 이용하여 전기저항법을 재료열화의 모니터링에도 적용한다.

9.4.2 4단자 전위차법

전위차검사법에서는 시험체 표면 임의의 점 사이에서 전위차를 계측하는데, 전위차를 정밀하게 계측하기 위해 일반적으로 그림 9.5과 같이 4개의 전극을 이용하는 4단자법이 사용된다. 이 방법은 외측의 전극에서 전류를 흘리고, 내측의 전극 사이의 전위차를 측정하여 시험체의 전기 저항값을 구하는 것이다. 그림 9.5과 같이 시험체에 흐르는 전류를 I, 내부에서 설치한 2개의 전극사이의 전위차를 V, 각 전극사이의 거리를 $s(\text{cm})$, 시험체의 두께를 $\omega(\text{cm})$라 하면, 모든 전극간 거리($4s$)의 수 배 이상의 넓이를 가진 시험판에 대한 비전항 $\rho(\mu\Omega\cdot\text{cm})$는 다음 식으로 나타낼 수 있다.

$$\rho = V\cdot\omega\cdot\pi/I\cdot\ln 2$$
$$= 4.53\,V\cdot\omega/I, \qquad (\omega < 0.5s) \quad\text{.....................................}\quad (9.1)$$

$$\rho = 2\pi s\cdot V/I$$
$$= 6.28s\cdot V/I, \qquad (\omega < 0.3s) \quad\text{.....................................}\quad (9.2)$$

윗 식에서 얇은 시험편의 ρ는 전극간 거리에 의존하나, 두꺼운 재료에서는 시험체 두께 (ω)에 의존한다는 것을 알 수 있다.

식 (9.1)에서 알 수 있듯이 주괴, 봉재, 용접구조물 등 전극간 거리에 비해서 충분한 크기를 가지는 동시에 그 일부에 평활면을 가진 시험체에 대한 저항률 ρ는 그 상태에서 측정이 가능하다. 전극간 거리와 시험체 두께가 비슷할 경우 그 해는 식 (9.1)과 식 (9.2)로 나타낸 것처럼 단순하지 않지만, 실제로 식 (9.1)과 식 (9.2)을 이용해도 만족하는 경우가 많다. 이 방법은 현장에 적용이 가능하며 참조 표준시험편이 필요하지 않고, 계산이나 교정 없이 직접 저항 값을 계측할 수 있다는 특징을 갖는다.

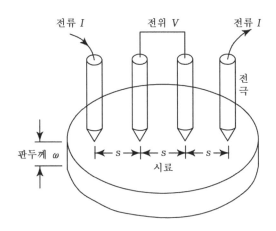

그림 9.5 4단자법에 의한 전위차 계측

9.4.3 직류법에 의한 균열의 평가

그림 9.6과 같은 무한평판 중에 깊이 a의 균열형 결함이 있고, y 축 방향으로 무한히 먼 곳에 J_∞의 전류밀도가 주어지는 경우, 점$(x,\ y)$에서 y 축 방향으로 전류밀도 J는 근사적으로

$$J(x,y) = J_\infty \frac{(x^2+y^2)^{1/2}}{\{y^4+2(x^2+a^2)y^2+(x^2-a^2)^2\}^{1/4}} \quad\cdots\cdots\cdots\cdots\cdots\cdots\cdots \text{(9.3)}$$

이 된다. 즉, y 축 상에 균열을 사이에 둔 2 점 $(0,\ -l/2)$과 $(0,\ l/2)$의 전위차 V는 다음 식이 된다.

$$V = V_0\{1 + (2a/l)^2\}^{1/2} \quad\cdots\cdots\cdots\cdots\cdots\cdots\cdots\cdots\cdots\cdots\cdots \quad (9.4)$$

단, V_0는 결함이 없을 경우$(a = 0)$의 전위차이다

앞의 식에서 $a \ll 1$이면, $V - V_0 \cong 2V_0(a/l)^2$가 되고, $V - V_0$을 계측하면 결함 깊이의 평가가 가능하다. 단, 검출감도는 전극간 거리의 제곱에 비례한다.

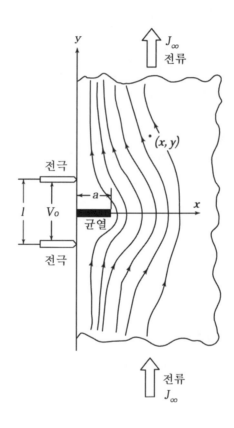

그림 9.6 균열을 품고 있는 2차원 시험판에서 전류밀도 분포

9.4.4 교류법에 의한 균열의 평가

표면 개구 균열과 같은 결함의 평가에는 교류전류를 이용하는 교류법이 우수하다. 직류 전류는 시험체중을 균일하게 흐르지만, 교류전류는 균일하게 흐르지 않고, "표피효과(*skin effect*)"에 의해서 도체 전류는 도체 시험체의 표면층으로 집중하여 흐른다. 전류분포는 본질적으로 1차원 또는 2차원 분포로 다루면 좋다는 이점이 있다. 이러한 표피효과를 기본으로 할 때, 그 전류값이 $1/e \cong 0.37$이 되는 깊이 즉, 침투깊이 $\delta = 1/\sqrt{\pi\mu f\sigma}$ 로 나타낼 수 있다. 여기서 f 는 교류주파수, μ와 σ는 각각 시험체의 투자율과 전도도이다. 따라서 주파수 f 가 높은 교류전류를 이용하는 경우, δ는 작아지고 전류가 흐르는 영역은 표면 근방의 층으로 극히 한정된다. 예를 들어 5 kHz의 교류는 연강을 대상으로 하는 경우, 그 침투깊이는 0.1 ㎜ 정도이다.

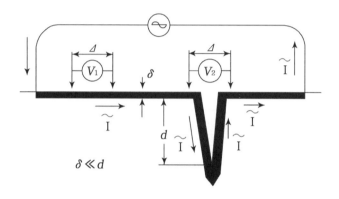

그림 9.7 교류 전위차법에 의한 균열깊이 평가의 원리

외부에서 표면층에 집중되는 교류전류를 직접 흘려, 건전부의 전위차와 결함부를 걸친 2점사이의 전위차를 비교해서 결함을 평가를 하는 방법을 교류 전위차법(**ACPD법, *Alternating Current Potential Drop Method***)이라고 한다. 그림 9.7와 같은 경우를 생각할 때, 침투깊이 δ가 균열깊이 d에 비해 아주 작으면 균열깊이 d 는 다음 식으로 계산된다.

$$\frac{V_1}{\Delta} = \frac{V_2}{\Delta + 2a} \quad \text{또는} \quad d = \frac{\Delta}{2}\left\{\frac{V_2}{V_1} - 1\right\} \cdots\cdots\cdots\cdots\cdots\cdots\cdots\cdots (9.5)$$

단, 위 식에서 Δ는 검출단자 간격, V_1과 V_2는 각각 건전부에서의 전위와 균열을 포함한 2점간의 전위차이다.

교류법의 또 다른 한 가지 방법으로 복수의 유도선을 이용, 표면에 균일하게 교류전류를 흐르게 하여 시험체 표면에 공간자계 분포를 만든 후, 균열에 기인한 자계 분포의 흐트

러짐을 잡아내는, 교류전자장측정법(*ACFM, alternating current field measurement*)도 제안되어 있다. 교류법의 어느 방법에서도 균열의 크기와 형상을 평가하려면, 시험체 표면층과 그 근방 공간에서의 전자계 분포에 관한 해석과 연산이 필요하다.

9.5 응력 스트레인 측정

9.5.1 원리와 개요

구조물의 안전을 확보하기 위해서는 결함의 상태 및 응력, 스트레인이 어떤 부분에 존재하는가를 아는 것이 매우 중요하다. 스트레인측정(*strain measurement; SM*)은 기계나 구조물을 설계할 때 부재의 치수·형상·재료의 적부를 판단하거나 제작된 기계나 구조물이 사용 중 파손·변형되지 않도록 감시하는데 이용된다. 이러한 응력, 스트레인을 해석하는 데에는 이론적 방법, 계산적 방법, 실험적 방법이 있다. 이론적 방법에는 재료역학적으로 취급하는 방법, 탄성론 등이 있고 계산적인 방법에는 유한요소법이 있지만, 이론적 방법이나 계산역학적 방법만으로 해석이 불가능한 경우가 많기 때문에 실험적 방법이 필요하다. 여기서는 스트레인게이지라 불리는 소자를 물체의 표면에 접착시켜 물체가 변형할 때에 동시에 변형하는 스트레인게이지의 전기저항 변화를 측정하여 그 위치의 스트레인을 구하는 실험적인 응력, 스트레인해석법에 대해서 설명하기로 한다.

9.5.2 응력과 스트레인의 관계

먼저 응력과 스트레인의 관계에 대해 살펴보면 그림 9.8(a)과 같은 환봉이 하중(외력) W로 인장되는 경우를 들 수 있다. 이 환봉에 가상 단면을 생각하여 그림 9.8(a)과 같이 좌우로 잘라낸다. 가상단면에는 하중 W에 저항하는 내력 P가 생긴다. 내력 P의 크기는 하중 W와 같고 ($P = W$) 방향은 반대이다.

내력을 단면적 A로 나눈 값, 즉 단위면적당의 내력을 응력(σ)이라 한다.

$$\sigma = \frac{P}{A} = \frac{W}{A} \quad \text{..} \quad (9.6)$$

응력은 단위면적에 작용하는 힘이기 때문에 압력과 같은 단위로 표시된다. SI단위(국제단위)에서는 힘의 단위로 N(*Newton*), 길이의 단위로 m(*meter*), 응력의 단위로 $\mathrm{Pa}(\mathrm{N/m^2},$ *Pascal*)을 사용하는데, 실제 값은 상당히 크기 때문에 kPa, MPa, GPa 등의 단위가 쓰인다. 한편, MKS(공학단위)에서는 $\mathrm{kgf/mm^2}$이 사용된다.

$$1\,\mathrm{MPa} = 1\times10^6\,\mathrm{Pa} = 1\times10^6\,\mathrm{N/m}^2 = 0.102\,\mathrm{Kgf/mm}^2$$
$$1\,\mathrm{Kgf/mm}^2 = 9.8\times10^6\,\mathrm{N/m}^2 = 9.8\times10^6\,\mathrm{Pa} = 9.8\,\mathrm{MPa}$$

예를 들어 단면적 10 mm²인 환봉을 1000 N(101.97 Kgf)의 하중으로 인장할 경우
$A = 10\mathrm{mm}^2 = 10\times10^{-6}\,\mathrm{m}^2$, $W = P = 1000N$ 이기 때문에 횡단면에서는

$\sigma = 1000/(10\times10^{-6})\,\mathrm{N/m}^2 = 100\times10^6\,\mathrm{Pa} = 1000\,\mathrm{MPa}\,(\fallingdotseq 102\,\mathrm{Kgf/mm}^2)$의 응력(인장응력)이 발생한다.

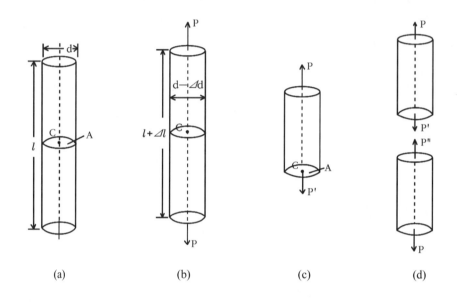

그림 9.8 인장한 경우의 내력의 발생과 치수 변화

그림 9.8과 같이 환봉을 하중 W로 압축하는 경우, 하중이나 응력의 방향은 반대이나 크기는 변하지 않는다. 인장을 받을 경우를 +값으로, 압축의 경우를 − 값으로 나타내기로 한다. 따라서 응력은 $\sigma > 0$ 이면 인장응력, $\sigma < 0$ 이면 압축응력이라 하는데, 이들은 모두 단면에 수직으로 생기는 응력이기 때문에 수직응력이라 한다. 예를 들어 단면적 20mm² 인 환봉을 1500 N의 하중으로 압축하는 경우 $A = 20\times10^{-6}\,\mathrm{m}^2$, $W = -1500N$으로 하면, $\sigma = -1500(20\times10^{-6})\,\mathrm{N/m}^2 = -75\,\mathrm{MPa}$이기 때문에 75 MPa의 압축응력이 작용한다.

하중에는 수직하중 이외에 면에 평행하게 작용하는 전단하중이 있다. 이 때 내력은 가상 단면에 평행하게 생기는데, 그 내력을 단면적으로 나눈 응력을 전단응력(τ)이라고 한다.

물체에 하중이 작용하면 내부에 응력이 생김과 동시에 그 형상·치수가 변화한다. 이 변

형의 비율을 스트레인이라 한다. 그림 9.9(a)나 (b)와 같이 물체가 인장하중이나 압축하중을 받을 경우에는 수직응력 σ (=P/A)이 발생함과 동시에 하중방향의 스트레인(ε)은

$$\varepsilon = \frac{\text{변형후의 길이} - \text{원래의 길이}}{\text{원래의길이}} = \frac{l' - l}{l} \dots\dots\dots\dots\dots\dots\dots\dots \quad (9.7)$$

로 주어진다.

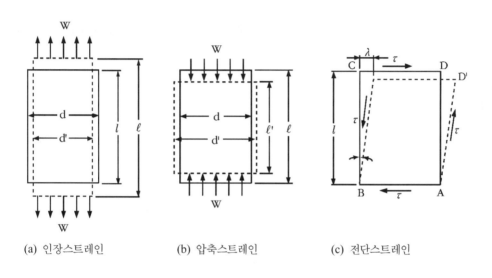

(a) 인장스트레인   (b) 압축스트레인   (c) 전단스트레인

그림 9.9 변형과 스트레인

(a)를 ε > 0 인장스트레인, (b)는 ε < 0 압축스트레인이라 하고 이들을 종합해서 종스트레인이라 한다. 한편 하중방향과 수직한 방향으로도 변형하는데 이것을 횡스트레인(ε′) 이라 하며

$$\varepsilon' = \frac{\text{변형후의 폭} - \text{원래의 폭}}{\text{원래의 폭}} = \frac{d' - d}{d} \dots\dots\dots\dots\dots\dots\dots\dots \quad (9.8)$$

로 주어진다.

물체가 인장되어 늘어날 때에는 폭방향으로는 압축하고, 압축되면 폭방향으로 늘어나기 때문에 ε과 ε′의 부호는 반대가 되는데, 양자의 비는 물체의 재질에 따라 달라지며 이것을 푸아송(**Poisson**)비 ν = | − ε′ / ε |라 한다. 연강은 ν = 0.28, 알루미늄은 ν = 0.34이다.

그림 9.9(c)와 같이 전단하중을 받는 경우에는 전단응력 τ = (Q/A)를 받음과 동시에 물

체는 λ만큼 어긋난다. 높이 l에 대한 변화량 λ의 정도를 전단스트레인γ라 하며, 변형이 작으면

$$\gamma = \frac{\lambda}{l} = (\text{라디안 단위로 나타낸 각도 } \angle \text{CBC'의 수치}) \cdots\cdots\cdots\cdots (9.9)$$

로 주어진다. 또한 각도 θ_0는 $\pi \times \theta_0 / 180 (\text{rad})$으로 변환된다.

스트레인은 무차원량으로, 금속재료(특히 탄성범위에 내에서)에서는 극히 작은 양이 된다. 그래서 미소한 스트레인이라는 것을 강조하기 위해 마이크로스트레인(*micro strain*; *μ-strain* 또는 *μs* , $\mu = 10^{-6} \text{mm}$)을 쓰는 경우가 많으며, 또 %로 표시하기도 한다. 예를 들어 스트레인 0.002는 $0.002 = 2000 \times 10^{-6} = 2000 \mu s = 0.2\%$ 이다.

9.5.3 전기저항 스트레인 게이지법

1) 원리

스트레인 측정에는 여러 가지 방법이 있으며 각종의 하중을 받아서 재료에 생기는 변형을 검출하는 것이 그 원리이다. 그 검출방법을 대별하면 전기적 방법과 기계적 방법으로 나누어진다. 전자는 검출된 변형이 전압으로 나타나기 때문에 먼 곳까지 데이터의 전송이나 처리가 가능하고, 변동하는 측정량에 대응할 수 있는 특징이 있다. 특히 PC의 보급과 함께 현재에는 데이터수집의 자동화, 처리의 도형화도 용이하며, 전기적 방법은 널리 이용되고 있다.

전기저항스트레인계(*electric resistance strain meter*)의 원리는 금속선이 인장될 때 길이와 단면적의 변화에 따른 저항의 변화를 이용하는 것으로, 이 저항의 변화량를 전기적으로 측정하여 금속선의 스트레인을 알 수 있다. 이 금속선의 소자를 스트레인게이지(*strain gage*) 또는 게이지(*gage*)라고 한다. 스트레인을 측정하려고 하는 물체에 이 게이지를 접착시키면 금속선이 물체와 같은 변형을 받기 때문에 금속선의 전기량 변화로부터 물체의 스트레인을 알 수 있다. 금속선의 저항 R은 다음 식으로 나타낸다.

$$R = \rho \frac{L}{A} \cdots\cdots\cdots\cdots\cdots\cdots\cdots\cdots\cdots\cdots\cdots\cdots\cdots\cdots\cdots\cdots\cdots\cdots\cdots (9.10)$$

ρ : 비저항
L : 길이

A : 단면적

식 (9.10)의 저항 R은 일반적으로는 변형 ε 과 온도 T 에 따라 변화하기 때문에 그 변화량은 다음과 같다.

$$\frac{\Delta R}{R} = (\frac{\Delta R}{R})_\varepsilon + (\frac{\Delta R}{R})_T \quad\cdots\cdots\cdots\cdots\cdots\cdots\cdots\cdots\cdots\cdots\cdots\cdots \text{(9.11)}$$

우선 온도를 유지하고 스트레인만을 변화시켰을 때의 영향을 고려한다. 금속선의 길이가 $\triangle L$만큼 변화할 때 저항값의 변화 $\triangle R$은 다음 식으로 나타낸다.

$$\frac{\Delta R}{R} = \left\{(\frac{\partial R}{\partial \rho})\Delta\rho + (\frac{\partial R}{\partial L})\Delta L + (\frac{\partial R}{\partial A})\Delta A\right\}/R \quad\cdots\cdots\cdots\cdots\cdots\cdots \text{(9.12)}$$
$$= \frac{\Delta\rho}{\rho} + \frac{\Delta L}{L} - \frac{\Delta A}{A}$$

금속선의 직경, 푸아송비를 각각 d, ν라 하고 금속선의 길이방향 스트레인을 ε이라 하면 $\triangle A/A$는 다음과 같다.

$$\frac{\Delta A}{A} = \frac{\frac{\pi}{4}(d+\Delta d)^2 - \frac{\pi d^2}{4}}{\frac{\pi d^2}{4}} \fallingdotseq 2\frac{\Delta d}{d} \quad\cdots\cdots\cdots\cdots\cdots\cdots\cdots\cdots \text{(9.13)}$$
$$= -2\nu\frac{\Delta L}{L} = -2\nu\varepsilon$$

식 (9.12)의 $\triangle R/R$은 다음 식으로 표시된다.

$$\frac{\Delta R}{R} = (1+2\nu)\varepsilon + \frac{\Delta\rho}{\rho} \quad\cdots\cdots\cdots\cdots\cdots\cdots\cdots\cdots\cdots\cdots \text{(9.14)}$$

따라서 저항선의 스트레인감도(*strain sensitivity*) K_0는 다음과 같이 나타낼 수 있다.

$$K_0 = (\frac{\Delta R}{R})/\varepsilon = 1 + 2\nu + (\frac{\Delta\rho/\rho}{\varepsilon}) \quad\cdots\cdots\cdots\cdots\cdots\cdots\cdots \text{(9.15)}$$

위 식에서 $\triangle\rho/\rho$는 체적변화, $\triangle V/V$에 비례하는 양이기 때문에 그 비례정수를 m이라 하면 다음 식으로 표시할 수 있다.

$$\frac{\Delta\rho}{\rho} = m\frac{\Delta V}{V} \quad\text{...} \quad (9.16)$$

위 식의 $\Delta V/V$를 식 (9.16)과 같이 계산하면 다음과 같이 된다.

$$\frac{\Delta V}{V} = \varepsilon(1-2\nu) \quad\text{...} \quad (9.17)$$

식 (9.16)은 다음과 같이 나타낼 수 있다.

$$\frac{\Delta\rho}{\rho} = m\cdot\varepsilon(1-2\nu) \quad\text{..} \quad (9.18)$$

따라서 식 (9.15)은 다음과 같이 나타낼 수 있다.

$$K_0 = (1+2\nu) + m(1-2\nu) \quad\text{..} \quad (9.19)$$

식 (9.19)에서 재료에 따라 정해지는 정수 m은 대부분 1의 값을 가지고, $K_0 = 2$이지만 실제로 금속 소선에서는 $K_0 = 2 \sim 3$인 것이 대부분이다.

2) 스트레인 게이지

스트레인게이지의 기본적 구조를 그림 9.10에서 볼 수 있듯이 베이스에 저항선을 고정시킨 것이다. 스트레인게이지에 사용되는 저항선 재료의 대표적인 예를 표 9.4에 나타내고 있다. 대지(*backing material*)의 재료로는 종이, 폴리에스텔 수지, 페놀수지, 에폭시수지 등이 사용된다. 접착제로는 순간접착제가 많이 사용되나 에폭시계, 폴리에스텔계의 접착제도 있다. 게이지에서 얻어진 스트레인은 게이지길이(*gage length*) l사이의 평균스트레인이다. 게이지 길이는 응력, 스트레인에서 중요한 양이 된다. 예를 들어 판에 원형 구멍이 있을 때 구멍의 가장자리에서는 응력과 스트레인의 변화가 크기 때문에 이 부분에서 스트레인을 측정하는 경우에는 게이지길이를 작게 하지 않으면 정확한 응력, 스트레인값을 얻을 수 없다.

시험체에 게이지를 접착한 상태에서 축방향의 응력만이 작용할 때 저항변화율과 축방향 스트레인의 비를 게이지지율(*gage factor*)이라 한다. 어떤 온도에서 게이지율 K는 식 (9.20)로 정의된다. 이 식은 식 (9.15)과 같은 형식으로 그림 9.16와 같이 저항선의 굽힘 부분 등의 영향 때문에 식 (9.15)의 K_0보다 다소 저하한다.

$$K = (\Delta R / R) / \varepsilon \quad \cdots\cdots\cdots\cdots\cdots\cdots\cdots\cdots\cdots\cdots\cdots\cdots\cdots\cdots\cdots\cdots\cdots\cdots\cdots\cdots\cdots\cdots\cdots\cdots \quad (9.20)$$

게이지의 종류는 저항체재료, 대지 재료, 형태, 사용목적에 따라 표 9.15와 같이 분류할 수 있고 그림 9.11은 게이지 형상의 종류를 나타내고 있다.

표 9.4 게이지의 분류

분류방법		게이지의 명칭
저항체의 종류에 의한 분류		선게이지 박게이지 반도체게이지
형상에 의한 분류		단축게이지 다축게이지 특수패턴게이지
대지 재료에 의한 분류		종이게이지 엑폭시게이지 폴리에스틸렌 게이지 베크라이트게이지
용도에 의한 분류	적용온도에 의한 분류	상온용게이지 고온용게이지 저온용게이지
	측정대상 스트레인에 의한 분류	대(大)스트레인게이지 응력집중게이지 응력게이지
	측정환경에 의한 분류	항자성게이지 방수게이지 무유도게이지
	특수용도에 의한 분류	크랙게이지 피로게이지

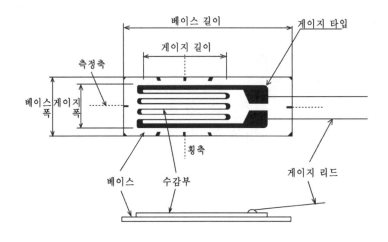

그림 9.10 전기저항 스트레인게이지의 기본구조

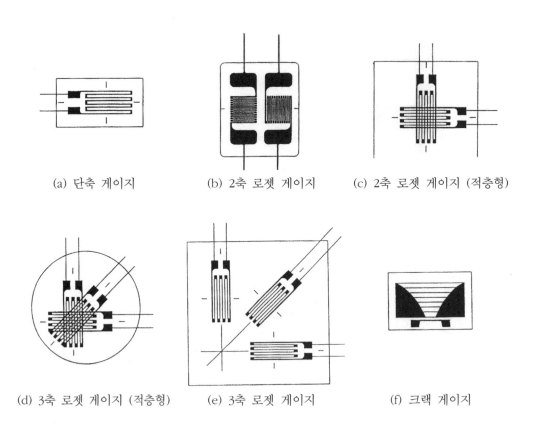

(a) 단축 게이지   (b) 2축 로젯 게이지   (c) 2축 로젯 게이지 (적층형)

(d) 3축 로젯 게이지 (적층형)   (e) 3축 로젯 게이지   (f) 크랙 게이지

그림 9.11 게이지 형상의 종류

3) 브리지회로

스트레인 계측에는 그림 9.12와 같은 휘스톤브리지(***wheatstone bridge***)회로가 사용된다. 이 회로는 다음 식을 만족할 때 출력이 $e = 0$이 된다. 먼저 브리지의 평형을 잡아 식 (9.21)이 성립하도록 한 후 각 변의 저항에 $\triangle R_1$, $\triangle R_2$, $\triangle R_3$, $\triangle R_4$의 저항변화가 생기면 e는 식 (9.22)과 같이 된다. 실제의 스트레인계에서는 $R_1 = R_2$ 상태의 것이 사용되는 경우가 많은데, 이 때는 식(9.22)은 식(9.23)과 같이 된다. 전기저항스트레인계에서는 식 (9.22), 식 (9.23)이 주로 사용되고 브릿지의 조합방법에 따라 여러 실험방법이 있으나 기본적인 것은 다음과 같다.

$$R_1 R_3 = R_2 R_4 \quad\text{..}\quad (9.21)$$

$$e = \frac{R_1 R_2}{(R_1 + R_2)^2} \left(\frac{\triangle R_1}{R_1} - \frac{\triangle R_2}{R_2} + \frac{\triangle R_3}{R_3} - \frac{\triangle R_4}{R_4} \right) E \quad\text{.....................}\quad (9.22)$$

$$e = \frac{1}{4} \left(\frac{\triangle R_1}{R_1} - \frac{\triangle R_2}{R_2} + \frac{\triangle R_3}{R_3} - \frac{\triangle R_4}{R_4} \right) \quad\text{....................}\quad (9.23)$$

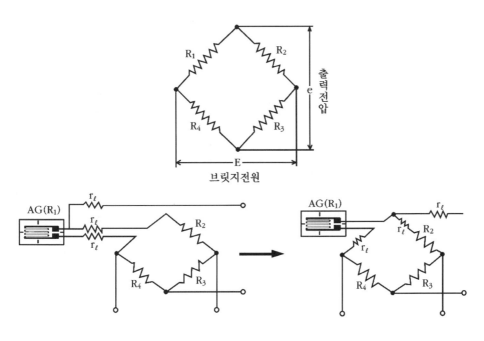

그림 9.12 휘스톤 브리지회로

4) 스트레인 측정의 실제

스트레인 측정시스템은 그림 9.13와 같이 정하중과 동하중 두 종류가 있다. 주된 차이점은 '사용 할 스트레인 측정기가 정하중에 대응한 변형측정용(정(*static*) 스트레인 측정기)인가, 아니면 동하중에 변형측정용(동(*dynamic*) 스트레인 측정기)인가'이다. 이들의 측정 시스템을 구성하려면,

① 게이지를 측정 점에 부착시키고,
② 리드선(*lead wire*)을 스위치박스나 브릿지박스에 접속한다.
③ 그림과 같이 계기를 전용 케이블에 접속한다.

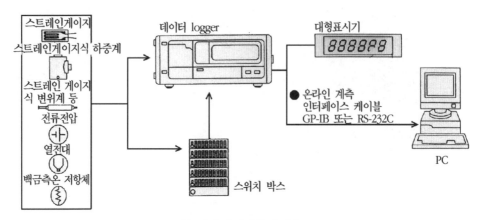

(a) 정적 스트레인 측정용

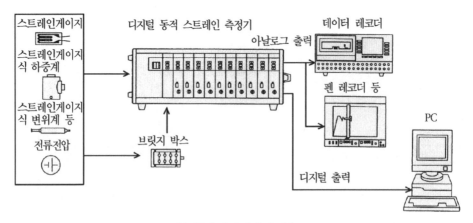

(b) 동적 스트레인 측정용

그림 9.13 스트레인 측정시스템

① 게이지 접착면의 연마, ② 접착위치의 결정 (보조선을 표기), ③ 접착면의 청소, ④ 접착제의 도포, ⑤ 게이지의 접착, ⑥ 접착제의 경화, ⑦ 접착상태 확인, ⑧ 게이지 단자 부착, ⑨ 게이지 단자의 접착, ⑩ 단자와 리드선의 접속, ⑪ 접착후의 단선, 쇼트 및 절연 저항의 체크, ⑫ 왁스나 합성고무 등으로 방습

이상의 작업에 따라 브릿지 회로를 구성한다. 이 회로는 미소저항 변화를 검출하기 위한 것이며, 게이지의 저항변화($\triangle R$)를 정밀도 좋게 검출할 수 있다. 이 회로에의 전원공급, 고정저항은 스위치 박스나 브릿지 박스에 접속하면 완전히 자동적으로 접속된다. 재료의 변형에 의한 게이지의 저항변화($\triangle R$)는 이 회로에서 전압(e 그림에서의 출력)으로 변환되고 계기에서 증폭 데이터로 기록된다. 이 출력전압(e)과 재료의 변형($\varDelta l$)과의 관계는 브릿지 전원 전압을 E라 하면,

$$e = \frac{1}{4} \cdot \frac{\varDelta R}{R} \cdot \frac{1}{4} K \epsilon E \quad\text{·······································} \quad (9.24)$$

이 식에서 출력전압 e는 스트레인 ($\varepsilon = \varDelta l / l$)에 비례함을 알 수 있다. 즉 변형을 측정해서 얻어지는 데이터(출력전압)는 스트레인에 비례하는 값이 된다. 이것이 이 변형을 검출하는 센서를(전기저항) 스트레인 게이지라 불리는 이유이다.

정하중과 동하중에 의한 변형률 측정은 이상과 같이 행해지지만, 하중의 종류, 즉 인장, 압축, 휨(**bending**), 비틀림에 대해서는 그 하중에 따라 발생하는 변형 중의 큰 것으로, 게이지의 측정 축을 겹쳐서 접착하는 것에 대응한다.

9.5.4 기타의 응력·스트레인 측정법

지금까지 기술한 전기저항스트레인 게이지에 의한 스트레인 측정, 음탄성 이외에 여러 가지의 응력·스트레인 측정법이 있다. 표 9.5에 이러한 각종 방법의 특징 및 적용 예를 정리하여 나타낸다.

표 9.5 기타 응력·변형률 측정법

측정법 \ 항목		원리	장점	단점	분야	적용
광탄성시험법	광탄성모델	고분자재료의 피굴절로부터 주응력차 및 주응력을측정	.전체응력분포를 한눈에 알 수 있다. .복잡한 물체의 내부 응력도 측정가능 .응력집중 해석 최적	.모델시험이다. .고가장치 .실험다소 난이	전분야	.3차원물체의 내부 응력해석에 최적합. .모델시험이지만 회전체의 해석 가능 .전체의 응력분포가 깨끗하지 않을 때까지 보이므로 PR용으로도 좋다.
	광탄성피막법	광탄성수지를 실물에 접착하는 것으로 실물의 주Strain차를 측정	.특별히 실물의 소성Strain 전체적 분포를 알 수 있다	.감도가 낮다.	전분야	.실물의 표면Strain(특히 소성Strain)의 전체적 분포를 옥외에서 측정가능
X선 응력 측정법		금속결정체의 격자면 간의 거리변화에 따라 응력 측정	.실물의 잔류응력을 비파괴적으로 측정 가능	.표면에서만 측정 .방사선 방해 가능성 . 고가임	Point by Point	.잔류응력의 측정에 위력을 발휘한다
모아레법 및 격자법		시료표면에 가는선을 긋고 그 변형을 직접 또는모아레 줄무늬로부터 변위를 측정	.실물 및 모델에서 측정가능 .고온저온 하에서 측정가능 .대변형도 측정 가능	.감도가 낮다 .표면연마가 필요	전분야	.금속의 용융부근 까지는 소성Strain 해석가능하며, 재료시험에 좋다 .격자법이용 미소영역 Strain해석 가능 .면외변형도 측정가능
응력도료막법		취성도료를 도포하고 응력에의해 생긴 균열의 상태로부터 주응력의 방향 및 Strain을 측정	.실물 및 모델 에서 측정가능 .가격이 싸며, 취급도 용이함	.감도가 낮다 .정양화가 어렵다	전분야	.실물의 전체적 Strain 분포를 조사하는데 널리 이용되고 있음 .Strain Gage와의 병용으로 정량적인 측정도 가능
동도금 응력 측정법		시료에 동도금하여, 반복응력에 의해 생기는 거은 반점의 상태로부터 Strain을 측정	.피로시험에의 동적 응력측정에 좋다 .실물의 미소영역의 응력측정이 가능	.정적응력측정 불가능 .감도가 낮다 .정량화가 어렵다	전분야	.기계 실작동 상태에서의 응력측정가능 .미소영역의 측정이 가능
홀로그라피 (Holography)법		빛의 간섭, 회절에 의해 생기는 무늬로부터, 주로 면외(面外)변위를 측정	.진동모드해석에 좋다 .표면연마할 필요가 없다 .실물 및 모델에서도 좋다	.방진장치필요 .고가이다	전분야	.진동상태의 해석에 좋다 .미소한 면의 변형측정이 가능 .피측정물의 표면연마 할 필요 없으며, 거칠어도 좋다
스파클법		빛의 간섭에 의해 생기는 스패클모양의 이동으로부터 면내변위 측정	.미소면내변위 측정 .표면연마필요 없음 .실물 및 모델에서도 좋다	.방진장치필요	기본적으로 Point by Point	.면내미소변위의 측정 가능(수 μm이상) .표면연마 필요 없어 목재, 벽돌등의 거친면 상태에서도 측정가능
자기스트레인 응력측정법		자기스트레인 효과에 의해 생기는 자기의 변화로부터 주응력차 측정	.실물의 잔류응력을 비파괴적 측정가능	.Gage길이가 길다	Point by Point	.잔류응력측정에 좋다 .X선에 비해 위험하지 않다
기타	코스틱법 부식법 각종변환기	응력확대계수의 측정에 좋다. 실용금속재료의 크랙 근방의 내부소성 스트레인의 측정이 가능 하중, 압력, 토크, 변위 등의 측정에 여러 가지의 변환기가 있다				

익힘문제

1. 육안검사의 종류와 적용한계에 대해 기술하시오.
2. 육안검사자가 갖추어야할 신체적인 조건을 설명하시오.
3. 육안검사에 사용되는 보아스코프(*borescope*)를 사용할 때 주의해야할 점은 무엇인가?
4. 누설검사의 종류와 특징에 대해 기술하시오.
5. 기포누설검사의 원리를 설명하시오.
6. 기포누설검사의 대표적인 검사방법 세가지를 설명하시오.
7. 암모니아 누설검사의 원리를 설명하시오.
8. 적외선이란 무엇이며, 이것의 파장 및 주파수 영역을 설명하시오.
9. 적외선열화상검사법의 원리에 대해 기술하시오.
10. 열탄성효과란 무엇인가?
11. 단열온도장법에 의한 결함 검출방법에 대해 기술하시오.
12. 전위차검사법(*EPDM*)의 원리와 적용한계에 대해 설명하시오.
13. 교류 전위차법에 의한 균열깊이 측정의 원리에 대해 기술하시오.
14. 전기저항스트레인 측정의 원리에 대해 기술하시오.

제 10 장   첨단 비파괴검사

10.1 개요 및 필요성

최근 들어 미국에서 발생한 일련의 군용기 사고, 원자력 발전소 사고, Columbia 우주선 폭발, 일본의 로켓 발사 실패, 미하마 원전 누출사고로부터 비파괴 안전진단의 필요성과 중요성에 대한 인식이 더욱 깊어지고 있다. 특히 소득 2만불 시대에 접어들면서 안전진단기술에 관한 사회적 관심 역시 증대되어 국민들은 깨끗한 환경에서 건강하고 안전하게 살기를 원하며, 이를 위해 삶의 질 향상을 위한 비파괴검사 분야의 차세대 핵심 원천 기술의 연구 개발의 필요성이 크게 부각되고 있다. 특히 고도의 신뢰성과 안전성이 요구되는 원자력 산업, 방위산업, 항공우주산업 등의 발달과 더불어 NDT 기술의 활용성과 중요성이 증대되고 있으며, 정확도와 정밀도에 대한 요구가 커지면서 미세결함과 재료특성에 미세변화까지 정확하게 검사할 수 있는 첨단기술의 개발이 더욱 요구되고 있다.

우리나라에서는 「비파괴검사기술의 진흥 및 관리에 관한 법률」의 제정과 함께 정부에서는 비파괴검사업을 고부가가치의 기술서비스 산업으로 육성하고, 비파괴검사 적용분야의 확대를 위해 법령·제도를 보완하고, 비파괴검사업의 발전 기반을 강화하고 있다. 구조물 진단에 주로 사용되던 비파괴검사 기술은 보안 및 재난 방지, 반도체 등 첨단제품의 품질관리와 물리량 측정에 적용되고 있으며, 특히, 우주항공, 부품·소재, 의료 등 첨단 산업분야에서 활용이 활발하고, 작업종사자들의 방사선피폭 우려가 없는 검사기술로 전환하기 위해 초음파·적외선·레이저 등을 활용한 다양한 기법이 개발·적용되고 있다.

10.2 첨단 비파괴검사 기술의 특징

비파괴검사 기술은 어디까지나 재료나 구조물 등을 비파괴적으로 즉 그 형상이나 기능을 전혀 변화시키지 않고 평가하는 유니크(*unique*)한 기술로 ① 표면, 내부에 존재하는 결함의 비파괴적 검출, ② 재질, 미세구조 등의 비파괴적 검출, ③ 위에 기술한 결과를 이용한 대상물의 성질, 건전성, 잔존수명 등의 평가가 가능하다. 따라서 비파괴적 재료 특성 평가에 의해 신소재의 개발, 제조, 출하, 사용 중 등의 각 단계에 있어 ① 재료의 개발 과정에서 재료를 비파괴적으로 평가하여 이것을 피드백(*feedback*)함으로써, 이상 원인을 분석하고 최적조건을 선택하는 것이 가능해 신재료 개발을 가속화할 수 있다. ② 재료 제조 공정에서 반(半)제품을 비파괴검사하고 불량품을 제거함에 따라 나머지 공정에서 필요하지 않은 비용을 제거할 수 있다. ③ 출하 전의 재료, 구조물의 품질관리, 품질보증, 안전성보증이 가능하고, ④ 사용 중의 재료, 구조물의 안전성 보증, 잔존 수명예측, ⑤ 고객으로부터 반품된 재료, 부품의 불량해석에도 비파괴검사가 필요하다.

최근에는 파인세라믹(*fine ceramics*), 첨단 복합재료(*advanced composite materials; ACM*) 등의 신소재, 새로운 코팅기술 등이 개발되었다. 파인세라믹은 우수한 내열성, 내마모성, 강성, 절연성 등을 갖기 때문에 자동차용 엔진 부품, 전자부품, 정밀기계부품, 의료부품 등의 분야에서 주목받고 있다. 또, 발전효율을 비약적으로 높이기 위한 발전용 고온 가스터빈 부품 재료에의 응용도 주목받고 있다. 첨단 복합재료는 경량·강인하여 항공기, 자동차의 본체(*body*), 브레이크슈(*brake shoe*)나 전자실드 재료 및 그 외 여러 분야에서 이용되고 있다.

이와 같은 분야에 사용되는 신재료는 예기치 않는 파괴에 의한 사고로 인명피해나 중대한 경제적 손실을 초래할 수 있기 때문에 충분한 신뢰성과 안전성이 요구되고 있다. 따라서 이를 보증하기 위해 신재료의 강도, 건전성 등을 비파괴적으로 진단·평가하는 기술을 확보하는 것이 매우 중요하다.

즉 테라헤르츠 이용 기술, LIBS(*Laser-Induced Breakdown Spectroscopy*), 중성자 반사율 측정 장치(*Neutron Reflectometer*) 등 산업설비·공공시설의 안전성 극대화를 위한 새로운 첨단 비파괴검사 진단 신기술의 출현은 다가오는 21세기의 새로운 산업사회를 향한 핵심기술(*key technology*)분야라 해도 과언이 아닐 것이다.

최근의 첨단 비파괴검사 기술의 특징적인 연구 동향을 간략히 요약해 보면 다음과 같다.

① 정량적비파괴평가(***Quantitative NDE***) 기술의 개발과 그 지능화를 통한 타 기술과의 융합화(***fusion technology***) 및 복합화(***IT, NT, BT*** 등) 방향으로 발달되고 있다. 선진국에서는 비파괴검사(진단)와 관련하여 IT 기술과의 융합 및 복합기술 개발이 활발하게 진행되고 있고, 모든 물리적 수단의 이용과 복수기법의 종합화(레이저, 초음파, X선, γ선, 중성자선, AE, 양전자선, 열파동, 적외선, 전자기, 와전류, 침투 등)로 가고 있다.

② 선진국에서는 비파괴검사를 전주기적으로 적용하여 산업설비·공공시설의 안전성 극대화를 시도하고 있다. 즉 구조물 및 설비의 설계단계에서부터 비파괴검사를 고려하여 완성된 구조물 및 설비의 안전진단을 매우 편리하게 하고 있다. 최근에는 스마트구조(***smart structure***) 또는 지적구조(***intelligent structure***)라 불리는 새로운 개념의 출현, 즉 재료 또는 구조물의 설계 단계에서부터 자기진단기능, 자기수복기능을 갖기도 하고 센서를 그들에 내장하는 방법도 활용되고 있다.

③ 검사공정의 자동화, 검사결과의 화상화와 에니메이션 등의 활용과 비파괴검사 장비의 전문가시스템(***expert system***)화

④ 현재 실기 부재에 적용되고 있는 비파괴검사 기술의 적용 한계의 극복, 측정 정밀도의 고도화, 검사효율 향상을 위한 검사 속도의 초고속화에 대한 연구가 진행되고 있다.

⑤ 레이저 초음파(***laser based ultrasonic ; LBU***), 공기결합초음파탐촉자(***air coupled transducer ; ACT***), 전자기음향탐촉자(***electromagnetic acoustic transducer ; EMAT***) 등을 이용한 비접촉 비파괴검사 기법의 개발

⑥ 초음파현미경(***scanning acoustic microscopy ; SAM***), 초음파원자현미경(***Ultrasonic AFM ; UAFM***) 등에 의한 나노 스케일 표층부 결함의 측정과 재료특성 평가 등이 있다.

10.3 첨단 비파괴검사 기술의 예

10.3.1 지적 재료·구조

항공기 등의 구조재로 첨단복합재료가 널리 사용되면서 그 검사에 요구되는 시간이나 비용, 능력의 면에서 종래의 초음파탐상이나 X선 검사는 대응하기 곤란해졌다. 이에 따라 지적 재료·구조(*intelligent or smart structure*)라는 개념이 최근 미국을 중심으로 연구되고 있다. 지적 내료·구조는 구조물과 센서를 통합한 것으로 그 일례로 복합재료 중에 광섬유센서의 네트워크(*network*)를 넣은 경우를 그림 10.1에 나타낸다. 광섬유의 한쪽 끝에서 빛을 보내고 다른 끝에서 빛을 받으므로 구조물에 손상이 생겨 광섬유가 파괴되면 수광량이 감소하기 때문에 구조물의 손상을 검출할 수 있다. 손상의 검출감도는 광섬유가 묻혀있는 위치나 방향, 광섬유 표면의 에칭처리에 의해 제어가 가능하다.

그림 10.2와 같이 끝 부분을 경면화(鏡面化)한 길이가 다른 2개의 광섬유를 인접하게 묻고 두 섬유의 출력광의 위상차를 측정함으로써 광섬유선단(2개의 섬유의 길이가 다른 부분)의 스트레인을 검출할 수 있다.

지적 재료·구조는 그 정의에 따라 다음 3가지로 나눌 수 있다.

① 유형 1 스마트 구조(*passive*) : 구조물의 상태를 결정하기 위해 구조물과 일체화 한 광마이크로센서시스템을 보유한다.

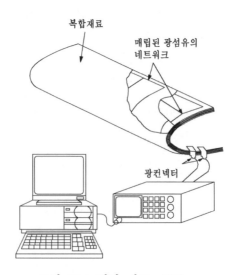

그림 10.1 지적 재료·구조

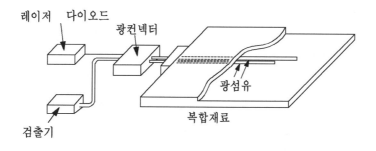

레이저 다이오드
광컨넥터
광섬유
복합재료
검출기

그림 10.2 스트레인측정을 위한 광섬유 센서

② 유형 2 스마트 구조(*reactive*) : 유형 1의 광 마이크로센서시스템과 더불어 구조물에 어떤 변화를 가져오는 액츄에이터 제어루프를 갖는다.
③ 유형 3 지적구조 : 적응학습능력을 갖는 스마트 구조이다.

이와 같이 스마트 구조는 복합구조물에 고도의 기능을 부가한 것으로 종래와는 다른 개념의 검사기술이라 할 수 있다. 21세기의 항공기나 우주플랫폼 등은 구조물의 상태와 그 사용 환경을 모두 검지 할 수 있을 것으로 예상된다.

10.3.2 피코-초음파법

자동차, 항공기, 발전용 터빈 등에 사용되는 각종 부품에 고경도금속, 니켈·티탄합금, 세라믹 등의 코팅을 하여 내열, 내부식, 내마모 등을 증대하는 방법이 널리 이용되고 있다.

또, 전자부품에서도 박막이 많이 이용되고 있다. 이들 코팅이나 박막에서는 두께, 밀착도, 박리의 유무를 아는 것이 매우 중요한데, 막두께는 매우 얇기 때문에 이를 위한 비파괴검사로 초단(超短)펄스레이저를 박막 표면에 조사하여 피코초(*pico-second*)초음파를 수신하는 기술이 개발되었다.

10.3.3 레이저-초음파법

현재 고온탄성률의 측정에는 일반적으로 공진법 및 초음파펄스법이 이용되고 있으나 이들은 비접촉측정이 아니기 때문에 고온영역에서 측정할 경우에는 여러 가지 문제가 발생한다.

이에 비해 비접촉으로 초음파를 발생·검출하는 것이 가능한 레이저-초음파법(*laser based ultrasonic; LBU*)은 고온탄성율의 측정에 유효한 기법이다. 레이저 초음파법은 그 검출방식에 따라 호모다인, 헤테로다인 및 파브리페로 간섭방식등으로 나눌 수 있는데, 여기서는 파브리페로 간섭계를 이용한 레이저-초음파법을 소개한다. 그림 10.5는 1600℃ 고온에서 SiC 세라믹스(밀도: 3.16 g/㎤, 열팽창률 : 4.4×10^{-6}/℃)를 고온영률, 레이져 초음파법, 공진법, 초음파펄스법으로 측정한 결과이다. 이 그림으로부터 위에 기술한 3가지 방법은 2% 범위 내에서 일치하는 결과를 얻는 것을 알 수 있다.

레이저-초음파법은 다른 비파괴평가방법과 비교할 때 다음과 같은 장점을 가지고 있다.

① 비접촉측정
② 1600℃ 이상의 초고온영역에서 측정이 가능
③ 종파와 횡파 양 초음파의 송수신이 가능하기 때문에 재료의 종탄성계수와 푸와송 비를 동시에 측정 가능

10.3.4 초음파현미경

초음파현미경(*scanning acoustic microscope; SAM*)은 물질 표면근방의 미크로한 탄성적 성질 변화를 초음파신호의 출력변화로 검출하고 화상표시하는 것이다. 초음파현미경은 미세한 형태나 탄성적 성질을 계측하는 장치로서 "현미경"과 같이 음향영상측정기능 이외에 음향특성을 정량적으로 계측해서 고정도로 음속이나 감쇠계수를 측정하는 기능이 있다. 초음파현미경에는 레이저주사형(*scanning laser acoustic microscope ; SLAM*)과 기계주사형이 있다. 레이저주사형은 시험체의 아래면으로부터 물을 넣고 평면초음파를 연속적으로 입사시켜 투과한 초음파에 의해 생기는 표층부의 음장을 레이저광선으로 주사하고 영상화하는 방법이다. 기계주사형은 음향렌즈(탐촉자)를 기계적으로 주사하고 반사법으로부터 영상화하는 방법이다.

주파수는 보통 1 ㎒ ~ 1 ㎓ 의 초음파를 이용, 음향렌즈로 초음파빔을 집속시켜 시험체에 입사시킨다.

10.3.5 누설 램파법

두 장의 판재를 접합한 재료의 접합계면의 양부 판단에 이용된다. 수침 2탐촉자 사각법으로 배열하면 판상 재료에 경사로 입사한 종파가 판두께와 주파수에 의해 결정되는 조건하에서 램파(*Lamb wave*)로 변환하여 판재 내부를 전파한다. 누설램파(*leakly Lamb wave*)가 발생하면 반사파의 음장에는 경면반사파의 성분과 누설파 및 그들과의 위상간섭대(*null* 영역)가 생긴다. 이 널(*null*)영역의 음압은 경계조건의 영향을 강하게 받기 때문에 두 장의 판재를 접착한 재료의 접합면의 상태에 대해 민감하게 반응한다. 이 때문에 접합계면의 양부 진단에 통상의 종파탐상법보다 훨씬 유리하다. 알루미늄판에 접착한 $40\mu m$ 티탄박막의 접착불량의 진단, 탄소섬유의 1방향 강화적층판 중의 인공박리가 고감도로 검출되고 있다.

10.3.6 전자기초음파공명법

비접촉 초음파법으로 알려진 전자초음파공명법의 원리는 코일을 이용해 재료 표면에 유도와전류를 발생시킨 후 여기에 자계를 중첩시켜 로렌츠(*Lorenz*)전자력을 발생시킴으로써 초음파를 발생시키는 것이다. 그러나 이 방법은 전기에너지로부터 초음파에너지로의 변환 효율이 매우 낮기 때문에 3 ㎒ 까지의 저주파수에 이용이 제한되어 왔다.

이 문제를 해결하기 위해 전자파의 주파수를 스위프하고 판, 막, 코팅상의 재료 중에 초음파의 공진을 일으켜 신호강도를 비약적으로 높이는 방법이 개발되고 있다. 자동차 차체의 재료로 사용되고 있는 박강판의 종탄성계수 등을 측정 시 응용되는 것 외에도 판, 상자, 관형의 금속재료나 코팅의 비파괴검사에 적용이 기대되고 있다.

10.3.7 전자기초음파 탐상

종래의 탐상에서는 탐촉자의 진동자를 전기적으로 여진하여 그 초음파 진동을 시험편에 접촉매질을 통해 전파시켜 결함 등으로부터 반사해 온 초음파 진동을 접촉매질을 통해 진동자에 전달시켜 전기신호로 변환하여 수신하고 있다.

이에 비해 비접촉초음파탐상에 사용되는 전자기초음파탐촉자(*electro-magnetic acoustic transducer ; EMAT*)는 탐촉자와 시험체가 전자기적으로 결합하면 기계적으로 접촉할 필요가 없어(비접촉) 접촉매질이 필요 없는 것이 종래 탐촉자와 가장 크게 다른 점이다. 압전진동자를 이용하는 탐상법에 비해 전기, 음향변환 능률이 떨어지고 탐상감도가 약간 저하하지만 비접촉이라는 이점이 있어 이러한 특징을 살려 열간 압연재나 표면이 거친 시험체의 탐상이나 두께 측정 등이 가능하다. 그리고 접촉매질의 두께의 영향을 받지 않기 때문에 정밀한 두께 측정이나 음속측정에 적합하다.

10.3.8 전자주사형 초음파탐상 장치

하나의 탐촉자 내에 수십개의 진동자가 일렬로 배열되어 있어 위상배열탐촉자(*phased array probe*)라고도 한다. 진동자에 미소한 지연시간을 주면 각진동자로부터 방사되는 초음파의 파면은 서로 간섭을 일으키고 입사면에 대해 경사방향으로 진행하는 초음파빔이 합성된다. 이 방법을 전자주사(*electronic scanning*)라고 한다. 이 방법을 이용하면 초음파빔을 자유자재로 편향시키거나 집속하는 것이 가능하다. 또 전자적으로 초음파빔의 주사를 제어할 수 있기 때문에 고속탐상이 가능하다.

미소 진동자(통상 0.1 ~ 2 ㎜ 의 폭)를 어레이(*array*)형으로 배열하고 순차로 전자스위치에 의해 바꾸어가며 송수신하거나 송신펄스와 수신회로의 위상을 제어함으로써 초음파빔을 전자적으로 주사하고 2차원으로 영상화하는 방법으로 리니어전자스캔(*linear electronic scanning*)과 섹터전자스캔(*sector electronic scanning*)이 가능하며, 섹터전자스캔법에는 수직이외에 사각빔의 송수신도 가능하고 동시에 임의의 깊이로 빔을 집속시키는 dynamic focusing도 가능하다.

10.3.9 극후방산란(*polar backscattering; PBS*)법

적층형의 복합재료에 초음파를 특정 각도로 입사하면 섬유의 방향성에 의한 이방성 때문에 산란파의 강도가 변화한다. 예를 들어 초음파의 입사방향이 섬유방향과 같은 경우에는 경면(鏡面)반사가 되어 후방산란파는 약해지지만, 수직방향인 경우에는 강해진다.

Bar-Cohen 등은 CFRP 적층판의 섬유배열을 Polar-C scan으로 화상화하는 것에 성공해 이 방법으로 섬유배열미스나 상간(相間)박리 등을 검출할 수 있다.

10.3.10 X선후방산란법

콤프턴(*compton*)효과에 의해 후방산란한 X선(*X-ray back scattering*)을 이용하여 화상화하는 검사방법이다. 미소영역 δV로부터 산란된 X선 강도를 콜리메타로 검출한다. 산란된 X선 강도는 δV중의 전자밀도에 비례하고 전자밀도는 δV의 물질의 밀도와 관계가 있기 때문에, δV의 밀도의 정보를 구할 수 있다. 시료를 입사X선에 대해 2차원주사하면 시료단면의 밀도분포를 얻을 수 있을 뿐 아니라 결함이나 보이드 등을 검출할 수 있다.

이 방법은 다음과 같은 장점을 가지고 있다.

① 표면처리가 불필요하다.
② 시험편의 크기에 제한이 없다
③ 3차원화상화가 용이하다.
④ 저밀도물질에서도 검사가 가능하다.

익힘문제

1. 첨단 비파괴검사 기술의 특징을 간단히 설명하시오.

2. 지적 재료·구조(*intelligent or smart structure*)의 원리와 특징에 대해 설명하시오.

3. 피코초(*pico-second*) 초음파의 원리와 특징에 대해 설명하시오.

4. 비접촉 비파괴검사 기법의 종류와 특징에 대해 설명하시오.

5. 레이저-초음파법(*laser based ultrasonic; LBU*)의 원리와 특징에 대해 설명하시오.

6. 공기결합초음파탐촉자(*air coupled transducer;ACT*)의 특징에 대해 설명하시오.

7. 전자기음향탐촉자(*electromagnetic acoustic transducer;EMAT*)의 특징에 대해 설명하시오.

8. 초음파현미경(*scanning acoustic microscope; SAM*)의 특징에 대해 설명하시오.

9. 위상배열탐촉자(*phased array probe*)를 이용한 전자주사형 초음파탐상 기법의 원리와 특징에 대해 설명하시오.

제11장 각종 비파괴검사의 비교와 적용

11.1 각종 비파괴검사의 분류와 그 비교

비파괴검사를 분류하면 결함검출과 스트레인측정으로 대별되는데, 전자는 내부결함과 표층부결함으로, 후자는 표점간 또는 점과 응력분포로 분류되고 그들에 대응하는 검사 방법은 그림 11.1과 같다. 그리고 각종 비파괴검사 방법의 원리와 적용 예 등을 종합적으로 요약하면 표 11.1과 같으며, 그 중 결함 검출을 위한 비파괴검사 방법에 대해 그 원리 및 검출 가능한 결함을 대상으로 정리하면 표 11.2와 같으며, 각 인자에 대해 개략적으로 비교하여 정리해 보면 표 11.3과 같다. 또, 표층부의 결함검출에 적합한 방법은 주로 자분탐상검사(*MT*), 침투탐상검사(*PT*) 및 와류탐상검사(*ET*) 3가지이며, 그 경향에 있어 3가지를 비교한 것을 표 11.4와 같이 나타낼 수 있다. 한편 내부에 존재하는 결함을 검출하는 방법은 주로 방사선투과검사(*RT*) 및 초음파탐상검사(*UT*)이며, 이 양자의 비교를 표 11.5에 나타낸다.

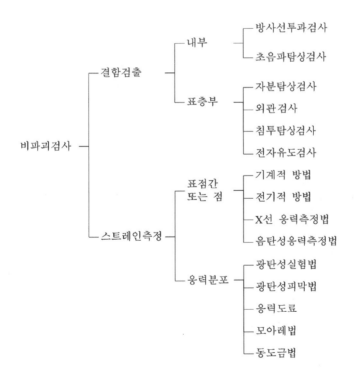

그림 11.1 비파괴검사의 분류

표 11.1 각종 비파괴검사 방법의 비교

검사방법	기본원리	검출대상 및 적용	특징
방사선 투과검사 (RT)	투과성 방사선을 시험체에 조사하였을 때 투과한 방사선의 강도의 변화 즉, 건전부와 결함부의 투과선량의 차에 의한 필름상의 농도차로부터 결함을 검출	용접부, 주조품 등의 내외부 결함 검출	반영구적인 기록가능, 거의 모든 재료에 적용 가능, 표면 및 내부결함 검출가능. 방사선 안전관리 요구
초음파 탐상검사 (UT)	펄스반사법 시험체 내부에 초음파펄스를 입사시켰을 때 결함에 의한 초음파 반사 신호의 해독	용접부, 주조품, 압연품, 단조품 등의 내부 결함 검출, 두께측정	균열에 높은 감도, 표면 및 내부결함 검출가능, 높은 투과력, 자동화 가능.
자분탐상 검사 (MT)	자기흡인작용 철강재료와 같은 강자성체를 자화시키면 결함누설자장이 형성되며, 이 부위에 자분을 도포하면 자분이 흡착	강자성체 재료(용접부, 주강품, 단강품 등)의 표면 및 표면직하 결함 검출	강자성체에만 적용 가능, 장치 및 방법이 단순, 결함의 육안 식별이 가능, 비자성체에는 적용불가, 신속하고 저렴.
침투탐상 검사 (PT)	침투작용(모세관, 지각현상) 시험체 표면에 개구해 있는 결함에 침투한 침투액을 흡출시켜 결함지시모양을 식별	용접부, 단조품 등의 비기공성 재료에 대한 표면개구결함 검출	금속, 비금속 등 거의 모든 재료에 적용 가능, 현장적용이 용이, 제품의 크기 형상에 등에 크게 제한받지 않음.
와전류 탐상검사 (ET)	전자유도작용 시험체 표층부의 결함에 의해 발생한 와전류의 변화즉, 시험코일의 임피던스 변화를 측정하여 결함을 식별	철강, 비철재료의 파이프, 와이어 등의 표면 또는 표면근처의 결함검출, 박막두께측정, 재질식별	비접촉탐상, 고속탐상, 자동탐상 가능, 표면결함 검출능력 우수, 표피효과, 열교환기 튜브의 결함탐지
누설검사 (LT)	암모니아, 할로겐, 헬륨 등의 시험체용기 내 혼입과 시험체 표면에서 검출기에 의한 누설의 존재, 누설개소 또는 누설량을 검출	압력용기, 석유저장 탱크, 파이프라인 등의 누설 탐지.	검지제의 독성과 폭발에 주의, 시험체의 용량이 클 경우 미소 누설량의 검출이 곤란. 관통된 불연속만 탐지가능, 최종 건전성검사로 주로 사용

검사방법	기본원리	검출대상 및 적용	특징
음향방출 검사 (AT)	고체가 소성변형 또는 파괴하는 경우 전위, 균열 등의 결함발생이나 성장에 수반하여 변형에너지의 해방과 함께 발생하는 탄성파를 검출하고 그 발생위치, 발생수, 신호강도로부터 재료 내부의 동적거동을 비파괴적으로 평가	금속재료, 복합재료, 압력용기 등의 재료 내부의 동적거동 파악에 의한 건전성평가, 회전체 이상진단, 잔여수명평가 등 재료특성 평가	미시균열의 성장 유무, 회전체 이상진단 등의 모니터링화 가능, 카이져효과, 소성변형 및 전위를 위한 에너지 필요, 불연속의 정적거동ㅇms 탐지 불가
육안검사 (VT)	인간의 시각에 의한 검사, 시험체 표면에 나타나는 결함이나 손상 등을 직접 또는 쌍안경, 확대경 등의 광학기기를 이용하여 육안으로 관찰	모든 비파괴검사 대상체의 이상(결함의 유무, 형상의 변화, 광택의 이상이나 변질, 표면거칠기 등) 유무를 식별하며, 취약부의 선정에도 활용	비파괴검사의 가장 기본, 검사의 신뢰성 확보가 어려움, Bore-scope나 Fiber-scope 및 소형TV촬영기 등에 의한 파이프 내면 정밀탐상, 광파이버를 이용한 고정도의 내시경검사 가능
적외선열화상 검사 (TT,IRT)	시험체 표층부에 존재하는 결함이나 접합이 불완전한 부분에서 방사된 적외선을 검지하고 적외선 에너지의 강도 변화량을 전기신호로 변환하여 결함부와 건전부의 온도정보의 분포패턴을 열화상으로 표시하여 결함을 탐지	각종 재료표면 결함의 고감도 검출, 철근콘크리트의 열화진단, 강도측정, GFRP 등 복합재료의 내부결함 검출, 열탄성효과에 의한 응력측정	표면상태에 따라 방사율의 편차가 커기 때문에 결함검출시 편차가 생기지 않도록 배경잡음, 전파경로에서 흡수산란의 영향을 제거할 필요가 있음
중성자 투과검사 (NRT)	방사선으로 중성자선을 이용하여 시험체의 재료결함, 용접불량 등에 의한 밀도분포나 두께의 이상을 투과방사선량 차 정보로부터 결함을 검출	원자로 연료재료의 사용전후의 검사, 우주 항공기부품 등의 품질검사, 두꺼운 금속재의 용기나 구조물 내부에 존재하는 경수소화합물의 검출, 높은 원자번호를 갖는 두꺼운 재료의 검사에 이용하여 또 핵연료봉과 같이 높은 방사성물질의 결함검사에 적용	방사선투과검사가 곤란한 검사 대상에 유리(납과 같이 비중이 높은 재료에 적용)

표 11.2 결함검출을 위한 비파괴검사 방법

검사방법	자분탐상	침투탐상	와류탐상	방사선투과	초음파탐상
	자기흡인작용	침투작용	전자유도작용	투과성	펄스반사법
결함검출의 원리	누설자속이 생겨 결함에 자분이 흡착한다.	침투액이 침투한다.	와전류가 변화하여 검출코일의 출력이 변화한다.	건전부와 결함부의 투과선량이 차로부터 결함을 검출한다.	결함으로부터 반사된 초음파를 수신하고 결함을 검출한다.
대상으로 하는 결함의 위치	표층부	표면	표층부	내부	외부
검출가능한 용접부 결함	균열, 핀홀	균열, 핀홀(표면에 개구한 결함)	균열, 핀홀	블로우홀, 용입불량, 융합불량, 일부균열, 슬래그 혼입	블로우홀, 용입불량, 융합불량, 균열 스래그혼입, 일집블로우홀

표 11.3 각종 비파괴검사에서 인자의 비교 예

방사선투과 (RT)	초음파탐상 (UT)	자분탐상 (MT)	침투탐상 (PT)	와류탐상 (ET)
방사선	탄성파	자장	침투성	유도전류
X선필름	브라운관 펜레코더	자분	침투제 현상제	오실로스코프 펜레코더
상질계	표준시험편 대비시험편	표준시험편	대비시험편	대비시험편
흡수계수	감쇠계수정수	투과율	표면장력	투자율 도전율
산란선	임상에코	반자장	표면거칠기	표피효과
실효에너지	초음파의 파장	자속밀도	표면장력	교류주파수
초점	진동자	자극		코일
사진농도	펄스반복주파수	자분농도	현상농도	위상
조사각도	굴절각	자장의 방향	접촉각	자장의 방향
투과사진의 콘트라스트	$\dfrac{h_f}{h_s}$	결함 누설자속 밀도의 변화	모세관 현상에 의한 침투액의 높이	임피던스 변화

표 11.4 자분탐상검사, 침투탐상검사 및 전자유도검사의 비교

원 리			자분탐상검사	침투탐상검사	전자유도검사
원 리			결함누설자장에 의한 자분의 치수	간극에 의한 액체의 침투탐상	전자유도현상과 와전류의 변화
대상재질	금속	강자성체	○	○	○
대상재질	금속	비자성	×	○	○
대상재질	비금속재료		×	○	×
대상결함	표면 결함	개구	◎	◎	◎
대상결함	표면 결함	비개구	◎	×	◎
대상결함	결함직하의 결함		○	×	○
결함에 관한 정보	결함의 크기	길이	○	○	△
결함에 관한 정보	결함의 크기	선형결함의 높이	△	△	○
결함에 관한 정보	결함의 종류판정		○	○	△
주요한 적용 예			철강재료 : 강철빌릿, 전단품, 각구봉, 관, 판, 용접부, 기계부품 등	철강, 비철재료 : 대상은 자분탐상검사와 같다.	철강, 비철재료 : 관, 선, 가는 환봉, 기계부품 등, 다른 고온에서의 탐상(선재, 강관 등)

◎ : 검출감도 좋음, ○ : 가능, △ : 현재로서는 곤란, × : 불가능

표 11.5 방사선투과검사(*RT*)와 초음파탐상검사(*UT*)의 비교

시 험 방 법			방사선투과검사(직접촬영법)	초음파탐상검사(펄스반사법)
원 리			건전부와 결함부에 대한 투과선량에 따라 필름상의 농도차	결함에 의한 초음파의 반사
대상 결함	체적결함		◎	○
대상 결함	면상결함		○(조사방향에 깊이가 있는 것) △(조사방향에 경사가 있는 것)	◎(초음파빔에 직각한 넓이가 있는 것) ○(초음파빔에 대해 경사가 있는 것)
결함에 관한 정보	형 상		◎	△(여러 방향에서 탐상)
결함에 관한 정보	치수	길이	◎(체적결함) ○(면상결함)	○
결함에 관한 정보	치수	높이	△조사방향을 변화시키는 방법 농도차에 의한 방법	○
결함에 관한 정보	위 치(깊이)		△(조사방향을 변화시키는 방법)	◎
적 용 예			· 용접부 · 전조품	· 용접부 · 압연품 · 단조품 · 전조품

11.2 비파괴검사의 적용

비파괴검사는 검사의 수단, 조사의 수단, 그리고 시험·연구의 수단으로 적용되는데 이 중에서 공업적 이용가치가 높고 가장 많이 이용되고 있는 것이 검사의 수단으로 적용하는 분야이다. 일반적으로 소재(素材)로부터 각종 기기(機器), 구조물의 검사는 여러 종류의 방법이 이용되고 있지만 주로 결함검사, 재질검사, 계측검사, 각종 두께측정 및 스트레인측정 등에 비파괴검사가 많이 이용되고 있다.

비파괴검사는 적용시기에 따라 다음과 같이 크게 3가지로 구분할 수 있다. 다시 말해, 제작 시에 하는 검사와 사용 개시후 일정기간마다 하는 검사이다. 사용전검사(*pre-service inspection ; PSI*)는 제작된 제품이 규격 또는 사양을 만족하고 있는 가를 확인하기 위한 검사이다. 원자력발전소의 경우 가동전검사(*PSI*)는 원자력발전소 건설 완료 후 상업운전 착수 전에 원자력발전소 안전성에 영향을 미치는 기기인 ASME Class 1, 2, 3, 기기에 대해 ASME Sec. XI 요건에 따라 비파괴검사를 수행하여 기기의 건전성 상태를 진단하고 향후 수행될 가동중검사 결과와 비교, 분석하는데 필요한 기초자료를 취득하기 위한 검사를 말한다.

가동중검사(*in-service inspection ; ISI*)는 다음 검사까지의 기간에 안전하게 사용 가능한가 여부를 평가하는 검사를 말한다. 원자력발전소의 경우 가동중검사는 원자력발전소의 상업운전 착수 이후 발전소 안전성 및 신뢰성을 확보하기 위해 ASME Sec. XI 요건 및 PSI 결과 등에 따라 가동중검사 대상 기기를 선정하고 향후 수행될 각 발전소의 계획예방정비 공기, 투입인력 등 발전소 제반 여건을 고려하여 전체 가동중검사 대상기기를 10년 주기의 장기 가동중검사 기간(장주기) 중에 적절하게 배분하여 장주기 1회 동안에 전체 검사 대상 기기의 검사를 완료하는 것으로 하고, 가동전검사 시 적용된 동일한 비파괴검사방법으로 매 발전소 계획예방정비 기간 중에 검사를 수행하여 PSI때 취득한 자료와 비교함으로서 각 기기의 건전성 상태를 진단하는 검사이다.

위험도에 근거한 가동중검사(*risk informed(based) in-service inspection; RI(B)ISI*)는 과거의 PSI/ISI 결과 등의 통계자료에 근거하여 가동중검사 대상에서 제외할 수 있는 것은 과감히 제외시키고 위험도가 높고 중요한 부위는 검사요건 등을 더욱 강화함으로써 ISI에 소요되는 경제적 부담과 시간을 절약하면서 원자력발전소 경계기기의 건전성상태를 진단하는 검사이다. 상시감시 검사(*on-line monitoring; OLM 또는 on-stream inspection; OSI*)는 기기·구조물의 사용 중에 결함을 검출하고 평가하는 모니터링(*monitoring*)기술로서 ISI 기간 단축의 목적도 있다. 플랜트 등이 정지해 있는 상태의 검사인 PSI/ISI와는 달리,

OSI는 플랜트의 가동에 의한 진동 등의 잡음으로부터 계측에 큰 장해를 받게 되어 현재 상태에서는 상당히 어려운 기술로 되어 있지만 음향방출검사나 와류탐상검사에 의한 모니터링 기술의 확립은 비파괴검사 분야의 향후 과제라 할 수 있다.

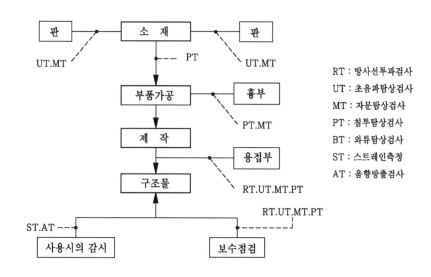

그림 11.2 용접구조물 비파괴검사의 예

공업화 또는 산업화의 과정에서 건축, 교량, 철근 콘크리트 등의 구조물, 석유 정제, 석유 화학플랜트, 항공기, 선박, 자동차, 철도 등의 수송기계·설비, 전기·원자력 시설과 설비 등의 설계, 제조, 검사 그리고 가동(운전), 보수점검 등의 각 프로세스에서 신뢰성, 건전성 그리고 안전성이 어떻게 확보되었는가가 매우 중요하다. 각종 비파괴검사의 특징으로부터 단일 기법 또는 복수 기법의 적용에 의해 신뢰성 등의 확보를 가일층 확실히 하고 있다.

예를 들면 용접구조물의 경우 그림 11.2의 제조 시 및 사용 시의 비파괴검사에 나타내듯이 소재로부터 부품을 거쳐 제조되는 구조물 또는 각종 플랜트의 건전성을 보증하는 무기로 비파괴검사는 매우 중요하다. 비파괴검사의 주목적의 하나는 신뢰성의 향상이고 비파괴검사를 적용하는 것에 의해 각 프로세스에서 제품 등의 불량률을 저하시키는 것이 가능하고 제조 코스트의 저감을 꾀하는 것이 가능하다는 것과 함께 제조 기술의 개선에도 기여한다. 용접구조물의 경우 검사의 위치의 예를 그림 11.3에 나타낸다.

비파괴검사의 적용과 기술은 경험적 요소로서 각종 사고 사례를 통해 계속 개량되어 왔다. 그와 동시에 규제 면에서도 각종 플랜트의 특수성에 관한 법령, 고시, 규격 기준의 해석 등이 의무화되어 그들을 적용하는 것에 의해 안전성의 확보를 보다 확실히 하고 있다.

예를 들면, 발전용 화력, 원자력 기기에 관하여 전기 공작물의 용접에 관한 기술 기준을 정하는 법령, 가스 공작물의 기술상의 기준을 정하는 법령, 압력 용기에 관한 법령 등이 있다.

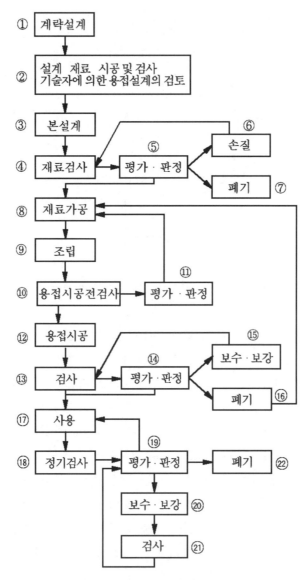

* 비고 : 그림에서 번호는 흐름의 순서를 나타낸다.

그림 11.3 용접구조물에서의 검사의 위치도

한편 동일 규격이라도 예를 들어 표 11.6과 같이 용기에 관해 ASME Code에서 Sec. Ⅲ와 Sec. Ⅰ을 비교해도 알 수 있듯이 재료나 제조에서 Sec. Ⅲ에서는 검사 항목이 UT, RT, MT, PT로 지정되어 있는데 비해, Sec. Ⅰ에서는 임의, 육안, RT로 되어 있고, 또 범위에서도 전자는 100% 체적과 표면검사를 요구하고 있는데 비해, 후자는 100% 체적만을 요구하고 있는 등 전자의 원자로용기 쪽이 후자의 보일러드럼 보다 엄격한 검사를 요구하고 있다. 이와 같이 검사 대상물 및 적용 법령, 규격 등에 의해 검사 항목, 내용 등이 다르다는 것을 알 수 있다.

표 11.6 원자로용기와 일반 플랜트용 보일러드럼의 비파괴검사

		ASME-section Ⅲ 원자로용기		ASME-section Ⅰ 원자로드럼	
		검사항목	범위	검사항목	범위
재료	관	UT	100% 체적	주의	실직적으로는 sec, Ⅲ보다 엄격하지 않음 위와 같음
	단조재 및 볼트	UT MT, PT	100% 체적 100% 표면	주의	
제조	용접홈 쉘 및 헤드의 이음	MT, PT RT MT, PT	100% 표면 100% 체적 100% 표면	육안 RT	100% 표면 100% 체적
	노즐용접	RT MT, PT	100% 체적 100% 표면	RT	100% 체적
	관등부용접	MT, PT	100% 표면	육안	100% 표면
수압시험 후	전용접선	MT, PT	100% 표면	육안	100% 표면
사용 전 ASME Sec. ⅩⅠ	쉘, 헤드, 노즐 용접 용기용접	UT UT UT	100% 체적 100% 체적 100% 체적	없음 없음	

* RT : 방사선투과시험,　UT : 초음파탐상시험,　MT : 자분탐상시험,　PT : 침투탐상시험

11.2.1 재료·기기·구조물 등에의 비파괴검사의 적용 예

가. 재료, 기기의 계측검사

재료, 기기 부품의 변형량 또는 부식량 등을 정량적으로 측정할 목적으로 계측 검사는 주로 정기적인 검사로 시행되고 있다. 재료 분야나 기기·구조물의 분야에 적용 예를 각각 표 11.7과 표 11.8에 나타낸다.

표 11.7 재료분야에서 비파괴검사의 응용상황

비파괴검사의 응용분야	주된 비파괴검사방법
강재반제품	
(1) 슬래브	광학법, UT·PT·ET
(2) 구형빌렛	MT·ET
(3) 각형빌렛	UT·MT
강 판	UT
조 강	UT·MT·PT·ET
관	ET·UT·RT
단 강	UT·MT·PT
주 강	RT·UT·MT·PT

표 11.8 기기·구조물분야에서 비파괴검사의 응용상황

비파괴시험의 응용분야	주된 비파괴시험방법
원자력압력분야	RT·UT·MT·PT·SM
보일러	RT·MT·SM
구형탱크	RT·UT·MT·PT·SM·AM
저온 저장탱크	RT·UT·MT·PT
열교환기 등	RT·UT·MT·PT·ET
수압철관	RT·UT·MT·PT·PT
파이프라인	RT·UT·MT·PT
펌프·콤프레셔·수차	RT·UT·MT·PT
밸브·피팅(배관상의 이음)	RT·UT·MT·PT
항공기용 엔진	RT·UT·MT·PT·ET·AE
로켓	RT·UT·MT·PT
철도차량·레일	UT·SM
자동차	RT·UT·MT·SM·AE
선박	RT·UT·MT·PT·SM
건축	UT
콘크리트·토양	탄성파탐상법·UT·SM
건축기계	RT·UT·MT·PT
중전기부품	UT·MT·PT

나. 재질검사

사용되는 각종 재료는 화학 성분, 금속 조직, 기계적 성질 등에 대해 설계상의 요구를 만족하는가가 중요하며, 경우에 따라서는 재질 또는 재료의 열처리 상황 등을 아는 것도 필요하다. 비파괴검사에 의해 예를 들면 알루미늄 합금의 재질 판별에 전자유도검사가 적용되기도 하고 또는 이 검사는 열처리 상태의 판별에도 이용되고 있다.

다. 표면 처리층의 두께측정

내마모성이 요구되는 부품, 또는 내식성이 요구되는 부품 등에 표면처리에 의한 경화층 깊이나 피막두께가 규정된 두께를 요구하는 경우, 각각의 깊이 또는 두께를 측정할 필요가 있다. 전자유도시험으로부터 침탄경화 깊이를 측정하는 것이 그 예이다.

라. 내부 구조 또는 내용물 검사

구조상 분해가 불가능한 것이라든가 또는 분해할 수 있어도 재조립이 곤란한 것의 내부 구조 또는 내용물을 조사하려 할 경우, 또는 내부구조에 이상이 있는가를 조사하는 경우 방사선투과검사를 이용하여 그 목적을 달성할 수 있다. 예를 들면 반도체, 전기 부품의 배선 조사나 공항에서 수하물을 조사하는 것에 이용되고 있다.

익 힘 문 제

1. ISO 9712에서 제시하고 있는 비파괴검사 방법을 분류하시오.

2. 가동전/중검사(*PSI / ISI*)란 무엇인가?

3. 위험도에 근거한 가동중검사(*risk informed(based) in-service inspection; RI(B)ISI*)에 대해 설명하시오.

제12장 비파괴검사의 표준화와 기술문서

12.1 비파괴검사의 표준화

비파괴검사의 응용 분야는 점점 넓어져가고 있으며, 그 주된 목적은 재료·부품·구조물에 내재하고 있는 유해한 결함을 가능한 한 조기에 검출하여 품질과 안전을 확보하는 것이다. 그리고 중대한 사고를 미연에 방지하기 위해서는 제조 시나 사용 중의 검사가 올바르게 실시되려면 탐상의 신뢰성을 반드시 확보해야 한다. 결함을 놓치고 결함에코와 의사에코의 오인, 결함위치/크기의 부적절한 평가, 결함의 종류/등급분류의 오판정 등이 있어서는 안 된다.

검사의 신뢰도는 다음 3가지 조건 중 어느 것이 미흡해도 문제가 생긴다.

① 검 사 원 : 필요한 지식과 기술을 보유하고 있다는 증명 가능한 유자격자가 작업할 것
② 검사기기 : 필요한 성능을 보유하고 있다는 것을 정기 검사로 확인한 기재로 작업할 것
③ 검사절차서 : 검사 사양을 검사대상물에 맞게 절차서 문서를 작성하고 그것에 따라 작업할 것

실제 작업 현장에서 검사 미스가 발생할 원인은 산재해 있다. 예를 들면 기기 관리가 철저하지 못해 성능 불량 상태로 방치되어 있다든가 검사원이 자격은 보유하고 있으나 오랜 기간 동안 재훈련의 기회를 갖지 못했다든가, 빠른 속도로 검사하는 것이 장려된다든가, 동기 유발이 억제되어 점검을 하려 하는 것에 대한 책이 서 있지 않는 것 등 이들 모두가 검사 미스가 동기가 된다. 따라서 검사의 신뢰성을 유지하기 위해서는 앞에 열거한 3가지 조건을 작업 상황에 따라 가능한 한 표준화해 두는 것이 중요하다.

12.2 표준과 규격

KSA 3001(품질관리 용어)에서 "표준(*Standard*)"이란 다음과 같이 정의되어 있다.

『관계하는 사람들 사이에 이익이나 편리가 공정하게 얻어지도록 통일·단순화를 도모할 목적으로 물체·성능·능력·동작·절차·방법·수속·책임·의무·권한·사고방법·개념 등에 대하여 정한 기준』

그리고 표준 중에서 주로 물품에 관계하는 기술적 사항을 정한 것을 "규격(*Code*)"라 부른다. 다시 말해 공업 제품에 대해 누구나 안심하고 사용할 수 있는 기준을 정한 것을 공업 또는 산업규격(*Industrial Standard*)이라 한다.

산업규격에는 국제규격(*ISO*, *IEC* 등), 국가규격(*KS* 등), 단체규격(각국의 학회/협회 등이 정한 규격, *ASME*, *ASTM* 등) 그리고 사내규격(각 기업이 자체적인 효율적 관리의 필요에 의해 정해진 규격) 등의 종류가 있다. 이들은 밀접한 관련이 있고 산업이나 시장의 환경 변화, 기술의 진보 등을 반영하여 신설·개정·폐지 등이 반복되고 있다. 동시에 보통 신중한 심의로 시간이 오래 걸려 일단 제정되면 변경하기가 매우 어려운 특성이 있고 최근에는 다소 불완전한 면이 있어도 우선 제정을 하고 문제가 있으면 짧은 기간 내에 개정을 해가는 경우도 많다.

ISO는 국제표준화기구의 약칭으로 물건과 서비스의 국제 교환을 쉽게 하고 각 분야에서의 국제 협력을 촉진하기 위해 세계적 규모의 규격의 제정을 꾀할 목적으로 1947년에 창립되었다. 법적으로는 각국 정부 사이에 조정이나 승인을 받아야하는 기관은 아니지만 관련 국가/관련 기관으로부터 자문을 받는 지위에 있다. 위원회 아래에는 전문 분야 별로 기술위원회(*technical committee ; TC*)가 설치되어 있고 비파괴검사는 독자의 전문위원회 (*TC* 135) 이 외에도 관련 전문위원회로 용접(*TC* 44), 원자력(*TC* 85)에 많은 내용이 포함되어 있다.

비파괴검사 관련 ISO TC 135 산하에는 다음과 같이 8개의 분과위원회(*sub- committee;SC*)가 설치되어 있다.

① SC 2 : Surface methods (MT/PT)
② SC 3 : Acoustical methods (UT)
③ SC 4 : Eddy current methods (ET)
④ SC 5 : Radiographic methods (RT)
⑤ SC 6 : Leak detection methods (LT)

⑥ SC 7 : Personal Qualification (PQ)

⑦ SC 8 : Thermal methods (MT/PT)

⑧ SC 9 : Acoustic emission method (AT)

비파괴검사 규격은 전문적인 독립 규격으로 취급하는 예는 적고 소재나 구조물의 구조/보수 규격의 일부로 섞여 있는 것이 많다. 각국의 초음파탐상검사에 관한 규격이 어떻게 제정이 되었고 또 그 적용범위가 어떻게 정해져 있는가에 대해서는 부록의 규격을 참고하고, 중요한 것은 이들 규격 사이에는 복잡한 상관관계가 있고 판정 기준의 레벨을 서로 맞추기도 하고 국제 규격과의 정합을 위해 몇 개의 규격이 동시에 개정되는 일도 종종 있다고 하는 것이다.

규격은 최소한의 요구 사항을 정한 것이기 때문에 규격에서 요구하는 것을 기준으로 생산/검사하는 것이 큰 문제는 되지 않으나 그 규격의 적용에 매달려 있다가 만약 승인을 받지 못하면 생략 또는 위반은 예를 들어 일부도 인정되지 않는다. 그러나 규격 자체에는 벌칙이 없고 법령에 인용되었을 때 이 외는 강제력이 없게 된다. 그래서 발주자/주문자 사이에는 계약 내용이나 적용 규격에 기초하여 기술 문서를 작성하고 신뢰 관계를 보증하며 이들을 잘 실행할 수 있는 관리 체제를 확립해 놓아야 한다.

12.3 NDT 기술문서

품질에 관련하여 기술적인 사항을 정한 문서를 기술문서라 하고 주로 사양서, 절차서(요령서), 지시서를 말한다. 그 외에도 다양한 사내 규격이나 기준 또는 규정, 시방서 등이라 불리는 문서도 있으나 공적인 규격, 외국어와의 대응이나 정의 모호함 때문에 여기서는 다루지 않는다.

12.3.1 사양서

발주의 경우 구입자 측으로부터 요구 내용을 보증하는 기술적인 요구사항에 대해 성문화 한 것을 사양서(*specification*)이라 한다. 다시 말해 『물건』을 살까 또는 서비스를 받을까 할 때, 어떠한 기능을 요구되고 있는가? 또는 무엇을 어떻게 할 작업을 의뢰할 것인가의 조건을 오해 없이 간결하게 표현하는 것이 사양서이다.

일반적으로 발주자는 수주자에게 견적의뢰서와 사양서를 제시하고 수주자는 그것에 해당하는 견적서와 견적 사양서를 발주자에게 제공한다. 발주자가 제시한 사양서의 조건에 무리가 있다든가 사양서 와는 별도의 방법으로 요구사항을 충족시키기를 원할 경우 수주자는 견적 사양서에 수정 제안을 제시하고 동시에 이에 근거한 비용의 견적서를 제시하게 된다. 양자 간에 기술 내용이나 가격에 관해 약간의 접촉이 있은 후 합의가 되면 발주자는 주문서를 발행하고 수주자와 정식으로 계약한다.

기계·제품·공구·설비 등에 관련하는 일반 사양에서는 요구하는 특정의 형상·구조·크기·성분·능력·정밀도·성능·제조방법·검사방법·포장방법·표시방법 등 필요사항을 열거하는 것이 통례이다. 검사 사양서에는 다음과 같은 항목이 기재되어 있다.

① 검사대상물
   대상물의 명칭, 용도, 설치 장소, 소유자, 크기, 형식, 사용재료용접부의 경우 용접 방법 (개선 형상, 용접 재료, 용접 방법 등)
② 발주하는 내용
   검사해야할 부위 또는 용접부, 검사 실시 장소, 개시 시간, 종료 시간 등
③ 적용하는 검사 방법과 탐상 기술자의 자격 및 적용 규격
   검사 방법, 적용해야 할 규격 및 관련하는 문서, 탐상기술자의 자격,

필요하면 원하는 사용 기재의 개요.

④ 합부 판정 기준과 판정 후의 표시 방법 및 처치

검출 레벨, 합부 판정을 지시하는 결함 등급, 합부 판정 후의 표시 및

처치 방법, 재검사 방법

⑤ 보고서

제출해야 할 보고서의 종류, 제출 시기, 제출 부수, 제출처 등

⑥ 품질보증 조항 (품질보증을 할 때)

품질보증 상의 수속 (품질보증 매뉴얼의 제출), 공장 심사,

그 외 제출 문서 등

12.3.2 절차서

업무 과정에 반복되는 일의 취급 방법을 통일하기 위해 정해진 작업 순서를 문서화 한 것을 절차서(*procedure*)라 한다. 동시에 발주자로부터 받은 사양서에 대해 수주자는 내용을 해석하고 구체화 한 것이기 때문에 발주자와의 협의용으로 작성한 문서를 요령서라 부르고 영문으로는 procedure로 동일하게 쓴다.

검사 절차로 구한 내용은 검사사양서와 거의 동일하고 각각의 항목에 구체성을 요하는 것이 다르다. 예를 들면 검사원은 실제로 담당하는 자의 이름·자격·인증번호 등의 일람을 첨부하고 사용 기재는 각각의 제작사, 사양(필요하면 성능의 요점) 등을 명기하고 탐상 방법은 도면에 첨부하는 것 등이 일반적이다.

규격·사양서를 실제 탐상에서 어떻게 적용하는가에 대해 기술한 것이 절차서이므로 절차서는 검사대상물 마다 개별적으로 작성하는 것이 원칙이다. 그러나 실제로는 대상물이 다양해도 절차서 기술에는 공통적인 내용이 많게 되므로 이 부분만을 정리하여 기준 절차로 하고 대상별 개별 절차에 대해서는 기준 절차를 참고하여 부족한 부분 또는 수정 적용할 부분을 보완하면 된다. 예를 들면 다음과 같이 초음파탐상 기준 절차를 2가지로 쉽게 나눌 수 있다.

① 수직탐상 기준 절차

(수직탐상에 관한 공통적인 기본 절차만을 총괄적으로 기술)

② 수직탐상 기준 절차

(사각탐상에 관한 공통적인 기본 절차만을 총괄적으로 기술)

이 외에 단조품 수직탐상이나 건축 각주 용접부 사각탐상 등과 같이 그 사업소에서 적용 빈도가 높은 대상물이 있으면 각기 기준 절차를 작성하는 예도 있다. 업무에 적합한 절차서 관리방법을 확립하는 것은 비파괴검사 기사의 중요한 임무이다.

12.3.3 지시서

작업자에 대해 개별 대상물에 적용하는 상세 작업 조건을 공통 작업 조건과 관련하여 알기 쉽게 지시하는 문서를 지시서(*instruction*)이라 한다. 지시서는 절차서를 더 상세하게 알기 쉽게 설명한 문서이므로 절차서 보다 그냥 자세히 길게 설명해 놓은 글로 생각하면 잘못이다. 지시서는 작업자가 실제로 눈앞에서 하고 있는 대상물은 구체적으로 어떻게 탐상할 것인가를 기술한 것이기 때문에 매우 좁게 한정된 범위에 대해 간단명료한 표현이라야 한다. 보통 1 ~ 2항으로 완결하는 것이 바람직하고 경우에 따라서는 현장에서 기록하는 검사성적서의 일부가 작업지시서로 쓰여진 것도 있다.

작업의 성격에 따라 절차만으로 현장 작업 지시가 충분하다고 생각할 때는 지시서를 만들지 않는다. 그러나 검사원 중에 초심자가 있으면 탐상의 조건 설정이나 절차에 실수를 하기 쉽고, 또 숙련도가 높으면 원칙을 무시하고 자기방식대로 하는 경향이 있어 필요하게 된다. 지시서에는 경우에 따라서 체크 리스트를 첨부하면 관리가 훨씬 충실하게 된다.

12.4 절차서 작성 방법

비파괴검사 기사가 작성해야하는 기술 문서 중에서 가장 대표적인 것이 절차서이다. 절차서는 검사대상물에 대응하여 작성된 것으로 그것에 명칭만 바꿔 넣으면 다 잘 맞게 적용할 수 있는 만능의 모델은 존재하지 않음을 알아야 한다. 따라서 작성하는 기술자는 『특정 검사 대상에 대한 검사 사양(규격을 포함)을 어떻게 잘 적용해 볼 것인가』에 대해 답을 주는 문서이다.

초음파탐상 절차서의 일반적인 작성 방법은 다음과 같다.(여기서는 기준 절차와 개별 절차를 구별하지 않고 주어진 검사 대상물에 대해 절차서를 작성해 가는 통상의 순서와 방법을 나타낸다)

1) 표제
검사 대상물과 탐상 방법을 정하고 다른 절차서와 혼용하지 않는 문장 제목을 부친다.
예 : ○○수력발전소·수압 철관 용접부·초음파탐상검사·절차서

2) 적용 범위
다음 사항을 포함하는 단문으로 정리한다.

① 대상물 명칭
② 재질·크기·형상 (재질은 재료 규격에 의한 분류 종별, 형상은 판/관 등의 종류 별)
③ 검사 대상 부위 (대형 구조물에서는 대상 부위를 특별히 정함, 용접부는 용접 관리 번호 등)
④ 탐상 방법 (수직/사각/자동 등)
⑤ 검사 실시의 시기 (검사 사양 지정의 공기)

3) 적용 규격
관련 사양서나 도서 등을 항목 이름의 하나로 하는 경우도 있다. 보통 다음 순서로 절차서 작성의 근거가 되는 문서를 나열한다.

① 공적 규격 (*ISO*, *JIS*/사양서/지침서 등, *MIL*, *ASME* 등)
② 발주처 사양 (*KEPIC* 공통 규격 등)
③ 그 외 (계약 내용에 의한 발주처가 특별히 정한 사양)

4) 검사기술자

작업 종사원의 이름, 자격의 식별, 인증 번호 등을 병기 한다. 교체, 보충 요원을 포함하여 작업을 담당할 가능성이 있는 자를 전원 올린다. 유자격자는 최소한의 조건이므로 『검사 대상의 특성에 충분한 지식을 가지고 있을 것』을 부기한다. 공사 규모가 커 사람 수가 많을 경우는 선정 원칙만 기록하고 상세는 첨부 자료에 의한다 라고해도 무방하다.

5) 사용 기재

기재의 다수는 구입 당시 보다 성능이 열화한다. 여기서 구입 시는 물론 정해진 주기 마다 정기점검을 하고 관리된 기재를 사용하도록 지정하는 것이 중요하다.

① 초음파탐상기 : 제작사, 형식 등
② 초음파탐촉자
③ 표준/대비시험편
④ 접촉매질
⑤ 그 외 기재

6) 탐상 방법

작업자에게 반드시 주어지는 현장의 상세에 대해서는 지시서로 대신하고 필요 최소한의 요점에 대해서만 스토리를 만들도록 한다. 가능한 한 도면이나 표를 활용하여 설득력을 높이도록 한다. 그 규격이나 사양서 그대로 베끼지 말고 작성자의 해석이나 응용이 쉽게 알 수 있는 내용으로 할 필요가 있다.

용접부 탐상 경우의 예로 대략족인 항목을 나열해 보면 다음과 같다.

① 탐상해야할 부위, 시기 (고장력강에서는 용접 24시간 후 등), 탐상부위 (가능한 한 도면 첨부), 탐상면과 그 범위 등, 탐상방향 (가능한 한 도면 첨부)
② 탐상감도 (거리진폭특성곡선, 에코높이구분선의 규정을 포함), 검출레벨, 이방성 보정, 수정 조작 (표면거칠기, 곡률, 감쇠)
③ 탐상감도 체크 (체크 결과의 기록/보고를 포함)
④ 탐상면의 준비 (표면 상태의 판단 등)
⑤ 주사범위, 주사방법 (주사기준선과 주사범위, 주사방법/패턴)
⑥ 그 외 (탐상속도, 방해에코와 결함에코의 판별, 주사 치구의 적용법 등 탐상 시의 부대조건)

7) 결함의 평가 방법

검출레벨을 초과하는 결함에코의 평가방법에 대해 기술한다. 최대 에코높이의 영역과 지시 길이를 측정 평가하고 등급 분류하는 절차에 대한 설명은 그림/표를 병용하는 것이 일반적이다.

8) 기록

규격 및 사양서에 의해 기록해야 할 결함이 지정되고, 특히 그것이 검출레벨과 다른 경우는 반드시 기록 방법을 기술한다.

9) 합부판정기준 및 판정

규격/사양서 (특기 사항을 포함) 에 의한다. 응력이나 피로가 관련하는 조건에 따라 분류된 판정기준이 적용되는 기준도 있다. 이 부분은 규격/사양서를 그대로 따라도 좋다.

10) 보수 후 재검사

보수 후 재검사는 최초의 검사와 동일한 절차로 하고, 양자의 결과를 병기한다 라고 지정하는 것이 보통이다.

11) 보고

보고서의 작성방법, 부수 등을 기술한다.

12) 그 외

그 외 『협의사항』이 있을 수 있다. 협의가 필요한 경우 정의, 협의의 방법, 협의 결과의 유효성, 협의기록의 교환방법 등을 정한다. 중요한 것은 발주자/수주자의 창구를 누가 담당할 것인가를 명확하게 하고 구두로 결론을 내리지 않고 서면으로 협의 과정을 남겨 당사자를 구속하는 것이다. 또 협의사항 이 외에도 불합격부를 검출했을 때 해당 부분에 마킹 방법이나 보수 방법을 정하게 하는 것도 있다.

12.5 실증 검사 보고서

　명확한 검사 규격이 없는 재료/부품/구조물에는 절차서 작성자 자신이 탐상 절차서를 만들어야 한다. 예를 들면 밸브 부품을 초음파탐상 검사 할 때 어느 부분에 어느 방향으로 결함이 발생하기 쉬운가, 수직탐상과 사각탐상 또는 그들의 조합 중 어느 것이 결함 검출에 최적인가, 수직탐상에서는 수침과 직접 접촉 중 어느 것이 유리한가, 탐상기/탐촉자는 무엇을 사용할 것인가, 인공 결함 시험편은 어떻게 가공할 것인가, 검출한 결함을 어떻게 평가할 것인가, 합격 불합격을 어떻게 판정할 것인가, 등등 과제가 복잡하게 된다.

　이들을 정리하여 순서를 생각하고 탐상 순서를 정리한다. 그러나 책상 위에서 생각했던 것만큼 실제 탐상이 쉽지 않기 때문에 현장으로부터 제품 1개를 채취하여 인공결함 시험편을 비교해 가며 절차서 대로 탐상이 유효한지 어떤지를 검사해본다. 그 결과를 기록으로 남기고 부적절했던 점에 대해서는 절차서를 수정한다. 도중에 생각해 왔던 그 외의 방법도 포함하여 필요하면 수정된 절차서에 근거하여 또 한 번의 탐상을 해본다. 이와 같은 과정을 실증검사(*demonstration test*)이라 하고 그 기록을 실증검사보고서라 부른다.

　특별한 탐상의 경우 절차서의 보증을 위해 확인시험을 하여 실증검사보고서가 요구되기도 한다. 또 심사할 때 절차서 작성자가 절차서 대로 탐상 가능하다는 것을 심사원의 면전에서 시행이 요구되기도 한다. 이들은 절차서가 명목상의 형식으로 끝나지 않고 가장 현장에 적합한 것으로 언제 어디서도 실증이 가능해야 한다라는 대원칙을 나타내고 있다. 다시 말해 탐상 절차서는 실증검사보고서와 일대일로 되었을 때부터 신뢰성이 확보된다.

익 힘 문 제

1. ISO TC 135에 대해 기술하시오.
2. ISO 9712는 무엇인가 ?
3. 비파괴검사에서 코드 및 표준(*code and standard*)의 국제규격의 통합화에 대해 설명하시오.
4. 절차서(*procedure*)와 지시서(*instruction*)에 대해 기술하시오.

【 찾아보기 】

■ 著者略歷 ■

박 익 근

- 한양대학교 기계공학과 卒
- 한양대학교 대학원 정밀기계공학과(공학박사)
- 펜실베니아주립대학교 방문교수

現, 서울과학기술대학교 기계공학과 교수

　　(사)한국비파괴검사학회 부회장 역임

　　· 이메일: ikpark@seoultech.ac.kr

　　· 홈페이지: 비파괴평가연구실 http://snde.net

비파괴검사 이론 & 응용 ❶

비파괴검사개론

발 행 일	2012년 3월 1일
제 3 판	2017년 3월 5일
저　　자	한국비파괴검사학회 박익근
발 행 인	박승합
발 행 처	노드미디어
등　　록	제 106-99-21699 (1998년 1월 21일)
주　　소	서울특별시 용산구 한강대로 320
전　　화	02-754-1867, 0992
팩　　스	02-753-1867
홈페이지	http://www.enodemedia.co.kr
I S B N	978-89-8458-251-4-94550
	978-89-8458-249-1-94550 (세트)

정가 32,000원